Mary Craig

Tränen über Tibet

Bericht über die Unterdrückung
der Tibeter und
die Zerstörung ihrer Kultur

Mit einem Vorwort
des Dalai Lama

W0231288

Scherz

Erste Auflage 1993.
Einzig berechtigte Übersetzung aus dem Englischen
von Liselotte Julius.
Die Originalausgabe erschien unter dem Titel
«Tears of Blood» bei HarperCollins, London 1992.
Copyright © 1992 by Mary Craig.
Deutschsprachige Rechte beim Scherz Verlag, Bern, München, Wien.
Alle Rechte der Verbreitung, auch durch Funk, Fernsehen,
fotomechanische Wiedergabe, Tonträger jeder Art und
auszugsweisen Nachdruck, sind vorbehalten.
Schutzumschlag von Gerhard Noltkämper
unter Verwendung eines Fotos von
Olivier Föllmie/Tibet Image Bank.

*Dem tibetischen Volk
und seinem gewaltlosen Kampf für Freiheit
und Unabhängigkeit gewidmet*

Inhalt

Vorwort
des Dalai Lama

Als chinesische kommunistische Streitkräfte vor über vierzig Jahren in Tibet einfielen, war dies der Beginn einer gezielten Aggression gegen ein unabhängiges, friedliebendes Volk, die unvermindert bis zum heutigen Tag weitergeht. Unter dem Schlagwort «Befreiung» ist das tibetische Volk und seine gesamte Lebensform angegriffen worden, was den Tod von 1,2 Millionen Menschen zur Folge hatte. Viele Tausende wurden eingekerkert, gefoltert und jeder erdenklichen Erniedrigung ausgesetzt.

Mit der Zerstörung von mehreren tausend Klöstern und der Vertreibung der Mönche und Nonnen gingen nicht nur die Zentren unserer Religion und Kultur mit ihren umfangreichen Bibliotheken und kostbaren Gerätschaften verloren, sondern auch das traditionelle Erziehungssystem. Es gibt heute junge Tibeter, die ihre eigene Sprache weder lesen noch schreiben können und damit von ihrem natürlichen Erbe abgeschnitten sind.

Die Mißachtung der Chinesen für die tibetische Bevölkerung hat sich in einer perfiden Siedlungspolitik manifestiert. Da zu dem starken Aufgebot an Besatzungstruppen noch chinesische Siedler in großer Zahl hinzukommen, besteht die Gefahr, daß die Tibeter zur Minderheit in ihrem eigenen Land werden. Schon jetzt werden sie, mangelhaft gebildet, arbeitslos und der elementaren Menschenrechte beraubt, als Bürger zweiter Klasse behandelt.

Dennoch ist ihr Lebensmut ungebrochen. Junge Menschen, die das alte Tibet nie gekannt haben, und Angehörige der älteren Generation demonstrieren unermüdlich gegen die chinesische Herrschaft und setzen dabei ihr Leben aufs Spiel.

9

Wir Tibeter im Exil haben das Glück gehabt, unsere religiösen und kulturellen Traditionen bewahren, unsere Kinder selbst erziehen zu können sowie Demokratie zu erlernen und ihre Mechanismen zu erproben.

Die Chinesen sprechen von Tibet als Teil des «Mutterlandes», doch wenn Kinder in zivilisierten Gesellschaften auf die Art mißhandelt würden, wie sie den Tibetern widerfährt, würde man sich unverzüglich ihrer annehmen. Die Welt muß wissen, daß die Tibeter in ihrer langen Geschichte niemals akzeptiert haben, ein Teil von China zu sein.

In einer Zeit, in der die Fackel von Freiheit und Demokratie in vielen Teilen der Welt heller aufflammt, braucht das tibetische Volk den Schutz internationaler Solidarität und Unterstützung. Um das zu erreichen, ist es unerläßlich, daß eine breite Öffentlichkeit darüber im Bilde ist, was sich im Laufe der letzten vier Jahrzehnte in Tibet ereignet hat. Dieses Buch führt das klar und eindringlich vor Augen, und ich möchte Mary Craig für ihre Arbeit Dank und Anerkennung aussprechen.

Prolog

Am 1. Oktober 1949 rief Mao Zedong in Peking die Volksrepublik China aus. Das signalisierte das Ende einer locker strukturierten Nationalregierung, die – vom Bürgerkrieg gebeutelt – fast vierzig Jahre bestanden hatte. An ihre Stelle trat ein zentralisierter, straff organisierter, streng kontrollierter, aggressiver, von Peking gelenkter Machtapparat.

Als das neue kommunistische Regime sich daran machte, seine Macht zu konsolidieren und zu erweitern, verleibte es sich auch die umstrittenen Randgebiete seines westlichen Nachbarn, Tibet, ein. Am 7. Oktober 1950, fast auf den Tag ein Jahr nach Maos Ausrufung der Volksrepublik, fielen 30 000 kampferprobte Truppen der Volksbefreiungsarmee in Zentraltibet ein, um das Land, wie sie sagten, von seinen feudalen Unterdrückern und von westlichen Imperialisten zu befreien.

Tibets winzige, unvorbereitete Armee hatte nicht die geringste Chance. Ihre Niederlage war unausweichlich. Die übrige Welt schaute weg. Darauf hatte China spekuliert. In jenem Jahr hatte gerade der kalte Krieg begonnen, im Juni 1950 war der Krieg in Korea ausgebrochen, da gab es dringendere Sorgen. Am 23. Mai 1951 wurden die Tibeter bei Verhandlungen in Peking vor die Wahl gestellt: entweder «friedliche Befreiung» durch die Chinesen oder militärische Vernichtung. In dieser Zwangslage entschieden sie sich für «Befreiung».

Vierzig Jahre später, am 23. Mai 1991, inszenierten die Chinesen zum Jahrestag der «Befreiung» Tibets ein wohldurchdachtes Festprogramm mit Gesang, Tanz, Picknicks und Feuerwerk. Es handelte sich um eine zynische Farce. Flugzeuge brachten schwerbewaffnete chinesische Polizeitruppen in die Hauptstadt Lhasa, um öffentliche Unmutsäußerungen der Tibeter im Keim ersticken zu können. Für die Bevölkerung von Tibet war dies natürlich kein Gedenktag der Befreiung, sondern des nationalen Niedergangs. Auf den Straßen von Lhasa wurden insgeheim Flugblätter verteilt, die nicht Freude, sondern eher «blutige Tränen» auslösten. Der 23. Mai 1951 war der Tag, von dem an ein Volk mit einer 2000 Jahre alten Kultur seinem Untergang entgegentrieb. Ihre Trauer an jenem vierzigsten Jahrestag offen zu zeigen, hätte jedoch für die Tibeter Gefängnis oder sogar den Tod bedeutet.

In all diesen 2000 Jahren war Tibet nur zweimal unter Fremdherrschaft geraten, im 13. Jahrhundert (Mongolen) und im 17. Jahrhundert (Mandschu). Der Einfluß blieb in beiden Fällen so gering, daß er in der Geschichte Tibets kaum Spuren hinterließ. Der Vertreter Irlands bei den Vereinten Nationen stellte während der Debatte der Vollversammlung über Tibet 1960 fest: «Zweitausend Jahre ... war Tibet ebenso frei und autonom wie jede Nation in dieser Versammlung und aufgrund seiner Lage tausendmal freier, sich um seine Angelegenheiten zu kümmern, als viele der hier vertretenen Nationen.» Das alles änderte sich mit dem Eindringen der kommunistischen Chinesen. Sie behaupteten, Tibet gehöre rechtmäßig ihnen, und kolonisierten es rücksichtslos. Repression, Hungersnot und Liquidierung waren die Folge.

In den ersten zwanzig Jahren der chinesischen Okkupation sollen 1,2 Millionen Tibeter – ein Fünftel der Gesamtbevölkerung – zu Tode gekommen sein, entweder durch Hunger – der unbekannt war, bevor die Chinesen kamen und die traditionellen landwirtschaftlichen Methoden veränderten –, durch Exekution, Haft, Folter oder Kampf. (Man hat Tibet als «ein Labor der chinesischen Sicherheitskräfte für Foltermethoden» bezeichnet.[1]) Tausende von Tibetern, darunter ihr Führer, der Dalai Lama, wurden ins Exil getrieben. Die Kulturrevolution von 1966–76 hinterließ tiefe Spuren unvorstellbarer Barbarei und radierte die tibetische Kultur und Religion beinahe aus. «Der Holocaust, der über Tibet kam», sagte Alexander Solschenizyn, «entlarvte das kommunistische China als grausamen und unmenschlichen Henker – brutaler und unmenschlicher als jedes andere kommunistische Regime der Welt.»[2]

Erst Anfang der achtziger Jahre brachte eine kurze Phase

scheinbarer Liberalisierung einen Hoffnungsschimmer. Doch diese Hoffnung wurde bereits 1983 enttäuscht, als eine chinesische Einwanderungswelle Tibet zu überrollen begann und die einheimische Bevölkerung im eigenen Land zur Minderheit machte. Tibetische Städte waren bald nicht mehr von chinesischen zu unterscheiden. Die Tibeter wurden zu Bürgern zweiter Klasse mit einer zweitrangigen Sprache degradiert. Sie hatten keine gesetzliche Vertretung, keine Redefreiheit, keine Möglichkeit, ihre Unzufriedenheit ungestraft zu äußern. Neue Wohnungen wurden ausschließlich für die chinesischen Einwanderer gebaut. In den tibetischen Stadtgebieten gab es weder fließendes Wasser noch Kanalisation und nur selten Elektrizität. Außerhalb der Städte waren die Lebensmittel knapp.

Im Jahre 1987 begann ein erbitterter Kampf um die Unabhängigkeit. Seither eskaliert dieses qualvolle und ungleiche Ringen. Auf gewaltlosen Protest reagierten die Chinesen mit brutaler Gewalt. Die Tibeter sind ein friedliches, zutiefst religiöses Volk, dem Gewaltanwendung widerstrebt, weil sie gegen buddhistische Überzeugungen verstößt. Daß sie entschlossen sind, die Unabhängigkeit durch gewaltlosen Widerstand zu erlangen, macht ihren Kampf so unvergleichlich.

Doch wie lange sie durchhalten können, wenn alle repressiven Machtmittel gegen sie eingesetzt werden, ist eine Frage, die sich manche Tibeter derzeit stellen. «Wie viele von uns müssen noch sterben, bevor wir Vergeltung üben?» ist zu hören. Es gibt die Befürchtung, daß die Tibeter aus Verzweiflung eines Tages Gewalt mit Gewalt beantworten werden und damit eine verheerende Lawine lostreten.

Die Chinesen behaupten (und die britische Regierung hat das ausdrücklich bestätigt), Tibet sei ein autonomes Gebiet innerhalb der Volksrepublik China. Aber, wie Robert Barnett in einem Artikel in *The Spectator* ausführte, es ist nicht das, was *wir* als autonom bezeichnen würden: «Jedes Gericht in Tibet ist von Peking abhängig, und wer etwas verlangt, das Pekings Auffassung vom Sozialismus, die Allmacht der Partei oder die Annexion Tibets in Frage stellt, begeht ein Kapitalverbrechen. Derartige Bedingungen entsprechen nicht dem, was die meisten Menschen unter Autonomie verstehen.»[3]

Die Chinesen lehnen es ab, sich der Tatsache zu stellen, daß –
eine geringe Zahl von Kollaborateuren ausgenommen – das
ganze tibetische Volk hinter der Unabhängigkeitsbewegung
steht. Sie geben vor, es handle sich lediglich um eine Handvoll
«Abweichler» und Reaktionäre, die Unruhe stiften. Menschenrechte, Religion, nationale Unabhängigkeit hätten nichts damit
zu tun, argumentieren sie; und alle Störungen gingen von
«kriminellen Abweichlern» aus. Doch für die Tibeter sind es
exakt diese drei Punkte, um die es in ihrem Kampf geht. Ihre
Menschenrechte wurden allzulange mit Füßen getreten, ihre
Religion ist nahezu ausgerottet, ihre nationale Identität gefährdet. Vor allem ist ihnen eine starre, verhaßte Ideologie aufgezwungen worden; und als man erkannte, daß dieser Versuch
gescheitert war, verfiel man darauf, das Land mit einer Flut von
chinesischen Siedlern zu überschwemmen. Seit 1987 haben die
Chinesen zudem ihre Politik der Geburtenkontrolle verschärft
und den Tibetern ein Programm von Zwangsabtreibung, Sterilisation und angeblich sogar Kindesmord aufoktroyiert.

Ist die übrige Welt informiert oder gar besorgt darüber, daß
die Chinesen im Namen der «Befreiung» Tibet eine der
schlimmsten Unterwerfungen der Geschichte aufgezwungen haben? Daß diesem unglücklichen Land eine besonders üble
Variante des Kolonialismus auferlegt wurde, die auf Völkermord hinausläuft? Daß die Tibeter in ihrem eigenen Land wie
Sklaven behandelt, als dumme, unwissende, schmutzige Wilde
verachtet werden? Daß ein Fünftel von ihnen ums Leben gekommen ist – durch Mord, Hunger, Krankheit oder Folter? Daß
das Töten immer noch weitergeht?

Was hat Tibet dem Westen je bedeutet, dieses Land, das bis
ins 20. Jahrhundert auf den meisten Weltkarten ein weißer Fleck
war, ein ungelöstes Rätsel? Ein fremdes, fernes Land, von
Göttern und Dämonen bevölkert, Shangri-La vielleicht, wo die
Menschen für immer in Unschuld lebten und die Zeit stillstand?
Hat dieses romantische Bild die Wirklichkeit überlagert und uns
daran gehindert zu begreifen, daß Tibet kein Phantasieland aus
Nebel und Magie ist; daß es hinter jenen majestätischen Berg-
gipfeln, die es so wirksam von einer gleichgültigen Welt abschir-
men, ein einsames Martyrium erleidet, das in der Chronik dieses

mörderischen Jahrhunderts zusammen mit Stalins Verfolgungen und Säuberungen, mit der Vernichtung der europäischen Juden durch Hitler und mit den Massakern des Pol-Pot-Regimes in Kambodscha genannt werden muß?

In jüngster Zeit hat sich an diesem Zustand völliger Unkenntnis manches geändert. Seit im Juni 1989 das Massaker auf dem Platz des Himmlischen Friedens (Tiananmen) in Peking den moralischen Bankrott des Regimes offenbarte, haben immer mehr Menschen in aller Welt von Tibets Verlangen nach Selbstbestimmung erfahren, diesem Wunsch Verständnis entgegengebracht und ihn unterstützt.

Als der Irak das benachbarte Kuwait überfiel, trat eine Allianz unter dem Banner der Vereinten Nationen gegen den Aggressor an. Doch der Gewaltakt der Irakis gegen Kuwait und seinen Reichtum an Öl entsprach haargenau dem, den die Chinesen vierzig Jahre zuvor gegen Tibet mit seinen reichen Bodenschätzen verübt hatten. Warum diese doppelte Moral? «Hier geschieht nichts anderes als in Kuwait», klagt eine Tibeterin. «Warum hilft *uns* denn niemand? Zählen wir zu den Tieren? Sind wir nicht auch Menschen?»[4]

Wären die gleichen Staaten, die dem Aggressor Saddam Hussein entschlossen entgegentraten, jetzt bereit, China in die Schranken zu weisen? Haben wir immer noch Angst vor Diktatoren wie Chamberlain und Daladier 1938 in München, oder sind es die Geschäfte, die wir mit ihnen machen wollen? Es ist denkbar, daß China den Forderungen nach Menschenrechten in seinem Land deshalb bisher kein Gehör geschenkt hat, weil von der Welt einfach nicht genügend Druck ausgeübt wurde.

Ich habe dieses Buch mit der Absicht geschrieben, die Geschichte eines vierzig Jahre andauernden Alptraums anhand von Zeugenaussagen derer darzustellen, die ihn durchlebt haben. Bei drei Besuchen in Dharamsala in Nordindien – «Klein-Tibet» genannt – habe ich mir die Berichte von jungen und alten Flüchtlingen aus allen Gesellschaftsschichten angehört. Sie bezeugen die Katastrophe, die ihr Land heimgesucht hat. Ich entschuldige mich nicht dafür, daß ich ihre Partei ergreife. Seit 1959 sind 110 000 Tibeter vor den Chinesen geflohen, und um die Worte des Dalai Lama zu zitieren: «Häufig weinen sie, weinen, weinen, und ich muß die Rolle der Mutter spielen, die sie tröstet.» Sie müssen davon sprechen. Die offizielle Version der Ereignisse ist schon viel zu lange unwidersprochen geblieben. – Gewiß ist es aber auch an der Zeit, daß jemand ähnliche Interviews mit chinesischen Bürgern macht, insbesondere mit solchen, die in Tibet leben und arbeiten. Es scheint, daß die Zeit für Tibet abläuft. Vielleicht ist es bald zu spät für eine Rettung. Druck auf China muß *jetzt* ausgeübt werden. Es wäre gut, sich an die Mahnung zu erinnern, die Lord Grimond kürzlich ausgesprochen hat: «*Appeasement* hat bei Hitler nicht funktioniert. Und es wird auch bei China nicht funktionieren.»[5]

Nicht Rauch noch Staub

Tibet und China werden sich an die Grenzen halten, die sie jetzt innehaben. Alles im Osten ist das
Land von Groß-China, und alles im Westen ist,
ohne jede Frage, das Land von Groß-Tibet. Fortan
wird keine Seite Krieg führen oder sich Gebiete
aneignen... Zwischen den beiden Ländern soll weder Rauch noch Staub zu sichten sein. Es soll keine
plötzlichen Angriffe geben, und das Wort «Feind»
niemand über die Lippen kommen... Alle sollen in
Frieden leben und gemeinsam zehntausend Jahre
vom Glück gesegnet werden.

Aus dem Friedensvertrag, den die
Kaiser von China und Tibet 821/22
unterzeichnet haben. Abschriften
finden sich auf Obelisken vor dem
Kaiserlichen Palast in Peking und
dem Jokhang-Tempel in Lhasa.

Tibet ist das größte Hochland der Erde und zugleich eines der
am dünnsten besiedelten und unzugänglichsten. Es steigt bis auf
nahezu 5000 Meter an; die zerklüfteten Bergketten scheinen den
Himmel zu erreichen, die Luft ist dünn und scharf. Die meisten
Städte liegen rund 3300 Meter hoch.

Tatsächlich gibt es zwei Tibets. Traditionell bezeichnete der
Name Gebiete im Westen wie Ladakh und riesige Königreiche
und Stammesterritorien im Osten und Nordosten. Die Bevölke-
rung bestand größtenteils aus Tibetern, was Rasse, Religion und
Kultur betrifft. Diese Landmasse, das sogenannte ethnische
Tibet, erstreckt sich von Indien, Pakistan und Afghanistan im
Westen über mehr als 3200 km bis zu den Ausläufern der

chinesischen Gebirge im Osten und von Nepal im Süden bis nach Ost-Turkestan (heute die chinesische Provinz Xinjiang) im Norden. Dies entspricht etwa der Größe sämtlicher EG-Länder. Im Norden, Westen und Süden dieses unendlich vielfältigen Landes bilden einige der höchsten Berge unseres Planeten eine natürliche Grenze, die Tibet vom Rest Asiens abschottet. Im Nordwesten fegen eisige Winde über die Steppe Changtang, die nur von abgehärteten und genügsamen Nomaden bewohnt wird. Es ist «ein Ödland mit gewaltigen Bergen, weiten, leeren, mit Schutt übersäten Landstrichen und von tiefster Einsamkeit geprägt»[1]. In den gottverlassenen Kältesteppen Changtangs kann die Temperatur im Winter bis auf 44 Grad unter Null sinken, während sich die gefrorenen Ödflächen im Sommer in Morast und Schlamm verwandeln.

Der östliche Teil Tibets wurde vorwiegend von unabhängigen Königen oder Häuptlingen beherrscht und in einigen Fällen von muslimischen Kriegsherren, manchmal mit der Unterstützung Chinas, doch zu keinerlei Loyalität verpflichtet. Der Nordosten (Amdo) wurde von Banditen unsicher gemacht, so daß sich nur Wagemutige dorthin begaben, und das sicherheitshalber mit Karawanen. Im Osten (Kham) bahnen sich einige der gewaltigsten Flüsse der Welt ihren Weg in die großen Ebenen Chinas und Südostasiens: Irawadi, Jangtse, Mekong, Salween, gespeist von gigantischen Eiszeitgletschern. Hier, wo die Bergriesen des tibetischen Hochlands allmählich in Wälder und fruchtbare Täler abfallen, gab es keine klaren, naturgegebenen Grenzen, die Tibet gegen Angriffe abschirmten.

Vor 1950 war für die benachbarten Mächte Tibet nur das Gebiet, das sich von den östlichen Grenzen von Ladakh bis zum Jangtse erstreckte: eine politische Einheit unter der Herrschaft der Dalai Lamas und ihrer Regenten. Dieses Territorium (bekannt als Ü-Tsang und West-Kham) ist identisch mit dem Gebiet, das heute die Chinesen meinen, wenn sie von «Tibet» sprechen.

Wenn sich auch die rassischen Ursprünge der Tibeter im Nebel der Legende verlieren, so ist eines klar: Sie sind nicht mit den Chinesen verwandt. Ihre Gesichtszüge sind schärfer und weniger orientalisch. Es wird angenommen, daß sie der gleichen Rasse entstammen wie die alten Türkvölker und Mongolen,

18

freiheitsliebende, unabhängige Nomaden. Ihre Sprache ist nicht direkt mit dem Chinesischen verwandt, während ihre Schrift sich aus dem mittelalterlichen Sanskrit ableitet, mit einem Alphabet anstelle von graphischen Symbolen. Die Bevölkerung von Ü-Tsang ist überwiegend kleinwüchsig (allerdings größer als die Chinesen), mit hohen Backenknochen, platten Nasen, runden Schädeln und wenig Körperbehaarung. Die Einwohner von Kham und Amdo dagegen sind knochige Hünen mit breiten Schultern und länglichen Köpfen. Sie tragen mit Edelsteinen besetzte Dolche und bedrohlich aussehende Messer an Ledergürteln – ihrem hitzigen Temperament entsprechend und im Gegensatz zu der eher leichtlebigen, heiteren Bevölkerung von Ü-Tsang, die Heinrich Harrer als «ein glückliches Völkchen mit seinem kindlichen Humor..., dankbar, wenn sie eine Gelegenheit zum Lachen finden»[2], beschrieben hat.

Über Jahrtausende mußten die Tibeter ihr Leben den harten geographischen und klimatischen Gegebenheiten anpassen. Da normale Anbaumethoden im größten Teil des Hochlandes unmöglich sind – und damit auch eine ständige Besiedlung –, war fast die Hälfte der schätzungsweise sechs Millionen Einwohner nomadische Hirten, Züchter riesiger Herden von Jaks, Schafen, Ziegen und Pferden, die im Sommer die Steppen ihrer Stammesgebiete von einer Weide zur anderen durchstreiften und sich im Winter, wenn der Boden gefroren war, aus dem eisigen, stürmischen Hochland in die milderen Gebirgsausläufer zurückzogen.[3] Die mit Schaffellen bekleideten Nomaden lebten in riesigen Zelten aus schwarzen Jakhaaren, die 200 Menschen Platz boten und sie selbst vor arktischen Temperaturen schützten.*

---

* Der Jak, ein langhaariges, bisonähnliches Tier, von Paul Theroux als «eine Kuh auf dem Weg in die Oper» charakterisiert, ist typisch für Tibet und vielseitig nutzbar. Er kann nur in großen Höhenlagen existieren, ernährt sich ausschließlich von Gras und Flechten und verfügt als Lasttier über ungeahnte Kräfte. Das männliche Tier liefert Fleisch, das weibliche Milch, Butter, Käse und Joghurt. Aus dem Fell werden Stiefel und Satteltaschen gefertigt; das Haar dient als Material für Zelte, Decken, Seile und Kleider. Die Knochen werden zum Hausbau verwendet; die Wirbelsäule gilt – zerstoßen und mit Goldstaub vermischt – als empfängnisverhütendes Mittel für Frauen. Der Kot wird getrocknet und zum Heizen und Isolieren benutzt.

Die übrige Bevölkerung lebte entweder im Süden, in dem vom Unterlauf des Brahmaputra (tibetisch: Yarlung Tsangpo) und seinen Nebenflüssen bewässerten Gebiet, oder in der östlichen Provinz Kham. Sie waren Bauern, Hirten oder Agronomaden. Ihre Lebensweise änderte sich im Lauf der Jahrhunderte kaum; sie bewohnten rechteckige Steinhäuser mit Flachdach in den Flußtälern zwischen den hohen Gebirgszügen, wo Höhenlage und dünne Luft nur den Anbau von besonders widerstandsfähigen Feldfrüchten zuließen. Dabei handelte es sich hauptsächlich um die sogenannte Hochlandgerste und Gemüsearten wie Kartoffeln, Rettich, Kohl und Erbsen. Das Tsamba, ein mit Butter, Milch oder Wasser angerührter Getreidebrei, bildete die Ernährungsbasis. Diese eintönige Diät – das Gegenstück zum Reiskonsum der Chinesen in den Ebenen – wurde manchmal ergänzt durch in Streifen geschnittenes getrocknetes Jak- oder Hammelfleisch oder Käse, die sie von den Nomaden im Tausch gegen Getreide erhielten.

Außerdem gab es die Händler, die Güter nach Indien, Nepal, Turkestan, Kaschmir, Pakistan, Bhutan, Sikkim oder China brachten. Als Lasttiere benutzten sie Jaks oder Pferde, mit denen sie auf den uralten Karawanenrouten durch Tibet zogen, um tibetische Wolle gegen Baumwolle, Fabrikwaren und chinesische Seide zu tauschen.

Für westliche Ohren mag es unglaubhaft klingen – aber fast ein Viertel der männlichen Bevölkerung lebte als Mönche im Zölibat. Die buddhistische Religion dominierte das ganze Leben – eine Tatsache, die den wesentlichen Unterschied zwischen Tibetern und anderen Völkern darstellt. Unmöglich, diesen Faktor zu überschätzen, ebenso unmöglich, die Tibeter zu verstehen, ohne ihre Religiosität in Betracht zu ziehen. Sie blieb nicht einem bestimmten Wochentag oder feierlichen Anlässen wie Geburt, Hochzeit oder Tod vorbehalten; sie bildete vielmehr die Grundlage ihrer Existenz, war für sie ebenso lebensnotwendig wie das Atmen. Unter gewissen Aspekten könnte man sagen, daß die tibetische Bevölkerung kaum dem Mittelalter entwachsen war, abergläubische Menschen, die viel auf Wahrsagerei und Horoskope gaben und an eine erstaunliche Zahl von Geistern und Dämonen glaubten. Sie vermochten nicht die kleinste Entscheidung zu treffen, ohne das Orakel zu befragen. Heinrich Harrer bemerkt dazu:

«Der Tageslauf des Volkes wird vom Glauben diktiert, unaufhörlich drehen sich die Gebetsmühlen, murmeln die Gläubigen die frommen Formeln, wehen die Gebetsfahnen von den Dächern der Häuser und auf den Pässen der Berge. Regen, Wind und alle Naturerscheinungen, die einsamen Gipfel des eis- und schneebedeckten Gebirges sind Zeugen der Allgegenwart der Götter: Im Hagelsturm zürnen sie, Gedeihen und Fruchtbarkeit zeigen ihr Wohlwollen. Das Leben des Volkes ist eingerichtet nach diesem Willen, dessen Interpreten die Lamas sind. Ängstlich sucht man die Zeichen zu erforschen, vor jedem Beginnen steht das gute oder schlechte Omen, unablässig wird gebetet, besänftigt und gedankt.»[4]

Was den Tibetern an Weltläufigkeit fehlte, machten sie durch religiöses Bewußtsein mehr als wett. Jede Stadt, jedes Dorf im Land besaß ein eigenes religiöses Zentrum, von entlegenen Höhlen und Einsiedeleien bis zu Klöstern vom Umfang einer Stadt. Das übliche Dorf bestand aus einem Kloster – dem Mittelpunkt des Gemeindelebens –, um das sich ein paar Bauernhäuser und ein Markt gruppierten. Jedes Haus, ob groß oder klein, hatte einen eigenen Altar, reich bestückt mit frommen Bildern und sakralen Gegenständen. Selbst die Nomaden errichteten Schreine, manchmal nur in einer Zeltecke, aber oft auch in einem eigens dafür aufgebauten Zelt. Überall im Land gab es Bauten (tibetisch: Chörten; Sanskrit: Stupa), in denen Reliquien von Heiligen der Vergangenheit aufbewahrt wurden. Und von jedem Dach flatterten die weißen Tuchstreifen der Gebetsfahnen.

Einige Klöster, wie die berühmten «Großen Drei» von Lhasa – Drepung, Sera und Ganden –, waren bedeutende Universitätszentren, die mehrere tausend Mönche beherbergten. Eben diese Mönche bewahrten das künstlerische und literarische Erbe des Landes, nahmen das umfangreiche medizinische Wissen ihrer Vorfahren in sich auf und verstanden sich hervorragend auf Heilkräuter. Knaben traten im allgemeinen mit sieben Jahren ins Kloster ein, doch nur die intelligentesten wurden zu den höheren Studien zugelassen und dann selbst Lehrer. Die übrigen wurden Baumeister, Künstler, Handwerker, Köche, Hausmeister und Diener. Bei den meisten spielte zwar aufrichtige Frömmigkeit die entscheidende Rolle, aber «viele Mönche waren nur Kinder, die man anstelle von Steuern oder Schulden dem Kloster zum Opfer gebracht hatte, damit sie bei bedeutenderen Lamas die Dienerrolle übernahmen. Andere Kinder wurden zum Zeichen der Ergebenheit ins Kloster geschickt und wieder andere, weil allein das Kloster die Hoffnung auf Bildung und Fortkommen bot in einem Land, das keine weltlichen Schulen besaß.»[5]

Der tibetische Buddhismus wird häufig irrtümlich als Lamaismus bezeichnet, und viele Menschen im Westen sprechen von «Mönch» und «Lama», als seien es austauschbare Begriffe. Doch wenn es auch zutrifft, daß manche Lamas Mönche sind, so sind andererseits keineswegs alle Mönche Lamas, denn um sich als Lama zu qualifizieren, sind zwanzig bis fünfundzwanzig Jahre Studium und Meditation erforderlich. Lama bedeutet «Guru» oder spiritueller Lehrer, und diese Bezeichnung wird nur auf diejenigen angewandt, die befugt sind, die buddhistischen Lehren (Dharma im Sanskrit, Chöd im Tibetischen) von einer Generation an die nächste weiterzureichen. Charakteristisch für den tibetischen Buddhismus ist der Glaube an die Reinkarnation bedeutender Lamas und an deren freie Wahl ihrer Wiedergeburt.

Das Mahayana, die von den Tibetern praktizierte buddhistische Lebensweise, beruht auf Selbstlosigkeit und Erbarmen und auf dem Glauben, daß alles, was uns widerfährt, eine Folge unserer früheren Handlungen ist; daß wir zur Erleuchtung gelangen, wenn wir Geduld, Toleranz, Freundlichkeit und Erbarmen praktizieren, zusammen mit einem genauen Blick auf die Realität, und dann keiner Wiedergeburt mehr bedürfen in eine Welt voller Leid und Qual. Die als spirituell erleuchtet verehrten Tulkus werden nach bestimmten Prüfungen als Reinkarnation einer verstorbenen Persönlichkeit angesehen. Eine weitere Entwicklungsstufe führt zum Bodhisattva, der die Buddhaschaft anstrebt, jedoch solange auf das Eingehen ins vollständige Nirvana verzichtet, bis alle Wesen erlöst sind. Sein Handeln wird von Erbarmen bestimmt, getragen von höchster

Einsicht und Weisheit. Er leistet tätige Hilfe und ist bereit, das Leid aller auf sich zu nehmen.

Ein überragendes Beispiel für einen Bodhisattva bietet der Dalai Lama, dessen Rang und Stellung sich mit den im Westen gängigen Begriffen nicht umschreiben läßt. Seine weltliche Autorität ist – bzw. war, bevor der 14. Dalai Lama ins Exil ging – ungefähr vergleichbar mit der eines Präsidenten und Premierministers in Personalunion. Er hat die politische Macht eines Königs, ist aber auch ein geistliches Oberhaupt der tibetischen Buddhisten in aller Welt. Der Dalai Lama, die gegenwärtige Inkarnation des Chenresi, des Bodhisattva des Erbarmens, des Schutzpatrons von Tibet, ist weniger ein Gott in Menschengestalt als vielmehr «eine göttliche Idee, die in einem menschlichen Wesen in einem solchen Ausmaß verwirklicht wurde, daß es zu ihrer lebenden Verkörperung geworden ist»[6].

Im alten Tibet dominierte die Religion unumstritten. Die Beratungen in der Nationalversammlung – bestehend aus fünfzig weltlichen und klösterlichen Vertretern unter dem Vorsitz eines Rats aus vier hochrangigen Mönchen – basierten auf dem buddhistischen Moralgesetz sowie auf dem Zivilrecht und konzentrierten sich nicht nur auf das materielle Wohl der Tibeter in diesem Leben, sondern auch, und das noch nachdrücklicher, auf ihr spirituelles Wohl im nächsten.[7] Politik und Wirtschaft rangierten ganz am Ende.

In dieser eigenartigen, von Lhasa verwalteten Theokratie gehörte alles Land dem Staat. Ein großer Teil war Adelsfamilien und Klöstern als erbliche Lehnsgüter überlassen worden. Die Regierung verfügte über ein paar Besitzungen zum eigenen Gebrauch, doch der größte Teil des verbleibenden Ackerlandes wurde parzelliert an Kleinbauern verpachtet.[8] Ob der tibetische Bauer in dieser mittelalterlichen Feudalgesellschaft nun auf staatlichen, klösterlichen oder auf den Gütern der etwa zweihundert Adelsfamilien arbeitete – er war Eigentum seines jeweiligen Herrn. Als Gegenleistung dafür, daß er ein Stückchen Land selbst bewirtschaften durfte, mußte er ein bestimmtes Maß an Zwangsarbeit erbringen und obendrein den größeren Teil seiner Erträge dem Grundbesitzer abliefern, so daß für ihn und seine Familie nur das unbedingt Lebensnotwendige blieb. Der Grundbesitzer hatte nicht nur das Recht, jeden gewünschten Pachtzins zu erzwingen, sondern konnte auch bei Verweigerung grausame Strafen verhängen. In manchen Gegenden waren Todesstrafe und Verstümmelung durchaus üblich. Doch es stimmt nicht, daß Leibeigene, die ihre Abgaben nicht entrichteten, ein Ohr oder eine Hand einbüßten, wie die Chinesen später behaupteten. Wäre das der Fall gewesen, hätte jedem Tibeter ja der eine oder andere Körperteil gefehlt.

Für den arbeitenden Tibeter war das Leben hart, aber nicht die reine Hölle, wie die chinesische Propaganda behauptete. Niemand scheint Hunger gelitten zu haben: In den Klöstern und den staatlichen Kornspeichern waren immer genügend Vorräte gelagert, um Engpässe infolge von Mißernten und Hagelschlag zu beheben. Jeder hatte einfache, warme Kleidung und eine ausreichende Unterkunft. Im großen und ganzen fühlten sich die Tibeter weder unterdrückt noch ausgebeutet, und ihre Lebensfreude wurde nicht getrübt durch das Verlangen nach einer Freiheit, die sie nie gekannt hatten. Sie feierten Feste, tanzten, lachten, tranken das einheimische Tschang (aus Gerste gebrautes Bier), besuchten Freunde und Verwandte und unternahmen regelmäßig Pilgerfahrten zu heiligen Stätten.

«Die tibetische Gesellschaft war alles andere als vollkommen», gibt Ugyen Norbu, ein Flüchtling aus einer großen Nomadenfamilie im Südwesten des Landes, freimütig zu, «aber wir waren damals sehr glücklich. Im nachhinein betrachtet war sie natürlich, angesichts der veränderten Weltsituation, rückständig und ließ viel zu wünschen übrig. Vom modernen Standpunkt aus waren wir isoliert und unwissend. Aber wir stellten keine hohen Ansprüche, und wenn es unserer Nahrung und Kleidung an Vielfalt fehlte, so machte uns das nichts aus. Wir waren daran gewöhnt. Ich hatte keinen Schulunterricht, erinnere mich jedoch, daß ich stundenlang mit kleinen Jaks und Ziegen spielte und im Fluß Kaulquappen fischte. Unsere Eltern sagten uns, wie glücklich wir über die vielen guten Dinge sein müßten, die uns das Leben bescherte. Da war vor allem unsere Religion. Wir mögen Analphabeten gewesen sein, aber die

Mönche kamen oft ins Dorf und erklärten uns die buddhistischen Leitsätze. Das Leben war ganz von der Religion bestimmt.»[9]

Trotz der mehr als ungleichen Verteilung von Geld und materiellen Besitztümern herrschte bei den Armen so wenig Unmut über die Reichen, daß es in der gesamten tibetischen Geschichte selten zu einem Volksaufstand gekommen ist. Da jedermann an die Lehren Buddhas glaubte, gaben sich die Reichen zumindest den Anschein von Großzügigkeit und zeigten sich die Armen ohne Neid. Im Grunde waren die Menschen mit ihrem Leben zufrieden. «Die Situation glich zwar in mancher Hinsicht der Frankreichs vor der Revolution. Den Unterschied bildete das Element des Erbarmens», erklärt Tendsin Chögyel, jüngster Bruder des jetzigen Dalai Lama und selber als Inkarnation anerkannt.* «Auf manchen Gütern mochte der Besitzer tatsächlich ein gnadenloser Sklaventreiber sein, der nur darauf aus war, seinen Wohlstand zu mehren. Aber insgesamt war die Beziehung zwischen denjenigen, die den Boden bearbeiteten, und den anderen, denen er gehörte, ähnlich der zwischen Vater und Sohn. Die Bauern wurden als Menschen betrachtet, um die man sich kümmern mußte, und die Bauern sahen im Gutsherrn denjenigen, der sich ihrer annahm. Es existierte eine enorme menschliche Bindung.»[10]

Während manche Bauern Anstoß an den Ungerechtigkeiten des Systems nahmen, gab es viele, die trotz der Mühsal ihres Lebens nicht klagten. Die Angehörigen von Tendsin Atisha waren Leibeigene auf einem Adelsbesitz in Westtibet: «Wir hatten ein richtiges Haus mit zwei Schlafzimmern und einem

---

* Nachdem der heutige Dalai Lama nach Lhasa gebracht worden war, bekam seine Mutter einen Sohn, der zwei Jahre später starb. Die Lamas und Astrologen rieten, die Leiche nicht, wie bei kleinen Kindern üblich, im Wasser zu bestatten, sondern den Knaben einzubalsamieren, um damit sicherzustellen, daß seine Wiedergeburt im gleichen Haushalt erfolgen würde. Ferner schlugen sie vor, am Körper des Kindes ein kleines Erkennungsmerkmal anzubringen. Das nächste Kind der Familie war Tendsin Chögyel; er trug die Markierung und bewies damit zur allseitigen Zufriedenheit, daß die Wiedergeburt stattgefunden hatte und das Kind in einem neuen Körper ein neues Leben beginnen konnte.

Hof. Meine Mutter sagte, es habe ihnen nie an Nahrung und Raum gemangelt. Allerdings mußten wir jedesmal, wenn Regierungsbeamte vorbeikamen, sie mit Pferden, Futter, Heizmaterial und Quartier versorgen, und das war eine große Belastung. Am schlimmsten für uns war, daß wir im Fall von Mißernten das neue Saatgut kaufen mußten und der Gutsbesitzer uns für geliehenes Geld hohe Zinsen abverlangte. Doch es gab dennoch sehr wenig Unmut. Meine Eltern erklärten mir immer, das sei unser Karma. Wir hätten in unserem früheren Leben offenbar Böses begangen und bekämen jetzt das, was wir verdienten. Wir akzeptierten das – und ich tue es noch immer. Jedenfalls war es für uns nicht so schwer wie für Dörfer, die weiter von Lhasa entfernt lagen. Im Osten nahmen einige Adlige und Gutsbesitzer das Gesetz selber in die Hand. Es war niemand da, der ihre Ausschreitungen verhindern konnte, und sie beuteten das Volk aus.»[11]

Im Lauf der Jahrhunderte waren die Klöster sehr mächtig geworden. Ihnen gehörte ein Drittel des Landes, sie mußten keine Steuern entrichten und hatten große Reichtümer angehäuft. Zuviel, behauptete Tendsin Chögyel: «Als der Buddhismus sich in Tibet auszubreiten begann, geschah das unter der Schutzherrschaft des Königs. Der Buddhismus war sozusagen ein zartes Pflänzchen, das sorgfältig gepflegt werden mußte. Doch im Lauf der Zeit stabilisierte er sich, und das ganze System wurde zum Monstrum. Mitunter stellten die Klöster, die über zuviel Land verfügten, zu hohe Forderungen an die Bauern, die auf diesem Grund und Boden arbeiteten, obzwar, genaugenommen, jeder Mönch sich auf den Weg machen und um sein Essen bitten soll. Doch viele von ihnen beuteten das Volk aus, und grundlegender Wandel war erforderlich.»[12]

Es geschah in der Regierungszeit der frühen Könige von Zentraltibet, daß weise Männer aus Indien seit dem 7. Jahrhundert den Mahayana-Buddhismus im Land einführten. Er trat schließlich an die Stelle der alten Bön-Religion, deren Bollwerke bis heute erhalten geblieben sind. Der Schriftsteller Hugh Richardson, einer der bedeutendsten Tibetkenner des 20. Jahrhunderts, hat darüber nachgedacht, ob die einst militaristischen und ehrgeizigen Tibeter – zwischen dem 7. und 9. Jahrhundert herrschten sie über ein Reich, das sich vom Golf von Bengalen im Süden bis nach China im Osten erstreckte – durch den Buddhismus gezähmt wurden oder ob sie eine Religion, die ihrem Temperament und ihren Bedürfnissen so außerordentlich entsprach, problemlos angenommen haben.[13] Wie auch immer, ein feierlicher Friedensvertrag legte im Jahre 821/22 die Grenze zwischen den beiden Nachbarländern fest und vereinbarte, daß «Tibeter in Tibet glücklich sein sollen und Chinesen in China». Danach verzichteten die tibetischen Herrscher auf jeglichen Militarismus, und der Buddhismus veränderte allmählich die Gesellschaft. Der Prozeß vollzog sich jedoch schrittweise und nicht ohne Rückfälle. Im 9. Jahrhundert verfolgte der tibetische König Langdarma den Buddhismus bis an die Grenze der Vernichtung, und zwei Jahrhunderte lang spielte er kaum eine Rolle. Erst als der große indische Gelehrte Atisha 1042 nach Tibet kam, hat der Buddhismus offenbar neuen Auftrieb erhalten. Innerhalb von dreißig Jahren nach seiner Ankunft wurden etliche bedeutende Klöster gegründet, deren Einfluß, Reichtum und Macht der tibetischen Geschichte eine neue Richtung gaben.[14]

Im 13. Jahrhundert kam Tibet unter die Herrschaft des Dschingis-Khan und wurde Teil des riesigen Mongolenreiches. Die führenden Lamas von Tibet boten einen Handel an: geistige Beratung gegen Schirmherrschaft und Schutz vor künftigen Angreifern. Als Kublai-Khan, der Enkel von Dschingis-Khan, ein paar Jahrzehnte später China eroberte und es zum Zentrum seines Mongolenreiches machte, übernahm er den tibetischen Buddhismus als Staatsreligion und setzte die spezielle Beziehung Priester/Schutzpatron fort, die beide Seiten zufriedenstellte und es den Tibetern ermöglichte, weiterhin ohne Militär und für sich zu leben. Lange bevor China seine Unabhängigkeit zurückgewann (1386), hatte Tibet bereits die politischen Bindungen an das Reich gelöst, doch die einzigartige Beziehung Priester/Schutzpatron mit den Mongolen dauerte fort.

Es war der Mongolenfürst Altan-Khan, der 1578 Sonam Gyatso, dem Abt von Drepung, Hauptkloster der Gelugpa-Schule, den Ehrentitel *Dalai Lama* verlieh (wörtlich: «Lehrer, dessen Weisheit so groß wie der Ozean ist»). Und im Jahre 1642 vereinigte der 5. Dalai Lama ganz Zentraltibet (Ü-Tsang) mit starker Unterstützung der Mongolen unter seiner spirituellen und weltlichen Oberherrschaft. Um die Dominanz der Gelugpa-Schule zu festigen, verlieh der «Große Fünfte» seinem verehrten Lehrer, dem Abt des Klosters Tashilhünpo bei Shigatse, den Titel *Panchen Lama* («Großer Gelehrter»), womit er anerkannte, daß dieser die gleichen geistigen Machtbefugnisse besaß wie er selbst (jedoch keine politischen, was unbedingt festzuhalten ist). Diese beiden, der Dalai und der Panchen Lama, waren fortan die zwei wichtigsten Persönlichkeiten in der Gesellschaft von Zentraltibet, wobei dem Dalai Lama die einflußreichere Rolle zukam. Der «Große Fünfte» erbaute den prachtvollen Potala-Palast in Lhasa, der tausend Räume hatte und ihm als Regierungssitz dienen sollte; er wurde verehrt als eine Inkarnation des Chenresi, des Bodhisattva des Erbarmens und Schutzpatron Tibets. Der Gott-König hatte die Bühne der Geschichte betreten.

Als 1644 der erste Mandschu-Kaiser die Herrschaft über China antrat, bot auch er dem Dalai Lama die Rolle des geistigen Führers an und als Gegenleistung den Schutz seines Reiches. Dies war die einzige formelle Bindung zwischen beiden Ländern. Zwischen 1720 und 1792 verteidigten die Mandschu tatsächlich Tibet gegen Einfälle der Mongolen und Gurkha, doch wenngleich die Kaiser zwei Vertreter (Ambane) in der tibetischen Hauptstadt Lhasa etablierten, verleibten sie Tibet nicht ihrem Reich ein. Im Laufe des 19. Jahrhunderts waren die Mandschu-Kaiser ganz darauf konzentriert, ihren durch einen ständig zunehmenden Degenerationsprozeß bedingten Machtverfall aufzuhalten, und so waren auch die Ambane bald kaum mehr als Provinzbeamte, Berater des Dalai Lama und seiner Regierung.

Die Briten, deren Empire jetzt Nordindien und die Länder im Himalaya-Gebiet umfaßte, bekamen dies zu spüren, da jedes Abkommen, das sie mit China über Handelsrechte in Tibet vereinbarten, von den Tibetern einfach ignoriert wurde. Der politische Beauftragte der Briten in Sikkim äußerte Ende des 19. Jahrhunderts die Ansicht, die Chinesen verfügten in Tibet über «keinerlei Autorität» und China besitze «nur dem Namen nach Oberhoheit über Tibet»[15]. Lord Curzon, der 1899 Vizekönig von Indien wurde, schrieb 1903 an seinen Außenminister: «Wir betrachten die chinesische Oberhoheit über Tibet als eine konstitutionelle Fiktion – eine politische Heuchelei, die nur aufrechterhalten worden ist, weil dies beiden Seiten entgegenkommt.»[16] Das war nicht sonderlich ermutigend für die Briten, denen ein Machtvakuum in Tibet durchaus unerwünscht war, zumal da das zaristische Rußland davon profitieren könnte.

Es waren die Jahre des politischen Drahtseilaktes und Machtpokers, als das zaristische Rußland und das viktorianische England die Herrschaft über Zentralasien anstrebten – oder wenigstens eine Vorrangstellung zu erringen trachteten.[17] Tibets geographische Lage als Dach der Welt, eine natürliche Festung, von der aus sich Indien, China und Rußland beobachten ließen, bedingte, daß keine Großmacht die strategische Bedeutung dieses Landes als Pufferstaat ignorieren oder gar dulden konnte, daß irgendwelche Rivalen dort Einfluß gewannen.

Als die Armeen des Zaren unerbittlich durch Zentralasien auf Indien vorrückten, wurde England alarmiert. Tibet war der Schlüssel zum Sieg, übte jedoch weiterhin strengste Neutralität und Zurückhaltung. Nachrichtendienstliche Hinweise ergaben, daß die Russen sich dort Einfluß zu verschaffen suchten, woraufhin England sich zum Handeln entschloß. Ein britisches Expeditionskorps traf 1904 in Tibet ein, um einen Handelsvertrag zu erzwingen. Diese Truppe, befehligt von Colonel Francis Younghusband, richtete unter der bescheidenen tibetischen Armee, deren Ausrüstung kaum mehr als Luntenmusketen und Gebetsmühlen aufwies, ein furchtbares Blutbad an.[18] Sobald der militärische Gegner geschlagen war, benahm sich die Expeditionstruppe verhältnismäßig zivilisiert. Plünderungen und Vergewaltigungen fanden nicht statt, auch keinerlei Diskriminierung der tibetischen Religion. (Ironischerweise hatten die Chinesen die Tibeter davor gewarnt, daß die Briten ihre Religion zu vernichten suchen würden.) Nachdem Colonel Younghusband als erster westlicher Soldat den Fuß in die heilige Stadt Lhasa gesetzt hatte und der Regierung dort die exklusiven Handelsrechte abgerungen worden waren, zogen die Briten ab.

Sie hinterließen lediglich eine kleine Handelsmission in Gyantse. Der 13. Dalai Lama hatte sich zuvor übereilt in der Mongolei in Sicherheit gebracht.

Das britische Unternehmen versetzte China in helle Aufregung, und in Anbetracht des Gesichtsverlusts entschloß sich die Mandschu-Regierung zu einer aggressiven «Reformpolitik». Die kaiserliche Armee nutzte die Abwesenheit des Dalai Lama und marschierte ohne Vorwarnung in Osttibet ein, wo sie eine blutige Spur von niedergemetzelten Mönchen und Laien hinterließ. 1910 eroberte sie Lhasa. Der erst 1909 aus der Mongolei zurückgekehrte Dalai Lama mußte Tibet nach wenigen Monaten wieder verlassen, da die Chinesen einen Preis auf seinen Kopf ausgesetzt hatten. Diesmal ging er jedoch nach Indien, wo er in der kleinen Handelsstadt Kalimpong im Himalaya-Gebiet Zuflucht nahm. Unterwegs hatte er an britische Vertreter in Indien geschrieben: «Ich zähle jetzt auf Ihren Schutz und vertraue darauf, daß die Beziehungen zwischen der britischen Regierung und Tibet so sein werden wie die eines Vaters zu seinen Kindern.»[19] Es war eine Wendemarke in der tibetischen Geschichte, und die Freundschaft, die sich zwischen dem Dalai Lama und Sir Charles Bell, seinem englischen Betreuer, entwickkelte, schuf die Basis, aus der schließlich eine echte Freundschaft zwischen Großbritannien und Tibet erwuchs.

In Lhasa trafen die plündernden Chinesen auf erbitterten Widerstand der Bevölkerung. Die Stadt wurde gerettet durch die Ereignisse in Peking, die Revolution der Jungchinesen, die im Oktober 1911 unter Führung von Dr. Sun Yatsen ausbrach. Nach dem Sturz der Mandschu-Dynastie kam es zu Auseinandersetzungen innerhalb der kaiserlichen Armee, die rasch auf die Garnison in Lhasa übergriffen. Die Tibeter nutzten die Chance, das Militär aus Lhasa zu vertreiben und viele der verlorenen Gebiete (wenngleich nicht alle) jenseits des Jangtse zurückzugewinnen. Als der Dalai Lama 1913 im Triumph nach Lhasa zurückkehrte, bot Sun Yat-sens neue republikanische Regierung an, den früheren Status – Priester/Schutzpatron – zu erneuern. Doch der Dalai Lama lehnte ab. Es sei für Tibet an der Zeit, mit der Vergangenheit endgültig Schluß zu machen und seine Unabhängigkeit zu erklären, antwortete er und fügte hinzu, die kolonialistischen Hoffnungen Chinas hätten sich verflüchtigt «wie ein Regenbogen am Sommerhimmel»[20].

Die Chinesen wollten nicht aufgeben, und die östlichen Grenzregionen blieben weiterhin ein Spielball der Kontrahenten. Auf einer Konferenz in Simla, an den Ausläufern des Himalaya gelegen, versuchten die Briten 1913, zwischen Chinesen und Tibetern zu vermitteln. Jetzt behaupteten die Chinesen *zum ersten Mal*, daß Tibet siebenhundert Jahre lang ein wesentlicher Bestandteil von China gewesen sei, während die Tibeter mit einer beeindruckenden Fülle von Belegen den Gegenbeweis antraten. Sechs Monate später, 1914, wurde nach erbitterten Wortgefechten ein Kompromißabkommen erzielt, das China eine nominelle «Oberhoheit» – faktisch ein Protektorat – über Tibet zugestand, mit der Auflage, die Autonomie des Landes zu respektieren und zu garantieren und sich nicht in seine inneren Angelegenheiten einzumischen.

Die Tibeter, zwar hellhörig geworden durch den Begriff «Oberhoheit», erklärten sich zögernd einverstanden. Doch während der chinesische Delegierte das Abkommen paraphierte, verweigerte seine Regierung die Unterschrift. Tibet und Großbritannien waren somit Alleinunterzeichner, und China verlor den Anspruch auf sämtliche Rechte, die ihm gewährt worden wären. Unter anderem bedeutete dies – und das ist zum Verständnis der späteren Ereignisse wichtig –, daß China weder die «Oberhoheit» über Tibet anerkannt wurde noch berechtigt war, jemals wieder Anspruch auf Tibet als einen Teil Chinas zu erheben.

Tibet war nun unabhängig. Aber hatte diese Unabhängigkeit irgendeine rechtliche Grundlage? Als Tibets Freiheit und Unabhängigkeit über vierzig Jahre danach zunichte gemacht wurden, stellte die Internationale Juristenkommission fest, daß seit 1912 «solide Rechtsgrundlagen für die Annahme bestehen, daß jede rechtliche Abhängigkeit von China erloschen ...» und Tibet «als ein voll souveräner Staat, de facto und de jure unabhängig von chinesischer Herrschaft», wiedererstanden war.[21]

Törichterweise verschanzten sich die Tibeter hinter ihren schützenden Bergen und versuchten, die übrige Welt in Schach zu halten, ohne zu begreifen, daß die Zeiten sich geändert hatten und sie sich nicht länger abschotten konnten. Sie wären besser beraten gewesen, wenn sie die internationale Bühne betreten und versucht hätten, bei den anderen Völkern Sympathie und Freunde zu gewinnen. Wären sie zum Beispiel dem Völkerbund beigetreten, hätte ihre Geschichte vielleicht einen anderen Verlauf genommen.* Statt dessen ließen sie die Dinge treiben. Eine Entscheidung, die Tibet teuer zu stehen kam.

Nur die Tatsache, daß China vollauf von seinem Bürgerkrieg in Anspruch genommen wurde, ermöglichte es Tibet, 38 Jahre der Unabhängigkeit zu genießen. Nach 1911 wurde China über ein Jahrzehnt von Aufständen und Wirren heimgesucht. Später, ab Mitte der zwanziger Jahre, steigerten sich die Auseinandersetzungen zum Krieg zwischen der Kuomintang – der Nationalregierung von Chiang Kaishek, dem Nachfolger von Sun Yatsen – und den kommunistischen Guerillas unter Führung von Mao Zedong.

In bezug auf Tibet waren die Ziele der Nationalregierung nicht weniger imperialistisch als die ihrer Vorgängerin. Die Regierung in Lhasa hatte es nicht vermocht, die Chinesen auf Dauer aus den Teilen von Kham und Amdo zu vertreiben, in denen sie seit 1905 saßen. Chiang Kaishek hatte zwar keine Handhabe, seine Macht innerhalb Tibets weiter auszudehnen, doch er beharrte unbeirrt auf Chinas Recht, das ganze Land zu regieren. China als Nabel der Welt, als Mittelpunkt der Kultur, als magnetischer Pol, von dem alle Menschen unwiderstehlich angezogen wurden und dem zu erliegen ihnen bestimmt war – diese alte konfuzianische Anschauung war tief in der chinesischen Seele verwurzelt. Das brachte Chinas Führer jedweder politischen Richtung zu der Annahme, daß Tibet «immer Teil des chinesischen Hortes war und sich danach sehnte, dorthin zurückzukehren»[22]. Pragmatischer gesprochen: China, ob imperialistisch, nationalistisch oder kommunistisch, brauchte Tibet, um seine unruhigen östlichen und nördlichen Grenzen zu sichern und die zentralasiatischen Hochländer unter Kontrolle zu

---

* Sie erwogen diesen Schritt, scheuten dann aber zurück, als sie erfuhren, daß der Völkerbund sie gegen eine eventuelle Invasion der Chinesen nicht verteidigen könnte.

bekommen – damit auch einen günstigen Zugang nach Indien, dem Mittleren Osten und dem europäischen Teil Rußlands. Andererseits: Wer auch immer die Oberhand in China behielt, Tibet war der sichere Verlierer.

Eine Atempause

Die Nacht wird lang und dunkel sein.
Politisches Testament
des 13. Dalai Lama

Für den Rest seiner Regierungszeit lastete die Bedrohung durch China wie ein Alpdruck auf dem 13. Dalai Lama (1895–1933). Doch die inneren Wirren des Landes verschafften ihm eine Atempause, die er seinem anderen drängenden Problem widmen konnte – Tibet stark zu machen, indem er es aus dem Mittelalter herausholte ins 20. Jahrhundert.

Er begann mit den Klöstern, unterband die Korruption, hielt die Mönche davon ab, sich in weltliche Angelegenheiten zu verstricken und erhöhte die Zahl der weltlichen Regierungsbeamten. Er reformierte und modernisierte die Armee, führte Steuernormen ein und revidierte das Strafgesetz, das heißt, er schaffte die Todesstrafe ab und beschränkte die überaus barbarischen und nicht mit dem buddhistischen Glauben in Einklang stehenden Methoden, mit denen selbst geringfügige Vergehen geahndet wurden. Bildung, bisher den Mönchen vorbehalten, wurde den Kindern aus Adels- und Bauernfamilien gleichermaßen zugänglich gemacht. Er ließ die traditionelle tibetische Medizin wieder aufleben und entsandte in alle Teile des Landes geschulte Ärzte. Mit der Einführung von Elektrizität, einer eigenen Währung, geregeltem Postdienst, einem Telegrafen- und Telefonsystem und sogar drei Autos[1] – in einem Land, wo selbst Pferdewagen eine Seltenheit waren und nur die Gebetsmühlen Räder hatten! – betrieb er die Technisierung des Landes.[2]

Er genehmigte den Briten die Einrichtung einer Garnison in

34

Gyantse zur Ausbildung von tibetischen Soldaten*, ließ tibetische Offiziere in die britische Armee in Indien aufnehmen und schickte sogar vier tibetische Jungen auf die Rugby School in England, in der Hoffnung, daß sie dort lernten, wie Tibet auf einen zukunftsorientierten Kurs gebracht werden könnte. Dringlicher noch als technischer Fortschritt wäre allerdings ein sozialer Wandel gewesen.

Doch selbst gegen verhältnismäßig geringfügige Veränderungen am geheiligten System leisteten die erzkonservativen und unwissenden Regierungsbeamten und Geistlichen erbitterten Widerstand, entschlossen, sich ihre Macht nicht beschränken zu lassen. Dazu berichtet Tendsin Atisha:

«Als der Dalai Lama 1924 mit Hilfe der Briten in Gyantse eine weltliche Schule eröffnete, sahen die Adligen dadurch ihre Macht bedroht. Sie überzeugten die Äbte in der Nationalversammlung, daß ein solcher ausländischer Einfluß eine Gefahr für die Religion darstelle. Die Äbte verweigerten daraufhin ihre Zustimmung, und Seine Heiligkeit konnte nichts dagegen tun. Im gleichen Jahr versuchte er, eine Straße vom Chumbi-Tal nach Lhasa bauen zu lassen. Aber die adligen Besitzer von Eseln und Pferden hätten durch die Straße Geld verloren, so daß auch dieser Plan zu Fall gebracht wurde. Später gab es in Lhasa einen britischen Lehrer, der seinen Schülern das Fußballspielen beibrachte. Eines Tages kam während des Spiels ein Gewitter auf, und die Äbte sagten, die Götter seien zornig. Und das war's dann. Wären die religiösen Institutionen weniger mächtig gewesen, hätten wir vielleicht mehr Fortschritt gehabt.»[3]

Um 1931 begann der Dalai Lama zu kränkeln. In seiner letzten öffentlichen Erklärung, ein Jahr vor seinem Tod im Dezember 1933, schreckte er die Tibeter mit einer apokalyptischen Warnung auf: In der Äußeren Mongolei hatten bolschewistische Truppen den höchsten inkarnierten Lama des Landes getötet sowie 70 000 andere Mönche, buddhistische Klöster verwüstet und die verbliebenen Mönche zur Roten Armee

---

* Die Ausbildung erfolgte natürlich auf Englisch mit dem merkwürdigen Ergebnis, daß zur Regimentsmusik der tibetischen Armee beispielsweise «God Save the King» gehörte.

eingezogen. Wenn Tibet die Modernisierung verweigerte, würde es zweifellos das gleiche Schicksal erleiden, warnte der Dalai Lama, und «die Nacht würde lang und dunkel sein».

Wäre er am Leben geblieben, hätte Tibet vielleicht eine Chance gehabt. Der Verlust seiner starken, reformorientierten Führung in dieser gefährlichen Zeit bedeutete eine Katastrophe. Das Kind, in dem sein Bewußtsein die Wiedergeburt vollzog, wurde gesucht und 1937 gefunden. Tendsin Gyatso, der 14. Dalai Lama, war ein dreijähriger Junge aus einer Bauernfamilie in Taktser, einem Dorf in der nordöstlichen Provinz Amdo, die von einem muslimischen chinesischen Kriegsherrn regiert wurde, unter lockerer Kontrolle Pekings.

Obwohl der neue Dalai Lama vom Volk mit überschwenglicher Begeisterung begrüßt wurde, war er ja noch ein Kleinkind, und so mußte, bis er das 18. Lebensjahr erreicht hatte, ein Regent an seine Stelle treten, der sein Amt in Abstimmung mit dem Kaschag (Ministerrat) und der Nationalversammlung ausübte. Es war, wie von jeher, eine völlig untaugliche Lösung, denn nun entbrannte zwischen dem Adel und den geistlichen Würdenträgern ein rücksichtsloser Machtkampf voller Intrigen und Verschwörungen. Alte Eifersüchteleien und Fehden flammten wieder auf; es gab mehr Korruption als je zuvor, und all das konnte, wie vom 13. Dalai Lama vorausgesagt, Tibet nur schwächen und es zur leichten Beute für das landhungrige China machen.

Seit der Vertreibung aus Lhasa im Jahre 1912 war keinem offiziellen Vertreter Chinas die Erlaubnis erteilt worden, Tibet zu betreten. Doch nach dem Tod des 13. Dalai Lama hatte eine chinesische Delegation die Genehmigung für einen Kondolenzbesuch in Lhasa erhalten. Deren Leiter hinterließ nach seiner Abreise zwei Verbindungsoffiziere mit einem Funksender; ein kleiner, aber sicherer Anfang. Die Tibeter witterten Gefahr und ermunterten Hugh Richardson, einen jungen britischen Beamten, der tibetisch sprach, seinerseits eine britische Mission in Lhasa zu eröffnen, mit einem eigenen Sender und der Aufgabe, ein wachsames Auge auf die Chinesen zu haben.

Tibet betonte weiterhin seine Unabhängigkeit. Es nahm nicht teil am Krieg zwischen Nationalchina und Japan; es hielt auch im

Zweiten Weltkrieg an seiner Neutralität fest und verweigerte den Chinesen die Genehmigung zum Bau einer Straße durch Südwesttibet für den militärischen Nachschub. (Auch den Vereinigten Staaten wurde eine Nachschublinie durch Tibet verwehrt.) Die Chinesen reagierten darauf mit Drohungen, aber die Tibeter blieben stur. Das britische Außenministerium bemerkte 1942 etwas kleinlaut, daß die Tibeter sich eben nicht nur als unabhängiges Volk ausgäben, sondern es auch tatsächlich wären.

Tibets Zeit lief demnach ab. Wären die Briten in Indien geblieben, hätten die Chinesen höchstwahrscheinlich nicht angegriffen. Aber als Indien am 15. August 1947 die Unabhängigkeit errang, verließen die Briten den Subkontinent. Die britische Mission in Lhasa wurde über Nacht zur indischen, wenn auch, wie Hugh Richardson betont, «das vorhandene Personal in seiner Gesamtheit behalten wurde und die einzige sichtbare Veränderung der Flaggenwechsel war»[4].

Selbst zu diesem späten Zeitpunkt wäre es nach Überzeugung des jetzigen Dalai Lama noch möglich gewesen, die Situation zu retten, wenn die tibetische Regierung politische Vernunft gezeigt hätte. «Als Indien die Unabhängigkeit erhielt, hätte unsere tibetische Regierung richtig handeln sollen. Im Hinblick auf unsere jahrhundertelangen Verbindungen und als ... Bruderland hätten wir die größtmögliche Delegation zur Teilnahme an den Unabhängigkeitsfeiern entsenden sollen. Wenn sie mich, einen zwölfjährigen Knaben, für zu jung hielten, dann hätte die tibetische Delegation vom Regenten angeführt werden sollen. Sie hätten mit Mahatma Gandhi, Pandit Nehru, anderen indischen Führern und Freiheitskämpfern zusammenkommen sollen. Damit wäre zumindest unser unabhängiger Status als Nation registriert worden.»[5]

Doch die Gelegenheit wurde verpaßt, und bald war keine Zeit mehr für diplomatische Gesten. Nach Japans Kapitulation 1945 war in China der Bruderkrieg zwischen der Nationalregierung und den Kommunisten neu entbrannt und näherte sich nun seinem Höhepunkt. Da man einige der chinesischen Vertreter in Lhasa verdächtigte, mit den Kommunisten zu sympathisieren, wiesen die Tibeter kurzerhand die gesamte Delegation aus –

eine plumpe, aus blinder Panik resultierende Maßnahme, die von der chinesischen Nationalregierung wie von den Kommunisten als unverzeihliche Beleidigung angesehen wurde. Als es den Tibetern dämmerte, daß die Nationalregierung geschlagen und das neue China von den Roten regiert werden würde, daß die Kommunisten eine tödlichere Bedrohung für ihre Unabhängigkeit darstellen würden, als es die Nationalisten je gewesen waren, wuchs ihre Angst noch. Unheilverkündende Vorzeichen begannen sich zu zeigen und Schrecken zu verbreiten: Ein vergoldeter Drache auf dem Dach des Jokhang-Tempels tropfte Tag für Tag, trotz der trockenen Jahreszeit und obwohl kein Regen gefallen war. Wochenlang leuchtete ununterbrochen ein Komet am Nachthimmel, ähnlich wie bei der früheren Konfrontation mit China, so daß viele darin ein Kriegsomen sahen. Von Mißgeburten bei Haustieren wurde berichtet, und als eines Nachts das Kapitell einer alten Säule, die man zu Füßen des Potala-Palastes als Wahrzeichen des Friedens zwischen China und Tibet errichtet hatte, herabstürzte, empfand man das zwangsläufig als Hinweis auf das drohende Verhängnis.

1949 hatten Vortrupps der chinesischen Volksbefreiungsarmee das Gebiet von Amdo großenteils von der Kuomintang erobert und rückten nun zu den Bergpässen im östlichen Kham vor, das die Kuomintang ebenfalls nominell kontrollierte.* Im Frühjahr 1949 war das gesamte Festland «befreit» und der lange chinesische Bürgerkrieg beendet. Chiang Kaishek zog seine demoralisierten Streitkräfte auf die Insel Formosa (Taiwan) zurück, und die Kommunisten riefen die Volksrepublik China aus. Hinter ihnen lagen Jahre voller Not und Demütigung, nun sahen sie erwartungsvoll einer Periode der Stabilität entgegen und der Chance, einen Platz an der Sonne zu bekommen.

Seit ihrer Vertreibung aus Lhasa 1912 hatte es die Chinesen nach einer Rückkehr dorthin verlangt. Jetzt hofften sie, kampfesmüde, ihre Westgrenze ohne Blutvergießen erweitern zu

* Chinesische Kriegsherren bemühten sich seit 1910, Kham dem Reich einzuverleiben und hatten das Gebiet von Kongpo bis Dartsedo in Sikang umbenannt (chinesisch für West-Kham).

können, im Vertrauen auf internationale Gleichgültigkeit gegenüber dem, was China in seinem Hinterhof vorhaben mochte.

So begannen die Chinesen zu sondieren, verbreiteten im Rundfunk Erklärungen, in denen Tibet als «wesentlicher Bestandteil» Chinas bezeichnet und die unmittelbar bevorstehende Befreiung von «der reaktionären Dalai-Clique und ausländischen Imperialisten» sowie die Rückführung in «das große Mutterland» versprochen wurde. Entsetzt beeilten sich die Tibeter, ihre winzige Armee zu reorganisieren und zu verstärken. Zu spät erkannten sie die Torheit, an einem Isolationismus festzuhalten, der es China ermöglicht hatte, in aller Welt Aufmerksamkeit zu gewinnen, und begannen endlich, ihre eigenen Ansprüche auf Unabhängigkeit über Radio Lhasa auf Tibetisch, Chinesisch und Englisch zu verbreiten. Sie entsandten Delegationen, die ihre Sache in den Vereinigten Staaten, Großbritannien, Indien und Nepal vortragen sollten und vorher telegrafisch bei den jeweiligen Regierungen avisiert wurden mit der Bitte, sie zu empfangen. «Die Antworten waren niederschmetternd», erinnert sich der 14. Dalai Lama. «Die britische Regierung versicherte uns ihres wärmsten Mitgefühls für die Bevölkerung von Tibet und bedauerte, daß sie, da Indien die Unabhängigkeit zuerkannt sei, unserem Land seiner geographischen Lage wegen nicht beistehen könne. Auch die Vereinigten Staaten antworteten in diesem Sinn. Die Regierung weigerte sich sogar, unsere Delegation zu empfangen. Die indische Regierung ließ ebenfalls keinen Zweifel daran, daß wir von ihr keine militärische Unterstützung zu erwarten hätten. Sie riet uns, keinen bewaffneten Widerstand zu leisten.»[6]*

Der negative Bescheid aus Großbritannien setzte den Tibetern am meisten zu. Die britische Regierung hatte unter Außerachtlassung ihrer moralischen und politischen Verpflichtungen gegenüber Tibet keine Zeit verloren, das neue Regime in Peking anzuerkennen.[7]

---

* Obwohl britische Vertreter vor Ort seit langem erkannt hatten, daß die chinesischen Ansprüche auf Oberhoheit jeder Grundlage entbehrten, hatte die britische Regierung es stets abgelehnt, sie anzufechten.

Am 15. August 1950 verwüstete eines der schwersten Erdbeben der Geschichte den Südosten Tibets. Ganze Berge und Täler wurden versetzt, ein gewaltiger Erdrutsch veränderte den Lauf des Brahmaputra, überschwemmte Hunderte von Dörfern, wobei Tausende ertranken. Noch Stunden danach «flammte der Himmel in einem furchterregenden glutroten Lichtschein, durchsetzt von beißendem Schwefelgeruch»[8]. «Es war kein gewöhnliches Erdbeben», kommentierte Robert Ford, der britische Funker, Angestellter der tibetischen Regierung in der Grenzstadt Chamdo. «Es war, als sei das Ende der Welt gekommen.»*

Angesichts dieses erschreckenden Omens so nahe der Grenze zu China reagierten die Tibeter auf ihre besondere Art, wie Heinrich Harrer berichtet hat:

«Allen Mönchen des Landes wurde befohlen, die tibetische Bibel, den Kangyur, in regelmäßigen Versammlungen gemeinsam zu lesen. Neue Gebetsfahnen und Gebetsmühlen wurden überall errichtet und sollten den Beistand der Götter herabflehen. Seltene, besonders kräftige Amulette wurden aus alten Truhen hervorgeholt. Die Opfer wurden verdoppelt, auf allen Bergen brannten die Feuer, trieb der Wind auf den Gipfeln die neuen Gebetsmühlen, die ihre Bitten zu den Schutzpatronen des Lamaismus in alle Himmelsrichtungen schickten. Im Glauben an die Macht der Religion erhoffte man felsenfest genügend Schutz, um die Unabhängigkeit des Landes zu bewahren.»[9]

Während er die Mönche beobachtete, überlegte Harrer bekümmert, daß es jetzt mehr als Gebete erfordern würde, sie zu retten: «Aber ich konnte das bedrückende Gefühl nicht loswerden, daß ihr rührender Glaube die goldenen Götter wohl kaum erweichen würde... Tibet würde bald rauh aus seiner friedli-

---

* Ford gehörte zu dem knappen halben Dutzend Europäern und Amerikanern, die 1950 in Tibet lebten. Sie repräsentierten die «erhebliche Zahl von Imperialisten», die Radio Peking beschuldigte, die wahren Herren Tibets zu sein. Wie Dawa Norbu später (in *Red Star over Tibet*) kommentierte, hatten die meisten Tibeter noch nie im Leben einen Weißen gesehen und das Wort «Imperialist» nie gehört. «Wir fragten uns, wo sich diese tyrannischen Amerikaner und Briten wohl in Tibet versteckt hatten.»

chen Ruhe gerissen werden, wenn nicht Hilfe von außen käme.»[10]

Indien hatte ebenso wie Großbritannien das neue chinesische Regime unverzüglich anerkannt, allerdings darauf hingewiesen, daß die tibetische Autonomie eine Tatsache sei. Der indische Premierminister Jawaharlal Nehru tat sein Bestes, die drohende Krise zu entschärfen, doch die Chinesen ignorierten seine Bemühungen. Als Mao Zedong ihm ohne zu erröten versicherte, es könne gar keine Rede davon sein, Gewalt gegen Tibet einzusetzen, versank Indien in ein ebenso erleichtertes wie bequemes Schweigen.

Am 7. Oktober 1950 griff die chinesische Volksbefreiungsarmee – der größte und erfolgreichste Militärapparat der Welt – mit 30 000 Mann Tibet aus sechs verschiedenen Richtungen zugleich an. Und Tibet mußte sich ihr allein stellen.

Teile und herrsche
(1951)

Aus dem Gewehr entsteht politische Macht.

Mao Zedong

Im Osten Tibets tobte ein heftiger Krieg zwischen ungleichen Gegnern. Die Tibeter verteidigten zwar tapfer Flußübergänge und Bergpässe, doch wie konnte eine schlecht organisierte, unerfahrene Armee von weniger als 4000 Mann, ausgerüstet mit altertümlichen Vorderladern und ein paar Haubitzen, der zehnfachen Anzahl kampferprobter Soldaten standhalten, die über modernste automatische Waffen verfügte und von ihrem kürzlich errungenen Sieg beflügelt wurde? Der Ministerrat in Lhasa, zerstritten und korrupt, schwankte hin und her. Doch kampflos ergeben wollte man sich nicht. «Sobald die Kommunisten Ende 1949 an die Macht gekommen waren», berichtet Sonam Tschömpel Tschada (damals, mit 29, Bezirkskommissar in Kham), «schickte die Regierung ein Rundschreiben an alle Bezirksvertreter an der östlichen Grenze, in dem sie uns empfahl, zur Vorbereitung auf einen Überfall eigene Truppenverbände aufzustellen.»[1] Mit dem Gegner bereits vor den Toren ernannte der Kaschag einen neuen Generalgouverneur für Kham und entsandte ihn nach Osten, um das dortige Kampfgeschehen zu beobachten. Der neue Mann, Ngawang Dschigme Ngabö, eine Art Playboy, entwickelte sich zum berüchtigtsten Kollaborateur Tibets. (Man sollte freilich nicht vergessen, daß die meisten dieser Kollaborateure unter Druck oder aus Furcht handelten und nicht aufhörten, mit der tibetischen Sache zu sympathisieren.)

Sonam Tschömpel Tschada, ein angeheirateter Verwandter von Ngabö, ließ sich von ihm überreden, in die Provinzhauptstadt Chamdo als Bezirksbeamter zu gehen: «Ich wollte keinesfalls in die Nähe von Chamdo, aber Ngabö sagte mir, ich solle mir keine Sorgen machen, es gäbe bald wieder Frieden, genau wie immer, nachdem China tibetisches Gebiet angegriffen hatte.»[2]

Ngabö war kein geborener Held. Als er hörte, die Volksbefreiungsarmee sei nur einen Tagesmarsch von Chamdo entfernt, ließ er seine Truppen im Stich und floh. Ein Tibeter erinnert sich verbittert: «Die Chinesen hatten gerade erst begonnen, den Dretschu (Oberlauf des Jangtsekiang), de facto die chinesischtibetische Grenze, zu überqueren, da rannte ein chinesischer Agent schon durch die Straßen von Chamdo und schrie: ‹Die Chinesen kommen! Die Chinesen kommen!› Und prompt rannte Ngabö davon wie ein verschrecktes Kaninchen.»[3]

«Bevor Ngabö vorsichtshalber das Weite suchte», berichtet Tschada, «rief er seine Dienerschaft zusammen und sagte ihnen, sie sollten sich seine Sachen nehmen, einschließlich der Garderobe. Dann legte er Feuer an sämtliche Vorratslager der Regierung, vernichtete Getreidebestände, Waffen, Munition und Bekleidung. Er wurde später deswegen getadelt. Sie sagten, er hätte die Sachen an die Armee verteilen sollen.»[4]

Auf der Flucht nach Westen begegnete Ngabö einer bewaffneten Kolonne, die vor Wochen als Entsatz in Lhasa losgeschickt worden war.[5] Er befahl den ebenso erstaunten wie entsetzten Soldaten, ihre Waffen in eine Schlucht zu werfen und mit ihm zu fliehen. Sie sollten jedoch in Kürze Verstärkung erhalten von etwa 500 Mann Kavallerie aus dem Osten, hätten sich also mühelos in die Berge zurückziehen und von dort einen Partisanenkrieg führen können. Bergketten und Flüsse verliefen von Norden nach Süden, es gab weder Nachschublinien noch für Motorfahrzeuge und Panzer befahrbare Straßen. Somit hätten Partisanentruppen den chinesischen Verbänden das Leben schwermachen können, zumal diese wegen der Höhe unter Schwindel und Schneeblindheit litten.

Viele Tibeter meinen, sie hätten einen solchen Kampf gewinnen können. Wie auch immer, Tibet hätte dann der Welt zumindest gezeigt, daß es bereit war, seine Unabhängigkeit bis zum äußersten zu verteidigen. Doch Ngabö war ein ängstlicher

Mensch und hatte keinen Mut zur Konfrontation. Mit seiner Kapitulation am 20. Oktober 1950 endete der militärische Widerstand. Erst da schreckte die tibetische Regierung aus ihrer Lethargie auf. Als Radio Peking – nach vollendeter Tatsache – meldete, Einheiten der Volksarmee hätten Befehl erhalten, in Tibet einzumarschieren, «um drei Millionen Tibeter von imperialistischer Unterdrückung zu befreien und die nationalen Verteidigungsanlagen an den Westgrenzen Chinas zu verstärken»[6], schritt man in Lhasa zur Tat und befragte, wie in Notsituationen üblich, das Orakel. Die eindeutige Antwort lautete, der Dalai Lama sollte, obwohl mit 15 noch minderjährig, sofort zum Staatsoberhaupt gemacht werden. Und da auch das Volk eben dies lautstark gefordert hatte, traf man die Vorbereitungen für den Regierungsantritt des jungen Mönchs. Es war klar, daß nur der Dalai Lama seinem Land die Führung geben konnte, die es so notwendig brauchte. Er protestierte zunächst, seine Jugend und Unerfahrenheit waren ihm schmerzlich bewußt. Doch letzten Endes «konnte ich mich meinen Verpflichtungen nicht länger entziehen. Ich mußte sie auf mich nehmen, meine Kindheit hinter mir lassen und mich anschicken, mein Land zu führen, so gut ich es vermochte, gegen die gewaltige Macht des kommunistischen China.»[7] Er akzeptierte «mit Hangen und Bangen»; und sein Amtsantritt wurde, dem Ernst der Lage zum Trotz, in ganz Tibet mit großer Freude gefeiert, wie Heinrich Harrer berichtet:

«Von allen Dächern wehten neue Gebetsfahnen, das Volk vergaß für kurze Zeit die sorgenvolle Zukunft und genoß in alter Fröhlichkeit das Fest mit Singen, Tanzen und Trinken. Es war für alle ein Anlaß zur Freude. Noch nie hatte man so viele Hoffnungen an den Regierungsantritt eines Dalai Lama geknüpft wie diesmal. Der junge Herrscher war über jede Cliquenwirtschaft und Intrige erhaben und hatte schon viele Beweise seines klaren Blickes und seiner Entschlußkraft gegeben. Mit seinem natürlichen Instinkt würde er sich die richtigen Berater wählen und sich gegenüber jeder Beeinflussung durch eigennützige Menschen als unzugänglich erweisen.»[8]

Harrer wußte, daß es viel zu spät war, daß Tendsin Gyatso,

der intelligente, idealistische junge Mann, ein Hoffnungsträger voller Tatkraft, just in dem Moment auf den Thron gelangt war, in dem die Götter gegen ihn entschieden hatten. «Wäre er ein paar Jahre älter gewesen, hätte der Lauf der Dinge unter seiner Führung eine ganz andere Entwicklung nehmen können.» Denn der junge Herrscher wußte um die Ungerechtigkeiten in der tibetischen Gesellschaft und brannte darauf, sozialen Wandel zu bewirken.

«In meiner Kindheit, als Elf- oder Zwölfjähriger, waren die Straßenkehrer, die im Potala und Norbulingka die Räume saubermachten, meine einzigen Spielgefährten», erzählte er mir. «Sie redeten mit mir, klärten mich über dies und jenes auf, beklagten sich bei mir über verschiedene Beamte, über den einen oder anderen Lama. So war ich genau über die Ausbeutung im Bilde – und ich wußte, welche Beamten korrupt waren.»[9]

Wie hoffnungslos es um die Sache Tibets stand, war bereits am ersten Tag der chinesischen Invasion klar zutage getreten, als die Nationalversammlung einen Hilferuf an die Vereinten Nationen gerichtet hatte, in dem die Invasion als «der krasseste Fall von Gewalt des Starken gegen den Schwachen» bezeichnet wurde.

Die Chinesen, die bereits große Stücke von Osttibet und Teile der Zentralregion an sich gerissen hatten, hielten kurz inne, um zu sehen, woher der Wind wehte, und stellten zu ihrer Befriedigung fest: Sie brauchen nichts zu befürchten. Tibet war nicht Mitglied der Vereinten Nationen und faktisch unbekannt. In der Generalversammlung brachte lediglich El Salvador den Antrag ein, China als Aggressor zu verurteilen. Die Briten, Tibets älteste Freunde, erklärten lahm, die Rechtslage in Tibet sei «nicht sehr klar» und setzten es auch tatsächlich zusammen mit Indien durch, daß die Vereinten Nationen den Fall nicht diskutierten, aus Angst, China damit zu verärgern. Ist es denkbar, daß Großbritannien immer noch nach den alten Spielregeln taktierte und es lieber sah, wenn China seinen Einfluß in Asien erweiterte statt die UdSSR? Indien, das aus Sorge um seine eigenen Grenzen und um des Friedens in Asien willen Tibet bereits als Teil Chinas anerkannt hatte, äußerte die aussichtslose, aber verständliche Hoffnung, daß beide Länder ihre Unstimmigkeiten friedlich regeln würden. Die Vereinigten Staaten, von einem aufreibenden Krieg in Korea aufs äußerste in Anspruch genommen (und sowieso kaum in der Lage, eine Armee über den Himalaya zu expedieren), stimmten einer Vertagung der Tibetfrage zu. Offenbar galt die «Dominotheorie», auf der die amerikanische Politik in Südostasien basierte, nicht für Zentralasien! «Jetzt wollten unsere Freunde uns nicht einmal helfen, unsere Bitte um Gerechtigkeit vorzubringen», erinnert sich der Dalai Lama betrübt. «Also sollten wir der chinesischen Soldateska ausgeliefert werden.»

Die Chinesen standen inzwischen tief in Tibet, und die Nationalversammlung drängte den Dalai Lama, Lhasa in Verkleidung zu verlassen und sich nach Yatung an der indischen Grenze zu begeben, von wo aus er sich für sein Land einsetzen könnte. Was blieb Tibet anderes übrig als die Kapitulation? Siegestrunken konnten die Chinesen sich eine großzügige Geste leisten. Sie schlugen der tibetischen Regierung vor, eine Delegation nach Peking zu entsenden zwecks Aushandlung eines Abkommens.

So schickte der Dalai Lama notgedrungen Ngabö und eine fünfköpfige Delegation nach Peking mit der Anweisung, die Regierung in Lhasa über alle relevanten Entscheidungen zu informieren. Da die Chinesen jedoch bereits einen beträchtlichen Teil tibetischen Gebiets besetzt hatten, blieb den Tibetern kein Verhandlungsspielraum, und ihre Vorschläge wurden schlicht ignoriert. Die Chinesen ließen keinen Zweifel daran, daß sie nicht gedachten, über Bedingungen zu diskutieren, sondern sie zu diktieren. Den Tibetern wurde nur die Wahl geboten zwischen «friedlicher Befreiung» oder Fortsetzung des Krieges. Sie mußten sich dem Befehl beugen, entweder einen von den Chinesen bereits ausgearbeiteten Vertragsentwurf zu unterschreiben – oder weitere Militäraktionen gewärtigen.

Dieses «Siebzehn-Punkte-Abkommen über Maßnahmen zur friedlichen Befreiung Tibets» war ein verschwommen formuliertes Dokument, das ein Arrangement ähnlich dem der «zwei Systeme» zu bieten schien, wie es für Hongkong akzeptiert und für Taiwan in den achtziger Jahren vorgeschlagen wurde. Die Chinesen versprachen, das politische System Tibets und die Autorität des Dalai Lama unangetastet zu lassen und Religion,

Sprache sowie Sitten und Gebräuche des Volkes zu respektieren. Sie sicherten ausdrücklich zu, daß die Klöster geschützt und das Erziehungssystem weiterentwickelt werden sollten. Aber die Aufzählung der Garantien war zu vage, um tröstlich oder gar glaubwürdig zu sein. War es denkbar, daß ein siegreicher Mao Zedong die Fortdauer einer Ideologie tolerieren würde, die sich so grundlegend von der seinen unterschied? Jedenfalls sprach der gesamte Tenor des Abkommens gegen die verläßliche Zusicherung einer echten Autonomie für Tibet. Eher ließ sich das krasse Gegenteil von Unabhängigkeit herauslesen. Es war eindeutig davon die Rede, daß Tibet ein Teil Chinas sei und daher die gesamte Politik von Peking geführt würde. Punkt 1 des Abkommens postulierte: «Das tibetische Volk soll sich vereinen und die imperialistischen aggressiven Kräfte aus Tibet verjagen. Das tibetische Volk soll in die große Familie des Mutterlandes zurückkehren – in die Volksrepublik China.» («Dies war bitterer Hohn», schrieb der Dalai Lama später, «wenn man bedenkt, daß es keinerlei fremde Mächte in Tibet gegeben hatte, seit im Jahre 1912 die letzten chinesischen Truppen von uns vertrieben worden waren.») Punkt 2 sah vor, daß die «Lokalregierung von Tibet» die Volksbefreiungsarmee bei ihrem Einmarsch in das Land aktiv unterstützen sollte; und in Punkt 8 hieß es, daß die tibetischen Streitkräfte in der chinesischen Armee aufgehen sollten.

Die tibetischen Delegierten wurden beleidigt, beschimpft und persönlich bedroht. Als sie protestierten, sie seien nicht befugt, einen Vertrag zu unterzeichnen, da sie das Siegel des Dalai Lama nicht mit sich führten, holten die Chinesen einfach in Peking angefertigte Fälschungen hervor.

Das Abkommen wurde am 23. Mai 1951 unterzeichnet. Der Dalai Lama und seine Regierung wurden nicht informiert, daß Tibet damit seine Unabhängigkeit aufgegeben hatte. «Wir hörten erst durch eine Rundfunkansprache davon, die Ngabö über Radio Peking hielt», schrieb der Dalai Lama. «Die Bedingungen bedeuteten für uns einen furchtbaren Schock... Wir hatten nicht im entferntesten damit gerechnet, daß der Vertrag so unheilvoll und bedrückend für uns ausfallen würde... Aber wir waren hilflos. Ohne Freunde blieb uns nichts anderes übrig, als zuzustimmen, uns trotz allen Widerstrebens dem Diktat der Chinesen zu unterwerfen und die Faust in der Tasche zu ballen. Wir konnten nur hoffen, daß die Chinesen die Abmachungen dieses uns aufgezwungenen Vertrages wenigstens einhalten würden.»[10]

Der Vertrag war nicht mehr als ein Mittel zum Zweck, ein Beruhigungsmittel für die Weltöffentlichkeit. Nun sie das Land militärisch in Besitz genommen hatten, konnten die Chinesen ihre nur auf dem Papier stehenden Versprechungen außer acht lassen und darangehen, Tibet in eine Provinz der Volksrepublik China umzumodeln.

Im Oktober marschierten die ersten von 20 000 chinesischen Elitetruppen in Lhasa ein, um ihr militärisches und administratives Hauptquartier zu errichten. Die Bevölkerung sah stumm, wie betäubt, zu, als die Chinesen in ihren blitzsauberen Uniformen in die Hauptstadt einzogen, Fahnen und Bilder von Mao Zedong und Zhou Enlai schwenkten. Man klatschte – nicht zur Begrüßung, sondern, einem alten Ritual folgend, um böse Geister zu vertreiben. Sie gerieten nur einmal in Begeisterung, als der Sturm ein riesiges Plakat mit dem Konterfei des Vorsitzenden Mao vollkommen zerfetzte und die einzelnen Teile davonwehte.

Mit der Ankunft der Volksbefreiungsarmee in Lhasa begann die Unterdrückung der Tibeter. Mao machte sich die altehrwürdige Politik «teile und herrsche» zu eigen, ganz nach dem Muster seiner nationalistischen Vorgänger und der muslimischen Kriegsherren. Die östlichen Provinzen Kham und Amdo mit ihren reichen Mineralvorkommen sollten endgültig von Tibet abgetrennt werden. Mao gliederte Amdo trotz der überwiegend tibetischen Bevölkerung in die chinesischen Provinzen Qinghai und Gansu ein und Ost-Kham in Yunnan und Sichuan. Der kümmerliche Rest, Ü-Tsang und West-Kham, wurde in drei Einzelregionen geteilt: Zentraltibet (Ü), mit der Basis Lhasa, unter der Herrschaft des Dalai Lama, der nun heimkehrte; Südtibet (Tsang) um Shigatse, vom Panchen Lama regiert; und West-Kham um die Provinzhauptstadt Chamdo. Die Chinesen erklärten, die vertraglichen Garantien seien nur für dieses

Rumpfgebilde gültig. Sie hatten also bereits begonnen, wortbrüchig zu werden. In Kham, der ersten Provinz, die «befreit» wurde, gab es eine für die Chinesen vorteilhafte Ausgangsposition. Die meisten Bewohner von Kham, die Khampas, waren zwar dem Dalai Lama gegenüber loyal und fromme Buddhisten, verabscheuten aber die Beamten aus Lhasa, die sie seit der Vertreibung der Chinesen im Jahre 1912 wie Dreck behandelt hatten, während sie ihnen Steuern abpreßten. Manche Khampas äußerten offen, daß sie den Chinesen den Vorzug gäben. Alexandra David-Néel, die unerschrockene Französin, die 1927, als Bettlerin auf Pilgerfahrt verkleidet, durch Tibet unterwegs war, stellte fest, daß «die Stämme, die den Auszug der chinesischen Beamten wie eine Befreiung begrüßt hatten, andererseits durchaus abgeneigt sind, die Herrschaft der Männer aus Lhasa anzuerkennen... sie wehren sich doch sehr gegen Statthalter und andere weltliche Machthaber. Besonders sprechen sie ihnen aber das Recht ab, Steuern zu erheben und nach Lhasa abzuführen.»[11]

Die Chinesen nutzten nur zu gern diese alten Fehden und überredeten die Khampas, mit ihnen zu kollaborieren; als Gegenleistung boten sie steuerfreie Unabhängigkeit – vage, utopische Versprechungen. Noch vor Unterzeichnung des Abkommens von 1951 wurde in Chamdo ein militärisch/politisches Volksbefreiungskomitee eingesetzt, das die Provinz Kham ohne Konsultation der Regierung in Lhasa verwalten sollte. Ihm gehörten chinesische Soldaten und Kader an sowie eine Handvoll tibetischer Beamter, um ihm einen seriösen Anstrich zu geben. Den Vorsitz hatte der anpassungsfähige Ngabö, der nun die chinesische Einmischung in Tibets innere Angelegenheiten als «wissenschaftliche Revolution» rechtfertigte.

Shigatse, das zweite regionale Zentrum, war das traditionelle Domizil des Panchen Lama, das nahegelegene Kloster Tashilhünpo sein historischer Sitz. Die Aversion von Shigatse gegen Lhasa ging auf einen langwierigen religiösen Bürgerkrieg im 16. und 17. Jahrhundert zurück. Seit dem 17. Jahrhundert hatten die Dalai und Panchen Lamas sich als geistige Führer installiert, wobei der Ältere von beiden geistiger Lehrer des Jüngeren wurde. Dennoch blieben Rivalität und Ressentiments bestehen,

49

nicht zwischen den Lamas selber, sondern zwischen ihren jeweiligen Höfen. Die alten chinesischen Kaiser hatten diese Zwistigkeiten geschickt manipuliert, Nationalregierung und Kommunisten seit der Revolution desgleichen. Wegen eines Streits mit dem 13. Dalai Lama war der vorige Panchen Lama mit seinem Hof nach China geflohen und 1937 – wieder auf dem Heimweg – in Amdo gestorben. Eine mögliche Inkarnation hatte man 1944 in der Nähe von Xining, einem bedeutenden Handelszentrum an der Grenze von Amdo, entdeckt, und 1949 rächte sich die Nationalregierung für die Ausweisung ihrer Mission aus Lhasa dadurch, daß sie diesen Jungen als 13. Panchen Lama anerkannte. (In Tibet selber gab es noch zwei weitere Kandidaten.) Als die Kommunisten einige Wochen später Amdo eroberten, fiel ihnen der Knabe in die Hände – die perfekte Waffe gegen den Dalai Lama: ein Strohmann nach Maß, eine Marionette, die sie unter Kontrolle hatten. Um diesen Tatbestand zu unterstreichen, schickte der elfjährige Junge ein Telegramm an Mao, in dem er ihn aufforderte, Tibet zu befreien.

Im Jahre 1951 wurden die tibetischen Delegierten in Peking aufgefordert, diesen Jungen als neuen Panchen Lama zu bestätigen, und ohne Rücksicht darauf, daß der Panchen Lama in Tibet nie politische Autorität genossen hatte, schickte Mao den Sechzehnjährigen 1952 im Triumph nach Shigatse zurück, mit einer Eskorte der Volksbefreiungsarmee und ausgestattet mit einem Status und Machtbefugnissen, die denen des Dalai Lama gleichkamen. Er erhielt einen Regierungsapparat entsprechend dem Kaschag in Lhasa, seine Privatarmee wurde vergrößert und institutionalisiert. Die damit in Shigatse installierte Marionettenregierung war eine deutliche Warnung an den Dalai Lama, auf der Hut zu sein.

Die Chinesen wußten, daß die «friedliche Befreiung» von Lhasa schwieriger vonstatten gehen würde als die von Chamdo und Shigatse, aber auch dafür hatten sie einen Spielplan bereit. Solange Tibet noch nicht zur Ruhe gekommen war, fiel kein Wort über «Klassenfeinde» oder «demokratische Reformen» (die chinesische Umschreibung für Neuverteilung von Land). Es wurden auch keine Anstalten getroffen, die Adligen und Mönchsbeamten aus den Vorzimmern der Macht zu verjagen.

Die Chinesen umwarben sie vielmehr, sicherten ihnen leitende Positionen in der neuen Gesellschaft zu, wenn sie den Kommunismus studieren und ihre Kinder in chinesische Schulen schikken würden. Sie beriefen 29 führende Tibeter in die *Chinese Buddhist Association*, um sie zu lehren, daß es die Hauptaufgabe des Buddhismus sei, der Kommunistischen Partei Chinas und dem Großen Mutterland zu dienen.[12] Die gewöhnlichen Menschen wurden zur Arbeit im Straßenbau beordert und gut in Silberdollars bezahlt. Wangtschen, ein jetzt in Indien lebender Flüchtling, erinnert sich: «Anfangs waren die Chinesen sehr höflich, sagten, sie wären gekommen, um die Tibeter zu befreien und ihre Lebensbedingungen zu verbessern. Sobald sie das getan hätten, würden sie wieder nach Hause zurückkehren. Sie bauten ein Krankenhaus, um das Volk für sich zu gewinnen. Dann eröffneten sie eine chinesische Schule und lockten die Schüler mit Silberdollars! Es gab ein Lied über Silberdollars, die auf das Land des Schnees herabregnen, und Berge von Silberdollars, höher als die schneebedeckten Gipfel. Aber schon da handelten sie wie Imperialisten, denn sie schickten große Mengen von tibetischen Kindern zur Schulung nach China, um sie dort zu Funktionären auszubilden, so daß es eines Tages die eigenen Landsleute sein würden, die die Tibeter unterdrücken.»[13]

Schritt für Schritt festigten die Chinesen ihre Herrschaft in Lhasa, beschlagnahmten Häuser oder kauften sie auf. Manche Adlige und Regierungsbeamte waren geradezu erpicht darauf zu verkaufen, ebenso zu kollaborieren. Da immer mehr Soldaten ins Land gebracht wurden, entstanden auch immer mehr Militärlager.

Der Dalai Lama war bemüht, die Bedingungen des Abkommens zu erfüllen und sicherzustellen, daß die Forderungen der Soldaten nach Verpflegung, Unterbringung und Transport befriedigt wurden. Mangels Straßen und Flugplätzen konnten die Eindringlinge sich nicht selbst versorgen. Das hatte verheerende Folgen: Im Frühjahr 1952 war die tibetische Wirtschaft ruiniert, die Inflationsrate betrug 500 Prozent, und Lhasa stand zum ersten Mal seit Menschengedenken vor einer Hungersnot. Nicht nur die regulären staatlichen Getreidespeicher waren leer, son-

dern auch die für Notfälle bestimmten Reserven in den Lager-
häusern der Regierung und der Klöster erschöpft. Es hatte Jahre
gedauert, diese Vorräte anzusammeln, und man würde
wiederum Jahre brauchen, sie zu ersetzen. Die Lebensmittel-
preise stiegen von Tag zu Tag; die meisten Tibeter konnten sich
nur noch das Allernotwendigste leisten.

Die Bevölkerung begann, ihrer Verachtung und ihrem Haß
den Chinesen gegenüber auf ihre Weise Ausdruck zu verleihen –
durch Gesten, mit denen man von jeher das Böse zu vertreiben
suchte: «Die Menschen klatschten in die Hände und spuckten,
wenn sie Gruppen von chinesischen Soldaten erblickten. Die
Kinder warfen Steine, und selbst die Mönche banden die losen
Enden ihrer Roben zu einem Knoten, um damit jeden Soldaten
zu schlagen, der ihnen zu nahe kam.»[14] Eine Massenbewegung
der Andersdenkenden entstand, das sogenannte Mimang
Tsongdü, der Tibetische Volkskongreß. Insgesamt beschränkte
er sich darauf, Plakate anzuschlagen, auf denen die Chinesen
aufgefordert wurden, nach Hause zu gehen, und antichinesische
Flugblätter zu verteilen. Er war weder gut organisiert noch
besonders erfolgreich, da die Tibeter keine Erfahrung mit
Untergrundaktivitäten besaßen. Immerhin irritierte es die Chinesen – wenn auch nicht genug, um sie zu gemäßigterem Auftreten zu veranlassen.

Genau gesagt, die Chinesen waren enttäuscht. Erfüllt von
einem romantischen revolutionären Idealismus, der ihnen vor-
gaukelte, einem unterdrückten, rückständigen Volk den Fortschritt zu bringen, hatten sie naiverweise erwartet, die Tibeter
würden sie und ihre radikalen Ideen willkommen heißen. Die
Stationierung in Tibet war alles andere als angenehm; sie wären
tausendmal lieber irgendwo anders gewesen. Und diese Barbaren von Tibetern dachten nicht daran, das für sie gebrachte
Opfer zu würdigen, sondern mokierten sich über ihre Befreier
und behandelten sie als unerwünschte Eindringlinge. Fest überzeugt von ihrem ehrlichen Bemühen, freundlich und kooperativ
zu sein, ärgerte die Chinesen das Verhalten von Lukhangwa,
dem Premierminister des Dalai Lama, der behauptet hatte, daß
sich die Situation in Lhasa nur durch den Abzug eines Teils der
Truppen verbessern würde. Auf Beschwerden über die Feindse-

ligkeit erklärte Lukhangwa sarkastisch: «Wenn man einem Mann den Schädel einschlägt und die Wunde noch nicht geheilt ist, dann ist es zu früh zu erwarten, daß er Freundschaft mit einem schließt.»

Lukhangwa und ebenso sein Stellvertreter Lobsang Tashi waren den Chinesen verhaßt, weil die Minister als unerschütterliche Verteidiger der Unabhängigkeit Tibets stets betont hatten, daß die Invasoren unbillige Forderungen stellten. Als das Mimang Tsongdü den Besatzungsbehörden ein Sechs-Punkte-Memorandum überreichte, das die Probleme der Bevölkerung darlegte und den Abzug der Truppen aus Lhasa verlangte, machten die Chinesen die beiden Premierminister dafür verantwortlich und beschuldigten sie als «imperialistische Reaktionäre» der Konspiration mit dem Ziel, bessere Beziehungen zwischen China und Tibet zu verhindern. Sie befahlen dem jungen Dalai Lama, die beiden zu entlassen, widrigenfalls würde dies mit Hilfe der Armee geschehen. Um Blutvergießen auf den Straßen zu vermeiden, gab der junge Herrscher nach. «Wenn wir uns weiterhin den chinesischen Behörden widersetzten und sie noch mehr verärgerten – so überlegte ich –, könnte dies nur zu einer immer stärker werdenden Unterdrückung und immer weiter wachsenden Erbitterung des Volkes führen. Die sichere Folge dieser Entwicklung würde schließlich ein Ausbruch gewaltsamer Auflehnung sein. Gewalt aber war nutzlos; wir konnten die Chinesen auf keinen Fall durch Gewaltmittel, gleich welcher Art, loswerden. Sie würden immer Sieger bleiben, und das Opfer würde unser eigenes unbewaffnetes und unorganisiertes Volk sein. Als einzige Hoffnung blieb uns, die Chinesen im guten dahin zu bringen, die Versprechungen zu erfüllen, die sie in dem Abkommen mit uns eingegangen waren. Gewaltlosigkeit war der einzige Weg, auf dem wir schließlich ein gewisses Maß an Freiheit zurückgewinnen konnten, vielleicht erst nach Jahren der Geduld. Dies bedeutete Zusammenarbeit mit den Chinesen, wann immer sich die Gelegenheit bot, und passiven Widerstand, wo dies nicht möglich war.»[15]

Dem Dalai Lama blieb es nicht nur verwehrt, Nachfolger für die abgesetzten Premierminister zu ernennen, sondern er wurde auch gezwungen, fünf Überbringer der Petition einzusperren.

Es war für ihn eine schlimme Zeit. Trotz alledem wurde er nicht zur Marionette der Chinesen – ebensowenig, wie er sich der alten tibetischen Garde beugte. In der folgenden Periode eines unbehaglichen Waffenstillstands ließ er den Kaschag ein Bildungsreformprogramm ausarbeiten, und er beabsichtigte auch, die grundsätzliche Vererbung von Schulden abzuschaffen: «Sowohl durch meine Diener als auch durch Gespräche hatte ich erfahren, daß dies eine der größten Heimsuchungen der bäuerlichen und ländlichen Bevölkerung Tibets war. Schulden, die man beispielsweise infolge einer Reihe von Mißernten bei einem Gutsherrn hatte, wurden von einer Generation auf die nächste weitervererbt. Das führte dazu, daß viele Familien keine Chance hatten, genug für ihren Lebensunterhalt zu verdienen oder gar eines Tages frei zu sein.»[16]

Doch die Chinesen blockierten die Vorschläge, vermutlich aus Angst, daß sie die Einigkeit der Tibeter stärken und damit ihre eigene Position schwächen könnten. Dem Dalai Lama waren die Hände gebunden. Man hatte die Männer, denen er vertrauen konnte, aus seiner Regierung entfernt und statt dessen immer mehr chinesische Beamte und Bürokraten eingeschleust. Der 20jährige Gottkönig hatte sich nie zuvor so einsam gefühlt.

Ein Akt der Gewalt

Die Revolution ist keine Abendgesellschaft, kein
literarisches Kunstwerk, kein Gemälde und keine
Stickerei. Sie kann nicht so vornehm sein, so gelas-
sen und maßvoll, sie ist weder wohlausgewogen
noch milde, sie ist nicht freundlich, ehrerbietig,
mäßig und nachgiebig. Die Revolution ist ein Akt
der Gewalt, sie ist die gewalttätige Handlung einer
Klasse, die die andere stürzt.

Mao Zedong

Die jüngst «befreite» Bevölkerung von Amdo und Ost-Kham
mochte die Chinesen nicht, in deren Gewalt sie sich jetzt befand.
Im Jahre 1910 hatte General Chao Erhfeng (genannt «Schläch-
ter Chao» wegen seiner Vorliebe für gründliche Massaker) einen
Großteil von Kham verwüstet, Mönche und Laien gleichermaßen abgeschlachtet; und im Jahre 1934 waren Maos Truppen auf
dem Langen Marsch durch die östlichen Grenzgebiete von
Kham gezogen, hatten Getreide und Vieh beschlagnahmt zur
Unterstützung einer Revolution, die für die Tibeter eine rein
chinesische Angelegenheit darstellte.
    Die Umwandlung von Osttibet in einen marxistischen Staat
begann langsam. «Im Jahre 1952 kam eines Tages ein hoher
tibetischer Lama aus Peking in unser Dorf mit einigen hohen
chinesischen Beamten», berichtet Lobsang Rinchok aus Amdo.
«Ich war damals zehn und erinnere mich sehr genau an alles. Der
Lama sagte, wir müßten mit den Chinesen zusammenarbeiten
und uns mit ihnen anfreunden. ‹Wenn ihr das nicht tut›, erklärte
er, ‹wird es Tränen geben, und ihr werdet leiden. Ihr müßt auf
die Worte unseres großen Vorsitzenden Mao hören.› Die chine-

sischen Funktionäre entrollten ein Plakat, auf dem in riesigen Goldbuchstaben stand: MAO IST UNSER ÜBERRAGENDER FÜHRER; VOLLKOMMEN IN JEDER HINSICHT, FÜHRER EINES GLÜCKLICHEN LANDES. MÖGE ER HUNDERTTAUSEND JAHRE LEBEN. Der Lama hielt ein übergroßes Porträt von Mao hoch, und der chinesische Funktionär am anderen Ende des Raumes ebenso. Der Lama sagte, wir sollten Maos Worte genau befolgen. Dann mußten alle Leute aufstehen und dreimal laut rufen: ‹Lang lebe der Vorsitzende Mao!›»[1]

Politische Umerziehung dieser plumpen Machart wurde bald zum festen Bestandteil des täglichen Lebens. Im ersten Jahr traten die Chinesen vorsichtig auf, hofierten die Grundbesitzer und Amtsinhaber, deuteten die mögliche Unabhängigkeit an, falls sie kooperierten. Mao wußte, daß der Kommunismus in Tibet wenig echte Freunde hatte und daß man ganz behutsam vorgehen mußte. Er legte den Soldaten nahe, ihre tibetischen «Brüder» durch Zurückhaltung und Höflichkeit für sich zu gewinnen. Außerdem konnte die Volksbefreiungsarmee mit ihren Panzern und Panzerspähwagen nicht in Tibet einrücken, solange die Straßen von China nach Lhasa nicht gebaut waren. Schon deshalb war es unumgänglich, gute Beziehungen zu den «Gastgebern» zu unterhalten.

Diese Soldaten der Volksbefreiungsarmee dachten gar nicht daran, die Dorfbewohner auszunutzen, sondern brachten sogar Reis und Fleisch selber mit. Nie zuvor hatten sich chinesische Invasoren so tadellos aufgeführt, und die Tibeter wunderten sich. Püntsog Wangyel, Sohn einer mäßig begüterten Bauernfamilie in Kham und für das Kloster bestimmt, war sechs, als die Chinesen in sein Dorf kamen: «Ich hörte, wie meine Eltern ängstlich flüsternd erwogen, uns Kinder wegzuschicken, weil die Chinesen uns einfangen und nach Peking bringen könnten. Mich gaben sie in die Obhut einer Tante in einem hochgelegenen Nonnenkloster mit Blick auf das Tal.

Eines Tages sah ich von oben große weiße Objekte, die sich auf uns zubewegten. Ich fragte mich, ob das wohl die Chinesen wären. Und ich hatte recht – es waren Pferdefuhrwerke, mit Waffen, Munition und so weiter beladen und mit einer Art Zeltplane überdacht. Die Begleitmannschaften gingen zu Fuß.»[2]

Natürlich war er zunächst sehr erschrocken: «Aber sie waren sehr nett, lächelten freundlich, schenkten uns Süßigkeiten. In ihrem Lager kampierten sie zu Tausenden. Einige klopften höflich bei uns an und baten um Erlaubnis, sich auf unserem Hof aufhalten zu dürfen. Natürlich wagte niemand, das abzulehnen. Sie blieben ein paar Tage, machten dann gründlich sauber und erkundigten sich bei der Hausherrin, ob irgend etwas fehlte oder kaputtgegangen wäre. Wenn man darauf zum Beispiel erwiderte, man vermisse einen Besen, gaben sie einem Silberdollars, um einen neuen zu kaufen. Alles stand vor einem Rätsel, weil sie doch einen so furchtbaren Ruf hatten. Sie waren sichtlich enttäuscht darüber, daß wir sie nicht als Befreier begrüßten, hatten aber eine Erklärung dafür. ‹Wir wissen, warum ihr Angst habt›, sagten sie. ‹Die Kuomintang hat euch mit ihrer Lügenpropaganda beeinflußt. Die haben euch erzählt, die Kommunisten sind schlechte Menschen, die rauben und töten. Na, ihr seht ja, daß wir gar nicht so sind.› So haben sie uns hinters Licht geführt.»[3]

Für Aten, einen Nomadenführer, benahmen sich die Soldaten durchaus korrekt. Sie bezahlten die Lebensmittel, die sie kauften, und «benutzten Drohungen nur als letztes Mittel». Er berichtet, daß die Soldaten sich anboten, den Dorfbewohnern bei der Ernte und anderen landwirtschaftlichen Arbeiten zu helfen, während ihr Kommandeur die Nomadenführer umwarb: «Er betonte immer wieder, daß die kommunistische Regierung nur den einen Wunsch habe, die Lebensbedingungen des kleinen Mannes zu verbessern und die Verfehlungen der Vergangenheit zu beseitigen. Er machte klar, daß jetzt das Volk herrsche und daß wir, die lokalen Führer, bei der Erneuerung unserer Gesellschaft die wichtigste Rolle spielen würden.»[4]

Jeder rechnete mit einer kurzen Besetzung. «Unser Land hatte chinesische Armeen vieler Regime kommen und wieder gehen sehen. Alle waren sie brutal und tyrannisch vorgegangen, doch zu unserem Glück erwiesen die Offiziere sich als faul, unfähig und korrupt. Diesmal erwarteten wir anfangs einige Veränderungen, aber dann würden auch die Roten ihre nur allzu menschlichen Schwächen offenbaren und sich nicht mehr um uns kümmern.»[5]

Wie konnte man ahnen, daß es diesmal anders kommen würde? Daß die Truppen überhaupt nicht mehr abziehen würden! Bereits 1951 begannen sie, Kinder zu deportieren. Überall im Osten des Landes wurden Dörfer gezwungen, alljährlich mindestens fünfzig Jungen und Mädchen zur Erziehung und Indoktrination nach China zu schicken. Von den älteren wollten manche freiwillig gehen, nachdem sie Theaterstücke und Filme gesehen hatten, die das Leben in China in leuchtenden Farben schilderten. Andere mußte man zwingen. Deportationskommandos rückten an, griffen die Kinder auf, ob sie nun wollten oder nicht, und verfrachteten sie in gepanzerten Lastwagen in Richtung China. Männer mit Maschinengewehren riegelten die Straßen ab, während nach fehlenden Kindern gefahndet wurde. Den aufgeregten Eltern erklärte man barsch, sie hätten kein Recht, sich einzumischen. Manchen von ihnen gelang es, ihre Kinder zu verstecken; manche begingen Selbstmord, wenn sie das nicht schafften.

Bald wurden sogar Babys ihren Müttern weggenommen und nach China geschickt. In Kham waren es 1954 beispielsweise 48 Kleinkinder unter einem Jahr, die von chinesischen Truppen aufgegriffen und nach China verfrachtet wurden, «um etwas über den Kommunismus zu lernen» und um ihre Eltern zu entlasten, damit sie länger arbeiten könnten. Als 15 Elternpaare dagegen protestierten, warf man sie in den Fluß und ließ sie ertrinken. Ein anderes Paar beging Selbstmord.[6]

Lobsang Nyima aus Kham besuchte in seiner Provinz zwei Jahre lang eine chinesische Schule: «Eines Tages kündigten die Chinesen an, jeder müsse nach China gehen, um den Kommunismus zu studieren. Zwei Tage später teilte uns der Lehrer mit, wir müßten aufhören, zu den Göttern zu beten, da die Kommunistische Partei Chinas nicht an sie glaubte. Ich beschloß, nicht nach China zu gehen, sondern versuchte, nach Indien zu fliehen. Doch ich wußte den Weg nicht, wurde bald aufgegriffen und in die Schule zurückgebracht, wo man mir die Beine fesselte.»[7]

Tsewang Samten Ato, ein 18jähriger Tulku aus Kham, gehörte zu den vielen Jugendlichen, die man auf die «Schule der Nationalitäten» in Peking, Shanghai oder Nanking geschickt hatte, um sich dort über die unendlich überlegene chinesische Kultur und die «höhere Zivilisation», die sie verkörperte, belehren zu lassen: «Man nahm uns unsere Mönchsgewänder weg und steckte uns in chinesische Jacken und Hosen. Wir wurden in eine Schule gebracht, wo chinesische Lehrer mit Verachtung über tibetische Sitten und die buddhistische Religion sprachen. Sie versuchten uns zu zwingen, unseren buddhistischen Glauben aufzugeben... Als ich den Lehrern widersprach und für den Buddhismus eintrat, mußte ich zur Strafe stundenlang, mit einem schweren Holzklotz auf dem Kopf, vor der ganzen Klasse stehen.»[8]

Der junge Aten, obwohl bereits Familienvater, wurde ebenfalls auf eine «Schule der Nationalitäten» geschickt. Im Geschichtsunterricht lernte er, wie China, mit ein wenig Unterstützung durch die Sowjetunion, den Zweiten Weltkrieg gewonnen, Europa vom Joch der Nazis befreit hatte – und wie die ganze Welt, ausgenommen ein fernes Land namens Amerika, ebenfalls von den Chinesen befreit worden war und freudig den Kommunismus angenommen hatte. Lediglich Völker wie die Tibeter waren zu rückständig und unwissend, um dem Beispiel zu folgen. Indem sie sich all das anhörten, wurden sich die meisten jungen Tibeter ihrer nationalen Identität nur um so deutlicher bewußt. Doch sie lernten rasch, den Mund zu halten, als sie von ungehorsamen Studenten erfuhren, die man in entlegene Kommunen oder in Arbeitslager expediert hatte.[9]

Die Straßen nach Lhasa, von Xining im Norden und Chengdu im Osten, wurden gegen Ende 1954 fertiggestellt. (Die Straße von Chengdu, in einer Durchschnittshöhe von 4000 m erbaut, überquert vierzehn Gebirgszüge und sieben breite Flüsse.) Der Pekinger Presse zufolge zeigten die Straßen, «welche Anteilnahme und Fürsorge die Kommunistische Partei Chinas und der Vorsitzende Mao dem tibetischen Volk entgegenbringen»[10]. Tatsächlich aber wurden die Straßen (häufig über erstklassiges Ackerland und auf Kosten von zahlreichen Menschenleben) weitgehend von chinesischen oder tibetischen politischen Gefangenen oder tibetischen Rekruten gebaut und kamen ausschließlich dem chinesischen Militärapparat zugute. Erst dadurch konnten die Berge bezwungen werden und die Chinesen alle Soldaten und Waffen heranschaffen, die sie benötigten, um die Okkupation Tibets zu vollenden. Mit den neuen Straßen verschwanden Tibets jahrhundertealte Handelsgepflogenheiten. Reisende Händler mußten ihre alten Beziehungen zu Indien, Sikkim, Nepal und Bhutan lösen und sich ausschließlich auf das Geschäft mit China beschränken, das von Peking scharf kontrolliert wurde.[11] Mit dem lockeren tibetischen System des Tauschhandels auf Straßenmärkten war es zu Ende. Die Märkte wurden geschlossen und viele Tibeter zur Geschäftsaufgabe gezwungen.

Wenn der Straßenbau den tibetischen Arbeitern schwere Qualen verursachte, so waren doch die obligatorischen Vertilgungsprogramme noch schlimmer, die von ihnen unter Androhung von Prügelstrafe verlangten, Insekten, Ratten, Vögel und alle Arten von Ungeziefer zu töten. Dieses Ansinnen verstieß gegen ihren festen Glauben an die Heiligkeit jedes Lebewesens. Mitgefühl ist für die Tibeter kein leeres Wort, sondern das Leitmotiv ihrer Beziehung zur Natur. Das Leben der Tiere war ihnen in allen seinen Formen heilig. Zwar mußten sie sich auch von Fleisch ernähren, aber sie töteten nicht leichtfertig. Wenn ein Hirt sich genötigt sah zu schlachten, bat er zuvor die Tiere inständig um Verzeihung und vollführte Rituale für ihre Wiedergeburt in glücklichere Lebensumstände. Püntsog Wangyel erinnert sich an regelmäßige Besuche in einem Nomadenlager, die er mit seinen Eltern unternahm: «Sie töteten einen Jak, zerlegten ihn und verkauften uns das Fleisch. Doch vor dem Schlachten setzten sich die Nomaden immer erst hin und sprachen Gebete. Dann benetzten sie Nase oder Maul der Jaks mit Weihwasser, bevor sie sie töteten.»[12] Im alten Tibet gab es sogar ein Gesetz, das die Entnahme von Honig verbot, weil man die Tiere nicht ihrer Nahrung berauben dürfe. Die Regierung hatte ein ganzes Bauprogramm verboten aus Angst, damit Würmern und Insekten zu schaden. Es gab kaum Ausnahmen von dieser Regel des allumfassenden Mitgefühls, wie Heinrich Harrer anschaulich beschreibt:

«Krabbelt bei einem Picknick eine Ameise an jemandem hoch, so wird sie zärtlich genommen und fortgetragen. Wenn eine Fliege in die Teetasse fällt, ist das eine kleine Katastrophe.

Sie wird vor dem Ertrinken gerettet, denn sie könnte ja die Wiedergeburt der verstorbenen Großmutter sein. Immer und überall ist man bemüht, solche Seelen- und Lebensrettungen durchzuführen. Im Winter bricht man das Eis der zugefrorenen Tümpel auf und rettet Fische und Würmer, bevor sie erfrieren. Im Sommer wieder holt man sie heraus, wenn die Lachen auszutrocknen drohen ... Man sammelt sie in Eimern und Konservendosen, läßt sie im Fluß wieder frei und hat damit etwas für sein Seelenheil getan ... je mehr Leben man rettet, desto glücklicher ist man.»[13]

«Langsam begannen sich die Dinge zu ändern», erinnert sich Püntsog Wangyel. «Das erste Problem war die Ernährung. Die Chinesen mußten von den Dorfbewohnern mit Lebensmitteln versorgt werden. Sie bezahlten zwar dafür, aber die Preise stiegen unvermeidlich, und bald wurden Nahrungsmittel für die Dorfbewohner selber unerschwinglich. Das war der Anfang großer Veränderungen ... Die Soldaten zogen ab und ließen Beamte zurück, politische Funktionäre in blauen Overalls. Zunächst schienen sie bereit, neben den lokalen Führern ihre Verwaltungsarbeit in der herkömmlichen Weise zu tun. Dann begannen sie allmählich, alles zu kritisieren, und sie veränderten nach und nach alles. Im ersten Stadium ließen sie die Klöster noch ungeschoren, denn sie wußten genau, wie fromm die Leute waren. Aber in den Dörfern fanden ständig Schulungsveranstaltungen zur Umerziehung statt. Langsam begann man zu begreifen, was sie im Sinn hatten.»

Und Rintschen Khandro ergänzt: «Plötzlich wurden die Hausangestellten umworben. Über Nacht waren die Gutsbesitzer zu Blutsaugern und Ausbeutern geworden, und ihre Dienstboten wurden durch Drohungen oder Bestechungen dazu gebracht, die chinesischen Anschuldigungen zu bestätigen. Wer sich weigerte und erklärte, ihre Herrschaft habe sie immer fair und menschlich behandelt, wurde verhaftet ... Erst nachdem sie alle verhaftet hatten, die für ihre Dienstherren eintraten, fühlten sie sich stark genug, gegen die Grundbesitzer und Dorfvorsteher vorzugehen. Das war sehr schlau.»[14]

Bis 1954 hatten die Chinesen in Osttibet viele Grausamkeiten

61

verübt, und die Menschen waren enttäuscht, wütend. In Doi, einer kleinen Stadt in Amdo, wurden 1953 von 500 angeblichen «Sklavenhaltern» 300 durch Genickschuß liquidiert, vor den Augen einer entsetzten Menge, die man warnte, daß jeder, der sich dem Sozialismus widersetze, das gleiche Schicksal zu gewärtigen habe.[15]

Die Befreier hatten sich als Unterdrücker dekuvriert. «Jeder, der sich den Chinesen entgegenstellte, wurde verhaftet», bezeugte Dordsche Tsering, ein Bauer aus Amdo. «Unschuldige wurden irgendwelcher Verbrechen bezichtigt und ins Gefängnis geworfen. Täglich fanden Versammlungen statt, in denen einzelne Personen und ganze Ortsgemeinschaften für ihr Verhalten kritisiert wurden. Nach diesen Versammlungen wurden mindestens zehn Personen erschossen. Chinesische Soldaten waren rund um das Dorf postiert, und es gab kein Entrinnen. Viele begingen Selbstmord, unter ihnen mein Bruder.»[16]

Aten, der Nomade, war nach der Rückkehr von der Schulung in China als kleiner Parteifunktionär tätig und hatte eine Familie zu versorgen. Er wurde einer Gruppe von Ermittlern zugeteilt – Militärs, Parteifunktionäre, eigens ausgesuchte kleine Straftäter und Bettler –, die Kham und Amdo durchkämmten und von jedem Haushaltsvorstand eine genaue Vermögensaufstellung forderten. Offiziell sollte dies Steuerzwecken dienen, aber dahinter steckte laut Aten die Absicht, sämtlichen Grundbesitz, Wertgegenstände und Waffen zu konfiszieren: «Sie blendeten uns mit ihrer Glattzüngigkeit, ihren Geschenken und ihren Silberdollars, während sie uns die Schlinge um den Hals legten. Als wir uns an das alte Sprichwort erinnerten, war es bereits zu spät: ‹Hüte dich vor dem süßen Honig, wenn er dir auf der Messerklinge angeboten wird.›»[17] Der arglose Eifer von Aten und seinesgleichen ermöglichte es den Chinesen, in jedem Bezirk alle führenden Persönlichkeiten in Listen zu erfassen – und ihren gesamten Besitz. «Sie waren sehr gründlich. Sie schenkten den kleinen Kindern Süßigkeiten und fragten sie dabei aus nach ihren Eltern und Verwandten.»[18]

Als ihnen befohlen wurde, ihre Gewehre abzuliefern, riß den Khampas die Geduld. In ihrer ganzen Geschichte hatten sie sich gegen die Banditen zur Wehr setzen müssen, die ihr Land unsicher machten und unvorsichtige Reisende beraubten. «Tibet hatte nie eine Polizei», erklärte Tendsin Chögyel. «Unterwegs mußte man sich ganz allein durchschlagen. Manchmal ritten die Banditen in Kham und Amdo mit fünfzig oder hundert Mann los. Wenn Leute von Lhasa aus lange Reisen unternahmen, taten sie das immer in einer Karawane. Eine große Karawane griffen die Banditen nie an, denn sie wußten, daß sie bewaffnet war. Das heißt nicht, daß alle Khampas aggressiv waren oder ohne Not töteten. Ich habe von vielen gehört, daß sie gelegentlich sehr wohl einen Haufen Banditen hätten vernichten können, aber bloß ein paar Warnschüsse abfeuerten. Doch wo wirklich Lebensgefahr bestand, da töteten sie auch.»[19]

Das Gewehr war der kostbarste Besitz des Khampas und unlösbar mit ihm verbunden. Forderte man ihn auf, es abzuliefern, so war das wie ein Befehl, Selbstmord zu begehen. Nach dem Angriff auf ihre Religion, ihren Besitz und ihre Lebensweise war die Konfiszierung der Gewehre der Funke, der das Pulverfaß zur Explosion brachte und die Rebellion auslöste.

Die Initialzündung erfolgte in Lithang im Südosten von Kham. Das Kloster von Lithang, eines der größten und berühmtesten in Kham, war von den Chinesen relativ unbehelligt geblieben, bis 1955, nach Fertigstellung der neuen Straßen, die ersten von vielen Siedlern eingetroffen waren. (Es war Maos erklärte Absicht, für jeden Tibeter vier Chinesen ins Land zu bringen.) Ein paar Monate später erhielten die Äbte von Lithang den Befehl, ein Inventar der klösterlichen Besitzungen zu erstellen. Sie weigerten sich, beriefen eine Versammlung der Dorfältesten ein und drängten sie, gegen die Kommunisten zu den Waffen zu greifen.

Im Februar 1956 unternahmen die Männer von Lithang einen Überraschungsangriff auf das chinesische Militärlager; es gelang ihnen, einen Vorrat an Waffen zu stehlen, bevor sie zurückgeschlagen wurden und im Kloster Zuflucht suchen mußten. Die Chinesen belagerten das Kloster 64 Tage, unterbreiteten dann ein Angebot, das zugleich eine Drohung beinhaltete. Wenn die Mönche und Dorfbewohner kapitulierten, würden die «Demokratischen Reformen» bis zum nächsten Fünfjahresplan 1956 zurückgestellt. Andernfalls würden die Chinesen das Kloster bombardieren. Die Mönche hatten noch nie ein Flugzeug gesehen, geschweige denn eine Bombe und daher nicht die leiseste Ahnung, was diese Drohung bedeutete. Sie lehnten das chinesische Angebot ab. Daraufhin wurde Lithang tatsächlich von chinesischen Bombern angegriffen. Zu dem Zeitpunkt befanden sich über 6000 Menschen in den Gebäuden, und davon kamen mehr als 4000 Männer, Frauen und Kinder ums Leben. Es war der erste Schritt zu der neuen chinesischen Politik der verbrannten Erde, die schließlich dazu führte, daß sich das ganze tibetische Volk geschlossen gegen sie stellte.

Einige der Überlebenden machten sich auf den langen, mühseligen Weg nach Westen in Richtung Lhasa, die Flucht über die hohen Bergpässe dauerte drei Monate. An den Zurückgebliebenen wurde ungezügelt Rache genommen. Tausende wurden verhaftet und hingerichtet, Tausende vertrieben und unzählige chinesische Siedler an ihrer Stelle ins Land gebracht.

Einsiedler wurden aus ihren Höhlen gezerrt, verhört und gefoltert. Nur wenige überlebten. Kurz nach Eroberung des Klosters «führten die Chinesen zwei ältere Lamas, ehemalige Äbte, den anderen Gefangenen vor. Die Lamas seien doch offensichtlich Scharlatane, verkündeten sie, denn sie hätten es nicht vermocht, ihren Freunden und Verwandten das Leben zu retten, und jetzt müsse man sehen, ob sie die Fähigkeit besäßen, wenigstens ihr Leben zu retten. Einem der beiden wurde kochendes Wasser über den Kopf geschüttet, dann erdrosselte man ihn; der andere wurde gesteinigt, bevor man ihm mit einer Axt den Schädel einschlug. In den folgenden Wochen wurden andere Lamas gekreuzigt, verbrannt, aufgeschlitzt, ausgeweidet oder vor den Augen der entsetzten Tibeter lebendig begraben. Einige sperrte man einfach ein und überließ sie dem langsamen Hungertod.»[20]

«Als die Chinesen unser Kloster zerstörten», erinnert sich ein Mönch aus Chamdo, «wählten sie alle inkarnierten Lamas, die hochqualifizierten Lehrer und die Verwalter für eine Sonderbehandlung aus. Man beschuldigte sie der verschiedensten Verbrechen, durchweg ohne jeden berechtigten Anlaß. Dann begann eine lange Periode der Folter, um Informationen zu erhalten, über die wir gar nicht verfügten. Wir wurden brutal geschlagen und gezwungen, mit bloßen Beinen auf Glasscherben zu knien. Manche der Überlebenden können bis heute nicht richtig laufen, weil sämtliche Sehnen durchschnitten wurden. Dann wurden viele rücklings zu Boden geworfen, und acht Personen packten sie an Armen und Beinen, rissen sie auseinander... Zur Folter gehörte ferner, dem Gefangenen Ohren und Nase vom Kopf zu reißen. Die Chinesen bohrten auch ihre Finger in die Augen der Häftlinge und stopften ihnen Erde in den Mund, so daß sie keine Luft bekamen und erstickten. Dann lachten sie uns ins Gesicht und sagten: ‹Na, wo ist denn nun euer Gott? Wenn es ihn gibt, so ruft ihn doch!›»[21]

Während des Jahres 1956 brachen überall in Kham Revolten aus und bald auch in Amdo, als sich der lange aufgestaute Haß und Schmerz der Tibeter in einem grenzenlosen Verlangen nach Rache entlud. «Partisanen in Hemden aus Fallschirmseide, mit schweren Talismanen behängt, zum Schutz gegen Kugeln, kamen zu Pferde aus ihren Schlupflöchern in den Bergen, überfielen – mit Hinterladern, Schwertern und gelegentlich einer Handgranate – kleine Vorposten der Volksbefreiungsarmee und Konvois, die zwischen den großen Städten mit ihren starken Garnisonen unterwegs waren.»[22]

Als chinesische Truppen über die neuen Straßen nach Osttibet strömten, griffen berittene Khampas, begünstigt durch ihre genaue Kenntnis des wilden Hochlands, Nachschubkolonnen und Militärposten an, unterbrachen Verbindungswege und eroberten Gelände mit wilder Bravour. Den Chinesen wurde klar, daß sie einen neuen Krieg am Halse hatten, obzwar einen ungleichen, in dem sie Panzer, Panzerkampfwagen, Maschinengewehre und Flugzeuge ins Feld führen konnten gegen Gewehre, Dolche und Schwerter.

Viele der lokalen Führer vertrauten indessen immer noch auf die von den Chinesen versprochene Unabhängigkeit und lehnten es zunächst ab, die Rebellen zu unterstützen. Dann rief im Sommer 1956 der Kommandeur der Volksbefreiungsarmee 350 führende Khampas zusammen und erbat ihre Zustimmung zur Einführung der «Demokratischen Reformen». Nach langen Diskussionen stimmte die große Mehrheit gegen den Plan. Daraufhin wurden 210 Führungspersönlichkeiten aus Derge, dem größten Gebiet von Kham, nach Dschomda Dzong, einer im Nordosten von Chamdo nahe dem Jangtse gelegenen Festung, zitiert. Sobald sie alle im Fort versammelt waren, wurde es von 5000 chinesischen Soldaten umstellt. Die Männer wurden zwei Wochen lang gefangengehalten, bis sie schließlich ihre Zustimmung zu den Reformen gaben. Doch in der gleichen Nacht brachen alle 210 Mann aus und flohen in die Berge, wo sie sich zu einer starken Widerstandsgruppe formierten.[23]

Die Chinesen ließen jetzt die Maske fallen und machten sich daran, die «Demokratischen Reformen» mit Gewalt durchzusetzen. «Eines Tages beorderten sie uns zu einer Versammlung und teilten uns mit, die Zeit für eine Veränderung sei gekommen», erzählte Dschigme Namgyel aus einer Ackerbau betreibenden Nomadenfamilie in Kham. «Nun sollte der Marxismus in die Praxis umgesetzt werden.» Es wurden neue Steuern erhoben – auf Land, Vieh, Häuser und Klöster. Große Besitzungen wurden beschlagnahmt, lokale Komitees verteilten den Grund und Boden neu, zwangen die Bauern in Kollektive, in denen alles – Land, Herden, Saatgut, selbst die einfachsten Geräte – Gemeinschaftseigentum war. Die Bauern mußten jetzt dort arbeiten, wo man es ihnen sagte, anbauen, was man ihnen sagte; und sie wurden mit Getreide entlohnt, entsprechend der Arbeitsleistung. Die Erträge mußten größtenteils an den Staat verkauft werden. (Auch die Nomaden mußten ihre Wolle, Butter, Milch und Jakhäute direkt an die Chinesen verkaufen.) Die maximale monatliche Lebensmittelzuteilung von 15 Kilogramm Getreide erhielten nur Beamte und Sympathisanten der Kommunisten, während die schwer arbeitenden gewöhnlichen Tibeter nicht mehr als 12 Kilogramm erhoffen konnten. Sie sollten der Wirtschaft des Mutterlandes zuliebe weniger essen, predigte man den Menschen und befahl ihnen, die kostbare Butter nicht mehr für religiöse Zwecke oder als Zusatz zum Tee zu vergeuden. Als niemand gehorchte, erinnerte sich Dschigme Namgyel, «kamen chinesische Kader in unser Dorf, um die Vorschrift durchzusetzen. Sie verboten uns die Butterlampen und befahlen, sie auf den Kopf zu stellen.»

Püntsog Wangyel hatte drei Jahre in Lhasa studiert und kehrte 1955 nach Kham zurück, wo er feststellte, daß die Chinesen die

Dorfbewohner bereits in einen heftigen «Klassenkampf» getrieben hatten: «Ich kam mit dem Lastwagen spät nachts zu Hause an. Es war sehr dunkel, kein Mond am Himmel. Meine Mutter erschien mit einem Licht. Ich konnte nur ihr Gesicht erkennen, merkte aber sofort, daß sie in den drei Jahren meiner Abwesenheit furchtbar gealtert war. Obwohl noch eine junge Frau, sah sie alt und sehr blaß aus. Sobald ich das Haus betreten hatte, flüsterte sie mir zu, ich solle den Mund halten. Dann kam ein Nachbar und bedeutete mir ebenfalls zu schweigen. Mir wurde klar, daß die Menschen nicht mehr frei und sehr verängstigt waren. Tags darauf sah ich auf dem Weg zum Kloster viele Leute auf den Feldern arbeiten und überall rote Fahnen. Die Kollektivierung war weit fortgeschritten. Man spürte die schreckliche Angst, ohne sie ganz zu verstehen.»

Er setzte sein Studium weitere drei Jahre fort, und inzwischen wurde es noch schlimmer: «Für die Ernährung der Mönche mußten die Dorfbewohner sorgen. Die Klöster selber produzierten nichts, ihr Bedarf an Lebensmitteln wurde von den Dörfern gedeckt, während die Mönche und Nonnen sich um das geistliche Wohl kümmerten, mit Gebeten und so weiter. Jetzt hatten die Chinesen diesem System den Boden entzogen. Sie sagten nicht ausdrücklich, daß niemand Lebensmittel an die Klöster liefern dürfe, aber sie rationierten die Zuteilung für die Dorfbewohner. Überschüsse durften sie nicht behalten, sondern mußten sie an den Staat verkaufen. Um mir etwas zu essen zu geben, mußte meine Mutter ihre eigenen unzureichenden Rationen hernehmen, denn ich bekam keine Zuteilung. Lebensmittel wurden immer knapper.»

Bald trieb der Hunger die Menschen dazu, alle möglichen Wildpflanzen und Kräuter zu essen. Ein chinesischer Funktionär erläuterte das neue System auf Befragen: «Alle Personen unter sechzig sind zu körperlicher Arbeit imstande. Wer über siebzig ist, kann immer noch die Vögel von den Feldern verscheuchen.»

Sein Gesprächspartner konterte: «Wie können Sie bei diesem System erwarten, daß jeder satt wird? Alte, Krüppel, Kranke und Kinder sind da schlechter dran als die Tiere, die wir früher gehalten haben. Wir haben unser Vieh tagsüber vielleicht schuften lassen, aber danach bekam es so viel wie möglich zu fressen.»

Der Chinese antwortete: «Jeder Mensch kann etwas arbeiten. Die Krüppel können nähen und flicken, die Blinden Wolle spinnen. Auch Kinder können einfache Arbeiten verrichten. Jeder, der essen will, ohne zu arbeiten, ist ein Parasit und ein Feind des Volkes.»[24]

Mittels Drohungen, Bestechung und Erpressung schufen sich die Chinesen ein Netz von Spitzeln und Informanten. Das gehörte zu dem Plan, überall Unsicherheit und Mißtrauen zu verbreiten. Jeder hatte Angst um sich und seine Familie. Kinder wurden ermutigt, ihre Eltern zu denunzieren, wenn diese der «weisen und gerechten Führung» des Vorsitzenden Mao nicht zustimmten.[25] Das wurde mit Mißhandlungen und Folter geahndet, und viele Eltern begingen Selbstmord.

Es war schon gefährlich, lesen und schreiben zu können (was viele einfache Bauern bei den Mönchen gelernt hatten), denn diese Fähigkeit brandmarkte den Betreffenden bereits als Angehörigen der «herrschenden Klasse», die beseitigt werden mußte. Während der Dreharbeiten für einen Fernsehfilm unterhielt sich Vanya Kewley in Tibet mit Thöndrup, dem Sohn eines einfachen Bauern, der als Neunjähriger mit ansehen mußte, wie Soldaten seinen Vater, obwohl der nach den erhaltenen Schlägen kaum noch laufen konnte, zum Dorfplatz abführten. Dort versuchten sie, ihm ein Geständnis abzupressen, ließen ihn dann, die Hände auf dem Rücken gefesselt, niederknien und verabfolgten ihm einen gezielten Genickschuß – vor den Augen von Thöndrup, seinem Bruder und sämtlichen Dorfbewohnern. Dann verlangten sie von der Familie den Preis für die Kugel, bevor sie die Leiche zur Bestattung mitnehmen durfte.[26]

Nach dem schweren Tagewerk auf den Feldern fanden allabendlich obligatorische Schulungskurse statt. Durch ihr Spitzelnetz verfügten die Chinesen jetzt über die erforderlichen Informationen bezüglich der Herkunft jedes einzelnen. Sie teilten das Volk in Klassen ein: Kapitalisten (für die weltfremden, apolitischen Tibeter eine verwirrende Kategorie); Grundbesitzer, Adlige und hochrangige Lamas; Handwerker und Händler; ärmere Bauern und Nomaden; Leibeigene, Landarbeiter und

Bettler. Die ersten beiden Gruppen waren «Volksfeinde». Die unteren Kategorien sollten wichtige Positionen erhalten und die höheren Gruppen zerstören. «Haß ist ein ausgezeichneter sozialer Gleichmacher», hatte Ministerpräsident Zhou Enlai einmal empfohlen, und das Schüren von Haß war zur stärksten Waffe im kommunistischen Arsenal geworden. «Der Feind wird nicht von selbst verschwinden», schrieb Mao. «Es muß ein Kampf zwischen Bauern- und Grundbesitzerklasse stattfinden, wenn ihr eure Freiheit wollt... Um einen Kampf zu gewinnen, müßt ihr kämpfen.»

Die sogenannte «Massendiskussion» – bekannt als «Thamzing» – diente der Umerziehung, eine neue Variante der chinesischen Folter, mit der die Kommunisten alte Bindungen und herkömmliche soziale Verhaltensmuster brutal zu zertrümmern suchten. In Tibet, ebenso wie in China[27], wandte man diese Methode an, um Menschen zu jeder erdenklichen Denunziation zu zwingen. Der ganze Vorgang verlief geradezu kafkaesk. Die Opfer wurden gefesselt oder in Ketten in einen öffentlichen Versammlungsraum gebracht, als Ausbeuter und Konterrevolutionäre beschuldigt, um dann gedemütigt, geschlagen, gefoltert und häufig getötet zu werden. Die Chinesen gingen von Haus zu Haus, zwangen jeden, auch Kinder, dem Schauspiel beizuwohnen. Wer sich weigerte, mußte damit rechnen, das nächste Opfer zu sein.

In dem Versammlungsraum wurde der Haß gezielt hochgepeitscht. Eine Gruppe ehemaliger Leibeigener war auf dem Podium placiert und berichtete ausführlich von den – tatsächlichen oder erfundenen – Leiden, die sie von ihren früheren Unterdrückern erdulden mußten, bevor der Gefangene hereingebracht wurde. Der leitende Funktionär heizte die Menge an, brüllte Parolen, schürte alte Animositäten, weckte neue Ängste. Er verfolgte damit nur den einen Zweck: den Massen die Technik des Klassenkampfes beizubringen, ihren vermeintlichen Unmut gegen die einstigen Führer zu entfesseln. So zitierte er x-beliebige Zuhörer auf das Podium und ließ sie (unter Androhung sofortiger Bestrafung) in den immer lauter werdenden Chor der Verurteilung einstimmen. «Auf diese Art vollziehen die Massen selbst den traumatischen Bruch mit der alten

Lebensweise, den alten Loyalitäten...», kommentiert Fredrick Hyde-Chambers in seinem Roman *Lama* (1984). «Die Gefahr bestand, wie Mao ausführte, darin, daß die Menschen, wenn sie lediglich passive, unbeteiligte Zuschauer sind, beginnen könnten, mit dem Bestraften zu sympathisieren. Der Kader mußte jedoch eine Massendiskussion in Tibet leiten, wo die Menschen spontan reagierten. Ihre unglaubliche, unwandelbare Treue zu ihrer Religion verblüffte ihn immer wieder. In solchen Fällen war Terror die einzige Möglichkeit.»[28]

Häufig wurden die Familien oder Opfer gezwungen, als Zuschauer beizuwohnen und zu applaudieren, während man ihre Angehörigen erhängte; und wer dabei weinte, wurde wegen seines Mangels an revolutionärer Begeisterung geschlagen. «Neben anderen Demütigungen mußten hohe Lamas und Grundbesitzer öffentlich ihren eigenen Urin trinken und ihre eigenen Exkremente essen», sagt Lobsang Rinchok. «Das widerfuhr dem Abt von Labrang und zwei berühmten Freiheitskämpfern – vor zwanzig- bis dreißigtausend Menschen.»[29]

Wenn Aten über Thamzings spricht, übermannt ihn die Erinnerung daran, wie dem Opfer der letzte Rest von Würde genommen, wie er mit Demütigungen überhäuft wurde von seinen eigenen Leuten, seinen eigenen unglücklichen Kindern und Angehörigen: «Oft wurde der Angeschuldigte geschlagen, angespuckt und mit Urin besudelt. Man fügte ihm jede nur denkbare Erniedrigung zu und ließ ihn dadurch mehr als einen Tod erleiden. Wenn die Prozedur überstanden war, verlor niemand mehr ein Wort über ihn. Er war kein Märtyrer für die Menschen, denn sie hatten ihn ja getötet. Sein Leben lag in den Händen derjenigen, die ihn hätten ehren und im Gedächtnis behalten sollen; doch, ihrer Schuld bewußt, versuchten die Menschen ihn zu vergessen und damit die schändliche Rolle, die sie bei seiner Erniedrigung gespielt hatten.»[30]

Nach einer dieser Veranstaltungen eröffnete ein chinesischer General den Versammelten, nun seien sie vollends befreit und erbat ihre Kommentare. Aten berichtet davon: «Zunächst sagte niemand etwas. Dann stand ein alter Mann auf. ‹Mein Name ist Schanam Ma›, sagte er. ‹Ich bin, wie Sie sehen, ein alter Mann und arm. Es gibt ein paar Dinge, die heute hier gesagt werden müssen, und am besten tue ich es. Da ich arm bin, habe ich nichts zu verlieren; da ich alt bin, wird der Tod sowieso nicht mehr lange auf sich warten lassen.

Ich habe euch Chinesen folgendes zu sagen: Seitdem ihr in unser Land gekommen seid, konnten wir euer Verhalten nur mit Mühe ertragen. Jetzt versucht ihr, uns einige überspannte Reformen aufzuzwingen, die wir allesamt als albernen, aufgeblasenen Schwachsinn ansehen. Was meint ihr damit, daß ihr uns Land geben wollt, da uns das ganze Land ringsum doch seit Menschengedenken gehört? Unsere Vorfahren haben es uns gegeben, und ihr könnt es uns nicht ein zweites Mal geben. Wenn uns jemand unterdrückt, so seid ihr es! Wer hat euch das Recht gegeben, euch den Weg in unser Land zu erzwingen und uns eure unsinnigen Ideen anzudrehen? Wir sind Tibeter, ihr seid Chinesen. Geht nach Hause, kehrt zu euren Leuten zurück. Wir brauchen euch nicht.›»[31]

Ein weiterer Mann, Ape Tsültrim, erhob sich, um dem Alten beizupflichten. Die ganze Versammlung spendete lautstark Beifall. Am folgenden Abend erklärte der General, die beiden Männer seien «Sklavenhalter» und ließ sie festnehmen. Sie mußten sich der «Massendiskussion» stellen und wurden vor aller Augen heftig geschlagen. Was danach mit ihnen geschah, ist unbekannt.

Kleines Licht im Sturm

Der Aufbau einer sozialistischen Gesellschaft ist das
gemeinsame Ziel aller Nationalitäten in unserem
Land. Nur der Sozialismus kann jeder Nationalität
ein hohes Maß an wirtschaftlicher und kultureller
Entwicklung garantieren. Unser Staat hat die
Pflicht, allen Nationalitäten im Lande zu helfen,
diesen Weg zum Glück Schritt für Schritt zu gehen.

Liu Shaoqi, Bericht über den
Verfassungsentwurf für die Volksrepublik China, September 1954

Lhasa hätte auch auf einem anderen Stern liegen können, so
groß war die Unwissenheit über die schrecklichen Ereignisse im
Osten des Landes. Die Chinesen verhängten über Tibet eine
strikte Nachrichtensperre, und so blieb der Dalai Lama in
völliger Unkenntnis – bis die Flüchtlinge hereinzuströmen begannen. In Lhasa hatte er genügend eigene Probleme bei seiner
Gratwanderung gegenüber den Chinesen – er verweigerte die
ihm zugedachte Rolle einer Marionette, versuchte aber trotzdem, eine Konfrontation zu vermeiden. Seit der Entlassung der
beiden Premierminister und der Verhaftung der Widerstands-
führer hatte sich die Lage zwar verbessert, doch die offene
Feindseligkeit, der sie in Lhasa begegneten, war für die Chinesen nach wie vor ein Ärgernis.

Den Dalai Lama nach China einzuladen, erschien ihnen als
beste Lösung. Schließlich war er mit zwanzig immer noch ein für
Eindrücke empfänglicher junger Mann, dessen Vorliebe für
moderne Technik bekannt war. In Peking würde er davon
Beispiele in Hülle und Fülle finden und voller Begeisterung nach
Tibet zurückkehren.

Und so begab sich der Dalai Lama 1954 an der Spitze der tibetischen Delegation nach Peking zur feierlichen Einführung der neuen Verfassung. Die Einwohner von Lhasa waren entsetzt, fast überzeugt von einem chinesischen Komplott, ihren Führer zu kidnappen oder gar zu ermorden und sie schutzlos zurückzulassen. Was blieb ihnen anderes übrig, als im Gebet Zuflucht zu suchen? «Wir machten uns in vier Gruppen auf in die heiligen Berge rings um die Stadt, um für sein Wohlergehen und seine baldige Rückkehr zu beten», erzählt Dölma Tschösom, damals eine junge Hausfrau in Lhasa. Der Aufbruch der Reisegesellschaft im Juli wurde von Trauer und Klagen begleitet, alle fürchteten, daß sie ihr geistliches Oberhaupt niemals wiedersehen würden.

Der Panchen Lama hatte sich der Delegation angeschlossen, denn die Chinesen ließen keine Gelegenheit aus, ihn als gleichberechtigt mit dem Dalai Lama hinzustellen. Die Einwohner von Lhasa machten aus ihrer Verachtung kein Hehl. Chinesische Plakate, die seine Ankunft in Lhasa ankündigten, wurden mit Dung beschmiert, und auf den Straßen sang man Spottlieder auf ihn. Die tibetischen Beamten in der Delegation lehnten es ab, ihn anders zu behandeln als jeden hohen Geistlichen, trotz aller chinesischen Versuche, ihn mit politischem Status auszustatten.

Da die Straßen von Lhasa nach China noch nicht ganz fertiggestellt waren, wurde die Reise durch Überschwemmungen und Erdrutsche unterbrochen, und die Delegierten steckten oft knietief im Schlamm. In China angelangt, genoß der junge Dalai Lama jedoch die Ungezwungenheit, mit der man ihn behandelte, ein wohltuender Gegensatz zu den steifen Ritualen in Lhasa. Bei der Begegnung mit Veteranen des Langen Marsches empfand er deren offene, freundliche Art als überaus angenehm: «Ich bekam größte Achtung vor ihnen und bewunderte ihre Entschlossenheit und Selbstlosigkeit. Sie hatten so vielen Schwierigkeiten und Nöten getrotzt, sie hatten wirklich gelitten, um dem chinesischen Volk das Glück zu bringen.»[1] Er war offensichtlich auch angetan vom Vorsitzenden Mao, «einem einfachen Mann mit Würde und Autorität..., mit einer starken Ausstrahlung». Der Dalai Lama bewunderte den Marxismus, zumindest den ursprünglichen Gedanken – ein System, das auf Gleichheit und Gerechtigkeit für jedermann beruht und frei von engstirnigem Nationalismus ist. In diesem Punkt glaubte er immer noch an eine mögliche Koexistenz mit dem Buddhismus: «Das Hauptanliegen der Urmarxisten galt dem Wohl der Arbeiterklasse..., der Mehrheit..., den Unterprivilegierten. Insoweit es ihnen ernsthaft um soziale Gerechtigkeit ging, hatten sie recht. Ihre Wirtschaftstheorie beschäftigte sich vorwiegend mit Verteilung, weniger mit Gewinn; die Kapitalisten dagegen waren in erster Linie profitorientiert, ohne sich sonderlich um eine gerechte Verteilung der Erträge zu kümmern. Im Buddhismus, vor allem in der Mahayana-Richtung, werden wir geschult, zuerst an andere zu denken – und dann an uns selbst. Das ist vergleichbar mit den Leitsätzen des Sozialismus.»[2]

Der Dalai Lama und Mao schienen einander zu mögen. Mao räumte tatsächlich ein, der Buddhismus sei doch eine recht gute Religion, denn Buddha habe die Lebensbedingungen des Volkes verbessern wollen. Ein andermal wiederum erklärte er allerdings kategorisch: «Aber Religion ist selbstverständlich Gift... Sie untergräbt die Volkskraft, und zweitens verzögert sie den Fortschritt des Landes.»[3] (Religion gehörte in der neuen chinesischen Verfassung zu den offiziell anerkannten Prinzipien. Ihre Ausübung jedoch war scharfer Kontrolle durch Staatsorgane unterworfen.)

Mao betonte, die Chinesen seien nur in Tibet, um bei der Entwicklung des Landes zu helfen und versprach, daß man sich zurückziehen werde, sobald die Tibeter allein dazu in der Lage wären, den Sozialismus zu verwirklichen. Der Dalai Lama stimmte zu, daß sein Land rückständig sei, bat jedoch, wenigstens die tibetische Flagge beizubehalten. Mao pflichtete ihm bei, was die Wichtigkeit der Fahne anbelangte. «Er war sehr verständnisvoll», sagte Seine Heiligkeit. «Einmal saßen wir, zusammen mit anderen chinesischen und tibetischen Würdenträgern, einander an einem langen Tisch gegenüber. An einer Ecke saßen zwei chinesische Generäle. Mao deutete auf sie und erklärte: ‹Diese Männer sind nach Tibet geschickt worden, um Ihnen zu helfen und zu dienen. Sollten Sie irgendwann einmal etwas an ihrem Verhalten auszusetzen haben,

so lassen Sie es mich wissen, und ich werde sie zurückbe-
ordern.›»[4]

Daß die Tibeter bisher keinerlei Dankbarkeit gezeigt hatten, kränkte Mao. Eine Veränderung könne man nicht übereilt herbeiführen, erklärte daraufhin sein Gast, und unter
Druck würde es bei den Tibetern vermutlich eher zur Explosion als zur Kooperation kommen. Dann berichtete Mao von
seinem Plan, ein «Vorbereitendes Komitee zur Errichtung
der Autonomen Region Tibet» einzusetzen, das die Aufgabe
hatte, Tibet schrittweise und in einem verträglichen Tempo
auf die Eingliederung in die Volksrepublik China vorzubereiten. Obwohl das eine weitere Schwächung seiner Autorität
zur Folge haben würde, begrüßte der Dalai Lama die Aussicht auf eine partnerschaftliche Zusammenarbeit mit den
Chinesen.

Vieles von dem, was er in China sah, bewunderte er aufrich-
tig, er war aber wiederum nicht so naiv und leichtgläubig, wie die
Chinesen ihn eingeschätzt hatten. Er hatte sich einen klaren
Blick und Augenmaß bewahrt und begann, die eigentlichen
Beweggründe zu erkennen, aus denen China die Kontrolle über
Tibet anstrebte, diese «westliche Schatzkammer» mit ihren
weiten, unbesiedelten Flächen, ihren unangetasteten Vorräten
an Bodenschätzen und Wäldern. Zwar beeindruckten ihn die
unleugbaren enormen Leistungen, aber «alle Leistung und allen
Fortschritt muß man gegen das abwägen, was sie kosten, und mir
schien, daß in China furchtbar dafür bezahlt worden war. Die
Menschen hatten den Fortschritt mit dem Verlust ihrer Individualität bezahlen müssen. Aus Einzelmenschen war eine homo-
gene Masse geworden. Überall, wohin ich kam, fand ich sie
straff organisiert, wohldiszipliniert und bis ins letzte reglemen-
tiert. Alle trugen nicht nur die gleiche Kleidung, sie alle sagten
das gleiche, sie alle zeigten das gleiche Verhalten, und sie alle
dachten auch, wie ich glaube, das gleiche... Aber ich konnte
nicht glauben, daß es den Chinesen je gelingen würde, den
Tibetern eine solche Sklaverei des Geistes aufzuerlegen. Glauben, Humor und Individualität bedeuten für die Tibeter den
Lebensatem, und keiner würde freiwillig diese drei Werte für
bloßen materiellen Fortschritt eintauschen, selbst wenn der

Tausch nicht zugleich die Unterwerfung unter ein fremdes Volk mit sich bringen würde.»[5]

Als der Dalai Lama zur grenzenlosen Erleichterung seines Volkes nach einem Jahr in die Heimat zurückkehrte, hatte sein Land bereits ein anderes Gesicht bekommen. Zwei der neuen Hauptverkehrsadern von China nach Lhasa waren fertiggestellt, die Stadt drohte zu ersticken an den unzähligen Militärfahrzeugen aller Art, an dem Krach und dem Schmutz, den sie mit sich brachten.

Die Amtseinführung des Vorbereitenden Komitees, das die offizielle Aufteilung Tibets signalisierte und den Dalai Lama zum Vertreter einer bloßen «Lokalregierung» reduzierte, fand im August 1956 mit Paraden und Banketts statt. Dawa Norbu aus Sakya erinnert sich an «einen großartigen Festtag. Ein riesiges Porträt von Mao wurde angebracht, flankiert von Bildnissen des Dalai Lama und des Panchen Lama. Vielfarbige Plakate in tibetischer Sprache schmückten die Wände. Es wurden lange Reden gehalten, und alle Kinder und Beamten applaudierten pflichtschuldig.»[6] Das Komitee sollte 51 Mitglieder haben, bis auf fünf alle Tibeter. Der Dalai Lama war als Vorsitzender vorgesehen, der Panchen Lama – von den Tibetern «Maos Panchen»[7] genannt – als Stellvertretender Vorsitzender und Ngawang Dschigme Ngabö als Generalsekretär. Es war nach Meinung des Dalai Lama «die letzte Hoffnung für die friedliche Entwicklung in unserem Land». Doch diese Hoffnung zerschlug sich bald.

«Eine wesentliche Tatsache hatte ich nämlich nicht genügend berücksichtigt. Zwanzig der Mitglieder waren zwar Tibeter, aber Abgeordnete des ‹Chamdo-Befreiungskomitees› und des von den Kommunisten im westlichen Distrikt des Panchen Lama aufgestellten Komitees. Beide waren rein chinesische Gründungen. Ihre Vertreter verdankten ihre Position hauptsächlich chinesischer Unterstützung, und dafür mußten sie sich für jeden chinesischen Vorschlag einsetzen... Angesichts dieses geschlossenen Blocks gelenkter Abgeordneter, zu denen noch die fünf chinesischen Mitglieder kamen, war das Komitee nichts als die Fassade einer tibetischen Volksvertretung, hinter der jede

Macht allein von den Chinesen ausgeübt wurde ... Wir durften niemals irgendwelche wesentlichen Änderungen vornehmen. Obgleich ich nominell Vorsitzender war, konnte ich nicht viel tun.»[8]

Nicht genug, daß China sich zwei Drittel des alten Tibet einverleibt hatte, befand sich der verbliebene Rest auch noch zu zwei Dritteln in der Hand chinesischer Marionetten. Die wirkliche Macht lag jedenfalls ausschließlich beim Komitee der Kommunistischen Partei Chinas in Tibet, und in diesem sich seiner Macht bewußten Gremium gab es überhaupt keine tibetischen Vertreter. Das stellte einen klaren Bruch von Artikel 14 des Siebzehn-Punkte-Abkommens dar, in dem Peking garantiert hatte, weder das politische System Tibets zu ändern noch Status, Funktionen und Machtbefugnisse des Dalai Lama.

Als die Bevölkerung davon erfuhr, machte sie ihrem Zorn Luft. Öffentliche Versammlungen wurden abgehalten, deren Proteste den chinesischen Behörden zugeleitet. Die Chinesen veranlaßten den Kaschag, derartige Versammlungen zu verbieten. Der Dalai Lama unterschrieb dieses Verbot widerwillig und in der Gewißheit, daß die Tibeter es sowieso ignorieren würden. Das Volk scherte sich in der Tat nicht um die Folgen, viele hielten Gewalt für den einzigen verbliebenen Ausweg. Überall in Lhasa wurden Plakate angeschlagen, auf denen vor allem der Abzug der Chinesen gefordert wurde, wobei eines freilich Tibet mit einem «kleinen Licht in einem heftigen Sturm» verglich, und andere gelobten, «unser Blut zu vergießen und unser Leben zu opfern im Widerstand gegen die Kommunisten»[9].

Als der Dalai Lama auf der Heimreise von China 1955 durch Kham kam, hatte er die Atmosphäre nahenden Unheils gespürt. «Bei den Tibetern sah ich die Erbitterung und den Haß auf die Chinesen steigen, bei den Chinesen zunehmende Rücksichtslosigkeit und jene Entschlossenheit, die ihre Ursache in Furcht und Mangel an Verständnis hat.»

Das war vor Beginn des Aufstandes. Als die Nachrichten von den Revolten in Kham und Amdo, von der Bombardierung Lithangs, von gefolterten und hingerichteten Frauen und Kindern, deren Väter und Ehemänner sich der Widerstandsbewegung angeschlossen hatten, von vergewaltigten Mönchen und

Nonnen in Lhasa eintrafen, weinte der Dalai Lama. «Ich konnte nicht glauben, daß Menschen fähig waren, einander solche Grausamkeiten zuzufügen.» Der Gedanke an eine Konfrontation ohne Ende entsetzte ihn: «In den unzugänglichen Bergen vermochten sich die Guerillas jahrelang zu halten. Die Chinesen würden sie niemals vertreiben können; aber auch die Guerillas konnten nie und nimmer die chinesische Armee schlagen. Und wie lange dieser Kampf dauern mochte – es war doch das tibetische Volk, es waren besonders die Frauen und Kinder, die darunter zu leiden hatten.»[10] Er erinnerte sich an Maos Versprechen, Beamte, die in ihrem Eifer die Menschlichkeit außer acht ließen, zu maßregeln, und schrieb ihm. «Ich versuchte, ihm die Situation zu erklären, und daß die Beamten so viel Leid verursachten. Ich schrieb ihm sowohl offiziell wie inoffiziell. Doch er antwortete nicht – und das Verhalten der Beamten wurde sogar noch aggressiver. Dann erkannte ich endlich, wie gewaltig Maos Worte und seine Handlungen auseinanderklafften. Seine Versprechungen waren wie ein Regenbogen, schön, aber substanzlos.»[11]

Der Dalai Lama war nicht allein mit seinem Protest, wie er mir viele Jahre später, im Mai 1990, erzählte: «Ein General, der dagegen Einwände erhob, daß zu viele chinesische Soldaten in Tibet wären, wurde in Ungnade nach China zurückbeordert. Dann gab es einen weiteren General, der dem Vorsitzenden Mao mitteilte, es seien so viele Tibeter verhaftet worden, daß die Gefängnisse nicht genügend Platz für alle hätten. Mao entgegnete: ‹Keine Sorge. Selbst wenn Sie die ganze Bevölkerung einsperren müssen, finden wir genügend Gefängnisse.›»[12]

Im Zustand tiefer Depression erhielt der Dalai Lama die Genehmigung, Indien zu besuchen (zusammen mit dem Panchen Lama), und zwar aus einem unter günstigeren Bedingungen gewiß freudigen Anlaß: die Teilnahme am Buddha Jayanti, der Feier des zweitausendfünfhundertsten Jahrestages der Geburt Buddhas. Die drei Minister, die ihn begleiteten, erzählten einer Gruppe tibetischer Flüchtlinge in Indien, Tibet gleiche einem Ei, das unter einem erhobenen Elefantenfuß liegt. Sein Überleben hinge davon ab, ob China mit dem Fuß auftritt. Der Dalai Lama schien ihren Pessimismus zu teilen. Er verwarf die für ihn aufgesetzten Reden, die ihm die Chinesen gegeben hatten, und sprach öffentlich von großen Staaten, die sich kleine, unabhängige einverleibten, und bat die Welt um Gehör.

Niedergeschlagen erklärte er seinem Gastgeber Nehru, er werde wohl nicht nach Tibet zurückkehren, da er dort nichts mehr bewirken könne: «Ich sagte, ich sei gezwungen anzunehmen, daß die Chinesen die feste Absicht hätten, unsere Religion und unsere Sitten für immer zu vernichten... Alle meine friedlichen Bemühungen waren bisher fehlgeschlagen. Aber von Indien aus könnte ich zumindest den Menschen in der ganzen Welt sagen, was in Tibet vor sich ging; ich könnte versuchen, ihre moralische Unterstützung für uns zu mobilisieren und so vielleicht doch einen Wandel in der rücksichtslosen Politik Chinas herbeiführen.»[13]

Aber Nehru träumte immer noch von einer friedlichen Koexistenz mit China* und scheute die Folgen, wenn er dem Dalai Lama in Indien politisches Asyl gewähren würde. Deshalb riet er ihm eindringlich zur Rückkehr. In Neu-Delhi führten Nehru sowie der Dalai Lama Unterredungen mit Zhou Enlai, dem chinesischen Ministerpräsidenten. Dieser entschuldigte sich versöhnlich für den Übereifer der chinesischen Soldaten in Tibet und versprach, alles in seiner Macht Stehende zu tun – vorausgesetzt, der Dalai Lama kehre zurück. Die Chinesen beabsichtigten nicht, so versicherte er, den Tibetern unerwünschte Reformen aufzuzwingen, und er räumte ein, daß man mit einem allmählichen Abzug der chinesischen Truppen aus Tibet beginnen müsse. Er warnte jedoch, daß man jeden größeren Aufstand mit Gewalt niederwerfen würde.

Schweren Herzens kehrte der Dalai Lama im Februar 1957 nach Tibet zurück. In Lhasa selbst hatten die Chinesen Zugeständnisse gemacht. (Zhou Enlai war ein Mann von Wort.) Die Bauarbeiten an neuen Baracken und einem Wasserkraftwerk wurden eingestellt. Mao hatte erklärt, er werde die Demokratischen Reformen um mindestens fünf Jahre verschieben, da

---

* Indien und China hatten im April 1954 ein Abkommen über «Fünf Prinzipien der Koexistenz» geschlossen, durch das der Friede in Asien gesichert werden sollte.

Tibet noch nicht dafür bereit sei. Etliche Soldaten und die meisten politischen Kader, die mit der Durchsetzung der Reformen beauftragt waren, hatte man aus Lhasa abgezogen – wenn auch nur, um sie in den Osten Tibets zu schicken, wo sie sich an der Disziplinierung der Rebellen beteiligen sollten. Chinesische Zeitungen schwelgten geradezu in Selbstkritik und beklagten die Exzesse eines chinesischen Chauvinismus.

In Kham und Amdo herrschte offener Krieg. Die Chinesen hatten dort 14 Elitedivisionen, aber die Freiheitskämpfer unter dem Kommando von Gompo Tashi Andrugtsang, einem Khampa, der als Händler in Lhasa lebte, entwickelten ebenfalls zunehmend Kampfkraft. Ermutigt durch die Anfangserfolge der Khampas schrieb Gompo Tashi im Dezember 1956 an verschiedene Führer in Kham und drängte sie, ihre Streitigkeiten untereinander zu vergessen und sich zusammenzuschließen:

«Die Zeit ist gekommen, all Euren Mut zusammenzunehmen und Eure Tapferkeit zu erproben. Ich weiß, Ihr seid bereit, Euer Leben zu riskieren und all Eure Kraft zur Verteidigung Tibets einzusetzen. Ebenso weiß ich, daß die gewaltige Aufgabe, die Ihr übernommen habt, eine große Sache ist und daß Ihr keine Reue empfinden werdet, trotz der Greueltaten, mit denen der Feind jeden Widerstand bestraft. In dieser Stunde der Gefahr appelliere ich an alle Menschen, Staatsdiener eingeschlossen, die ihre Freiheit und ihren Glauben schätzen, sich im gemeinsamen Kampf gegen die Chinesen zu vereinen.»[14]

Im Juli 1957 trafen sich 23 Anführer der Khampas unter dem Vorwand, eine wichtige religiöse Zeremonie zu Ehren des Dalai Lama vorzubereiten, in der Wohnung von Gompo Tashi. Sie beschlossen, ihre alten Fehden zu begraben und sich zu einer Kampftruppe zusammenzuschließen. Sie erhielten den Namen Chu Shi Gangdrug («Vier Flüsse, sechs Bergzüge»), nach einer alten Bezeichnung für Kham und Amdo. «Was uns einte, war unser Verlangen zurückzuschlagen», erinnert sich einer von ihnen. «Es wurde kein Gedanke daran verschwendet, ob wir siegen oder verlieren würden. Wir wollten nur Chinesen töten und unser Land zurückgewinnen.»[15] Sie begannen, Waffen, Munition und Pferde zu sammeln, um den Kampf aufzunehmen.

Und nun kam ein neuer Faktor ins Spiel: Die CIA griff ein, für ihre eigenen Zwecke und im Rahmen von Geheimoperationen der Vereinigten Staaten gegen die Volksrepublik China. Man hatte 1956 mit Hilfsaktionen für Tibet begonnen, Fallschirme mit Waffen für die Guerillas bei Lithang und Batang aus einem Flugzeug abgeworfen, das über Burma nach Tibet gelangte. Eine Handvoll Khampas waren auf dem Luftweg nach Taiwan gebracht worden, zur Ausbildung an hochmodernen Waffen- und Fernmeldesystemen. Der neue Flugzeugtyp C-130 Hercules konnte mit bis zu 22 Tonnen Ladung die weite Strecke von Bangkok nach Tibet zurücklegen und ermöglichte damit ab Dezember 1956 eine Erweiterung des Operationsfeldes. Diese Maschinen, die bei Nacht in geringer Höhe den Himalaya überflogen, konnten ohne Hilfe von Positionslichtern entlegene Abwurfgebiete orten und die Guerillas mit dringend benötigten Waffen versorgen.[16]

Während die Chinesen zunächst alles abgestritten hatten, gaben sie jetzt zu, daß in Kham eine Revolte ausgebrochen war, behaupteten jedoch, sie werde erfolgreich niedergeschlagen. Die Guerillas wurden als «Banditen» abqualifiziert, und ein Propagandafilm zeigte eine Gruppe in den Bergen, «die skrupellos mit ihren Kriegsvorbereitungen fortfuhr». Unerwähnt blieb in der knappen Verlautbarung, daß man in Kham alle Klöster dem Erdboden gleichgemacht hatte, da die Widerstandskämpfer von dort ihre Verpflegung erhielten. Die Chinesen gingen mit unvorstellbarer Grausamkeit vor; ihre Greueltaten sind in zwei Berichten (1959 und 1960) der Internationalen Juristenkommission dokumentiert. Ganze Dörfer wurden ausgelöscht, mit Hunderten von öffentlichen Hinrichtungen, um die Überlebenden einzuschüchtern: «Zu den dabei angewandten Methoden gehörten Kreuzigung, Verstümmelung, Vivisektion, Enthauptung, lebendig Begraben, Verbrennen und Verbrühen, die Opfer von galoppierenden Pferden zu Tode schleifen lassen. Kinder wurden gezwungen, ihre Eltern zu erschießen, Schüler ihre Religionslehrer... Mönche mußten sich öffentlich mit Nonnen paaren und Heiligenbilder schänden, bevor sie in die immer zahlreicher werdenden Arbeitslager in Amdo und Gansu geschickt wurden.»[17] Und um zu verhindern, daß die Opfer auf dem Weg zur Hinrichtung «Lange lebe der Dalai

Lama!» ausriefen, rissen sie ihnen die Zungen mit Fleischerhaken heraus.[18]

Als der Dalai Lama im April nach Lhasa zurückkam, wußte er, daß die Situation nicht mehr zu retten war: «Ich spürte, wie ich allmählich an Einfluß auf mein Volk verlor. Im Osten trieb man es zur Barbarei. In Zentraltibet wuchs die Entschlossenheit zu gewaltsamem Widerstand. Ich fühlte, daß es mir nicht möglich sein würde, die Menschen noch länger zurückzuhalten.»[19] Unter dem Druck der Chinesen entsandte er eine Friedensdelegation zu den Freiheitskämpfern, doch in Kham wie in Amdo lautete die Antwort: Wir kämpfen weiter! Mönche widerriefen zu Tausenden ihr Gelübde der Gewaltlosigkeit und schworen den Chinesen Kampf bis zum Tod.

Pässe und Täler waren mit Flüchtlingen verstopft. Und als zehntausend von ihnen erschöpft Lhasa erreichten und in den Außenbezirken ihre Zelte aufschlugen, heizten ihre Berichte über die Greueltaten die in der Stadt brodelnde Wut und Erbitterung unaufhaltsam weiter an.

Der Elefantenfuß

Die Minister verglichen Tibet mit einem Ei, das
unter dem erhobenen Fuß eines Elefanten liegt.

Tsepon W. D. Shakabpa, 1956,
beim Besuch des Dalai Lama
in Indien

Lobsang Rinchok, Sohn eines Anführers in Amdo, war fünfzehn, als die Aufstände begannen: «In unserer Gegend gab es
zwei Klöster mit etwa dreihundert Mönchen. Anfang 1958
verhafteten die Chinesen alle Mönche zwischen achtzehn und
zweiundsiebzig. Wir konnten es gar nicht glauben. Dann kamen
sie in unser Dorf und befahlen sämtlichen Bewohnern (ungefähr
eintausend), sich im Gemeindesaal zu versammeln. Wir wurden
angewiesen, sitzen zu bleiben, bis unser Name aufgerufen
wurde, und dann die Hand zu heben und nach draußen zu gehen.
Die Chinesen begannen eine Liste zu verlesen, und mein Name
war darunter. Ich ging hinaus und sah zu meinem Entsetzen, daß
alle, die vor mir gekommen waren, mit Stricken aneinandergefesselt und von den Chinesen geschlagen wurden. Es wurden
jeweils fünf zusammengebunden. Rundum sah ich Hunderte
von Gefangenen. An jenem ersten Tag starben etwa hundert
Tibeter an Erschöpfung, Angst, Schock. Manche von ihnen
waren sehr alt.

Die Chinesen brachten uns ins Hauptquartier des Distrikts,
das einen riesigen Vorhof hatte. Wir mußten uns, immer noch
zusammengebunden, hinsetzen. Dann umringten uns chinesische Soldaten mit Maschinengewehren. Ich war überzeugt, daß
wir erschossen werden sollten. In meiner Angst malte ich mir
unentwegt aus, mit welcher Wucht die Kugel einschlagen und

welchen Schmerz das auslösen würde. Dann teilten sie uns mit, auf Maos Anweisung seien wir Gefangene. ‹Ihr seid Verbrecher›, sagten sie, ‹die den Armen das Blut ausgesaugt haben.›

Wir wurden ins Gefängnis gesteckt, aber da war nicht genügend Platz für alle. Also brachten sie uns in die leeren Klöster, aus denen man die Mönche verjagt hatte, und behandelten uns weiter wie Tiere. Wir wurden so eng zusammengepfercht, daß wir uns nicht rühren konnten. Wir schwitzten in der unerträglichen Hitze, aber es gab keinen Ausweg. Wir mußten unsere Notdurft im Stehen verrichten, immer noch zu fünft zusammengebunden.

So mußten wir drei Tage verbleiben. Dann ließen uns die Chinesen nach draußen, damit wir uns dort, nach wie vor verschnürt, entleerten. Wir sahen, daß man sämtliche religiösen Gegenstände des Klosters in die Latrinen geworfen hatte, damit wir darüber unsere Notdurft verrichteten. Bald war alles voll von Exkrementen... Es blieb einem nichts anderes übrig, als den Kot abzuwischen, so gut es eben ging, indem man die Hände an der Wand rieb. Dann mußte man natürlich mit den gleichen ungewaschenen Händen das spärliche Essen verzehren.

Ich hatte dennoch Glück. Nach drei Wochen kamen sie und lösten meine Stricke, weil ich zu jung für eine solche Behandlung wäre, wie sie sagten. Zwölf Monate später kamen Anweisungen aus China, daß die Gefangenen entweder freigelassen oder hingerichtet werden sollten. Da ich unter achtzehn war und es gegen die chinesische Verfassung verstieß, einen Minderjährigen hinzurichten, gehörte ich zu den wenigen, die entlassen wurden.»[1]

Beri Laga, die aus einer vornehmen Khampa-Familie stammte, machte ähnliche Erfahrungen: «Die Chinesen riefen alle führenden Tibeter, darunter etwa dreihundert Grundbesitzer und hochrangige Lamas, zusammen. Wir trafen uns in zwei riesigen Versammlungssälen in einem Kloster, und sobald wir vollzählig waren, umringten die Chinesen uns mit Soldaten und nahmen uns gefangen. Sie teilten uns in Gruppen von etwa dreißig Personen und befahlen uns, miteinander zu kämpfen. Wenn wir das nicht mit der gewünschten Begeisterung taten, dann schlugen sie uns. Zwei Monate später wurden wir einem öffentlichen Thamzing, einer Gehirnwäsche, unterzogen, drei bis vier von uns gleichzeitig. Wir wurden heftig geschlagen, dann ins Gefängnis geworfen. Allein aus meinem Distrikt waren es tausend.»[2]

Der 25jährigen Topai Adhi aus Kham erging es noch schlimmer. Viele Jahre später sagte sie vor einem Internationalen Tribunal für Menschenrechte in Bonn aus, ihr Mann habe den Widerstand gegen die Chinesen organisiert und sei plötzlich gestorben, so gut wie sicher durch von den Chinesen verabreichtes Gift. Da ihre Männer entweder tot oder in die Berge geflüchtet waren, nahmen es die Frauen im Dorf auf sich, aktiv Widerstand zu leisten. Sie brachten ihren Männern bei Nacht Lebensmittel, informierten sie dabei gleichzeitig über alle Schritte der Chinesen. Sie wurden natürlich entdeckt. Adhi wurde von den Chinesen an einem Nachmittag abgeholt, den sie nie vergessen wird:

«Sechs chinesische Polizisten kamen, um mich zu verhaften. Mein dreijähriger Sohn und meine einjährige Tochter waren bei mir. Als sie mich mit Stricken fesselten, gluckste das Baby in seinem Bett ahnungslos vor sich hin, während mein kleiner Junge mich dauernd beim Namen rief und zu mir kommen wollte. Sobald er sich näherte, stießen die Polizisten ihn mit Fußtritten weg. Als sie sich dann anschickten, mich abzuführen, wollte er sich noch erbitterter zu mir durchkämpfen, aber die Polizisten traktierten ihn mit Fußtritten. Ich konnte ihn noch eine Weile schreien hören. Ich wünschte, ich wäre an jenem Tag gestorben, es war der schlimmste meines Lebens. Ich war sechzehn Jahre im Gefängnis, und erst bei meiner Entlassung erfuhr ich, was geschehen war. Mein kleiner Junge war so außer Rand und Band, daß er in den Fluß fiel, und sie ließen ihn ertrinken. Um das Baby hatte sich eine Nachbarin eine Zeitlang gekümmert. Wo es geblieben ist, weiß ich nicht.»[3]

In jenem Jahr 1958 hatte ganz China unter dem von Mao proklamierten «Großen Sprung nach vorn» zu leiden – die Kampagne, mit der alle wirtschaftlichen Probleme durch forcierte Industrialisierung gelöst werden sollten. Alles, was nicht produktiv war, mußte vernichtet werden. Mit welch drastischen

Methoden das vor sich ging, schildert Catriona Bass anschaulich in ihrem Buch *Der Ruf des Muschelhorns*:

«Jeder Bürger mußte eine wöchentliche Quote von Vögeln, Fliegen, Ratten oder Moskitos erledigen. Die Schuljungen wurden mit Katapulten ausgestattet, die Schulmädchen mit Fliegenklatschen. Deyang erzählte mir, sie habe sich damals mit ihren Freundinnen stundenlang in der Nähe der Latrinen herumgedrückt, um die von den Führern festgelegte Fliegenquote zu erreichen. Einmal in der Woche mußten sie mit ihren Gefäßen voller Fliegenleichen antreten, um zu beweisen, daß sie ihr Soll erfüllt hatten. Es war eine langwierige Prozedur. Jeder mußte seine toten Fliegen auf dem Tisch ausbreiten und sie dem Klassenführer vorzählen. Als die Quoten schließlich immer höher angesetzt wurden, begannen die Kinder, selbst Fliegen zu züchten, um sie anschließend zu erschlagen.»[4]

Im Zuge der gleichen Kampagne begannen tibetische Lokalzeitungen, Buddha als Reaktionär zu diffamieren. Da Mönche und Lamas «Feinde des Volkes» seien, müßten sie entweder arbeiten oder ausgerottet werden, schrieben sie. Ein Eremit in Kham wurde fünf Tage lang ohne Essen und Wasser eingesperrt. Die Chinesen beschuldigten ihn, ein Ausbeuter zu sein und erklärten, Gott könne sich ja um ihn kümmern. Nach fünf Tagen wurde die Bevölkerung zur Besichtigung der Leiche beordert und belehrt, daß er noch am Leben wäre, wenn Religion auch nur einen Funken Wahrheit enthielte. In einem anderen Ort wurden drei Mönche verhaftet, einer Gehirnwäsche unterzogen und in eine tiefe Grube geworfen. Die Anwesenden mußten auf die drei urinieren, während die Chinesen die Mönche drängten, doch einfach aus der Grube herauszufliegen. Wieder woanders wurde einem Mönch, der die Chinesen bat, die buddhistischen Schriften nicht als Toilettenpapier zu benutzen, der Arm abgehackt mit dem Rat, Gott zu ersuchen, ihm einen neuen zu geben.[5]

Die Chinesen begannen, die Mönche zum Beischlaf zu zwingen, drohten ihnen im Fall einer Weigerung mit dem Tod. Eine Arbeiterin in Kham berichtete, man habe ihr 100 chinesische Dollar geboten für jeden Mönch, den sie verführen konnte.[6] Im Kloster Dzogtschen befahl eine chinesische Einheit den etwa tausend Mönchen zu heiraten. Sie rissen die Bilder von Buddha und anderen Gottheiten herunter, warfen die heiligen Schriften auf den Boden, zwangen die Mönche mit der Waffe, darauf herumzutrampeln. Dann befahlen sie ihnen, ihre Äbte und hochrangigen Lamas einer Gehirnwäsche, einem Thamzing, zu unterziehen. Da sie wußten, daß in anderen Klöstern bejahrte Lamas während dieser Prozedur zur Unzucht mit Prostituierten veranlaßt wurden, daß man sie dann schlug, anspuckte und bepinkelte, weigerten sich die Mönche von Dzogtschen. Sie griffen die chinesischen Soldaten an, töteten sie, retteten ihre Lamas, steckten das Kloster in Brand – und flüchteten, um sich, wie Tausende ihresgleichen, den Guerillas anzuschließen.[7]

Im Jahre 1958 wurde Püntsog Wangyels Kloster eines Tages von Soldaten mit Panzern und Maschinengewehren umzingelt. Die fünf vom Abt entsandten Wortführer, die mit den Soldaten verhandeln sollten, wurden verhaftet: «Sie wüßten, daß wir Waffen hätten, sagten sie und verlangten, daß wir sie ihnen aushändigten. Als die Mönche sich weigerten, sperrten die Chinesen für drei Monate das Wasser. Zum Glück regnete es so viel, daß wir genügend auffangen und unseren Bedarf decken konnten. Doch schließlich gaben die Mönche nach und überließen sämtliche Waffen den Chinesen.»

Bald darauf teilte man dem 14jährigen Püntsog mit, daß er das Kloster verlassen und sich einer berittenen Einheit der Guerillas anschließen sollte: «Ich verabschiedete mich nicht von meiner Mutter, weil ich sie nicht gefährden wollte. (Ich habe sie nie wiedergesehen.) Wir gingen eines Nachts bei Vollmond. Die Brücke wurde von den Chinesen bewacht, deshalb wateten wir durch den Fluß. Ich konnte mein Dorf im Mondschein sehen und wußte, es war das letzte Mal. Wir waren etwa achtzig, ich war der Jüngste. Wir blieben ungefähr acht Monate in den Bergen, mit insgesamt neun Waffen. Wir stießen oft auf chinesische Einheiten, die mit Maschinengewehren ausgerüstet waren. In drei Fällen kam es zu heftigen Kämpfen, bei denen viele meiner Freunde getötet, andere schwer verwundet wurden. Als wir endlich Lhasa erreichten, waren nur noch 42 übrig.»[8]

Dschigme Namgyel aus Thrindu kämpfte ebenfalls bei den

Guerillas: «Im März 1958 warnte uns ein Verwandter, der für die Chinesen arbeitete, daß sämtliche Anführer und hohen Lamas in unserer Gegend zu zwei Versammlungen beordert werden sollten – die eine in Thrindu, die andere in Jyekundo –, wo sie dann verhaftet würden. Mein Vater und ein anderer Führer, Namka Dordsche, berieten sich. Wenn sie sich den Chinesen widersetzten, würden sie getötet werden. Was also tun? Sie würden ihr Leben hergeben im Kampf gegen diejenigen, die unsere Religion angriffen, lautete der Entschluß. Außerdem würden sie sowieso wahrscheinlich bald Hungers sterben. ‹Besser, bei der Verteidigung unserer Religion mit vollem Magen umkommen als hierbleiben und den Hungertod erleiden.›

Auf der Versammlung in Jyekundo wurden sämtliche Führer und Lamas verhaftet. Als die Chinesen dahinterkamen, daß wir in Thrindu planten, eine Guerillatruppe aufzustellen, gaben sie vor, sie wollten verhandeln. Als dabei nichts herauskam, drohten die Chinesen den Dorfbewohnern mit militärischer Gewalt. Namka Dordsche erwiderte, sie sollten tun, was sie nicht lassen könnten. ‹Acht lange Jahre haben wir mit eurer Politik gelebt, nichts könnte schlimmer sein als das.›»

Die Dorfbewohner zogen hinauf zum Weideland der Nomaden und schlossen sich mit den Leuten eines anderen Nomadenführers zusammen, das ergab insgesamt 700 Mann. In der Nähe befand sich eine stark befestigte chinesische Stellung. Auf die planten sie einen Angriff, obwohl sie nur ein paar Gewehre und rund 50 Schuß Munition hatten und wußten, daß es sich um einen selbstmörderischen Versuch handelte. Ihr Mut sank immer tiefer, als sie Militärlastwagen, 43 an der Zahl, auf den chinesischen Posten zufahren sahen.

«Doch als sich die Lastwagen am nächsten Morgen anschickten, unser Dorf Thrindu zu umstellen, überfielen wir sie und kämpften mit ihnen bis drei Uhr nachmittags. Wir waren in der Minderheit und hatten nur ein paar Gewehre, aber wir verstanden etwas von Nahkampf, und darauf setzten wir. Drei Lastwagen entkamen, den Rest schnappten wir uns, und alle Chinesen wurden getötet. An jenem Tag war der Fluß rot von chinesischem Blut. Wir verloren 19 Mann und hatten fünf Verwundete.

Nun waren wir reichlich mit Munition und leichten Maschinengewehren versehen. Da jedoch keiner die Lastwagen fahren konnte, ließen wir das Benzin ablaufen und steckten sie dann in Brand. Mit dem Benzin wollten wir die Brücke, die von Qinghua über den Gelben Fluß führte, in die Luft sprengen. Wir praktizierten es dann allerdings bei vier chinesischen Posten. Immer mehr Khampas schlossen sich den Guerillas an. Binnen kurzem waren wir 1500 Mann. Frauen und Kinder brachten wir an einen sichereren Ort – ein Unternehmen, das zwanzig Tage erforderte. Dann teilten wir tausend Mann in drei Gruppen auf und setzten sie zur Absicherung der Hauptstraße ein, während die restlichen 500 Mann in Richtung Thrindu zogen. Wir kämpften fünfzehn Tage mit den Chinesen, um Läden, Schulen und Behörden unter Kontrolle zu bekommen. Viele von unseren Leuten wurden getötet, die übrigen blieben jedoch guten Mutes.»

Inzwischen hatten die Chinesen in den Bergen Verstärkungen herangeführt, und auf dem neuen Hauptquartier wehte eine chinesische Fahne. Die Rebellen sperrten ihnen die Wasserversorgung. Aber ihr Triumph währte nur kurz.

«Plötzlich sahen wir eine lange Reihe von Lastwagen, zu Hunderten näherten sie sich dem Dorf, beladen mit Geschützen und sogar Panzern. Die Chinesen hatten Verstärkungen geschickt, die zur Bewachung der Zufahrtsstraßen eingesetzten tausend Mann umzingelt und getötet. Und jetzt feuerten sie mit ihren Geschützen auf jedes Haus im Dorf, an dem keine rote Fahne wehte – ungefähr die Hälfte aller Häuser.

Ich beobachtete das Gemetzel von der Westseite des Berges. Sämtliche Bewohner jener Häuser und alle Haustiere wurden getötet. Die Chinesen forderten die Rebellen zur Kapitulation auf, da sie ja gegen neunhundert neue Militärlastwagen keine Chance hätten. Doch wir kämpften noch drei weitere Tage. Von den sechsunddreißig Mann, mit denen ich angefangen hatte, waren nur noch drei übrig, als wir uns schließlich zur Flucht entschieden. Wir mußten annehmen, daß alle Rebellen in den anderen Gruppen tot waren.»[9]

Flüchtlings- und Nomadenlager wurden mit Maschinengewehren beschossen und aus der Luft bombardiert oder die

Insassen massakriert. Aten berichtet von einem Nomadenlager, das er auf dem Weg nach Lhasa restlos verwüstet antraf: «Auf dem Boden lagen blutüberströmte, verwesende Leichen von Männern, Frauen und Kindern mit verrenkten Gliedmaßen. Die riesigen Zelte waren zerschlitzt, und die Fetzen flatterten heftig im Abendwind. Es müssen wenigstens vierhundert Leichen gewesen sein... Ich sah eine Frau, die auf dem harten Erdboden lag und ein Baby fest umklammerte. Beide waren tot, ein Hund zerrte wütend am Bein des Säuglings. Doch selbst im Tod gab die Mutter ihr Kind nicht her. Was ich an jenem Tag sah, läßt sich nicht mit Worten schildern.»[10]

Die Chinesen reagierten zutiefst alarmiert durch die wachsende Stärke von Chu Shi Gangdrug, das sich aus einer regionalen Bewegung rapide zur pantibetischen Streitmacht gewandelt hatte. Im Frühsommer 1958 hatten sich Mitglieder von Chu Shi Gangdrug mit dem Mimang Tsongdü, der alten Widerstandsorganisation von Lhasa, zusammengeschlossen. Die vereinigten Guerillatruppen waren in Lhoka stationiert, der gebirgigen Grenzlandschaft südöstlich von Lhasa.

Die Khampas und die Flüchtlinge aus Amdo strömten weiter nach Lhasa. Dann drehten die Chinesen die Schraube enger, indem sie eine Volkszählung durchführten und dekretierten, daß kein Auswärtiger Lhasa betreten dürfe ohne Personalausweis, der die Unterschrift eines chinesischen Beamten trug. Die Flüchtlinge befürchteten sowieso schon, daß die Chinesen ihnen die Schuld an dem Aufstand im Osten anlasten würden und waren nun überzeugt, binnen kurzem verhaftet zu werden. Ein Massenexodus begann, als alle, die laufen konnten, in die Berge aufbrachen, um sich den Guerillas anzuschließen.

Jetzt erreichten die Kämpfe ihre heißeste Phase. Bei dem ständigen Zustrom von Freiwilligen errangen die Aufständischen Erfolge in einem Dutzend blutiger Gefechte und gewagten Überfällen in der Nähe von Lhasa. Sie griffen chinesische Konvois und Militärlager an, um Waffen und Munition zu erbeuten, und töteten dabei Hunderte von Chinesen. Bei einem denkwürdigen Angriff Ende Januar 1959 wurde eine Garnison der Volksbefreiungsarmee in Tsethang, südöstlich von Lhasa, vernichtet. Die chinesischen Behörden beschwerten sich wütend beim Dalai Lama und verhießen furchtbare Vergeltung. «Wie alle Invasoren waren die Chinesen für die einzige Ursache des Aufstandes völlig blind, daß unser Volk sie nicht mehr in unserem Land haben wollte und daß es bereit war, alles hinzugeben, auch das Leben, um sie wieder loszuwerden», schrieb der Dalai Lama.[11]

Aus Angst, die tibetische Armee könnte sich zum Zusammenschluß mit den Rebellen entscheiden, drängten die chinesischen Militärs den Dalai Lama und seine Regierung, gegen die Guerillas einzuschreiten und tibetische Truppen zur Unterdrückung des Aufstands einzusetzen. Bestürzt über diese Zumutung suchte der Dalai Lama Zeit zu gewinnen, erklärte, die Armee sei zu schwach, zu unerfahren, und wenn man den Soldaten befehle, gegen ihre eigenen Landsleute zu kämpfen, könnten sie möglicherweise die Fronten wechseln.

Seine Einstellung gegenüber den Rebellen war nach wie vor ambivalent, uneingeschränkt zustimmen konnte er ihnen nicht. Irgendwo klammerte er sich an den Glauben: So groß auch die Gewalt war, die man den Tibetern antat, «niemals konnte es rechtens sein, mit Gewalt zu antworten». Und doch erinnert er sich in seinen Memoiren:

«Etwas in mir bewunderte die Guerillas sehr. Sie waren tapfere Männer und Frauen, die ihr und ihrer Kinder Leben aufs Spiel setzten bei dem Versuch, unseren Glauben und unser Land auf die einzig mögliche Weise zu retten, die sie sich vorzustellen vermochten. Wenn man von den chinesischen Greueln im Osten hörte, war es nur eine allzu menschliche Reaktion, Rache nehmen zu wollen. Und überdies wußte ich, daß sie guten Glaubens waren, aus Treue zu mir als dem Dalai Lama kämpfen zu müssen: Der Dalai Lama war der Inbegriff all dessen, was sie verteidigen wollten.»[12]

Er befand sich in einer Art Zwickmühle – auf der einen Seite verdächtigten die Chinesen ihn und sein Kabinett, die Guerillas zu unterstützen, auf der anderen wurden sie von den Guerillas als bloße Handlanger der Chinesen betrachtet.

Die aber kannten keine solchen Skrupel und drohten mit dem vollen Einsatz ihrer Militärmacht, wenn die tibetische Regierung nicht endlich handelte. Schließlich wurde eine fünfköpfige

Delegation entsandt, die den Guerillas zusicherte, man werde nichts gegen sie unternehmen, wenn sie die Kampfhandlungen einstellten. Diese ignorierten die Aufforderung – und die fünf Delegierten kehrten nicht mehr zurück, sondern schlossen sich den Aufständischen an. Man konnte ihnen das schwer zum Vorwurf machen, räumte der Dalai Lama ein.

Eine verfahrene Situation. Die Rebellen hatten fast das gesamte südliche Tibet und große Teile des Ostens unter Kontrolle. Während die tibetische Regierung auf eine Beruhigung der Lage hoffte, verstärkten die Chinesen stetig ihre Streitkräfte und rüsteten zum uneingeschränkten Krieg:

«Die Chinesen bewaffneten jetzt auch ihre Zivilisten und verstärkten ihre Barrikaden in der Stadt. Sie erklärten, daß sie im ganzen Land nur ihre eigenen Staatsangehörigen und ihre Nachschublinien schützen würden; alles andere falle unter unsere Verantwortlichkeit. Auf Versammlungen, die sie in Schulen und an anderen Stätten abhielten, erklärten sie dem Volk, das Kabinett habe sich mit den ‹Reaktionären› verbündet. Seine Mitglieder würden dementsprechend behandelt werden: nicht nur erschossen, sondern langsam und öffentlich hingerichtet, wie sie gelegentlich androhten. General Tang Kuansen bediente sich auf einer Frauenversammlung in Lhasa eines Gleichnisses: Wo es verfaultes Fleisch gibt, sammeln sich die Fliegen, aber wenn man das Aas beseitigt, hat man keinen Ärger mehr mit den Fliegen. Die Fliegen, nehme ich an, waren die Guerillas – und das verfaulte Fleisch entweder mein Kabinett oder ich.»[13]

Die Bühne war bereit, die Mitwirkenden standen parat für den blutigen letzten Akt der Tragödie. Und es waren die Chinesen, die den Schlußvorhang aufgehen ließen.

Aufstand in Lhasa
(1959)

Wenn der Eiserne Vogel fliegt und Pferde
auf Rädern laufen,
Dann wird das tibetische Volk wie Ameisen
über die Welt verstreut werden.

Tibetische Prophezeiung, 18. Jahrhundert

Losar, das tibetische Neujahrsfest, das nach Neumond im Februar beginnt, gab von jeher den Auftakt für drei Wochen, in denen gebetet und gefeiert wurde. Trotz der gespannten politischen Lage bildete der Jahresanfang 1959 keine Ausnahme. Pilger, Händler, Handwerker und Beamte strömten zu Tausenden voller Vorfreude nach Lhasa, außerdem etwa 17 000 Mönche, die zum «Großen Gebet» (Mölam), anschließend an Neujahr, kamen. Mit den 10 000 Flüchtlingen, die außerhalb der Stadt kampierten, befanden sich also ungefähr 100 000 Menschen in Lhasa, mehr als doppelt soviel wie gewöhnlich.

Während des Mölam-Festes sollten für den 24jährigen Dalai Lama die Abschlußprüfungen zum Magister der Metaphysik mit einem Streitgespräch vor einer großen Zuhörerschaft von Mönchen und Lamas beginnen. Die Vorbereitung auf diesen Höhepunkt langer Studienjahre nahm ihn so in Anspruch, daß er unter Hinweis auf die Prüfungen keine bindende Zusage gab, als die Chinesen ihn drängten, im April an einer Tagung des Volkskongresses in Peking teilzunehmen.

Am 1. März, dem Vorabend seiner letzten Prüfung, befand sich der Dalai Lama in seinen Privatgemächern im Jokhang-Tempel, als ihn zwei chinesische Offiziere niedrigen Ranges zu sehen wünschten. Es ging um eine anscheinend banale Angelegenheit: Sie sollten mit ihm einen Termin ausmachen für den

Besuch einer Vorstellung im Truppenlager, bei der eine neue Tanzgruppe aus China auftreten würde. Die Einladung – ein fast unverhüllter Befehl – war bereits vor einiger Zeit vom Kommandeur übermittelt worden, und der junge Herrscher hatte seine Zusage in Aussicht gestellt. Jetzt sollte er den genauen Tag nennen. Doch der Dalai Lama hatte wirklich Wichtigeres im Kopf und bat die Offiziere, sich vorerst mit dem Versprechen zu begnügen, daß er nach Beendigung seiner Prüfungen eine definitive Antwort geben werde.

Tags darauf absolvierte er glanzvoll sein Examen. Drei Tage später kehrte er vom Jokhang in seinen Sommerpalast – den Norbulingka – zurück, eine geräuschvolle, farbenprächtige Prozession. Tausende von Anhängern säumten den Weg, es war stets einer der Höhepunkte im tibetischen Jahr. Zum ersten Mal seit der Invasion nahmen keine Chinesen an dem Zug teil.

Um unnötigen Ärger zu vermeiden, sagte der Dalai Lama seinen Theaterbesuch für den 10. März zu. Am 9. März beorderten die Chinesen den Chef der Leibwache des Dalai Lama, Püntsog Tashi Takla, in ihr Hauptquartier, um die für den Besuch zu treffenden Maßnahmen endgültig festzulegen. Zu seinem Erstaunen präsentierten die Chinesen ihm einen ganzen Forderungskatalog. Der Dalai Lama sollte sich unter strikter Geheimhaltung ins Hauptquartier begeben, ohne seine Minister oder die fünfundzwanzig Mann starke bewaffnete Leibwache, die ihn gewöhnlich begleitete; und kein tibetischer Soldat durfte die Steinbrücke überschreiten, die Grenze des großen Truppenlagers.

Diese Anweisungen beunruhigten den Dalai Lama. Es war absurd anzunehmen, der Besuch könnte geheimgehalten werden; jeder wußte von der Einladung, und sobald er den Norbulingka verließ, würde sich das wie ein Lauffeuer verbreiten und ganz Lhasa auf den Beinen sein, um ihm das Geleit zu geben. Wenn er seine Zusage nicht einhielt, würden die Chinesen das «Gesicht verlieren» und sich dafür auf unvorhersehbare Weise rächen. Andererseits würde es für ihn und seine Regierung eine weitere Demütigung bedeuten, ihre Bedingungen zu akzeptieren. Das ließe sich jedoch ertragen und war sicherlich der anderen Alternative vorzuziehen. Er beschloß, die chinesischen

Bedingungen zu akzeptieren, trotz seiner Befürchtungen, was das Verhalten der Tibeter betraf, wenn die chinesischen Forderungen bekannt wurden. Vermutlich würden sie es sich nicht nehmen lassen, ihm ins chinesische Truppenlager zu folgen, was ein Blutbad provozieren könnte. Um dem vorzubeugen, veranlaßte er für den nächsten Tag Verkehrseinschränkungen in der Umgebung der Steinbrücke.

Das sprach sich in der Stadt mit Windeseile herum. Für die aufgebrachten Tibeter gab es nur eine Erklärung: Die Chinesen beabsichtigten, den Dalai Lama nach China zu entführen. Solche Vermutungen kursierten bereits seit einer Woche, nachdem Radio Peking gemeldet hatte, Seine Heiligkeit würde am Volkskongreß im April teilnehmen. Da er faktisch keine feste Zusage gegeben hatte, deutete diese Meldung an, daß die Chinesen entschlossen waren, ihn um jeden Preis nach Peking zu holen.

Die Khampas schürten die Unruhe mit ihren Berichten, wie in vier verschiedenen Gegenden von Kham hohe Lamas zur Teilnahme an vermeintlich harmlosen Veranstaltungen gelockt wurden. Von dort verschwanden sie spurlos, oder man erfuhr von ihrer Hinrichtung. Ob nun berechtigt oder nicht, die Befürchtungen bezüglich der Sicherheit ihres Herrschers wuchsen. Bei Einbruch der Nacht waren am 9. März zornige, verängstigte Männer, Frauen und Kinder, bewaffnet mit Stöcken, Küchenmessern, Flaschen und was sie sonst gerade erwischen konnten, zu Tausenden aus der Stadt herbeigeströmt und hatten sich um den Norbulingka postiert, bereit, Seine Heiligkeit mit ihrem Leben zu verteidigen.

Am Morgen des 10. März kampierten annähernd 30 000 Menschen, mit Decken und Kochtöpfen, vor den zwei riesigen steinernen Löwen, die den Eingang zum Norbulingka bewachten. Sie hatten ein Komitee von sechzig bis siebzig Führern gewählt und geschworen, den Palast zu verbarrikadieren, wenn die Chinesen versuchen sollten, den Dalai Lama ins Truppenlager zu bringen. Die Stimmung war bedrohlich und wurde immer gefährlicher, als sie skandierten: «Chinesen raus!» und «Tibet den Tibetern!» Ein tibetischer Beamter, der in einem von einem chinesischen Soldaten gesteuerten Wagen vorfuhr, wurde schwer attackiert und kam mit knapper Mühe davon. Pagpa, ein

Mönchsbeamter, hatte weniger Glück. Als er, in chinesischer Kleidung, mit dem Fahrrad ankam, glaubte die Menge, er wolle den Dalai Lama töten. Man steinigte ihn und begleitete den Abtransport des Leichnams mit Johlen und Schreien.

Sonam Tschömpel Tschada war Augenzeuge. Gerade erst in Lhasa eingetroffen, hatte er sich rasch umgezogen, sicherheitshalber eine Pistole in die Tasche gesteckt und sich auf den Weg zum Norbulingka gemacht. Er erreichte das Tor, als sich die verschiedensten Beamten zu einer Dringlichkeitssitzung im Palast versammelten: «Ein Kollege erkannte mich und sagte, ich solle doch hineingehen, aber die Sitzung hatte bereits begonnen, deshalb zögerte ich. Als ich noch unschlüssig hinter dem Tor stand, sah ich Pagpa herankommen, sah, wie die Menge über ihn herfiel und ihn steinigte. Ein grauenhafter Anblick, aber als ich zu ihnen gehen und sie beruhigen wollte, hielt mich mein Kollege zurück: ‹Die sind so rabiat, die lassen sich durch nichts und niemand bremsen.›

Als wir wie erstarrt dastanden, kam ein anderer Beamter nach draußen und holte mich zu der Sitzung.»[1]

Entsetzt von der Gewalttat, befand sich der Dalai Lama in einem Zustand hochgradiger Anspannung:

«Ich hatte das Gefühl, zwischen zwei Vulkanen zu stehen, die jeden Augenblick ausbrechen konnten – auf der einen Seite der heftige, unmißverständliche, einhellige Protest meines Volkes gegen die chinesische Unterdrückung, auf der anderen Seite die von Waffen starrenden Truppen einer aggressiven Besatzungsmacht. Wenn es zwischen beiden zu einem Zusammenstoß kam, war der Ausgang vorherzusehen: Das Volk von Lhasa würde erbarmungslos zu Tausenden umgebracht werden, und Lhasa und das übrige Land hätten unter all den Verfolgungen und all der Tyrannei einer schrankenlosen Militärherrschaft zu leiden.»[2]

Besorgt entsandte er drei Kabinettsmitglieder mit der Botschaft zu den Chinesen, er werde nun doch nicht an der Aufführung teilnehmen. Er ordnete an, daß die Menge von seiner Entscheidung erfuhr und sich daraufhin beruhigte. Mehrere tausend Menschen kehrten tatsächlich in die Stadt zurück – jedoch nur, um öffentliche Versammlungen abzuhalten und antichinesische Demonstrationen zu organisieren. Ein großes Aufgebot an Freiwilligen blieb zurück, um den Norbulingka zu schützen.

Im chinesischen Lager wurde die Botschaft des Dalai Lama mit unverhohlenem Ärger aufgenommen. Der kommandierende General beschuldigte die tibetischen Minister, freundschaftliche Beziehungen zur Widerstandsbewegung zu pflegen und drohte, die erforderlichen drakonischen Maßnahmen zu ergreifen und die «imperialistischen Rebellen» ein für allemal zu vernichten. Dennoch ging mit einiger Verspätung eine Kurzfassung der Aufführung über die Bühne. Tendsin Chögyel, der dreizehnjährige Bruder des Dalai Lama, war unter den Gästen:

«Es waren ungefähr zehn aus dem Kloster Drepung gekommen, und wir hatten keine Ahnung von den jüngsten Ereignissen. Wir waren ganz harmlos gegen zehn Uhr früh eingetroffen und freuten uns sehr auf die Vorstellung, die um elf beginnen sollte. Auf unserem Weg mußten wir die Straße, die zum Norbulingka führt, überqueren und sahen Hunderte von Menschen, die zum Palast gingen. Eine riesige Menge und alle anscheinend sehr erregt, aber ich kam zu dem Schluß, daß sie sich am Wegrand postieren wollten, um einen Blick auf seine Heiligkeit zu erhaschen.

Im Lager herrschte eindeutig dicke Luft. Alle Chinesen waren bewaffnet und ebenso die Tibeter, die als gut Freund mit ihnen bekannt waren. Ich sichtete einen Freund meines Bruders Lobsang Samten. Als er hereinkam, schüttelte ich ihm die Hand und wollte ihn mit der Linken umarmen. Unter seinem Gewand konnte ich die Pistole fühlen. Sie wußten, daß etwas passieren würde, und hatten ihre Antwort darauf parat. Wir warteten weiter, im Lager herrschte ein ständiges Kommen und Gehen, und dann hörten wir, es habe irgendeinen Zwischenfall gegeben, ein Mann sei getötet worden. Danach sagten sie, Seine Heiligkeit werde nicht erscheinen, weil die Leute ihn daran gehindert hätten, aber die Vorstellung würde trotzdem stattfinden. Angst empfand ich nicht, aber ich spürte, daß etwas Schreckliches bevorstand.»

Am frühen Nachmittag fuhren die Besucher wieder ab, ihr Auto folgte einem gepanzerten Wagen der Chinesen. Tendsin

Chögyel jedoch beendete die Reise vorzeitig, um nie mehr nach Drepung zurückzukehren:

«Meine Mutter hatte einen Diener zur Straßenkreuzung geschickt, und als er mich aus dem Wagenfenster schauen sah, gab er dem chinesischen Fahrer ein Zeichen. Meine Mutter wolle, daß ich nach Hause komme und nicht ins Kloster zurückkehre, sagte er. Ich stieg aus und lief das letzte Stück zu Fuß. Das Tor war verschlossen, was ich sehr ungewöhnlich fand, aber als der Pförtner mich erkannte, öffnete er es. Meine Mutter blickte aus einem Fenster im oberen Stockwerk, und als sie mich sah, war sie so erleichtert, daß sie sich setzen mußte und in Tränen ausbrach.

Kurz nach meiner Ankunft kam ein Anruf von meinem Schwager Püntsog Tashi Takla, der die Leibwache Seiner Heiligkeit unter sich hatte. Er erkundigte sich, ob ich in Sicherheit sei. Inzwischen hatten die Diener mir von dem Aufstand berichtet. Ich war sehr aufgeregt und spielte mit Bravour den tapferen Dreizehnjährigen. ‹Ist es nicht fabelhaft, was das Volk getan hat?› fragte ich. Er hängte abrupt ein – die Chinesen hatten die Telefone installiert und höchstwahrscheinlich Abhörvorrichtungen eingebaut.

Bevor ich an dem Abend zu Bett ging, suchte ich mein altes Gewehr hervor. Zu meiner Enttäuschung stellte ich fest, daß ich nur noch eine Kugel hatte. Trotzdem lud ich das Gewehr und schlief mit ihm. Am nächsten Morgen zogen meine Mutter und ich auf Wunsch Seiner Heiligkeit in den Norbulingka um.»[3]

Gegen 18 Uhr erklärten die Regierungsbeamten, zusammen mit der Leibwache des Dalai Lama und den von der Menge gewählten Anführern, einstimmig das Siebzehn-Punkte-Abkommen für ungültig, lehnten ferner den chinesischen Herrschaftsanspruch ab und manifestierten damit die wiedergewonnene Unabhängigkeit Tibets. Wie Sonam Tschömpel Tschada erläuterte: «Die Chinesen hatten das Abkommen auf jede erdenkliche Art gebrochen, deshalb erklärten wir es für nicht mehr gültig. Von jetzt ab, so sagten wir, muß Tibet den Tibetern überlassen werden, und kein tibetischer Beamter darf weiterhin irgendwelche Kontakte zu den Chinesen unterhalten.»[4]

Die in Lhasa stationierten tibetischen Soldaten vertauschten ihre chinesischen Uniformen sofort gegen das tibetische Khaki und schlossen sich der Menge um den Norbulingka an. Sie brachten alle Waffen mit, derer sie habhaft werden konnten, und gaben sie weiter an jeden, der damit umzugehen verstand. Freiwillige Hilfstruppen wurden von Angehörigen aller Berufe organisiert und ebenso in den Klöstern. Auch die Frauen der Stadt – von jungen Mädchen bis zu Großmüttern – waren dem Vernehmen nach auf die Straße gegangen und forderten in Sprechchören die Unabhängigkeit Tibets. «Wir hatten eine tibetische Frauengruppe gegründet», sagte Dölma Tschösom, deren Mann irgendwo bei den Guerillas kämpfte. «Wir erklärten, daß Tibet den Tibetern gehöre und die Chinesen abziehen sollten. Wir verfaßten eine Denkschrift des Inhalts, daß die Chinesen widerrechtlich unser Land besetzt hatten und seine Kultur zerstörten, und ich gehörte zu denen, die sie den Gesandtschaften von Indien und Nepal überbrachten.»[5]

Der Dalai Lama plädierte weiterhin für Ruhe, doch seine Appelle trafen auf taube Ohren. Lhasa wandelte sich in rasantem Tempo zum potentiellen Schlachtfeld. Die Hausbesitzer bereiteten sich auf eine lange Belagerung vor. Sie errichteten Staketenzäune, umkleideten die Flachdächer mit Stacheldraht, verbarrikadierten die Hauseingänge mit Sand- und Salzsäcken. Eine unheimliche Euphorie lag in der Luft, denn die Tibeter hielten sich mittlerweile für unbesiegbar. Sie würden die Chinesen aus Lhasa vertreiben, so meinten sie, wie sie 1912 die Mandschus verjagt hatten. Heute wie damals würden die Frauen den Feind endgültig in die Flucht schlagen – durch gezielte Steinwürfe von den Dächern. Niemand nahm sich die Zeit, in Ruhe darüber nachzudenken, daß der fluchtartige Rückzug der Chinesen 1912 nur durch die Revolution in China möglich gemacht wurde; daß die chinesischen Truppen heute in geordnetem Zustand und gut ausgebildet waren; und daß sie eben jetzt Geschütze und Maschinengewehre in Stellung brachten, ja, das ganze Tal von Lhasa mit einem Gürtel von schwerer Artillerie umgaben. Welche Chance hatten die Tibeter mit ihren antiquierten Mörsern, der einen kleinen Kanone aus dem Ersten Weltkrieg und ihrem Arsenal von Gewehren, Knüppeln, Steinen und Messern?

In Lhasa brodelte es in den folgenden Tagen weiter. Der Dalai Lama wollte die Hoffnung noch nicht ganz aufgeben und richtete eine Reihe von versöhnlichen Briefen an die Chinesen, mit denen er die Spannung abzubauen suchte. Diese Briefe benutzten sie später als «Beweis» dafür, daß er das Opfer einer «reaktionären Clique» geworden sei, die den ganzen Ablauf forcierte. Der Dalai Lama dagegen behauptet, er habe die Briefe nur geschrieben, um «die Katastrophe eines Zusammenstoßes zwischen meinem unbewaffneten Volk und der chinesischen Armee zu verhindern». Püntsog Tashi Takla bestätigt, daß zu diesem Zeitpunkt Verhandlungen immer noch möglich waren – oder zu sein schienen. «Flucht zogen wir nicht in Betracht. Wir dachten höchstens, wenn wir Seine Heiligkeit in den Potala bringen könnten, wäre er vielleicht sicherer. Aber die Massen um den Norbulingka machten das unmöglich.»[6]

Seine Heiligkeit kam mit den vom Volk gewählten Anführern zusammen und bat sie inständig, das aufgebrachte Volk zu beruhigen. In seiner Verzweiflung schrieb er sogar an Ngabö – mehr denn je ein linientreuer Parteigänger der Chinesen – und bot ihm an, sich selbst auszuliefern, wenn damit das Massaker an seinem Volk verhindert würde.

Während er am Morgen des 17. März auf Ngabös Antwort wartete, wurden hundert chinesische Lastwagen gesichtet, die sich von Norden und Osten der Stadt näherten. «Innerhalb des Norbulingka fühlte jeder, daß das Ende da war», schrieb der Dalai Lama. Er befragte das Staatsorakel, das befahl: «Geht! Geht! Heute nacht!» In dem Augenblick feuerten zwei schwere Granatwerfer auf den Norbulingka; die Geschosse detonierten in den Gärten. Danach entschied das Kabinett, daß der Dalai Lama den Palast umgehend verlassen müsse.

Zwei Stunden später ging es los. Der Aufbruch mußte geheimgehalten werden, nicht nur vor den Chinesen, sondern auch vor der Menschenmenge draußen. Sie hätten versucht, ihm zu folgen, und dann wäre es unweigerlich zu einem Blutbad gekommen. In einer letzten Nachricht bat der Dalai Lama die Anführer, keine Gewalt zu provozieren. «Wir beschlossen, den Palast in kleineren Gruppen zu verlassen», berichtet Püntsog Tashi Takla:

«Wir schickten ein paar Lastwagen zum Potala und wieder zurück, eine Art Tarnmanöver, um jedermann einen ganz normalen Ablauf vorzugaukeln. Dann schickten wir eine oder zwei Personen voraus, um die Guerillas am anderen Ufer des Kyitschu zu alarmieren, sowie eine Vorhut, um die Flußüberquerung sicherzustellen. Wir brauchten Pferde, die hinüberbefördert werden mußten, jeweils ein bis zwei Tiere, und uns dann am Südufer erwarteten. Wir waren sehr unsicher, ob es klappen würde, aber was blieb uns anderes übrig? Wir setzten unser Leben aufs Spiel, wenn wir flohen, aber wenn wir blieben, riskierten wir es genauso.»[7]

Als erste brachen die geistlichen Betreuer des Dalai Lama auf sowie die vier Mitglieder des Kaschag, im Laderaum eines Lastwagens unter einer Plane versteckt. Am frühen Abend folgten seine Mutter, seine Schwester Tsering Dölma und sein Bruder Tendsin Chögyel, angeblich zu einem Nonnenkloster am anderen Flußufer unterwegs. Dem jungen Tendsin erschien es als großartiges Abenteuer, als seine Mutter ihn anwies, sein Novizengewand gegen normale Kleidung zu vertauschen. Beim Anblick seiner Mutter und Schwester, die als Khampas verkleidet waren, brach er in schallendes Gelächter aus, zum Schrecken der Erwachsenen. Er berichtet darüber:

«Wir verließen den Palast durch eines der Westtore. Draußen wehte ein kühler Wind, am Himmel stand eine schmale Mondsichel. Meine Mutter, mit ihrem arthritischen Knie, ritt auf einem Esel, während die übrigen zu Fuß bis zum Nordufer des Kyitschu gingen. Am Fluß war eine Fähre, die mehr wie eine Pferdebox aussah. Auf der setzten wir über. Während wir auf die anderen warteten, lief ich am Ufer entlang, bis mein Kloster Drepung in Sicht kam. Ich warf mich dreimal zu Boden und betete darum, daß ich eines Tages zurückkommen möge. Dann kehrte ich zu der Gruppe zurück. Menschen liefen auf und ab, Pferde wieherten; es war ziemlich viel Krach. Zu meiner Erleichterung erfuhr ich, daß Seine Heiligkeit den Fluß überquert hatte, ohne von den Chinesen entdeckt zu werden.»[8]

Der Dalai Lama teilte die Begeisterung seines halbwüchsigen Bruders für Spannung und Abenteuer nicht. Ihm war schwer ums Herz bei dem Abschied. Er begab sich in seinen Gebetsraum, kam zurück und zog sein Mönchsgewand aus und statt dessen eine Uniform mit Pelzmütze an:

«Als ich hinausging, war ich wie betäubt; ich hörte nur meinen eigenen harten Tritt auf dem gestampften Lehmboden und das Ticken der Uhr in dem Schweigen, das mich umgab.

An der inneren Tür meines Hauses stand ein einzelner Soldat, der mich erwartete, ein weiterer an der äußeren Tür. Ich ließ mir von einem das Gewehr geben und hing es über die Schulter, um meine Verkleidung zu vervollständigen. Die Soldaten folgten mir. Dann ging es durch den dunklen Garten, der so viele der glücklichen Erinnerungen meines Lebens barg.»[9]

Als er mit seiner Begleitung den Park durchquerte, nahm er seine Brille ab, um sich noch unkenntlicher zu machen. «Ich tastete mich mühsam dahin und konnte kaum etwas sehen.»[10] Als sie zum Tor kamen, konnte er in der Dunkelheit undeutlich die Menschenmenge ringsum erahnen. «Aber niemand achtete auf den einfachen Soldaten. Unangefochten ging ich hinaus auf die dunkle Straße.»[11]

«Das war ohne jeden Zweifel der allerschlimmste Teil», erinnert sich Püntsog Tashi Takla mit Schaudern, denn er trug allein die Verantwortung für die Sicherheit Seiner Heiligkeit:

«Zwischen dem Norbulingka und dem Fluß gab es eine weite Sandfläche. Wir sanken bei jedem Schritt ein und kamen furchtbar langsam voran. Es schien eine Ewigkeit zu dauern. In der Dunkelheit hielten wir Bäume und Äste für Menschen und waren überzeugt, daß die Chinesen uns auflauerten. Trotzdem waren wir froh, daß der Mond nicht sonderlich hell schien, und mehr als dankbar für die Wolken, die ihn immer wieder verdeckten. Wenn sie abzogen, beteten wir jedesmal um ihre Rückkehr.»[12]

Es war ein waghalsiges Unterfangen, mitten im Winter, und auf Schritt und Tritt drohte die Gefahr, von den Chinesen entdeckt zu werden. Als sie mit Lederbooten den Kyitschu überquerten, war der Dalai Lama fest überzeugt, «daß sich bei jedem Ruderschlag Maschinengewehrfeuer auf uns richten würde»[13]. Doch die Überfahrt verlief reibungslos, und am anderen Ufer traf er wieder mit seiner Familie zusammen, mit seinen

102

Ministern und den dreizehn Khampa-Freiheitskämpfern, die mit Ponys bereitstanden, um alle in Sicherheit zu bringen.

«Ich setzte mir auch endlich wieder die Brille auf, da ich es nicht länger aushielt, so blind zu sein. Das bereute ich aber schnell, denn nun konnte ich in aller Deutlichkeit die Such-scheinwerfer der chinesischen Posten erkennen, welche die nur wenige hundert Meter von uns entfernte Garnison bewachten. Zum Glück schien der Mond wegen der niedrigen Wolken nicht, so daß uns die Dunkelheit einigen Schutz bot.»[14]

Püntsog Tashi konnte jetzt ein wenig aufatmen und die Be-schützerrolle den Guerillas überlassen. In getrennten Gruppen, um Entdeckung aus der Luft zu vermeiden, ritten sie eine Nacht und einen Tag in Richtung Süden, überquerten einen hohen Gebirgspaß, den Tscha-La, der winterlich verschneit und vereist war.

Am nächsten Tag setzten sie gegen Mittag über den Tsangpo (Brahmaputra) und passierten dann, auf dem Weg zu dem von Freiheitskämpfern kontrollierten Berggebiet, eine von Tibets unzugänglichsten und einsamsten Gegenden. Begleitet wurden sie von etwa 350 tibetischen Soldaten, die Flüchtlingsgruppe zählte inzwischen rund 100 Personen. Bis auf den Dalai Lama waren alle bewaffnet, wie Seine Heiligkeit in seinen Memoiren erwähnt, «sogar der mir zugeteilte Privatkoch, der eine Riesen-bazooka trug und einen Gürtel voll tödlicher Geschosse. Er war einer der jungen Männer, die vom CIA trainiert worden waren. Er war so erpicht darauf, seine prächtige, furchterregende Waffe zu benutzen, daß er sich einmal auf den Boden warf und mehrere Schüsse abfeuerte, als er eine feindliche Stellung zu erkennen glaubte. Es dauerte aber so lange, bis er die Waffe neu geladen hatte, daß ein richtiger Feind kurzen Prozeß mit ihm gemacht hätte. Alles in allem war es also keine sehr eindrucks-volle Vorführung.»[15]

Khampas sicherten die Nachhut, und täglich tauchten kleine Guerillagruppen aus dem Nichts auf, um ihnen auf dem Weg zum Sabo-La-Paß Schutz zu geben:

«Dort tobte ein Schneesturm, und es war bitterkalt. Ich fing an, mir ernsthafte Sorgen um einige meiner Reisegenossen zu machen. Vor allem die Älteren in meinem Gefolge fanden die

Reise sehr beschwerlich. Doch wir trauten uns nicht, unser Tempo zu verlangsamen, da noch immer die Gefahr bestand, daß die Chinesen uns irgendwo auflauerten.»[16]

Zu dem Zeitpunkt hatte der Dalai Lama noch keineswegs die Absicht, sich nach Indien durchzuschlagen, sondern vielmehr in der Nähe der Grenze haltzumachen und neuerlich Verhandlungen mit den Chinesen zu suchen. Aber unterwegs erhielt er am 24. März die niederschmetternde Nachricht, daß die Katastrophe, die zu verhindern er sich so sehr bemüht hatte, nun doch eingetreten war. Lhasa lag in Trümmern, es hatte Tausende von Toten gegeben:

«Als wir diese Schreckensbotschaft hörten, wußten wir, daß es für das Massaker nur einen möglichen Grund gab: Die Chinesen waren nun, acht Jahre nach Beginn der Invasion, endgültig davon überzeugt, daß sich unser Volk freiwillig niemals ihrer Fremdherrschaft beugen würde. Und es war das einfache Volk – nicht etwa die Reichen oder die herrschenden Klassen –, das die Chinesen zu dieser Überzeugung gebracht hatte. Deshalb versuchten sie jetzt, das Volk durch gnadenloses Hinschlachten so zu terrorisieren, daß es sich unterwarf.»[17]

Niemand in Lhasa hatte von den Chinesen etwas anderes als eine wütende Reaktion erwartet. Aber niemand hatte sich vorstellen können, daß sie dermaßen ungezügelt und brutal ausfallen und in ein solches Blutbad ausarten würde.

Die Flucht war unbemerkt geblieben, und für achtundvierzig Stunden hatte beklommene Ruhe geherrscht. Die Chinesen waren immer noch in Unkenntnis über die Abreise des Dalai Lama, als sie am 20. März um zwei Uhr nachts von ihren befestigten Stellungen aus den Norbulingka unter Feuer zu nehmen begannen. Die Tibeter, die zumeist aus tiefstem Schlaf gerissen wurden, konnten in dem dichten Rauch nicht erkennen, woher die Geschosse kamen. Bisher hatten sie auch keinerlei Erfahrung mit Granaten. Vor Tagesanbruch lagen Hunderte von Toten und Verwundeten zwischen den verkohlten Trümmern des Palastes und seiner Tempel. Die Volksbefreiungsarmee zeigte ihre Überlegenheit mit Panzern und Panzerfahrzeugen, schlug die schlecht ausgerüsteten tibetischen Verteidiger zurück, trieb sie zum Fluß, dessen starke Strömung viele von ihnen mitriß. Die Chinesen wußten ja nicht, wo sich der Dalai Lama befand, und begannen daher unter den Leichen nach ihm zu suchen. Sie erfuhren erst tags darauf, daß er Lhasa verlassen hatte. Sofort schickten sie Truppen und Luftaufklärer hinterher. Zu spät. Ihren Fehlschlag bei der Suche kaschierten sie am späten Abend, so gut es ging, mit der Meldung, er sei von Reaktionären entführt worden. «Als wir das hörten», schrieb Dawa Norbu, «atmeten wir erleichtert auf und murmelten: ‹Dem Himmel sei Dank, der Kostbare Beschützer ist in Sicherheit. Nun wird auch für uns alles gut.›»[18]

Als Artillerie den Potala, die Medizinische Hochschule auf dem Tschakpori und das große Kloster Sera in Schutt und Asche legte, entlud sich der Volkszorn in Straßenkämpfen. Die Tibeter errichteten hastig Barrikaden aus Möbeln und Trümmersteinen, verschanzten sich dahinter und versuchten, selbstgebastelte Sprengsätze in chinesische Gebäude zu werfen. Sie wurden von auf Dächern postierten chinesischen Scharfschützen zu Tausenden abgeknallt. Als Klöster, Schulen und viele Wohnhäuser durch Granaten zerstört wurden, suchten mehr als zehntausend Überlebende Zuflucht im Jokhang, der Hauptkathedrale von Lhasa, einem der größten Heiligtümer in ganz Asien.

Kurz nach der Morgendämmerung bombardierte die Volksbefreiungsarmee am 22. März den Jokhang und feuerte mit Maschinengewehren in die Zivilisten, die auf dem Vorplatz kampierten. Drei chinesische Panzer fuhren auf. Mittags stand das Gebäude in Flammen, um die Panzer türmten sich Leichenberge. In der Stadt lagen zwischen zehn- und fünfzehntausend Tote.

Zwei Stunden danach war die dreitägige Vernichtungsorgie beendet, desgleichen der Aufstand. Manchen gelang die Flucht in die Berge zu den Guerillas. Die meisten konnten nur dableiben und ihr weiteres Schicksal abwarten. «Wir hatten uns in einem Keller versteckt», berichtete Wangtschen. «Wir hatten zwar Gewehre, konnten aber nicht damit umgehen. Wir schichteten Sandsäcke vor der Tür auf, um die Chinesen fernzuhalten. Aber schließlich stellten die Chinesen Leitern an die Wände, stiegen von oben in die Häuser ein. Sie nahmen uns sämtliche

Waffen und Munition ab und verhafteten neun von vierzehn Hausbewohnern.»[19]

Als Ngabös verhaßte Stimme über Lautsprecher dröhnte und den Überlebenden befahl, sich zu ergeben, flatterten weiße Schals im Wind. Endlose Reihen von Gefangenen wurden abgeführt, einem ungewissen Schicksal entgegen, während über dem Potala bereits die roten Fahnen der Volksrepublik China wehten. «Seht euch euren kostbaren Palast genau an», sagte man den Gefangenen. «Der gehört jetzt uns.»[20]

Als der Dalai Lama, noch auf tibetischem Territorium, erfuhr, daß die Chinesen am 28. März die tibetische Regierung aufgelöst und Lhasa vollständig ihrer Kontrolle unterstellt hatten, kündigte er das Siebzehn-Punkte-Abkommen in aller Form auf und gab die Bildung einer neuen, interimistischen Regierung bekannt. Als ihm dann klar wurde, daß die Volksbefreiungsarmee zum Großangriff auf die Guerillas in den Bergen rüstete, entschloß er sich endlich, die indische Regierung um politisches Asyl zu bitten.

Sie mußten noch eine weitere Bergkette überqueren, bevor sie Indien erreichten. Für die erschöpften Lasttiere war kaum noch Futter vorhanden. Um sie bei Kräften zu halten, mußten sie häufig Rast machen, und so kamen sie nur sehr langsam voran. Als sie den Karpo-La-Paß überquerten, den letzten vor Indien, erlebten sie noch einmal einen Schock. Sie wurden von einem Aufklärungsflugzeug gesichtet, was allgemeine Nervosität auslöste:

«Wenn es eine chinesische Maschine gewesen war, wie wir vermuteten, bestand die Wahrscheinlichkeit, daß sie nun genau wußten, wo wir uns befanden. Sie konnten umkehren und uns aus der Luft angreifen, wogegen wir uns nicht hätten zur Wehr setzen können. Woher das Flugzeug aber auch immer kam, es bestätigte nur, daß wir nirgendwo in Tibet sicher sein konnten. Das beseitigte alle Zweifel, die ich noch hinsichtlich meiner Flucht haben konnte. Ich war nun vollkommen sicher, daß Indien unsere einzige Hoffnung war.»[21]

Die indische Regierung hatte schon ihre Bereitschaft signalisiert, den Dalai Lama aufzunehmen, der Weiterreise stand also nichts mehr im Wege. «In der Nacht, bevor wir die indische Grenze erreichten, regnete es in Strömen», erinnert sich Tendsin Chögyel. «Wir schliefen in Zelten, und das von Seiner Heiligkeit hatte Löcher, so daß sein Bett durch und durch feucht wurde. Das Wasser rann in Bächen an den Innenwänden herunter. Das Fieber, das er tagelang bekämpft hatte, entwickelte sich zu einer Erkältung mit Schüttelfrost, und dann kam noch Dysenterie hinzu. Ich war bei ihm und sah, wie er schwach und krank wurde, so daß er tags darauf nicht reiten konnte. Es dauerte noch drei Tage, ehe wir in Indien eintrafen.»

Sobald der Dalai Lama wieder kräftig genug war, die Reise fortzusetzen, halfen ihm seine Begleiter auf den breiten Rücken eines Dzomo, einer Kreuzung zwischen Jak und Rind. Auf diesem seit Urzeiten üblichen tibetischen Lasttier verließ Tendsin Gyatso, der 14. Dalai Lama, am 31. März 1959 sein Land und ging ins Exil – «wie durch einen Nebel, krank, erschöpft und unglücklich – viel unglücklicher, als ich es zu sagen vermag».

«Frühlingseinzug in Tibet»
(1960)

> Plötzlich ging uns auf, daß Tibet nicht mehr unser
> Land war; daß wir nicht länger freie Tibeter waren;
> daß wir fremden Oberherren unterstanden, den
> chinesischen Kommunisten. Das Land des
> Schnees, das Land der Lamas, das Land des
> ewigen Geheimnisses war dahin. Sein Land zu
> verlieren, das war wie der plötzliche Verlust der
> Eltern.
>
> Dawa Norbu, *Red Star over Tibet*

Unter den bereits im indischen Exil lebenden Tibetern, die zur
Begrüßung des Dalai Lama erschienen waren, befand sich,
tiefbewegt, der Student Lobsang Nyima: «Er sah so abgehärmt
und krank aus, daß wir bei seinem Anblick weinen mußten. Wir
waren wütend auf die Chinesen, weil sie ihm so viel Leid
zugefügt hatten. Fünfzehn von uns trafen sich, um die Lage zu
erörtern; wir kamen zu dem Schluß, daß wir nach Tibet zurückkehren und weiterkämpfen müßten. Wir kauften gute Pferde in
Indien und machten uns auf den Weg, mit fünf Gewehren und
ein paar Säbeln für uns alle.»[1]

Die Khampa-Guerillas, die den Dalai Lama und sein Gefolge
bis zur Grenze begleitet hatten, ritten unverzüglich zurück, um
den Kampf in Tibet fortzusetzen. Doch er war mittlerweile
aussichtslos. Die ganze Militärmacht der Volksbefreiungsarmee
wurde gegen die Khampas und die Freiwilligen eingesetzt, die,
von der CIA fallengelassen, ihren Bedarf an Waffen jetzt nur
noch mit den vom Feind erbeuteten decken konnten. Hilfsbe-
reite Nachbarstaaten, die ihnen die benötigten Waffen anboten,
gab es nicht: Indien, Nepal und Bhutan befürchteten, das

gleiche Schicksal wie Tibet zu erleiden, wenn sie China brüskierten. Einhunderttausend chinesische Elitetruppen kämmten das Gebiet von Lhoka durch, besetzten schonungslos Städte und Dörfer, zerstörten einige, schnitten die Guerillas von ihrer Nachschubbasis in Kalimpong ab.

Was Lobsang Nyima und seine Freunde nach der Rückkehr in Tibet erlebten, vermittelte ein anschauliches Bild von den ungleichen Kräfteverhältnissen: «Wir entdeckten, daß sechshundert Freiheitskämpfer bei Gyantse von sechs chinesischen Bataillonen – Infanterie und Kavallerie – eingeschlossen waren. Wir taten uns mit einer anderen Gruppe Tibeter zusammen und beschlossen, ihnen zum Ausbruch zu verhelfen. Irgendwie gelang es uns, den Guerillas die Flucht zu ermöglichen – aber nur um den Preis, daß wir nun selber eingeschlossen waren. Es gab keinen Ausweg. Zwei meiner Freunde und ich kamen überein, bis aufs Messer zu kämpfen, während wir den übrigen rieten, sich zu ergeben. Einer meiner beiden Freunde wurde getötet, der andere und ich verwundet. Wir wurden von den Chinesen gefangengenommen, nach Shigatse gebracht und von dort ins Gefängnis nach Lhasa.»[2]

Rund 32 000 Tote kosteten die Kämpfe um Lhoka. Die Moral der von Freunden und Nachschub abgeschnittenen Überlebenden war begreiflicherweise auf einem Tiefpunkt: Weiterer Widerstand war sinnlos. Versprengte Einheiten setzten zwar die Operationen noch überall fort, die Führer des Chu Shi Gangdrug jedoch verließen am 21. April 1959 ihr Hauptquartier in Lhoka und flohen nach Indien. Bald hatten die Chinesen sämtliche Hauptpässe über den Himalaya unter Kontrolle und damit die wichtigsten Fluchtwege nach Indien oder Nepal. Nachdem es ihnen gelungen war, die Grenzen zu sperren, war es mit jedem bewaffneten Widerstand zu Ende.

Lhasa stand unter der Herrschaft einer Militärdiktatur. Alle, die es nicht geschafft hatten zu fliehen, traf die geballte Wut der Chinesen. Die Hinrichtung der «Rädelsführer» begann unverzüglich. Die meisten körperlich leistungsfähigen Männer und Jungen – ob Händler, Bauern, Nomaden, Mönche, Soldaten, Regierungsbeamte oder Adlige – wurden verhaftet. Viele wurden in die Lager von «Tibetisch-Sibirien» deportiert, in das

Wüstengebiet der nördlichen Changtang-Ebene; andere beließ man in Lhasa und Umgebung als Zwangsarbeitertrupps. Manche verschwanden einfach spurlos. «Jede Familie schien nach Angehörigen zu suchen, die verschwunden waren», sagte Pema Saldon. «Viele von ihnen waren einfach erschossen worden. Die meisten Frauen gingen in den verschiedenen Gefängnissen mit Lebensmitteln hausieren in der Hoffnung, dabei etwas über den Verbleib ihrer Lieben zu erfahren.»[3]

Tashi Pelden, ein Mönch, war einer von 500 Mönchen, Frauen, Kindern und Bettlern, die mit Bajonetten zum verwüsteten Norbulingka getrieben wurden und den Weg von Leichen blockiert fanden:

«Überall lagen Leichen, und wir konnten es nicht vermeiden, auf sie zu treten. Manche regten sich noch unter unseren Füßen. Die Chinesen schlossen uns in einem Viehschuppen ein und ließen uns zwei Tage lang ohne Essen. Aber den Menschen machte das nichts mehr aus, sie hatten ohnehin jede Hoffnung verloren. Alle Leichen im Norbulingka wurden gesammelt und am Tag unserer Ankunft verbrannt. Das dauerte drei Tage.

Wir wurden in Gruppen aufgeteilt, nach Zugehörigkeit zu den verschiedenen Klöstern, Regimentern der tibetischen Armee etc. Dann hielt einer der chinesischen Offiziere eine Ansprache: ‹Ihr Leute habt uns eine Menge Scherereien gemacht, obwohl wir doch gekommen sind, um euch zu befreien. Wir wissen, daß ihr immer angenommen habt, die Chu Shi Gangdrug würde uns mühelos verjagen, weil die meisten dort Erwachsene waren, die meisten unserer Soldaten dagegen Jugendliche. Sogar eure Frauen hatten die Frechheit, zu demonstrieren und uns zu sagen, wir sollten abhauen. Nun, jetzt habt ihr unsere Soldaten und unsere Waffen richtig kennengelernt und wißt Bescheid. Ich hoffe also, euch ist klar, daß eure Chance, die Unabhängigkeit zu erlangen, ebenso gering ist wie die, daß ihr die Sonne im Westen aufgehen seht!›»[4]

Die Chinesen hatten sich ihre eigene Version der Ereignisse zurechtgelegt. Tsering Dordsche Gaschi, ein tibetischer Student in Peking, berichtet, daß seine Klasse in der Schule der Nationalitäten bereits am 18. März (bevor das Blutbad auch nur begonnen hatte) informiert wurde, daß «die Rebellen Blut vergießen und alles zerstören, ohne sich im geringsten um die Leiden der Bevölkerung zu kümmern... die Volksbefreiungsarmee des tibetischen Militärbereichs hat keinen einzigen Schuß auf die Rebellen abgegeben. Der Vorsitzende Mao und die chinesische Zentralregierung haben Geduld geübt und alles getan, um die Rebellen zur Einsicht zu bringen.»

Später wurde den Studenten eingetrichtert, daß es sich bei dem Aufstand um einen Klassenkampf gehandelt habe, nicht um einen Kampf zwischen zwei Nationen. Die bei der Niederwerfung angewandte Gewalt sei zwar bedauerlich, das Ergebnis aber gleichwohl verheißungsvoll: «Der Aufstand hat das Tempo auf dem Weg in eine glückliche Zukunft beschleunigt, und die tibetischen leibeigenen Bauern werden die Tage demokratischer Reformen früher als erwartet erleben. Die Unterdrückung der Rebellion hat den Umgestaltungsprozeß der halbfeudalen, halbdynastischen und halbbarbarischen Gesellschaft in eine neue sozialistische Gesellschaft vorangetrieben. Ein schlechter Zustand hat sich in einen guten verwandelt.»[5]

Die Einwohner von Lhasa fanden an ihrem Zustand wenig Gutes, als die Chinesen ihre Schutzbehauptung von friedlicher Befreiung nun fallenließen und sich an die Umgestaltung der tibetischen Gesellschaft machten. Die Umstellung auf eine Bürokratie chinesisch-kommunistischer Prägung wurde durch massive Militärpräsenz unterstützt. Die tibetische Regierung wurde am 18. März aufgelöst, ihre Funktionen dem Vorbereitenden Komitee zur Errichtung der Autonomen Region Tibet übertragen, unter dem stellvertretenden Vorsitz des 22jährigen Panchen Lama, unterstützt von Ngawang Dschigme Ngabö und der «patriotischen Elite», das heißt jenen Tibetern der Oberschicht, die sich auf Gedeih und Verderb mit den Chinesen verbündet hatten. (Der Panchen Lama hatte in einem Telegramm an Mao diesen Schritt begrüßt.) Das Komitee war eine von der Kommunistischen Partei Chinas und dem Militärischen Kommandobereich Tibet kontrollierte Marionette. Diese mächtigen Organisationen unterstanden drei chinesischen Generälen, denen gegenüber sich jeder Tibeter, gleich welchen Ranges, verantworten mußte.

Weitere Repressionen und Exekutionen fanden statt, als Suchtrupps der Volksbefreiungsarmee die Häuser nach «Rebellen» durchkämmten, ihre Familien verjagten und ihren Besitz requirierten. Der pragmatisch denkende Sonam Tschömpel Tschada beschloß, sich zu ergeben, «da die Chinesen denjenigen, die das nicht taten, schreckliche Konsequenzen androhten. Ich hatte an Selbstmord gedacht, mich dann aber anders besonnen. Ich wollte weiter für mein Land arbeiten, doch wie könnte ich das, wenn ich tot war?»

Dawa Tsering, damals ein kleiner Junge, erinnert sich, wie er Wasser holen ging und ein weißes Tuch (Khata) an den Eimer gebunden hatte: «Damals habe ich nicht verstanden, worum es eigentlich ging. Aber ich wußte, wenn ich ohne Khata hinausgehe, werde ich erschossen.»[6] Er erinnerte sich auch an die Leichen. «Eines Tages mußte ich mit meiner Mutter zum Norbulingka gehen, und da sah ich sie... Haufen über Haufen. Die Leichenberge reichten bis zu den Zweigen der Bäume. Und sie brannten. Die Soldaten von der Volksbefreiungsarmee übergossen sie mit Benzin und zündeten ihre Haare an.»[7]

Lhasa war aufgeteilt in vier Sektoren mit eigenen Gebiets-, Nachbarschafts- und kleineren Blockkomitees, die von Kollaborateuren kontrolliert wurden. Familien wurden in drei große Kategorien eingeordnet: die Superreichen (denen nach Abzug der laufenden Ausgaben mehr als 50% ihres Einkommens blieb), die mittlere Einkommensklasse (25%–35%) und die Armen. «Volksfeinde» waren diejenigen, die in Opposition zum Regime standen, sie konnten aus jeder Klasse stammen; sie waren Feinde, die ausgemerzt werden mußten. Mit einem Kollaborateur/Spitzel für jeweils zehn Einwohner wagte niemand, Kritik zu äußern, denn kein Mensch wußte ja, wem er trauen konnte.

Ein Ausgangsverbot wurde verhängt. Die Einwohner von Lhasa mußten stets einen Personalausweis bei sich tragen und konnten sich nicht mehr frei bewegen. Überall waren Kontrollposten stationiert, die Zufahrtsstraßen wurden scharf bewacht. Untersuchungsbeauftragte wurden in jeden Teil der Stadt geschickt, um die Menschen nach ihrer Beteiligung am Aufstand und nach ihrer Klassenzugehörigkeit zu befragen. Die Häuser von «Rebellen» wurden systematisch requiriert.

Edelsteine und -metalle wurden komplett konfisziert und nach China verfrachtet, von wo sie dann ihren Weg auf die Antiquitätenmärkte in Hongkong und Taiwan nahmen. Möbel und Teppiche wurden an chinesisches Zivil- und Militärpersonal verteilt. Die Chinesen machten viel Aufhebens davon, daß sie den Reichen etwas wegnähmen, um es den Armen zugute kommen zu lassen, doch wenn die Armen in die Dienststellen ihrer Nachbarschaftskomitees beordert wurden, um ihren Anteil an der Beute in Empfang zu nehmen, bekamen sie «ein wahllos zusammengewürfeltes Sortiment von kaputten Stühlen und Tischen, leeren Kisten, abgetragenen Kleidern und gelegentlich eine Teekanne»[8].

Bei den obligatorischen Versammlungen, die jedes Blockkomitee täglich für die in seine Zuständigkeit fallenden rund hundert Personen abhielt, wurde von allen verlangt, «Volksfeinde» zu denunzieren und sie dem gefürchteten Thamzing zu unterwerfen. Durch diese Prozeduren zwang man jetzt die Menschen in Zentral- und Südtibet – wie zuvor schon ihre Landsleute im Osten –, «Revolution zu machen». Der unerbittliche, durch aufgepeitschten Haß künstlich geschürte Klassenkampf wurde mit unbeschreiblicher Grausamkeit geführt. Er hetzte Arbeitnehmer gegen Arbeitgeber auf, Bauern gegen Grundbesitzer, Mönche gegen ihre Äbte, Studenten gegen Lehrer, Kinder gegen ihre Eltern. «Bei denjenigen, die in der Gesellschaft eine Position von Macht und Ansehen innehatten», kommentiert John Avedon, «wurde automatisch dafür gesorgt, daß sie diese behielten, nicht aufgrund von Verdiensten, sondern... zu dem einzigen Zweck, Menschen zu unterdrükken.»[9]

Die minderbemittelten Tibeter waren hilflose Objekte, ständig unerträglichem Druck ausgesetzt, genötigt zu Thamzings, die angeblich in ihrem eigenen Interesse lagen. Gegen manche Opfer mochten sie sehr wohl berechtigte Gründe zur Klage gehabt haben, die nun jedoch unverhältnismäßig hochgespielt wurden und zu unvorstellbaren Exzessen führten:

«Lebendig begraben, den Beschuldigten in eine Decke einwickeln und diese in Brand stecken, ihn an einem Baum aufhängen und darunter ein Freudenfeuer anzünden, hängen, enthaupten, den Bauch aufschlitzen, verbrühen, kreuzigen, zerstückeln, steinigen durch die ganze Gruppe, Eltern von ihren Kindern erschießen lassen – all diese Methoden wurden vorgeschlagen (von Kollaborateuren) und dann auch angewendet, wie es der Internationalen Juristenkommission Fall für Fall berichtet wurde.»[10]

Die Familie von Kungo Thinle, ehemals zweiter Sekretär beim Lehrer des Dalai Lama, wurde wegen dieser Beziehung dem Thamzing ausgesetzt: «Mein Vater wurde verhaftet, unser gesamter Besitz konfisziert. Schließlich entließ man ihn, doch Folter, Einkerkerung und Demütigungen waren zuviel gewesen, und bald danach begingen er, meine ältere Schwester, mein Bruder und meine Nichte gemeinsam Selbstmord. Sie stürzten sich in den Fluß.»[11]

Am 30. April teilte der Panchen Lama der Weltöffentlichkeit mit, der «Aufstand» in Tibet sei niedergeschlagen, die Ordnung wiederhergestellt und die demokratischen Reformen gesichert. Er erwähnte weder das riesige Heer von Gefangenen noch die enorme, ständig wachsende Zahl der Todesopfer. In den ersten drei Monaten nach dem Aufstand sollen 18 600 Tibeter umgebracht worden sein.[12] Am 1. Oktober 1960 meldete Radio Lhasa, in Zentraltibet seien nach dem Aufstand in Lhasa 87 000 «Reaktionäre» liquidiert worden. Von diesen wurden innerhalb von siebzehn Tagen 69 000 in und um Lhasa hingerichtet.

Binnen eines Jahres starben viele Tausende an den Folgen von Thamzing, die Überlebenden waren häufig auf Dauer verkrüppelt, erblindet oder taub geworden. In Flüssen und an abgelegenen Plätzen häuften sich Leichen. Viele Gefangene verhungerten, weil ihre Angehörigen ihnen nichts zu essen bringen durften. Lobsang, ein Mönch, der den Mut besaß, sich von Vanya Kewley für ihren Fernsehfilm interviewen zu lassen[13], war verhaftet und in ein Gefängnis im Nordosten eingeliefert worden:

«Wir mußten tagtäglich zwölf Stunden Schwerarbeit leisten, in den Bergwerken, beim Brückenbau, bei jedem Wetter, ohne Verpflegung, ohne geeignete Kleidung, ohne Schlaf. Wenn wir umfielen, schlugen sie uns, bis wir das Bewußtsein wiedererlangten. Wenn wir durch Schläge und Folter Knochenbrüche davongetragen hatten, mußten wir trotzdem arbeiten. Für die Gefangenen gab es weder Medizin noch Ärzte. Den Chinesen galten wir weniger als Tiere. Wir bekamen Frostbeulen, weil wir keinerlei Schutz für Hände und Füße hatten. Manchmal war es so kalt, daß Fleischfetzen von unseren Händen an den Schaufeln klebten...

Sie hängten Gefangene an den Füßen in leeren Räumen auf und schlugen sie mit Knüppeln, um sie dadurch zum Umdenken zu bringen und zur Unterstützung der chinesischen Herrschaft in Tibet. Manchmal zwangen sie andere Gefangene, die Schläge zu verabfolgen, so daß die Chinesen nicht die Verantwortung übernehmen mußten.»

Kein Wunder, daß Dr. Tendsin Tschödra, der Leibarzt des Dalai Lama, den man unmittelbar nach dem Aufstand verhaftete und in ein Arbeitslager nahe der Grenze zur Inneren Mongolei deportierte, herausfand, daß von den dort erst zwei Jahren zuvor inhaftierten 300 Tibetern nur noch zwei am Leben waren:

«Schwere Arbeit, zusammen mit mageren Rationen und menschenunwürdigen Arbeitsbedingungen verursachten bald körperlichen Verfall... Inmitten von Not und Hunger verloren wir unser Gefühl für Scham und Würde... Wir aßen Stricke, Ledertaschen, alles, was wir finden konnten... Ein 17jähriger Chinese brachte seine Mutter um, damit er sich die vier Kilo Gerste aneignen konnte, die sie versteckt hatte... Ein anderer Chinese tötete einen achtjährigen Jungen und aß ihn... Innerhalb von drei Jahren waren insgesamt zwei Drittel aller gefangenen Tibeter tot.»[14]

Religionsfreiheit existierte zwar offiziell noch, doch ihre Tage waren eindeutig gezählt, denn die Religion verlieh den Tibetern ihre spezifische Identität und mußte deshalb verschwinden. Der Zermürbungsprozeß war schon im Gange. «Uns wurde dauernd erzählt, daß Religion Gift ist», erinnert sich Pema Saldon. ««Man hat euch viel zu lange an der Nase rumgeführt›, sagten sie und behaupteten steif und fest, der Dalai Lama hätte die Religion als Vorwand benutzt, um sich dem Großen Mutterland zu widersetzen. Tibet wäre noch nie unabhängig gewesen, erklärten sie, aber jetzt wäre es wenigstens frei. ‹Wir haben euch befreit!› sagten sie.»

Es wurde verlautbart, daß in der neuen Gesellschaft kein Platz für Aberglauben sei und daß jeder, der weiterhin den Buddhismus praktiziere, dies auf eigene Gefahr tue. «Ein Schock nach dem anderen erschütterte uns», sagte Dawa Norbu, «wir mußten mit ansehen, wie unser wohlgeordnetes buddhistisches Universum einstürzte, zum Chaos zerfiel, in geistiger wie in physischer Hinsicht. Die chinesischen Kommunisten, von revolutionärem Eifer erfüllt und bar jedes menschlichen Gefühls, machten sich planmäßig daran, uns zu beweisen, daß das, woran wir glauben, nichts weiter war als ein Wahn, eine Fata Morgana.»[15]

Unter dem Vorwand, die Klöster hätten den Aufstand unterstützt, schritten die Chinesen zur Vernichtung. «Bald nach dem Aufstand», berichtet Yesche Gompo, damals Novize im Kloster Drepung, «begannen die Chinesen die Klöster zu schließen und hochrangige Lamas und Äbte zu verhaften. Diejenigen Äbte, die sich den Chinesen widersetzt hatten, wurden verhaftet, einem Thamzing unterzogen und ins Gefängnis geschickt. Viele starben unter der Folter, andere begingen Selbstmord. Sämtliche Mönche, auch die jugendlichen Novizen, wurden in Klassen unterteilt, und die Minderbemittelten mußten ihren ‹Unterdrückern› das Thamzing verabfolgen. Das Eigentum der Äbte wurde konfisziert und an die ärmeren Mönche verteilt. Ich war noch ein Junge, wurde aber zu einer öffentlichen Versammlung zitiert und beschuldigt, das Volk unterdrückt und ausgebeutet zu haben. Zwecks Umerziehung mußten wir jeden Tag an Versammlungen teilnehmen und wurden unentwegt gedemütigt.»[16]

Nach überstandenem Thamzing wurden die Mönche gefesselt, in Lastwagen verfrachtet und in das neue Arbeitslager außerhalb von Lhasa gebracht, in das Wasserkraftwerk Nagtschen Thang. Tashi Pelden gehörte dazu. Eines Tages befahl man ihm und etlichen anderen Mönchen, sich für eine Audienz beim Panchen Lama zurechtzumachen. Sie wurden in ein zerstörtes Kloster gebracht, wo sie eine Anzahl chinesischer Soldaten und Offiziere vorfanden. Zu ihrer Überraschung bekam jeder von ihnen ein ungeladenes Gewehr in die Hand gedrückt:

«Einer der Offiziere sagte uns: ‹Wir drehen hier einen wichtigen Dokumentarfilm über den Aufstand. Ihr müßt Wut und andere Emotionen zeigen, genau wie ihr sie damals empfunden habt. Wer die Sache nicht ernst nimmt und den Film dadurch verdirbt, daß er lächelt oder gelangweilt dreinschaut, wird streng bestraft.› So spielten wir Kampfszenen, am Schluß stellten sich ein paar von uns tot, und die übrigen kamen mit erhobenen Händen aus der Klosterruine. Danach wurde uns eingeschärft: ‹Bei der Rückkehr dürft ihr keinem erzählen, daß ihr in einem Film mitgewirkt habt.›»[17]

Ein paar Tage später kündigten die Chinesen in Nagtschen Thang einen Film an, der «den schlagenden Beweis liefern würde, daß Mönche an den Kämpfen teilgenommen hatten». Erst da erkannten Tashi Pelden und die anderen, wie man sie manipuliert hatte. Der Film *Frühlingseinzug in Tibet* wurde später in ganz China gezeigt und auch den Genossen im Westen vorgeführt.

Wie die meisten Mönche mußte sich auch Yesche Gompo Vorträge über seine Verpflichtungen dem neuen Tibet gegenüber anhören, bevor man ihn in sein Dorf zurückschickte, um sich durch Feldarbeit seinen Lebensunterhalt zu verdienen und zu heiraten. Sonst bekäme er nichts zu essen, warnte man ihn. «Wer bereit war zu heiraten, wurde beglückwünscht und belohnt.» Solche Leute nannte man «progressiv», während die anderen Mönche, die am Althergebrachten festhielten, «Rückständige mit unverbesserlich naivem Kinderglauben» waren.

Ende 1959 waren in den großen Klöstern Drepung, Sera und Ganden nur noch ein paar betagte Mönche verblieben. Und in dem alten Kloster Samye, der ältesten buddhistischen Gründung in Tibet, waren von 500 Mönchen 36 alte Männer übrig.[18]

Dann begann die rücksichtslose Vernichtung der meisten der 6524 Klöster und Tempel Tibets. Die Chinesen behaupteten später – als sie erkannten, daß sie zu weit gegangen waren –, diese massenhafte Zerstörung sei das Werk der Viererbande und der Kulturrevolution Ende der sechziger Jahre gewesen. Es ist jedoch eine hinreichend bewiesene Tatsache, daß die meisten Klöster zwischen 1959 und 1961 vernichtet wurden.[19]

In einem Interview mit Vanya Kewley schilderte der Mönch

Lobsang, wie die Chinesen im Kloster Sera auch noch die allerletzten Kultgegenstände geraubt und auf 97 Dreitonner verladen hatten. «Die Militärlaster fuhren immer mitten in der Nacht ab in Richtung China, wenn es wenig Augenzeugen gab.» Jahrhundertealte Klosterbibliotheken wurden in Versammlungssäle und Lagerräume umgewandelt. Tschömpel Sonam zufolge, einem Mönchsbeamten aus Shigatse, wurden die kostbaren Schriften entweder, mit Dung vermischt, als Heizmaterial verwendet oder in den chinesischen Läden als Packpapier benutzt.[20] In den ländlichen Gegenden dienten sie als Toilettenpapier, während man die geschnitzten hölzernen Lesepulte und Einbände zu Stühlen, Bodenbrettern und landwirtschaftlichen Geräten verarbeitete.

Erst jetzt begannen die Chinesen zur Rechtfertigung ihres Tuns die Korruption und Brutalität des alten Systems, die von den ehemaligen Grundbesitzern und Klosterbeamten verübten «Greueltaten» anzuprangern. Vor 1950 habe es in Tibet «keine Menschenrechte» gegeben, behaupteten sie. Derartige Beschuldigungen blieben im Westen unbestritten, insbesondere bei denen, die das chinesische kommunistische System als hervorragendes soziales Experiment ansahen. Doch, wie Hugh Richardson betont, «dies hat wenig oder gar nichts zu tun mit den authentischen Berichten über die Verhältnisse im Land und die Lebensweise seiner Bevölkerung, die von erfahrenen, kompetenten ausländischen Besuchern stammen. Man könnte auch die Frage aufwerfen, warum, wenn eine solche Unterdrückung tatsächlich existierte, diese dann in sieben Jahren kommunistischer Herrschaft über Tibet nicht erwähnt, geschweige denn beseitigt wurde».[21]

In einem Brief an einen Freund sprach einer dieser «erfahrenen, kompetenten ausländischen Besucher», der Schriftsteller und Bergsteiger Marco Pallis, 1948 von der Korruption, die in Tibet herrschte, war sich aber zugleich sicher, daß «diese Menschen trotzdem weit glücklicher und gesünder und menschlicher sind als der Durchschnitt bei uns».[22] Und Dawa Norbu betont, daß die Leibeigenen zwar manche Adlige als soziale Parasiten und Ausbeuter betrachtet haben mögen, es jedoch keinem jemals eingefallen wäre, den Mönchen dergleichen zu unterstellen, wozu sie auch die intensivste chinesische Propaganda nie bewegen konnte: «Die Lamas bildeten einen wesentlichen Bestandteil des buddhistischen ‹Dreikorbs› (Tripitaka), und die Massen trauerten, wenn sie verfolgt wurden.»[23]

Riesige Mengen von Zuwanderern aus den übervölkerten Gegenden Chinas strömten nach Lhasa, wo sie Rechte genossen, die den Tibetern strikt verweigert wurden. Als erste Aufgabe sollten sie eine neue, auf die Bedürfnisse von Maos China und auf ihre eigenen zugeschnittene Stadt erschaffen. Das ließ sich leicht und billig bewerkstelligen, da sämtliche Materialien vorhanden waren und nur darauf warteten, beschlagnahmt oder gestohlen zu werden. Sie bauten eine Vielzahl von Unternehmen: ein Elektrizitätswerk, eine Zementfabrik, eine Rundfunkstation, ein Allgemeines Krankenhaus, ein Gästehaus und eine Ausstellungshalle. Die Bautätigkeit machte rapide Fortschritte. Wie sollte sie auch nicht, wenn eine unbegrenzte Anzahl von Gefangenen und unterbezahlten, unterernährten tibetischen Zwangsarbeitern zur Verfügung stand?

«Wo immer Brücken, Straßen oder Fabriken gebaut wurden, zog man Gefangene zur Arbeit heran. Die Menschen mußten Pferdekarren und, zusammen mit Jaks, schwere Eisenpflüge über die Äcker ziehen und Steine auf dem Rücken schleppen. Hände, Füße und Rücken wurden zu einer einzigen großen blutenden Wunde. Aber sie mußten trotzdem weiterarbeiten.»[24]

Viele der Männer und Frauen, die einige Monate nach dem Aufstand aus dem Gefängnis entlassen wurden, setzte man für diese Schwerarbeiten ein. Und das alles in einer Zeit, als überall im Land Hungersnot herrschte. Die Gründe dafür lagen in China, wo die Wirtschaft seit 1959 in größten Schwierigkeiten steckte. Auslöser war der sogenannte Große Sprung nach vorn, der den Bauern im Interesse einer raschen Modernisierung unzumutbare Anstrengungen abverlangt hatte. Die Folge war ein Bruch mit der Sowjetunion, die daraufhin die lebenswichtigen Getreidelieferungen an ihren ehemaligen Verbündeten einstellte. Die miserablen Ernten der letzten Zeit hatten in China zu einer schweren Hungersnot geführt, der Millionen Menschen zum Opfer fielen. Zur Versorgung der Überlebenden mußten

die Ernteerträge Tibets herhalten, das nun, anstelle der Sowjetunion, als Brotkorb für das Große Mutterland zu fungieren
hatte. Die tibetische Durchschnittsration wurde um zwei Drittel
gekürzt, und in der daraus resultierenden Hungersnot (die bis in
das Jahr 1963 andauerte) starben Zehntausende. Bei einer
Monatszuteilung von ein paar Pfund Getreide verzehrten die
Stadtbewohner Katzen, Hunde und Insekten:

«Eltern fütterten sterbende Kinder mit einem Gemisch aus
ihrem eigenen Blut, heißem Wasser und Gerstenbrei (Tsamba).
Andere Kinder wurden zum Betteln auf die Straßen geschickt,
und alte Menschen gingen fort, um einsam in den Bergen zu
sterben. Tausende von Tibetern nährten sich von den Abfällen,
indem sie rund um die Vorposten der Volksbefreiungsarmee
täglich die Pferdeäpfel nach unverdauten Körnern durchsuchten. Selbst für tibetische Kader, die normalerweise besser versorgt wurden als die übrige Bevölkerung, waren Fleisch und
Butter nicht erhältlich, zusätzlich zur Gerstenration bekamen
sie lediglich Salz und schwarzen Tee zugeteilt.»[25]

Am allerschlimmsten war die Lage in den Gefängnissen.
Allein aus den Haftanstalten Drabschi und Taring am Stadtrand
von Lhasa wurden täglich zwei bis drei Wagenladungen mit
Leichen zur Bestattung oder zum Düngen der Felder weggekarrt. «Aber die Menschen durften nicht aussprechen, daß diese
Toten verhungert waren», erinnert sich Lobsang Wangmo, eine
Nonne, die verhaftet worden war, weil sie flüchtenden «Reaktionären» zu essen gegeben hatte. «Wenn man sie bei einer
solchen Äußerung erwischte, wurden sie schwer bestraft.»[26]

Während Tibeter an Hunger und Erschöpfung starben, beju-
belten in Peking die Zeitung *People's Daily* und die Presseagen-
tur *New China News Agency* das «sozialistische Paradies auf dem
Dach der Welt». Die alten, auf tibetischer Kultur und Religion
basierenden Namen von Straßen und Parks in Lhasa wurden
geändert: Straße des Großen Sprungs nach vorn, Straße der
Befreiung, Straße des Sonnenscheins. Aus dem Norbulingka
oder Edelsteinpark wurde der Volkspark; der altehrwürdige
Tschakpori oder Eisenberg hieß jetzt Berg des Sieges. Vor dem
Aufstand befand sich dort Tibets berühmteste Medizinschule;
an ihre Stelle waren jetzt Antennenmasten und ein Abladeplatz

für Munition getreten. Wie Paul Theroux schreibt, waren die Chinesen unfähig zu erkennen, daß dies nicht den Fortschritt repräsentierte. Sie «konnten nicht verstehen, wieso jemand einer alten buddhistischen Medizinschule den Vorzug geben sollte vor einer großen neuen Fernsehantenne, die man in einem Sockel aus Eisenbeton verankert hat».[27]

Die falsche Tünche im neuen Lhasa vermochte nicht die reine Wahrheit zu verschleiern, daß alle Läden geschlossen waren, der Markt leer und «selbst die gepflegtesten Gebäude Zeichen des Verfalls zeigten, die das tibetische Viertel von Lhasa binnen weniger Jahre zum Slum verkommen lassen würden»[28]. Die tibetische Gesellschaft war verwirrt und unsicher. Irgendwie mußte das Leben weitergehen, und viele hatten sich in ihr Schicksal gefügt: Es gab tibetische Kader, Fabrikarbeiter, Lehrer, die für die Chinesen arbeiteten. Manche betrieben irgendeinen Kleinhandel oder betätigten sich in Handwerkszentren, doch die meisten wurden gewaltsam in Projekte gedrängt, von denen man beim besten Willen nicht sagen konnte, daß sie den Tibetern zugute kamen. Die Rundfunkstation wurde von den Chinesen zu Propagandazwecken benutzt und so zum Instrument der Unterdrückung; die Erzeugnisse der Zementfabrik und des Koks- und Kohlenhandels wurden größtenteils von den Chinesen verbraucht: Kein Tibeter bekam Zement zum Hausbau oder Kohlen zum Kochen oder Heizen. Im Krankenhaus wurden Chinesen und Tibeter in verschiedenen Abteilungen behandelt. Die Behandlung war kostenlos, aber für die Tibeter beschränkte sich das gewöhnlich auf eine Routineinjektion.

Dennoch stellte der Panchen Lama im Dezember 1960 in einer Rede vor dem Ständigen Ausschuß des nationalen Volkskongresses in Peking die Lage in Tibet als «wunderbar» dar; wo man auch hinsehe, begegne man «Beispielen gedeihlicher Arbeit und aufblühender Produktion». Es fragte sich allerdings, wohin er den Blick richtete. Denn laut Tashi Pelden wurde die «Arbeit immer schwerer und die Ernährungslage immer schlechter». Und die Anzahl der Selbstmorde nahm immer mehr zu.

In den ländlichen Gebieten um Lhasa hatte es anfangs den Anschein, als eröffne sich für die Armen eine bessere Zukunft.

Rudel von chinesischen Beamten, unterstützt von in China geschulten tibetischen «Dolmetschern», fielen in die Dörfer ein und installierten Dorfräte, die sich aus den ehemals landlosen Bauern zusammensetzten. Schulden und Steuerrückstände, die diese Pächter bei ihren Grundbesitzern hatten, wurden gestrichen und sämtliche Unterlagen über Darlehen öffentlich verbrannt, wobei sich alle um die großen Scheiterhaufen versammeln, Beifall klatschen und Politslogans skandieren mußten. Die minderbemittelten Bauern konnten ihr Glück kaum fassen, insbesondere, als das Land unter sie neu verteilt wurde.

Einige fühlten sich freilich unbehaglich. «In unsere Hoffnung auf eine glücklichere Zukunft mischte sich eine unbestimmte Angst», schrieb Döndrup Tschödön, die damals 18jährige Tochter einer von dem neuen Regime relativ begeisterten Leibeigenenfamilie. «Wir fragten uns, ob die Chinesen wirklich die Wahrheit sagten, ob man ihnen trauen konnte und wie viele Soldaten sie hatten. Vor allem wollten wir die wahren Absichten ergründen, mit denen sie in unser Land gekommen waren, und hofften, daß sie nicht allzulange bleiben würden.»[29]

Sie wurden bald desillusioniert. Als die Häuser der Reichen abgebrochen wurden, verlief alles genauso wie in den Städten. Die meisten Tiere nahmen sich die Chinesen vor Ort. Gold, Silber und andere Wertgegenstände wurden konfisziert und nach China verfrachtet, während die ärmsten Bauern nur die unbrauchbaren Reste der Haushaltsauflösung erhielten. Die Familie von Dawa Norbu, einem Kleinhändler, bekam nichts, seine als Proletarierin eingestufte Schwester Donkar dagegen «zwei alte Seidenblusen, ein Paar alte verzierte Schuhe, die ein hoher Lama bei festlichen Anlässen getragen hatte, eine klobige, von Ameisen zerfressene Kiste, zwei Tische ohne Beine, einen hölzernen Sattel, eine alte Tschuba* aus blauem Brokat und einen einzelnen Handschuh».[30]

Er hörte einen Bauer sagen, die Chinesen hätten das ganze Fleisch aufgegessen und den Tibetern die Knochen gegeben. «Das einzig Demokratische an den Demokratischen Reformen war das Recht der chinesischen Herren, das tibetische Volk von

* Tibetisches Gewand für Frauen und Männer.

seinem Reichtum, seinen Kunstwerken und unschätzbaren Reliquien zu ‹befreien›», schrieb Tsering Dordsche Gaschi, der ehemalige Student aus China.[31]

Man erzählte diesen buddhistischen Bauern, es sei das alte Regime, nicht ein widriges Karma, das alles Leid, jedes erdenkliche Übel verursache. Nun, da die Grundbesitzer enteignet worden waren, unterwies man die Bauern unbarmherzig in der Kunst, «Volksfeinde» zu erkennen und sie dem Thamzing zu unterwerfen. Es blieb ihnen keine andere Wahl, sie mußten teilnehmen, denn andernfalls wurden sie selber der Prozedur ausgesetzt. Während sie in den Versammlungen darauf warteten, daß die «schlechten Menschen» hereingebracht wurden, mußten sie revolutionäre Lieder singen und Sprechchöre anstimmen, zum Beispiel: «Wir, das Volk von Tibet, müssen gemeinsam die reaktionäre Oberschicht ausrotten.»

Die Thamzings waren für alle Betroffenen eine schwere Qual: «Wir hatten ein Thamzing nach dem anderen, in sämtlichen Varianten: Ausrottung der Aufständischen und ihrer Verbündeten; Ausrottung der Feudalregierung und ihrer Spürhunde; Ausrottung der Grundbesitzer und ihrer Handlanger. Wenn die chinesischen Arbeitskräfte einen noch nicht gedemütigten Adligen oder einen Konterrevolutionär entdeckten, forderten sie ein Thamzing, so wie wir immer den Fleischer kommen ließen, um unsere Schafe zu schlachten.»[32]

Und es blieb nicht dabei. Um die soziale Nivellierung zu beschleunigen, wurden obligatorische Kollektive eingerichtet, in denen etwa zehn Familien nicht nur das neu erworbene Land und die Arbeit des Säens, Pflanzens und Erntens teilten, sondern auch Einrichtungen, Gerätschaften und Vieh gemeinsam nutzten. Ehemalige Grundbesitzer waren in diesen Kollektiven nicht zugelassen. Mit ihnen durfte niemand verkehren oder auch nur sprechen; sie bekamen grundsätzlich das schlechteste Stück Land zugeteilt und, wenn sie Glück hatten, ein einziges Zugtier, um den Acker zu bestellen. Lobsang Rinchok war ein «Klassenfeind», ohne Privilegien und Schutz: «Wenn es grobe oder unangenehme Arbeit zu erledigen gab, waren wir es, die sie verrichten mußten: Latrinen säubern, das Gepäck von Beamten auf dem Rücken schleppen.»[33] Beri Laga traf ein ähnliches

Schicksal. Man hatte sie aus dem Haus ihres verstorbenen Mannes vertrieben und zur Feldarbeit abkommandiert:

«Alle anderen hatten an Vor- und Nachmittagen eine halbe Stunde Pause, wir jedoch nicht. Wenn abends jeder nach Hause ging, mußten wir bis Sonnenuntergang weiterarbeiten. Und wir bekamen die allerkleinsten Rationen. Die Chinesen führten ein Entlohnungssystem nach Punkten ein, aber ganz gleich, wie hart wir arbeiteten – und wir schufteten garantiert schwerer als jeder andere –, wir brachten es nie zu Punkten. Wir standen immer am Ende der Schlange nach Essen an.»[34]

Alle mußten äußerst hart arbeiten und wurden aufs strengste kontrolliert, um jede Möglichkeit auszuschließen, daß sie sich ausruhen konnten. Während der Mittagspause und abends nach der Arbeit mußten sie an Schulungskursen teilnehmen. Frei hatten sie lediglich an den chinesischen Nationalfeiertagen. Durch die Kooperativen ließen die Chinesen uns «arbeiten, reden, essen, weinen und singen, wie es ihre allmächtige Partei wünschte»[35].

Man hatte sie darauf hingewiesen, daß es einem Affront gegen die neue Ordnung gleichkäme, wenn sie die Klöster besuchten oder die Mönche einluden, im Familienkreis die althergebrachten Rituale zu zelebrieren. In jedem Dorf wurde der Dalai Lama öffentlich verhöhnt und beleidigt. Die Chinesen riefen die Leute zusammen und erklärten ihnen, daß ihr ehemaliger Führer ein schlechter Mensch sei und sie ihn strikt ablehnen müßten. Bei einer solchen Gelegenheit erhob sich ein alter Mann und sagte, das tibetische Volk könne den Dalai Lama niemals ablehnen, da er alles verkörpere, was Tibet ausmache. Die Menschen jubelten ihm zu und klatschten Beifall. Doch am gleichen Abend wurde der alte Mann weggeschafft und nie wieder gesehen.[36]

Durch die Kollektivierung wurde die Leistung zweifellos gesteigert, und die landwirtschaftliche Produktion verbesserte sich sprunghaft. Doch selbst wenn der tibetische Bauer für seine Arbeit einen angemessenen Lohn erhalten hätte, wäre der Preis, den er zahlte, immer noch zu hoch gewesen: «Früher hatte es für alles eine bestimmte Zeit gegeben – für Feste ebenso wie für harte Arbeit. Zu jeder Jahreszeit waren selbst die Arbeitstage unbeschwert, und die Arbeiter freuten sich schon auf das Mahl am Abend, das mit Bier heruntergespült wurde, und auf Gesang und Lachen... Aber harte Arbeit ohne geistige Freiheit war von tödlicher Eintönigkeit und ohne ausreichende Verpflegung eine einzige Qual.»[37] Trinken war jetzt «Sabotage gegen das Mutterland».

Obwohl die Ernten besser wurden, bekam der Bauer immer weniger, denn die Früchte seiner Plackerei wurden sofort von der Volksbefreiungsarmee verzehrt oder nach China geschickt. «Keiner hatte genug zu essen, es reichte nicht einmal für eine Mahlzeit am Tag. Die Bauern mußten Reis anpflanzen anstelle der üblichen Gerste, die den Chinesen nicht zusagte. Ohne Gerste mußten die Tibeter sich mit Kräutern und Nesseln begnügen.»[38]*

«Wir sagten ihnen, daß Weizen in der Höhe nicht gedeihen könne, aber sie wollten nicht hören», erzählte ein Bauer Vanya Kewley.[39] «Sie wollten Weizen anbauen für ihre Nudeln, weil sie unser Tsamba nicht mochten; das ist aus Gerste gemacht, die sich so gut für dieses Klima eignet.»

Tausende verhungerten. Lobsang Tschömpel, ein in Australien lebender Tibeter, erinnert sich, wie ihm ein Onkel erzählte, «daß es Anfang der sechziger Jahre täglich 150 bis 200 Tote gab. Es war die reine Hölle – Angst, Qual und Hunger hatten klapperdürre Gespenster aus ihnen gemacht. Mein Onkel sagte: ‹Wenn wir morgens aufwachten, wagten wir nicht, den neben uns Schlafenden anzusprechen, aus Furcht, er könnte tot sein.›»[40]

Die Chinesen brachten wenig Mitgefühl auf. «Von den an Hunger oder Krankheit Gestorbenen hieß es, sie seien es nicht wert zu leben, weil sie keinen nützlichen Beitrag für ihr Land leisten konnten», berichtete Pema Lhündrup im indischen

---

* Stephen Corry, Generaldirektor von Survival International, einer Organisation, die sich für die Rechte von bedrohten Volksstämmen einsetzt, berichtete: «Weit davon entfernt, die Armen ausreichend mit Nahrung zu versorgen, sprechen erdrückende Beweise dafür, daß die Chinesen, als sie die Massen zur Arbeit trieben, damit sie ihre neuen Herren ernähren, eine im wesentlichen autarke Gesellschaft völlig zerrüttet und durch ihre Brutalität und ihren Kolonialismus schwere Lebensmittelverknappungen und weitverbreiteten Hunger verursacht haben.»

Exil.[41] Als die Chinesen Ende 1961 verkündeten, die Tibeter hätten ihre ungewöhnlich hohen Produktionszahlen mit «heller Begeisterung» begrüßt und eine Million Leibeigene feierten mit Gesang und Tanz, waren über 70 000 dieser begeisterten Leibeigenen bereits vom Hungertod dahingerafft oder lagen im Sterben. Die Überlebenden beschrieben die chinesische Politik als die Tortur «der feuchten Lederkappe», die während des Trockenvorgangs immer enger wurde, bis sie schließlich den Schädel des Opfers zertrümmerte.

Der weiße Kranich fliegt nach Süden

Der weiße Kranich, der Vogel des Nordens,
Dort ist er geboren und fliegt dennoch nach Süden.
Der Norden, er ist kein freudloses Land,
Doch im Winter erstarren die blauen Seen zu Eis.

Tibetische Volksweise

Als Nehru im April 1959 dem indischen Parlament mitteilte, der
Dalai Lama sei mit seinen Begleitern sicher in Indien angekom-
men, erntete er einhelligen Beifall. In der Bevölkerung schlug
dem tibetischen Führer eine starke Welle der Sympathie entgegen, die Nehru nicht ignorieren konnte. Außerdem muß er wohl
den Wunsch gehabt haben, wiedergutzumachen, daß der Dalai
Lama 1956 auf sein Drängen nach Tibet zurückgekehrt war.
Doch wie sollte er die Gratwanderung vollbringen, einerseits
den Dalai Lama zu unterstützen und andererseits die Chinesen
nicht zu brüskieren? Seit 1950 hatte China den Druck auf die
indische Regierung aufrechterhalten und Nehru permanent beschuldigt, imperialistischen Machenschaften Vorschub zu leisten, die Tibet der Kontrolle Chinas entreißen wollten. Im April
1954 hatten China und Indien ein Abkommen unterzeichnet, die
sogenannten «Fünf Prinzipien der Koexistenz». «Tibet wurde
hingemordet», schrieb Dawa Norbu, «und auf seinem Grab
waren die Fünf Prinzipien der Koexistenz eingemeißelt.»[1] Er
hatte recht. Nehru schätzte das Abkommen hoch ein und verhängte daher eine strenge Zensur über Nachrichten aus Tibet, so
daß die Außenwelt nichts über die chinesischen Greueltaten
erfuhr.
   Zu jener Zeit drängten ihn die Chinesen, die tibetischen
Flüchtlinge auszuweisen, die sich bereits in Indien niedergelas-

sen hatten (hauptsächlich in Kalimpong, dem alten Endpunkt des Handelsweges Lhasa – Indien). Und so reagierten die Chinesen wütend, als er dem Dalai Lama Asyl anbot und ihm vorsichtig sein Mitgefühl bekundete. Sie kramten sämtliche alten Anschuldigungen wieder hervor – er verfolge expansionistische Ziele und stecke unter einer Decke mit den tibetischen Reaktionären in Indien, die den Aufstand in Lhasa angezettelt und den Dalai Lama entführt hätten. «Dennoch war ich erstaunt», schrieb der Dalai Lama in seiner Autobiographie, «wieder einmal erleben zu müssen, wie die Chinesen jeden nur Denkbaren wegen des Aufstands beschuldigten – wie ein toller Hund, der nach all und jedem beißt. Wem hatten sie nicht nacheinander die Schuld zuschieben wollen: den Imperialisten, die es nur in ihrer Phantasie gab; den in Indien lebenden Tibetern; der indischen Regierung; der ‹herrschenden Clique› in Tibet, wie sie jetzt meine Regierung bezeichneten. Wie konnten sie sich auch gestatten, die Wahrheit einzugestehen: daß es das Volk selbst war, das sich spontan gegen seine ‹Befreiung› erhoben hatte, und daß die herrschende Schicht in Tibet weit eher bereit gewesen war als das Volk, zu einem Einvernehmen mit den Chinesen zu gelangen.»[2]

Nehru versicherte den Chinesen, daß sich der Dalai Lama während seines Aufenthalts in Indien auf seine religiösen Funktionen beschränken werde und keine Gelegenheit bekäme, sich politisch zu betätigen oder die tibetische Unabhängigkeit zu propagieren. Gleichzeitig war der Premierminister trotz seiner Befürchtungen entschlossen, den Tibetern so viel humanitäre Hilfe zu gewähren, wie er nur konnte.

Nachdem die erschöpfte Gruppe indisches Territorium erreicht hatte, kannte die Großzügigkeit der Regierung keine Grenzen. «Sobald wir uns auf indischem Boden befanden, versorgten sie uns mit allem, was wir benötigten», sagte Tendsin Chögyel. «Während unserer ersten Rast schickten sie Flugzeuge, die Lebensmittel und alle möglichen Gebrauchsgegenstände abwarfen. Ich hielt immer Ausschau nach den niedrig fliegenden Maschinen, aus denen die Reissäcke herunterfielen, nur halbvoll, damit sie beim Aufprall auf die Erde nicht zerplatzten. Dann schraubten sich die Flugzeuge wieder in die

Höhe und warfen Kisten mit Konservendosen und Speiseöl an Fallschirmen ab. Manchmal öffneten sich die Fallschirme nicht, und die Kisten schlugen mit der Wucht einer Bombe auf. Ich erinnere mich, wie das Öl in einer gewaltigen Fontäne verspritzte.

Es war furchtbar heiß, und wir waren in Wintersachen aus Tibet gekommen, mit Stiefeln und Pelzmützen. Unsere Beamten baten die indische Regierung um geeignetere Kopfbedeckungen für uns, und am nächsten Tag warfen sie eine Ladung Schlapphüte ab. Es war herzerwärmend, daß ein Land, das selbst so wenig Mittel besaß, derart großzügig Fremden gegenüber sein konnte.»[3]

Unterwegs erhielt der Dalai Lama ein Begrüßungstelegramm von Nehru, und bei der Ankunft in Tespur wurde er von einer Meute von Journalisten in Empfang genommen, die nach der «Story des Jahres» gierten. Hier hatte der Fußmarsch ein Ende, und sie konnten einen Sonderzug besteigen, der sie nach Mussoorie brachte, einem ehemaligen britischen Erholungsort in den Ausläufern des Himalaya nördlich von Delhi. Eine jubelnde Menschenmenge säumte die Bahnstrecke.

Drei Tage danach stattete Nehru dem Dalai Lama in Mussoorie einen Besuch ab, bei dem sich Angst und Ambivalenz des Premierministers widerspiegelten. Zwar posierte er für Aufnahmen, die seine Zuneigung zu dem «guten alten Freund» dokumentieren sollten, dennoch fand der Dalai Lama ihn «etwas autoritär». Nehru ließ keinen Zweifel daran, daß er weder den blockfreien Status zu gefährden noch das Risiko eines Krieges mit China einzugehen gedachte, indem er den neuerlich proklamierten Regierungsanspruch des Dalai Lama über Tibet anerkannte. In dem Punkt blieb er unnachgiebig, auch wenn Gegner wie Parteifreunde ihm Feigheit und Beschwichtigungspolitik vorwarfen.

Aus Dankbarkeit gegenüber Nehru schwieg der Dalai Lama zwei Monate lang. Doch die Flüchtlinge, die immer noch zu Tausenden über die Bergpässe nach Nepal, Bhutan, Sikkim und Indien strömten, lieferten erschütternde Augenzeugenberichte für Chinas Entschlossenheit, nach dem Aufstand in Lhasa das alte Tibet zu zerstören. Überwältigt von ihren Enthüllungen über Mord und Massenvernichtung, traf der Dalai Lama die Entscheidung, die Völkergemeinschaft um Hilfe zu bitten. Am 20. Juni 1959 hielt er eine Pressekonferenz, auf der er zunächst Indien seine tiefe Dankbarkeit aussprach und dann erklärte, zu der brutalen Zerstörung seines Landes nicht länger schweigen zu können. Es sei Chinas Ziel, so betonte er, sein Volk zu vernichten, seine Religion und seine Kultur, und er forderte eine internationale Kommission zur Untersuchung der von den Chinesen begangenen Greueltaten. Ferner kündigte er das Siebzehn-Punkte-Abkommen von 1951 in aller Form auf mit der Begründung, daß die Chinesen jede dieser Bestimmungen immer wieder gebrochen hätten und gab bekannt, daß er erst dann nach Tibet zurückkehren werde, wenn die Unabhängigkeit des Landes, wie sie vor 1950 bestanden hatte, garantiert würde. «Ich war davon überzeugt», schreibt der Dalai Lama in seiner Autobiographie, «daß die Menschen meinen Aussagen mehr Glauben schenken würden als den unglaublichen Erfindungen, die von den Chinesen verbreitet worden waren... Aber ich hatte die Wirkung einer gezielten Pressekampagne unterschätzt, wie sie die chinesische Regierung durchführen konnte. Oder überschätzte ich vielleicht die Bereitschaft der Menschheit, der Wahrheit ins Gesicht zu schauen? Ich glaube, es bedurfte erst des Beweises der Kulturrevolution und dann der Fernsehbilder über das Massaker auf dem Tiananmen-Platz im Jahre 1989, bevor die Weltöffentlichkeit begriff, wie grausam und verlogen die chinesischen Kommunisten sind.»[4]

Auf die Forderung des Dalai Lama nach einer unparteiischen Untersuchung begann die Internationale Juristenkommission, die Frage der Unabhängigkeit Tibets sowie die berichteten Greueltaten gründlich zu durchleuchten. Ihre Nachforschungen basierten fast ausschließlich auf Aussagen aus den minderbemittelten sozialen Schichten und ergaben, daß in Tibet sechzehn Artikel der Internationalen Menschenrechte verletzt wurden, vor allem Mord, Vergewaltigung, Folter und Deportation betreffend.[5] Sie gelangten zu dem Urteil, daß Tibet vor der chinesischen Invasion in der Tat ein souveräner und unabhängiger Staat gewesen sei und daß China mittels Völkermord systematisch versuche, «eine nationale, ethnische, rassische oder religiöse Gruppe als solche ganz oder zum Teil auszurotten»[6].

Die Feststellungen der Juristen machten dem Dalai Lama Mut zu einem neuerlichen Vorstoß bei den Vereinten Nationen. Irland und Malaysia unterstützten den Appell, die Tibetfrage – im Hinblick auf Menschenrechtsverletzungen – zu behandeln, und Ende September 1959 erörterte der Lenkungsausschuß für die vierzehnte Tagung der Vollversammlung das Thema ausführlich. «Legt man das verfügbare Beweismaterial zugrunde», hieß es in dem Bericht, «so dürfte sich wohl schwerlich ein Fall finden lassen, in dem die brutale Unterdrückung derfundamentalen Menschenwürde systematischer vollzogen wurde».

Doch im damaligen eisigen Klima des kalten Krieges, als das kommunistische China noch nicht Mitglied der Vereinten Nationen war*, konnte man sich stets darauf verlassen, daß die Sowjetunion und ihre Satelliten prokommunistisch und antiwestlich abstimmten. Der kommunistische Block protestierte, daß eine Debatte über die «nicht existierende» Tibetfrage eine eklatante Einmischung in die inneren Angelegenheiten Chinas darstelle. Die Vereinigten Staaten waren entschlossen, sich nicht in die Karten gucken zu lassen, und die Briten blieben unverbindlich-neutral. Trotzdem stimmte eine Mehrheit dafür, das Thema auf die Tagesordnung der Vollversammlung zu setzen, wo dann eine schwammige Resolution zugunsten Tibets verabschiedet wurde. (Das Ergebnis erbrachte 45 Ja-, 9 Nein-Stimmen und 26 Enthaltungen, darunter Großbritannien.) China wurde nicht namentlich genannt, aber die Vollversammlung forderte «die Achtung vor den fundamentalen Menschenrechten des tibetischen Volkes und vor dem ihm eigenen kulturellen und religiösen Leben». Die beiden Fragen, die dem Problem zugrunde lagen, wurden mit keinem Wort erwähnt: Tibets Unabhängigkeit und Souveränität. Der Dalai Lama hatte auf eine konstruktive Maßnahme gehofft, mußte sich jedoch mit

---

* China wurde in den Vereinten Nationen allein durch die nationalistische Regierung von Chiang Kaishek vertreten, die in Taiwan Zuflucht gesucht hatte.

ermutigenden Redewendungen zufriedengeben – von denen die Chinesen selbstverständlich unbeeindruckt blieben. (Als neue Flüchtlingswellen aus Tibet eintrafen und weitere Berichte über Mord und Greueltaten mitbrachten, unternahm er im Jahr darauf und dann wieder 1965 abermals einen Versuch bei der UNO. Die Vereinten Nationen äußerten «schwere Besorgnis» und «tiefe Beunruhigung», forderten freilich keine konkreten Schritte.) Bevor die Chinesen die totale Abriegelung der Grenzen vollzogen hatten, waren bis Ende Juni 1959 nahezu 20 000 Flüchtlinge über den Himalaya aus Tibet gekommen, die meisten elend und mittellos, durch Hunger und Terror vertrieben, ohne jeden Hoffnungsschimmer. Wenn auch die Chinesen verkündeten, der Aufstand in Lhasa sei das Werk von Reaktionären aus der Oberschicht gewesen und die Flüchtlinge stammten durchweg aus diesen Kreisen, so handelte es sich im Gegenteil hauptsächlich um kleine Leute, um Pächter und landlose Bauern, die angeblich befreit werden sollten, deren Leben die Chinesen jedoch zerstört hatten. «Als der Aufstand in Tibet zu Ende war», schrieb Dawa Norbu, «hatten alle das Gefühl, ihr Leben sei für immer zerstört worden.»[7] – «Bevor der Dalai Lama wegging», stimmte Ugyen Norbu zu, «waren Flüchtlinge auf der Suche nach einem Unterschlupf einfach nur von einem Teil Tibets in den anderen gewandert. Solange er da war, gab es noch Hoffnung. Aber als er ging, ist unser Glück – und unsere Sicherheit – verflogen.»[8]

Die gescheiterten Fluchtversuche waren weitaus zahlreicher als die geglückten, kein Wunder bei einem derart gefahrvollen Unterfangen. Wer in der Nähe der Grenzen wohnte – wo die chinesische Kontrolle noch nicht lückenlos war –, mußte auf keiner Landkarte verzeichnete Siebentausender überqueren. Andere erkämpften sich ihren Weg aus Kham oder Amdo, immer in Sichtweite der Volksbefreiungsarmee; sie erlitten riesige Verluste. Von einer Gruppe, die mit 4000 Personen Tibet im Juni verließ, waren bei der Ankunft in Indien nur noch 125 übrig.[9] Familien wurden auseinandergerissen oder mußten mit ansehen, wie einer nach dem anderen starb. Die Fluchtwege waren mit Leichen übersät, von Kugeln zerfetzten, verhungerten oder erfrorenen Tibetern.

Für die Überlebenden war der Alptraum mit der Ankunft auf befreundetem Terrain noch nicht zu Ende; er trat lediglich in eine neue Phase. Die Flüchtlinge waren abgezehrt, häufig schwer verwundet. Sie waren zu Beginn der heißesten Jahreszeit gekommen, in warmen Sachen und Winterstiefeln. Die Injektionen, die sie gegen Typhus und Cholera erhielten, gaben ihnen beinahe den Rest. Tendsin Chögyel erinnert sich, daß «jeder krank war, jeder vor Schmerz weinte, sogar alte Krieger»[10].

Die indischen Behörden zeigten sich der Lage hervorragend gewachsen. Die Neuankömmlinge wurden in rasch aufgeschlagenen Zelten in zwei großen Durchgangslagern im Himalaya-Gebiet untergebracht: Missamari bei Tespur und Buxa Duar, ein ehemaliges britisches Kriegsgefangenenlager nahe der Grenze zu Bhutan. Alle indischen Parteien unterstützten ein inoffizielles Zentrales Hilfskomitee (Central Relief Committee), das Lebensmittel, Kleidung und Medikamente bereitstellte und die Arbeit der verschiedenen internationalen Hilfsorganisationen koordinierte. Die Nachrichten über die sichere Ankunft der Tibeter hatten in vielen Teilen der Welt eine Welle von Mitgefühl und Hilfsbereitschaft ausgelöst.

In dem überfüllten Lager von Missamari gab es eine Reihe Probleme: Das Wasser war verunreinigt, sanitäre Einrichtungen fehlten, und die Malaria grassierte in der feuchten Hitze der Regenzeit. Die indische Kost – Currygerichte, gemahlene Hülsenfrüchte und Reis – verursachte bei den an die Ernährung mit Gerste, Butter und Dörrfleisch gewöhnten Menschen verheerende Verdauungsstörungen. «Indien war viel heißer als Tibet, und sie hatten Schwierigkeiten, sich zu akklimatisieren», sagt Kesang Takla. «Sie vermißten ihr Tsamba und ihren Tee, und weil sie sich kein Fleisch leisten konnten, litten sie bald an Proteinmangel. Ihr Gesundheitszustand verschlechterte sich, und viele starben.»[11]

Eine epidemische Amöbenruhr raffte die sehr Alten und sehr Jungen scharenweise dahin. Es hatte nicht den Anschein, als könnten die Tibeter lange in Indien überleben. Sie starben nicht nur an Ruhr, sondern an Tuberkulose, Influenza, Skabies und schwerer Unterernährung.

Da die Tibeter nicht allein auf die Wohltätigkeit der indischen Regierung angewiesen sein wollten, brachte man nach und nach die Kräftigen, darunter eine große Anzahl von Mönchen*, in Straßenbaulager in den Ausläufern des Himalaya, wo Indien neue, auch für militärische Zwecke geeignete Verkehrswege an die nördliche Grenze zum besetzten Tibet anlegen ließ. Eine für ein Bergvolk durch die Hitze höchst ungesunde Arbeit. Als der Dalai Lama die Lager besuchte, brach es ihm das Herz:

«Kinder, Frauen und Männer arbeiteten Seite an Seite in Kolonnen; ehemalige Nonnen, Mönche, Bauern, Beamte – alle waren durcheinandergewürfelt. Tagsüber mußten sie vom frühen Morgen an in der sengenden Hitze härteste Arbeit leisten, und nachts schliefen sie zusammengepfercht in winzigen Zelten... Obwohl es etwas kühler als in den Durchgangslagern war, forderten die Hitze und die Feuchtigkeit doch einen erschreckend hohen Tribut. Die Luft roch schlecht und war voller Moskitos. Krankheiten waren weit verbreitet und oft verhängnisvoll.»[12]

Die Tibeter waren anfällig für jede Infektion, insbesondere für Tuberkulose. Ihnen fehlten die notwendigen Antikörper, und so starben sie zu Hunderten. Aber nicht nur physische Krankheiten, sondern auch Heimweh war eine häufige Todesursache, als die Zeit verging und klar wurde, daß sie nicht so bald nach Tibet zurückkehren würden. Der Dalai Lama wußte, daß die einzige Hoffnung für die Tibeter darin bestand, diese Tatsache zu akzeptieren und den Aufbau einer eigenen Existenz in Indien zu planen. Nachdem er im Dezember 1959 einer Menge von etwa 2000 weinenden Tibetern religiöse Unterweisung erteilt hatte, versuchte er, ihnen neuen Mut einzuflößen: «Im Augenblick haben sich Tibets Sonne und Mond verfinstert, doch

---

* Nur 7000 von über 600 000 Mönchen und ein paar hundert von Tibets 5000 inkarnierten Lamas waren entkommen. Die Überlebenden errichteten klösterliche Gemeinden und sammelten alles an Schriften, was sie finden konnten. Doch die Sterblichkeitsrate unter den Mönchen war sehr hoch, viele starben an Tuberkulose. Mit jedem Todesfall gingen Jahrhunderte an Gelehrsamkeit verloren.

eines Tages werden wir unser Land zurückerhalten. Ihr dürft nicht den Mut verlieren. Vor uns liegt jetzt die große Aufgabe, unsere Religion und unsere Kultur zu bewahren.»[13]

Mit Unterstützung internationaler Hilfsorganisationen wurden Teppichwebereien in Darjeeling und Dalhousie gegründet, wo rund 600 Flüchtlinge Beschäftigung finden konnten. Doch das positivste Hoffnungssignal für eine gesicherte Zukunft kam, als dem Dalai Lama Land zur Neuansiedlung angeboten wurde bei Dharamsala, einer Geisterstadt in den Dhauladar-Bergen am Nordrand des Punjab. Von den Briten in der Mitte des 19. Jahrhunderts als Sommerfrische angelegt, besaß Dharamsala ein Dorf, McLeod Ganj, eine anglikanische Kirche und gut hundert Bungalows. Es wäre der Sommersitz des Radscha geworden, wenn nicht 1905 ein Erdbeben schwere Verwüstungen angerichtet hätte, so daß die Briten sich für Simla entschieden. Die langsam verfallenden Bungalows von Dharamsala wurden schließlich einer Parsenfamilie namens Nowrojee anvertraut, den Besitzern der Gemischtwarenhandlung in McLeod Ganj. Jahrelang versuchten sie, die Bungalows loszuwerden, boten sie sogar kostenlos Schulen, Organisationen und allen möglichen Institutionen an. Vergebens. Als ihnen dann zu Ohren kam, daß die indische Regierung einen Wohnsitz für den Dalai Lama suchte, nutzten sie die Chance. Nehru war begeistert von der «vergessenen Geisterstadt, die in den Wäldern brachliegt», und offerierte sie dem Dalai Lama.[14] Der war der Meinung, Dharamsala – eine Tagesreise von Delhi entfernt – sei zu abgelegen, erkannte aber auch die Chance, sich dort anzusiedeln, und akzeptierte Nehrus Angebot.

Er ließ sich im April 1960 mit einer stattlichen Anzahl von Flüchtlingen in Dharamsala nieder. Hier, endlich mit einem festen Standort, konnte der Überlebenskampf beginnen. Hier bemühte sich der tibetische Führer Tag und Nacht darum, den Zusammenbruch der Flüchtlingsgemeinschaft zu verhindern und ein neues, moderneres Tibet zu konzipieren.

Bei der ersten Flucht des Dalai Lama nach Indien im Jahre 1950 war ein Schatz aus Gold, Silber und alten Münzen außer Landes gebracht und in Sikkim deponiert worden. Den transferierte er jetzt auf eine Bank in Kalkutta, machte ihn zu Geld und verwandte die Summe als Grundstock für Hilfsprojekte. Es war an der Zeit, das überfeinerte Zeremoniell der Vergangenheit in manchem zu revidieren. Die echten kulturellen Werte jedoch mußten um jeden Preis erhalten bleiben: die darstellenden Künste, Literatur, Medizin, Religion, Malerei, Schmiedekunst und Teppichweberei. Die tibetische Gesellschaft für Tanz und Drama wurde gegründet, die traditionelle regionale Tänze lebendig erhalten sollte. Das tibetische medizinische Zentrum folgte, wo Heilpflanzen nach alten Rezepturen verarbeitet und eine neue Generation tibetischer Ärzte ausgebildet werden sollten. Und schließlich bekam die Bibliothek tibetischer Werke und Archive sämtliche vorhandenen Bestände an tibetischer Literatur und buddhistischen Schriften.

Zwar vertrugen die Tibeter das Klima in den nordindischen Gebirgsorten besser als das in den Ebenen, aber es stand nicht genügend Land zur Verfügung, um alle unterzubringen. Nehru warb bei den Regierungen der südlichen Staaten Indiens um Unterstützung. Daraufhin bot Karnataka im September 1960 eine unbewohnte Dschungelfläche in Bylakuppe, westlich von Mysore, an, und im Dezember wurden etwa 700 Tibeter in diese entlegene Gegend geschickt. Sie sahen sich einer entmutigenden Aufgabe gegenüber, denn die Urwaldwildnis mußte zunächst mit Äxten und Messern gerodet werden, bevor irgend jemand dort siedeln konnte. Am ersten Abend waren die Neuankömmlinge nahe daran zu verzweifeln. «Wir zwangen uns zu essen», erzählte einer von ihnen später John Avedon, «aber wir fühlten uns alle so verängstigt und verloren, daß keiner sprechen konnte. Viele hockten hilflos am Boden und weinten vor sich hin. Wir konnten die wilden Tiere im Dschungel brüllen hören, doch, anders als in Tibet, man sah nichts. Überall nur Bäume.»[15]

Die Siedler baten den Dalai Lama, sie anderswo hinzuschikken, irgendwohin. Doch es gab nichts anderes, und so begannen sie mit der Abholzung und Brandrodung. «Am schlimmsten war die Hitze. Zwei Jahre lang war Tag und Nacht alles von Rauch und Feuer überlagert – sogar während des Monsuns. Dann arbeiteten wir den ganzen Tag im strömenden Regen und fanden abends bei der Rückkehr unsere Zelte eingestürzt. Unter diesen

Verhältnissen starben viele. Sie dachten an Tibet, schauten sich ihre jetzige Umgebung an und gaben einfach auf.»[16]

«Ich gab ihnen immer wieder den Rat, Vertrauen zu haben und auszuharren», erinnert sich der Dalai Lama. «Das taten sie, und ich bin stolz auf sie.»[17] Viele starben an Erschöpfung, etliche wurden von Elefanten aus Wut über den verlorenen Lebensraum zu Tode getrampelt. Und trotzdem konnten Anfang 1962 die ersten Siedler in über hundert Häuser aus Ziegelsteinen und mit Dachziegeln gedeckt einziehen. Im Abstand von jeweils sechs Monaten wurden neue Gruppen von 500 Personen aus dem Norden geschickt, so daß die aufblühende landwirtschaftliche Gemeinde in Bylakuppe allmählich Gestalt annahm. Sie wurde zum Modell für 34 weitere landwirtschaftliche Kooperativen, die im Süden und Nordosten Indiens auf ebenso unzulänglichem Gelände errichtet wurden. Diese 5000 Morgen dienten schließlich der Versorgung von 10 000 Menschen in 18 Dörfern und sechs Klöstern.

Für den Dalai Lama hieß das vordringlichste Problem inzwischen, was aus den vielen Waisenkindern werden sollte, deren Eltern in den Durchgangs- oder Straßenlagern ums Leben gekommen waren. Verlassene, zumeist kranke Kinder streunten zu Tausenden in den Lagern umher auf der Suche nach Essen oder Angehörigen. In Tibet selbst waren Tausende von Kindern zwecks Gehirnwäsche nach China verbracht worden, und nun starben in Indien die Flüchtlingskinder, vor allem die ganz jungen und schwachen, in Massen.

Knapp drei Wochen nach seiner Ankunft in Dharamsala beschloß der Dalai Lama, ein Heim einzurichten für die hilflosen Waisenkinder und für diejenigen, deren Eltern zu krank waren, um sich um sie zu kümmern. Die indische Regierung stellte ihm zwei baufällige Bungalows in Dharamsala zur Verfügung. Die erste Gruppe von 51 ausgehungerten, kranken Kindern traf am 17. Mai 1960 ein, und die ältere Schwester Seiner Heiligkeit, Tsering Dölma, übernahm die Leitung des neuen Heims. Aus den Lagern der umherziehenden Straßenarbeiter in Kulu, Sikkim, Bhutan und Nepal strömten weitere Kinder herbei. Trotz Beihilfen der indischen Regierung und anderer privater Organisationen war das Leben in dem Heim sehr hart.

Kesang Takla, der in den sechziger Jahren dort arbeitete, erinnert sich:

«Täglich kamen fünfzig bis sechzig über die Grenze zu uns. Wir hatten viele Fälle von Unterernährung, Wundinfektionen, Durchfall, und die Kinder waren sehr unglücklich. Irgendwie mußten wir sie alle versorgen. Manche brauchten besondere Pflege oder sofortige Krankenhausbehandlung. Es fehlte selbst am Nötigsten. Aber alle Helfer waren hochmotiviert... Doch trotz unserer Anstrengung starben einige der Kinder; und manchmal breiteten sich Infektionen – zum Beispiel Krätze – mit Windeseile aus. Wir mußten unser Hauptaugenmerk aufs nackte Überleben richten.»

Die physischen Bedürfnisse der Kinder hatten absolute Priorität, aber seit 1962 wurde auch dafür Sorge getragen, daß sie eine gründliche Erziehung in einer stabilen Atmosphäre bekamen. Worin das Kernproblem bestand, wußte der Dalai Lama sehr wohl: Wenn man die tibetischen Kinder auf das Leben im 20. Jahrhundert richtig vorbereiten wollte, durfte sich ihre Erziehung nicht auf den Unterricht in Religion und Philosophie beschränken, sondern man mußte sie mit den Gegebenheiten der modernen Welt vertraut machen, mit Naturwissenschaft und Technologie. Es durfte keine Mühe gescheut werden, ihnen die solide Bildungsgrundlage zu geben, die ihren Eltern fehlte.

Auf den Kindern in Indien ruhten die tibetischen Hoffnungen für die Zukunft. Ihnen galt das ehrgeizige Erziehungsprogramm des Dalai Lama, das er Nehru unterbreitete; es sah die Einrichtung von Internats- und Tagesschulen vor, in denen indische und tibetische Lehrer unterrichteten. Die Unterrichtssprache sollte Englisch sein, doch Tibetisch stand ebenso im Lehrplan wie Hindi oder die örtlichen Dialekte der indischen Staaten, in denen sich Tibeter angesiedelt hatten. Nehru reagierte darauf mit einer großzügigen Geste, und der Plan wurde prompt verwirklicht. Die Kinder aus dem Heim in Dharamsala wurden in lokale Schulen geschickt, und für die Älteren richtete man drei Internate ein, in Mussoorie, Simla und Darjeeling. Innerhalb von vier Jahren gab es sieben Internate für jeweils 500 Kinder, vier Tagesschulen in den Siedlungen, drei Durchgangsschulen an den Straßenbaustellen und etliche subventionierte Schulen. Bis 1966 konnten annähernd 700 jugendliche Streuner resozialisiert werden. In den folgenden Jahren stellten fast alle diese jungen Leute ihre beachtlichen Talente und Fähigkeiten in den Dienst der Flüchtlingsgemeinschaft.*

In der Vorstellung des Dalai Lama sollte das neue Tibet nicht mehr von der übrigen Welt isoliert leben wie das alte und zudem eine demokratische Gemeinschaft bilden. Für das alte Feudalsystem gab es keinen Platz in der neuen Umgebung, in der sich die Tibeter befanden. Die Einführung demokratischer Strukturen war sowohl die Verwirklichung eines persönlichen Traums als auch Teil seiner Strategie, den Tibetern die Möglichkeit zur Überwindung ihres Exiltraumas zu geben. Die sozialen Reformen, an deren Einführung ihn die Chinesen gehindert hatten, konnte er jetzt einleiten. Eine seiner ersten Handlungen nach der Ankunft in Dharamsala war die Bildung einer Regierung, mit einem Kabinett aus sechs Ministerien: für innere Angelegenheiten, äußere Angelegenheiten, Religion und Kultur, Erziehung, Finanzen und Sicherheit. Ein Büro in Neu Delhi diente als Verbindungsstelle zur indischen Regierung und zu den verschiedenen internationalen Hilfsorganisationen.

Im Sommer 1960 begann der Dalai Lama mit Hilfe von indischen Rechtsgelehrten, den Entwurf für eine neue liberale, demokratische Verfassung auszuarbeiten, die auf buddhistischen Leitsätzen und der Internationalen Menschenrechtserklärung beruhte. Gewählte Volksvertreter sollten die Hauptrolle in einer Regierung spielen, die sozial dachte und handelte, unter Betonung des Allgemeinwohls und einer gerechten Verteilung des Wohlstands. Endlich konnte der Dalai Lama den Armen und Entrechteten helfen, wobei er die Tatsache durchaus guthieß, daß eine solche Verfassung eine Beschneidung seiner Stellung und seiner Machtbefugnisse zur Folge hätte. «Ich selbst jedenfalls bin der Ansicht», schrieb er, «daß die Regierung stets durch den Willen und unter Mitarbeit des Volkes ausgeübt werden sollte. Ich bin bereit, die Lösung jeder Aufgabe zu

---

* Laut Kesang Takla arbeiten derzeit 60 bis 70 % von ihnen in der Verwaltung in Dharamsala.

versuchen, die mein Volk mir stellt, aber ich habe keinerlei Verlangen nach persönlicher Macht oder persönlichem Reichtum. Es unterliegt für mich keinem Zweifel, daß wir in diesem Geist und geleitet von unserem Glauben gemeinsam alle Probleme bewältigen werden, die sich uns stellen, und ein neues Tibet schaffen, das in der Welt von heute ebenso glücklich sein wird, wie das alte Tibet es in seiner Abgeschlossenheit gewesen ist.»[18]

Er duldete keinen Aufschub, sondern verlangte sofort formlose freie Wahlen zu einer Versammlung der Abgeordneten des tibetischen Volkes. Richtige Kandidaten gab es nicht, aber alle Flüchtlinge – selbst die in den Straßenlagern – schrieben die Namen derjenigen nieder, die aus ihrer Region stammten und die sie am meisten schätzten. Unter diesen Umständen war es nicht verwunderlich, daß sich die 13 gewählten Abgeordneten als bedeutende Lamas und Aristokraten herausstellten – die Tibeter mußten noch viel über Demokratie lernen. Doch immerhin war ein Anfang gemacht.

Bedauerlicherweise mußten die Tibeter jetzt unter den Folgen ihrer früheren Abgeschlossenheit leiden. Die Flüchtlinge stellten zu ihrem Entsetzen fest, daß kaum jemand ihren Berichten über das Geschehen in Tibet Glauben schenkte. Man zog daraus nur den Schluß, daß sie Antikommunisten seien und logischerweise ein Interesse daran hätten, das chinesische Experiment zu verunglimpfen. Im Westen stießen sie bei Journalisten und einflußreichen Akademien auf eine geschlossene Abwehrfront. «Als die Reporter uns wegen statistischen Zahlen bedrängten», beklagte sich Dawa Norbu, «waren wir aufgebracht, weil sie uns nicht glauben wollten, daß wir so viel gelitten hatten. Manchmal wünschten wir, ihnen das Innere unseres Herzens zeigen zu können... Die Fragesteller waren skeptisch und ungläubig. Wir dachten, die Welt würde an unsere Aufrichtigkeit glauben. Wir sind ein sterbendes Volk, und ein Sterbender bringt nur selten eine Lüge über die Lippen.»[19]

Befreiung der Nachbarn
(1962)

Befreiung ist wie eine feuchte Lederkappe, die
über den Kopf gestülpt wird. Je schneller sie trock-
net, desto enger wird sie, bis sie dich tötet.

Nach dem Aufstand von Lhasa wußten die Chinesen, daß sie
niemals mit dem Einverständnis der Bewohner in Tibet oder in
irgendeinem anderen Land regieren könnten; ihre Revolution
war nur mit militärischer Gewalt nach Zentralasien weiterzutra-
gen. Indien kam als nächstes an die Reihe; Nehru mußte nun den
Preis dafür zahlen, daß er sich nicht fügen wollte. Dawa Norbu
erinnert sich, wie er, in eine öffentliche Versammlung beordert,
die Chinesen sagen hörte: «Was ist Indien schon für uns? Gar
nichts! Wir können einmarschieren, wann immer es uns be-
liebt.» Der Redner untermauerte dann seine Thesen: «Pflicht
und Endziel jedes Kommunisten ist es, die Bourgeoisie zu
stürzen und eine Weltrepublik zu schaffen. Asien ist unsere
ureigene Aufgabe. Das patriotische Volk von China darf nicht
rasten und ruhen, bis wir unsere Nachbarn befreit haben.»[1]
   Von 1959 an hatten sich die Chinesen in Tibet darauf vorbereitet, ihren Nachbarn im Süden zu überwältigen. Sie hatten
250 000 Mann im südlichen Tibet stationiert, und die Hochebene war jetzt eine stark militarisierte Zone. Von ausschließlich tibetischen Arbeitskräften ließen sie ein Straßennetz bauen,
das eine Verbindung herstellte zwischen ihren Truppenteilen in
Chamdo, Shigatse und Rudok an der Grenze zum Himalaya.
Dann mußten die Zwangsarbeiter bei Tag und Nacht Beobach-
tungsstände, Flugplätze und Versorgungsdepots errichten oder
auf dem Rücken die aus China eingetroffenen, für die Front-
truppen bestimmten Waffen und sonstigen Materialien schlep-

pen. Sie hatten dabei ein chinesisches Bataillon vor sich und ein zweites im Rücken, die jeden Fluchtversuch verhindern sollten. Die frisch aus China eintreffenden Truppen verursachten neuerlich Engpässe in den örtlichen Lebensmittellagern, denn die Soldaten wurden aus tibetischen Ernteerträgen ernährt, während die Tibeter selber sich mit noch mehr gekürzten Rationen bescheiden mußten.

Nehrus Traum von einer Koexistenz mit der Volksrepublik China drohte zu zerstieben. Mit der Vergewaltigung Tibets, die er widerspruchslos hingenommen hatte, war ein friedlicher Pufferstaat zu China usurpiert und ein Angriff auf die ungeschützten nördlichen Regionen Indiens jederzeit möglich geworden. In den fünfziger Jahren schien Nehru Angst vor China gehabt zu haben, doch der Aufstand in Lhasa hatte einen Umschwung bewirkt. Als er den Dalai Lama willkommen hieß und den tibetischen Flüchtlingen Schutz gewährte, zeigte Nehru damit, daß er sich nicht länger manipulieren lassen würde – was immer er in der Öffentlichkeit verkünden mochte.

Trotzdem überrumpelte ihn der Angriff.[2] Am 20. Oktober 1962 um fünf Uhr früh eröffneten chinesische Geschütze das Feuer auf eine kleine indische Grenzgarnison im Nordosten, in einem Gebiet, auf das China (im Namen Tibets) Anspruch erhob. Ethnisch gehörte es tatsächlich zum alten Tibet, war jedoch in der Simla-Konferenz den Briten abgetreten worden, und nach dem Abzug der Briten hatte Indien es behalten. Die Chinesen erklärten den Tibetern, es wäre eine unverzeihliche Pflichtvergessenheit, wenn sie nicht versuchen würden, diese tibetischen Gebiete zurückzuholen. Und so marschierte die Volksbefreiungsarmee ein und eroberte mühelos ein ansehnliches Terrain.

Die Tibeter zahlten buchstäblich mit ihrem Blut für diesen Krieg. Anfangs wurden Blutspender damit geködert, daß man ihnen 25 Yuan, ein halbes Pfund Butter und ein Pfund Fleisch versprach. Als sich jedoch für dieses Sonderangebot keine Abnehmer fanden, wurde es zurückgezogen, und alle Tibeter zwischen 15 und 35 Jahren mußten Blut spenden, und zwar das Anderthalbfache der Standardmenge. «Volksfeinden» wurde sogar noch mehr abgezapft. Chinesische Siedler blieben ausgenommen. Für die vielen Menschen, die sowieso schon kurz vor dem Verhungern waren, bedeutete die Blutentnahme das Ende.

Die meisten Soldaten der Volksbefreiungsarmee waren – ohne Heimaturlaub – seit 1950 in Tibet. Die Behörden wandten eine Mischung aus Zuckerbrot und Peitsche an, als sie den tibetischen Frauen Zusatzgutscheine für Lebensmittel und Kleidung anboten, wenn sie diese Männer heirateten, und ihnen im gleichen Atemzug drohten, es sei eine strafbare Handlung, sich der Ehe mit chinesischen Soldaten zu widersetzen, «die den Tibetern zuliebe den weiten Weg von daheim auf sich genommen hatten». Manche Frauen gaben nach, obwohl sie wußten, daß jedes Kind aus einer solchen Ehe als Chinese erzogen werden würde. Gleichzeitig wurden Tibeter beiderlei Geschlechts sterilisiert – aus Gründen der Geburtenkontrolle. Tibetische Kader mußten sich der Prozedur im Städtischen Krankenhaus von Lhasa unterziehen, und zur Beschleunigung des Verfahrens wurden chinesische Medizinstudenten auf sie losgelassen. «Viele Kader trugen Lähmungen der unteren Körperpartien oder Funktionsstörungen der Blase davon. Einige der aus den verschiedensten Gründen ins Krankenhaus eingelieferten Patienten stellten fest, daß sie bei der Operation zugleich auch noch sterilisiert worden waren.»[3]

Der Feldzug dauerte sechs Monate, und als er am 21. November endete, beanspruchten die Chinesen den Sieg. Tatsächlich war es für China ein gewaltiger psychologischer Sieg, denn es hatte Indien als «Papiertiger» entlarvt, unfähig, sein Territorium zu verteidigen. (Darin war eine deutliche Botschaft an die tibetischen Flüchtlinge enthalten: Denkt ja nicht, daß ihr in Indien auf Dauer sicher vor uns seid.) Die eroberten Gebiete selbst waren offenbar irrelevant. Nach gelungener propagandistischer Wertabschöpfung gab China sie an Indien zurück.

Nehru begriff endlich, daß er sich Illusionen hingegeben hatte, er ließ die Blockfreiheit, diesen sorgsam gehüteten Status, außer acht und wandte sich um Hilfe an die Amerikaner. Das hatten die Tibeter als erste getan. Als der Guerillaführer Gompo Tashi Andrugtsang im April 1959 sein Hauptquartier in den Bergen Südtibets verließ, geschah das nicht, weil er den Kampf aufgab, sondern weil er hoffte, ihn woanders erfolgreicher fortsetzen zu können. Tatsächlich beriet er sich gleich nach seiner Ankunft in Indien mit Gyalo Thöndrup, dem ältesten Bruder des Dalai Lama, um Mittel und Wege zur Weiterführung des Kampfes zu erschließen. In Ermangelung anderer Hilfsquellen entschieden sich die beiden, weitere Unterstützung durch die CIA zu akzeptieren. Es kam ihnen nicht in den Sinn, daß die Amerikaner sie in dem neuen weltpolitischen Machtpoker benutzten, in dem es den Vereinigten Staaten ausschließlich darum ging, das kommunistische China zu unterminieren. Doch auch wenn sie es gemerkt hätten, wäre ihnen nichts anderes übriggeblieben.

Die CIA übernahm es, in Camp Hale in Colorado Springs insgeheim etwa fünf Gruppen von hundert Tibetern auszubilden, die sämtliche Distrikte der drei Provinzen von Tibet repräsentierten. Sobald sie die Kunst der subversiven Kriegführung beherrschten, sollten sie mit Fallschirmen über ihrem Heimatgebiet abgesetzt werden und Widerstandszellen organisieren.

Die treibende Kraft beim Widerstand innerhalb Tibets waren ironischerweise Männer, welche die Chinesen selbst zur künftigen Führungselite des Landes erzogen hatten. Die in den fünfziger Jahren nach China verschickten Kinder waren sorgfältig darauf vorbereitet worden, von den «Reaktionären der Oberschicht» die Verwaltung Tibets zu übernehmen. Und – bis 1957 – waren diese jungen Tibeter auch im großen und ganzen mit ihrer Rolle als Anwärter auf die Führung im Lande zufrieden. In jenem Jahr indes folgte auf die liberale Kampagne der Hundert Blumen, die eine Kritik der chinesischen Intellektuellen am Regime erlaubt und sogar ermutigt hatte, die brutale und blutige Unterdrückung jeglicher Kritik. Während dieser Schreckensherrschaft, die den Rest von Freiheit in China austilgte, verlor das kommunistische System jeden Kredit bei den tibetischen Studenten, und sie gingen in Opposition. Während des Großen Sprungs nach vorn von 1958 wurden schätzungsweise 60 Prozent von ihnen einem Thamzing unterzogen, an dessen Folgen viele starben.[4] Als sie nach Tibet zurückkehrten, um ihre Stellungen anzutreten, waren die meisten fanatische Gegner des «Han-Chauvinismus».

«So placierte China ausgerechnet diejenigen in Schlüsselpositionen», schreibt Avedon, «die bald die Untergrundbewegung führen würden. Wohlbewandert sowohl in marxistischer Ideologie wie in chinesischen Verwaltungsverfahren, lernten die Kader, Befehle auszuführen und gleichzeitig die Beförderung in eine höhere Position anzustreben, von der aus sie die Politik wirksamer unterminieren konnten.»

Es trifft zu, daß den Chinesen trotzdem für eine Reihe von Jahren viele Kollaborateure blieben, die «loyalen Tibeter», die sich aus Überzeugung, Feigheit oder Eigennutz in den Korridoren der Macht tummelten, und manche Bauern, die aus der Leibeigenschaft in relativ angesehene Positionen katapultiert worden waren. Es würde immer welche geben, die man tyrannisieren oder kaufen konnte, doch die Elitestudenten gehörten nicht dazu. Nahezu 3000 von ihnen waren bis 1962 als unzuverlässig entlassen worden, viele saßen im Gefängnis oder hatten ihre Opposition mit dem Leben bezahlt.

Die Unterstützung der Tibeter durch die Vereinigten Staaten fand am 1. Mai 1960 ein jähes Ende, als ein U-2-Aufklärungsflugzeug der CIA über der UdSSR abgeschossen wurde und der Pilot, Lieutenant Gary Powers, den Sowjets in die Hände fiel. Die Beziehungen zwischen den Supermächten verschlechterten sich daraufhin, so daß Präsident Eisenhower jedes weitere Eindringen in kommunistischen Luftraum untersagte. Die tibetischen Guerillas erhielten keinen Nachschub mehr.

John F. Kennedy hatte den Geheimen Krieg in Tibet von Eisenhower geerbt und mußte nun über das Schicksal der Partisanen entscheiden. Kennedys Botschafter in Neu Delhi, dem international anerkannten Nationalökonomen John K. Galbraith, mißfielen die von ihm als «Spuk» bezeichneten Aktivitäten der USA in Tibet; er war voll und ganz dafür, alle weiteren Hilfeleistungen für diese «fürchterlich unhygienischen Stammesangehörigen» einzustellen. Kennedy suchte einen Kompromiß und verlegte die Operation von Indien nach Nepal.[5]

In der zweiten Hälfte der sechziger Jahre wurden ehemalige Khampa-Guerillas aus ihren verschiedenen Straßenbautrupps zusammengesucht und durch den Dschungel von Nepal zu der neuen Operationsbasis in Mustang gebracht, einem abgelegenen Berggebiet direkt an der Grenze zum Hochland von Tibet. Offiziell gehörte es zu Nepal, doch die Kultur war tibetisch; und ebendort begann die CIA, die Tibeter in modernen Kampftechniken auszubilden. Mustang war nur von Süden her zu erreichen, durch eine tiefe, fast unpassierbare Schlucht. Doch es hatte den wesentlichen strategischen Vorteil, in der Nähe der Route Xinjiang – Lhasa zu liegen, die am nördlichen Himalaya entlang nach Ladakh führte und von dort nach Xinjiang und zur chinesisch-sowjetischen Grenze. Hatten sie erst ihr eigenes Netz von Lagern und Versorgungsdepots aufgebaut, konnten die Guerillas von einem derart günstigen Punkt aus mühelos Überfälle auf chinesische Standorte verüben und dringend benötigte Waffen und Lebensmittel erbeuten.

Dann kam 1962 der Krieg zwischen China und Indien. Noch vor dessen Beendigung hatte Indien die CIA um militärische Unterstützung an seiner nördlichen Grenze ersucht. Dabei erwiesen sich die Tibeter als unentbehrlich. Auf dem «Dach der Welt» zu Hause, waren sie weit mehr an Kälte gewöhnt als die Inder und viel widerstandsfähiger gegenüber den Auswirkungen der Höhenlage. Am 13. November 1962 wurde die Grenzsondertruppe begründet, eine tibetische Einheit unter indischer Kontrolle; sie hatte die Aufgabe, an der Himalaya-Grenze zu patrouillieren und sich als Fallschirmtruppe für die Rückkehr nach Tibet bereitzuhalten, falls erneut Kämpfe ausbrechen sollten.

Die Tibeter gaben nur zu gern den Straßenbau auf, um in dieses neue geheime Regiment einzutreten, das irgendwo bei Dehra Dun stationiert war. Nach sechs Monaten Grundausbildung war eine kleine tibetische Armee im Entstehen, mit 10 500 Mann und eigenem Offizierskorps. Mit ihrer Hilfe konnte Indien ein Netz von Stützpunkten aufbauen, das von Ladakh bis Assam reichte. Die Lage an der Grenze blieb zwar in den nächsten Jahren gespannt, doch China unternahm keine neuerliche Invasion.

Freilich fühlte sich China sowohl durch die ständigen Überfälle tibetischer Truppen aus Nepal beunruhigt als auch dadurch, daß in den Sommermonaten immer noch Hunderte von Tibetern flüchteten und dann der Öffentlichkeit von den

Greueltaten der Chinesen in ihren Dörfern berichteten. Bis Ende Juli 1960 hatte sich die Zahl der Flüchtlinge auf 60 000 erhöht. Sie wurden durch Hunger und Not aus dem Land getrieben, doch mehr noch als das persönliche Schicksal schmerzte sie die Entweihung ihrer Religion.

Die Chinesen ermahnten die sowieso schon halb verhungerten Tibeter weiterhin, den Gürtel enger zu schnallen. Da sie der UdSSR Entschädigungsleistungen schuldeten, die in Getreide und Borax zu entrichten waren, wurden Gefangene zu Tausenden in die Boraxminen gebracht – und starben zu Tausenden. In den riesigen Arbeitslagern im Nordosten gab es kein Erbarmen. Es war den Gefangenen nicht nur verboten, miteinander zu sprechen, sie durften nicht einmal Blicke wechseln. Vor Hunger aßen sie Würmer, Leder und Fliegen, wie der Mönch Lobsang Vanya Kewley berichtete:

«Manche, und darunter ich, mußten Pflanzenfasern aus menschlichen Exkrementen heraussuchen. Manche aßen Fleisch von Ratten und Hunden... Dann und wann mußten wir auch die Leichen von Menschen verzehren. Unter Aufbietung aller uns verbliebenen schwachen Kräfte zermalmten wir die Röhrenknochen der toten Gefangenen und tranken auch die Flüssigkeit... Es gab keine andere Wahl. Die meisten starben eines langsamen, qualvollen Hungertodes.»[6]

Den Lagerstatistiken zufolge starben sie an der schweren Arbeit, denn es war strikt verboten, von Hungertod zu sprechen. Jeder erhalte «reichlich Verpflegung», so behaupteten die Behörden; und sie bestraften jeden, den sie dabei erwischten, wie er von den Müllkippen Kohlblätter, Knochen oder Obstschalen stahl. «Die Chinesen brachten die Leichen dann zu stillen Plätzen in den Bergen und verscharrten sie in tiefen Gruben. Das geschah überall in Tibet. Es gibt viele geheime Orte mit Massengräbern.»

Wenn die Gefangenen geschlagen wurden, kam es häufig zu Arm- und Beinbrüchen, wie mir Lobsang Rinchok erzählte, doch es erfolgte keinerlei Behandlung: «Oft ließen es die Chinesen nicht zu, daß die Gefangenen schliefen, und die starben dann schließlich an Entkräftung. Oder sie mußten mitten im Winter nackt im Freien sitzen. Es gab viele Selbstmorde: Gefangene schnitten sich die Pulsadern mit rostigen Nägeln auf oder stürzten sich während der Freistunde in den Fluß. Wenn zwei oder drei aneinandergefesselt waren, sprangen sie gemeinsam.»

Im Gefängnis von Dartsemdo in Osttibet wurde Topai Adhi wie andere weibliche Häftlinge permanent vergewaltigt: «Wenn wir uns geweigert hätten, wären wir bestraft oder zum Tode verurteilt worden. Es gab keine andere Möglichkeit, als sich zu fügen. Gleich nach dem Geschlechtsverkehr wurden wir zwecks Schwangerschaftsverhütung gezwungen, einen Moschusaufguß zu trinken.» Auch dort herrschte Hunger, und die Gefangenen wurden mit Tsamba der schlechtesten Qualität abgespeist, von dem sie dreimal täglich einen Becher voll zugeteilt bekamen.

«Ein großer Stein auf dem Weg»
(1964)

> Es gibt nichts zu befürchten, wenn jemand seine
> selbstverständliche Pflicht tut, die Kultur seines
> Landes zu bewahren. Das hat mir Mao Zedong
> viele Male versichert.
>
> Panchen Lama, 1964

Bis 1965 sollte die Autonome Region Tibet formal etabliert
werden, egal, ob es der Bevölkerung paßte oder nicht. Alles
stand bereit, zwischen dreißig- und vierzigtausend angeblich
willfährige tibetische Kader warteten darauf, die Verwaltung
Tibets zu übernehmen – alle jedoch dem Militärregime verantwortlich. Wo blieb also die Autonomie?

Doch den zwei chinesischen Generälen zufolge, den obersten
Machthabern in Tibet, stand ein Mann dem Fortschritt im
Wege, «ein großer Stein auf dem Weg zum Sozialismus». Ob-
wohl kaum zu glauben, dieser eine Mann war der Panchen
Lama, der bisherige Kollaborateur par excellence.[1]

Viele Exiltibeter hatten Lobsang Thinle Lhündrup Chökye
Gyeltsen, den 10. Panchen Lama, lange als bloße Marionette
der Chinesen verachtet. Tatsächlich genossen kurz nach dem
Aufstand in Lhasa, als andere Klöster zur Zerstörung bestimmt
wurden, die Mönche im Kloster des Panchen Lama, Tashilhünpo, bevorzugte Behandlung und die Zusicherung, von Angriffen verschont zu werden.

Dennoch begannen sich bei den Chinesen Zweifel an ihrem
Schützling zu regen, nicht zuletzt, weil sein Vater verdächtigt
wurde, den Khampa-Freiheitskämpfern 1958 Waffen und
Pferde besorgt zu haben. Obwohl er nach dem Aufstand in
Lhasa Vizepräsident des Ständigen Ausschusses im Nationalen

149

Volkskongreß wurde und sämtliche Propagandaklischees linien-treu abspulte, begann der Panchen Lama die Dinge in einem anderen Licht zu sehen. Vor 1959 war er zu jung gewesen, um zu begreifen, was er auf Geheiß seiner Lehrmeister tat oder sagte. Durch den Aufstand in Lhasa von 1959 wurde er zwangsläufig erwachsen, und von da an fanden ihn die Drahtzieher weniger kooperativ und unbotmäßig fordernd. Er verlangte die Wieder-herstellung der während der Kämpfe in Lhasa beschädigten religiösen Monumente und sorgte für die Überführung heiliger Bildwerke vom Potala in den Jokhang-Tempel, wo die Tibeter sie müheloser schützen konnten. Wenn er Pilger empfing oder eine Ansprache hielt, nannte er jedesmal den Dalai Lama den wahren Führer Tibets und betonte, daß nur die Tibeter über die Zukunft ihres Landes entscheiden sollten.

Diese Kursänderung verwirrte die Chinesen, doch sie heu-chelten weiterhin Ehrerbietung für seinen Rang. Sonam Tschömpel Tschada, der an einem politischen Umschulungskurs in Lhasa teilnahm, entdeckte, daß der Panchen Lama unter den Lehrern war. Er war gekommen, um der Gruppe einen Vortrag zu halten, zu der 17 Personen aus Lhasa und 79 Mönche aus Tashilhünpo gehörten. Er begann auf tibetisch mit Lobsprüchen für die Chinesen und ihre Leistungen. Dann fuhr er, ohne eine Miene zu verziehen, rasch fort:

«Seht euch eure Mitschüler in diesem Kurs an. Es sind sehr wenige aus der alten tibetischen Verwaltung darunter. Und kennt ihr auch den Grund? Weil sie wußten, daß sie ihrem wahren Herrn zu dienen hatten. Sie sind in Indien und lernen den Feind zu bekämpfen. Schaut euch an, die ihr hier alle versammelt seid, meine eigenen Anhänger aus meinem eigenen Kloster. Man kümmert sich gut um euch. Doch was ihr in Wirklichkeit habt, ist ein leeres Gehäuse im Dienst der Chine-sen. Eine schändliche Sachlage.»[2]

Tschada traute seinen Ohren nicht: «Das alles sagte er direkt vor den Chinesen, und sie unterbrachen ihn nur aus dem einen Grund nicht, weil sie kein Wort verstanden.» Für Tschada war der Panchen Lama bis dahin nichts weiter als ein Lakai der Chinesen gewesen, aber dieser kleine Zwischenfall änderte seine Meinung.

Während sich der Panchen Lama Ende 1960 in China aufhielt, um den Erfolg der demokratischen Revolution in Tibet zu preisen, umstellten die Chinesen das Kloster Tashilhünpo und verhafteten alle 400 Mönche. Man beschuldigte sie der Komplizenschaft beim Aufstand in Lhasa, und einige wurden öffentlich hingerichtet. Etliche begingen Selbstmord; die übrigen wurden nach Norden in die Salz- und Boraxminen deportiert, wo die meisten starben.

Der Panchen Lama war über diesen Angriff auf sein geliebtes Kloster zutiefst empört, entschied sich jedoch erst ein Jahr später für offenen Widerstand. Im September 1961 begab er sich nach Peking, um an den Feiern zum zwölften Nationaltag teilzunehmen. Mittlerweile hatte er keine Illusionen mehr über das Geschehen in Tibet: Das Land war ein riesiges Zwangsarbeitslager, ein Land der Hungersnot, ein Friedhof mit Tausenden von Ermordeten und Sterbenden. Die Bevölkerung von Lhasa versammelte sich, ausgehungert und demoralisiert, um sich von ihm zu verabschieden, als er durch ihre geschändete Stadt kam, und bat ihn, sich beim Vorsitzenden Mao dafür zu verwenden, daß sie Lebensmittel und Medikamente erhielten. Ihr Anblick erweckte seinen Tatendrang, und bei der Ankunft in Peking hatte er ein umfangreiches Memorandum für Mao vorbereitet, das die Nöte Tibets detailliert aufführte und das erbarmungslose Auftreten der chinesischen Besatzungstruppen beklagte. Er bat die Chinesen, mit der Drangsalierung seiner Landsleute aufzuhören und setzte sich nachdrücklich für eine Erhöhung der Lebensmittelzuteilung ein. Er bat um mehr Pflegeeinrichtungen für Alte und Behinderte; um wirkliche Religionsfreiheit; um Beendigung der Massenverhaftungen und der sinnlosen Zerstörung von heiligen Handschriften und Kultgegenständen.

Mao reagierte mit dem natürlichen Charme, der seinerzeit den Dalai Lama für ihn eingenommen hatte, und ließ sogar Flugblätter drucken und in Tibet kursieren, die sofortige Verbesserungen verhießen. Doch es waren leere Versprechungen. Bei seiner Rückkehr nach Tibet Anfang 1962 wurde der Panchen Lama von offiziellen Stellen informiert, daß nichts geschehen sei noch geschehen werde. Außerdem wäre es an ihnen,

Forderungen zu stellen: «Wir haben bisher verbreitet, der Dalai Lama sei von Reaktionären entführt worden», sagte General Zhang Jingwu, Sekretär des Arbeitskomitees der chinesischen Kommunistischen Partei in Tibet. «Wir taten das, um dem Dalai Lama Zeit für eine Rückkehr zu geben. Er hat sich jedoch dafür entschieden, eng mit der indischen Regierung zusammenzuarbeiten. Deshalb müssen Sie an seiner Stelle den Vorsitz im Vorbereitenden Komitee zur Errichtung der Autonomen Region Tibet übernehmen. Sie müssen im Potala wohnen und den Dalai Lama öffentlich als Reaktionär anprangern.»[3]

Für den Panchen Lama war die Stunde der Wahrheit gekommen. Er lehnte das Ansinnen rundweg ab, erklärte, er sei weder willens noch in der Lage, den Dalai Lama zu ersetzen und werde ihn mit Sicherheit nicht denunzieren. Statt dessen empfahl er den Tibetern öffentlich, alles in ihrer Macht Stehende zu tun, um die tibetische Kultur, Religion und das Ansehen ihres vertriebenen Führers zu wahren. «Das kulturelle Erbe Tibets geht auf mehr als tausend Jahre zurück», erläuterte er, «und Veränderungen in der Kultur lassen sich nicht auf die gleiche Art durchführen wie eine Bodenreform. Es besteht keinerlei Grund, alles zu zerstören. Unser kulturelles Erbe zu bewahren und zu schützen, ist die Pflicht eines jeden Tibeters.»

Empört über diesen Gesinnungswandel, verboten ihm die Chinesen jede weitere Lehrtätigkeit und verliehen der Tatsache, daß er in Ungnade gefallen war, noch dadurch Nachdruck, daß sie auch die wenigen zur Verwaltung in Tashilhünpo verbliebenen Mönche gefangennahmen und sie vor einem Scheingericht in Shigatse einem Thamzing unterwarfen.

Der Panchen Lama hatte die Zuneigung des tibetischen Volkes zurückgewonnen, doch von da an durfte er bei offiziellen Anlässen nur noch als stumme Galionsfigur in der Öffentlichkeit auftreten. Dann stand er im März 1964 eines Tages wieder im Mittelpunkt, als er von den Chinesen die letzte Gelegenheit erhielt, sich zu rehabilitieren. Das geschah aus Anlaß des Mölam-Festes, das sich im alten Tibet über drei Wochen erstreckt hatte, jetzt jedoch auf einen Tag beschränkt war. Zehntausend

Menschen, darunter die wenigen in Lhasa verbliebenen Mönche, drängten sich im Rathaus, um ihn sprechen zu hören. In einer emotional aufgeladenen Atmosphäre forderte er für die Tibeter Religionsfreiheit und kulturelle Toleranz, doch das war es nicht, worauf sie warteten. Sie wußten, daß man das Fest nur zu einem Zweck anberaumt hatte: Dem Panchen Lama war befohlen worden, den Dalai Lama zu verurteilen.

Er tat es nicht. Trotzig verkündete er, daß der Dalai Lama überlebt habe, sei ein Zeichen der Hoffnung für Tibet: «Heute, da wir hier versammelt sind, muß ich meinem unerschütterlichen Glauben Ausdruck verleihen, daß Tibet bald seine Unabhängigkeit zurückgewinnen und daß Seine Heiligkeit, der Dalai Lama, auf den Goldenen Thron zurückkehren wird. Lang lebe Seine Heiligkeit, der Dalai Lama.»[4]

Es kümmerte ihn nicht mehr, daß er damit sein Todesurteil unterzeichnen könnte. Augenzeugen berichten, daß alle anwesenden Tibeter, auch die in China geschulten Jugendlichen, weinten, als sie dieses tapfere Treuebekenntnis vernahmen. Der Rest von Mißtrauen schwand; sie zweifelten nicht länger, daß der echte reinkarnierte Panchen Lama vor ihnen stand. «Maos Panchen» war zum Symbol des Aufstands geworden.

Für die Chinesen lag das ebenso auf der Hand. Mit derart offenem Widerstand konfrontiert, hatten sie keine andere Wahl, als ihn als reaktionären Volksfeind zu brandmarken – und Tashilhünpo zu schließen. Der Panchen Lama wurde zusammen mit seinem Lehrer, Ngültschu Rinpotsche, verhaftet. Zwei chinesische Generäle flogen sofort nach Peking, um mit Mao und Zhou Enlai zu beraten, was mit den beiden geschehen solle. Das Fazit war eine widerwärtige Kampagne «Zerschlagt die reaktionäre Panchen-Clique» mit dem Ziel, die «Verbrechen gegen das Volk» und die Verschwörungen gegen das Mutterland aufzudecken. Der Panchen Lama wurde als «ein großer Stein auf dem Weg zum Sozialismus» verunglimpft, es gab Anspielungen auf eine von ihm geplante geheime Partisanenarmee, mit der er einen Untergrundkampf gegen die Chinesen eröffnen wollte. Wen man verdächtigte, seinem Aufruf zur Verteidigung Tibets Folge zu leisten, der wurde sofort dingfest gemacht. Pema Lhündrup, ein Bauer aus Westtibet, der sich einer lokalen

Revolte angeschlossen hatte, wurde verhaftet und einem Thamzing unterzogen:

«In den Ruinen des Klosters Menthang wurde eine Versammlung anberaumt, und alle mußten hinmarschieren, rote Fahnen schwenken, Trommeln und Becken schlagen. Ich wurde vor ein öffentliches Tribunal zitiert, das einen vollen Tag dauerte. Nachmittags verlasen die Chinesen eine Liste meiner Verbrechen, wie ich beim Transport von Munition mehrere Säcke in den Fluß geworfen hätte und wie ich dem Widerstand durch Sabotageakte zu helfen gedachte. Während des Verfahrens wurde ich ständig geschlagen und mißhandelt, verlor dabei mehrere Zähne und büschelweise Haar. Ich blutete heftig aus der Nase.»[5]

Die Chinesen entließen den Bauer mit den Worten, diesmal wollten sie noch Nachsicht üben. Aber sie machten weiterhin Jagd auf jeden, der auch nur die entfernteste Verbindung zum Panchen Lama gehabt hatte. Die Frau eines seiner Anhänger war mit Dölma Tschösom verwandt. Dölma war erst kürzlich aus einem Gefängnis in Lhasa entlassen worden, wurde aber nun über die verräterischen Aktivitäten des Panchen Lama verhört:

«Ich sagte ihnen, ich hätte keine Verbindung mit ihm, und da allgemein bekannt sei, daß er prochinesisch ist, wüßten *sie* vermutlich mehr als ich. Wie könnte ich etwas wissen bei dem Leben, das ich führte, wenn ich den ganzen Tag über arbeitete und mich täglich bei der örtlichen Polizei melden mußte? Sie hatten alles, was ich besaß, beschlagnahmt, und ich bekam keinen Lohn. Einer von den chinesischen Befragern wurde wütend und ging mit dem Gewehrkolben auf mich los. Aber der Offizier hielt ihn zurück. Nicht etwa aus Menschenfreundlichkeit. Er sagte, er wolle mich nicht bewußtlos schlagen lassen, bevor ich ihnen die gewünschte Information gegeben hatte. Doch ich wußte überhaupt nichts, und sie mußten mich schließlich laufen lassen.»[6]

Das öffentliche Verfahren gegen den Panchen Lama begann im August und dauerte siebzehn Tage. In dessen Verlauf wurde er gedemütigt und mißhandelt. Alle, die Groll gegen ihn hegten, wurden ermuntert, vorzutreten und Zeugnis abzulegen. Am dritten Tag heizte General Zhang die Stimmung der Versammlung weiter an. «Wenn man eine Schlange zerquetscht, quellen die Eingeweide heraus», sagte er herausfordernd: «Doch um eine Schlange zu töten, ist es unerläßlich, ihren Kopf zu zertrümmern. Wenn wir den Panchen Lama durch Thamzing ausquetschen, werden viele verborgene Reaktionäre und Staatsfeinde ans Tageslicht kommen. Wenn wir den Panchen Lama töten, wird die ganze reaktionäre Clique zusammenbrechen wie ein Haus, dessen Grundmauern zerstört wurden.»

John Avedon schildert das anschließende Durcheinander: «Kader sprangen von ihren Sitzen und begannen, den Panchen Lama, der von seinem Stuhl gezerrt und in die Mitte des Podiums gebracht wurde, zu schlagen, zu boxen und zu treten. Das Schauspiel, wie einer der höchsten Lamas Tibets von seinen eigenen Leuten geschlagen wurde, erschütterte die meisten Delegierten zutiefst. Egal, wie sehr man sie dazu drängte, sie konnten sich nicht überwinden, dabei mitzumachen.»[7]

Eine Frau aus Amdo schlug den Panchen Lama ins Gesicht, während die chinesischen Beamten ihn mißhandelten und ein tibetischer Aktivist ihn mit obszönen Gesten verhöhnte. Doch er ließ sich durch all das nicht beirren, sondern blieb bei dem, was er den Tibetern in seinen letzten Reden vermittelt hatte. Einmal konnte er seine Empörung über die schändliche Manipulierung des Verfahrens nicht mehr zügeln. Er entblößte die Brust und forderte die Chinesen auf, ihn auf der Stelle zu erschießen. Sie ignorierten das und legten ein fragwürdiges Polizeiregister seiner «Verbrechen» vor, das Mord, intime Beziehung zur Frau seines Bruders, Teilnahme an Orgien und Diebstahl in Klöstern beinhaltete. Er wurde beschuldigt, die alte Leibeigenschaft wiederherstellen zu wollen, in seinem Memorandum für Mao Kritik an China geübt zu haben, seine Unterstützung für den Dalai Lama offen zu erklären und die Massen irrezuführen. Am schwersten wog die Anklage, er habe eine geheime Armee aufgestellt, um gegen den Staat zu kämpfen.

Über das Strafmaß war im voraus entschieden worden. Im November wurde der Panchen Lama, seine Eltern und der Rest seiner Eskorte in schwer bewachte, geschlossene Lastwagen verfrachtet und von Lhasa nach Peking gebracht. Im Dezember unterrichtete Zhou Enlai den Dritten Nationalen Volkskongreß, daß der Dalai Lama, «ein unverbesserlicher Handlanger der Imperialisten und ausländischen Reaktionäre, der eine fingierte Regierung und eine fingierte Verfassung installiert hat»[8], als Vorsitzender des Vorbereitenden Komitees zur Errichtung der Autonomen Region Tibet untauglich sei; und daß der Panchen Lama nicht länger als stellvertretender Vorsitzender fungiere, sein Name jedoch auf der Mitgliederliste bliebe. Im August des folgenden Jahres, als die Kulturrevolution bereits angefangen hatte, stürmten die Roten Garden sein Haus und nahmen sein gesamtes Hab und Gut mit. Man beschuldigte ihn, er habe «eine konterrevolutionäre Clique im Interesse der Sklavenhalterklasse organisiert und gefährliche Aktivitäten gegen das Volk, das Mutterland und den Sozialismus entwickelt»[9].

Der 27jährige Lama verschwand ganz einfach von der Bildfläche, wenn man auch nicht zuließ, daß seine Schandtaten in Vergessenheit gerieten. Jahre danach berichtete ein Student Catriona Bass von einer Ausstellung in Lhasa, die den Panchen Lama anprangerte: «Dort wurden viele Fotos von sogenannten Konterrevolutionären gezeigt. Die Gewehre, die sie angeblich für ihren Aufstand benutzen wollten, lagen auf den Tischen; außerdem gab es kodierte Botschaften und Bilder von ausländischen Spionen, die angeblich mit ihnen unter einer Decke steckten. Wir mußten alle, Einheit für Einheit, in die Ausstellung gehen. Man sagte, wir müßten aus seinen Fehlern lernen.»[10]

Erst nach seinem Wiederauftauchen im Oktober 1977 stellte sich heraus, daß der Panchen Lama zehn Jahre in Einzelhaft in Qin Cheng, Chinas Hochsicherheitsgefängnis, eingesessen hatte. Er wurde gefoltert und geschlagen und behielt Narben zurück für den Rest seines Lebens.

Es gab nun kein Hindernis mehr, daß Tibet ein offizieller Satellit Chinas werden konnte. Ngawang Dschigme Ngabö war zur Stelle, um als Strohmann für den Panchen Lama den Vorsitz im Volkskongreß der Autonomen Region Tibet zu übernehmen. Ein Jahr nach dem Prozeß gegen den Panchen Lama behaupteten die chinesischen Propagandastellen, die Tibeter strömten freudig erregt zu den Wahllokalen: «Im Sonntagsstaat und mit Blumen geschmückt feiern sie die erste freie Meinungsäußerung des tibetischen Volkes.» Die Wirklichkeit sah natürlich ganz anders aus: Die freien Wahlen waren eine Farce. Die Tibeter wurden in Gruppen beordert, um für einen Kandidaten auf einer vorbereiteten Liste zu stimmen, und erst wenn der «richtige» Mann einstimmig gewählt war, durften sie wieder heimgehen.

Am 1. September 1965 entstand die Autonome Region Tibet, von den üblichen kommunistischen Fanfarenklängen begleitet. Die Presse schäumte über vor Begeisterung und Rührung:

«Auf ihrer Brust flatterten die leuchtend roten Bänder, die sie als Volksdeputierte auswiesen, so schritten sie hoch erhobenen Hauptes in den Versammlungssaal – Vertreter ihres befreiten Volkes. Mit Tränen der Rührung in den Augen und triumphierend lächelnden Gesichtern sprachen sie während der neuntägigen Sitzung vom Leid der Vergangenheit und vom Glück der Gegenwart und verliehen der tiefen Liebe Ausdruck, die Millionen befreiter Leibeigener und Sklaven Tibets der Chinesischen Kommunistischen Partei und dem Vorsitzenden Mao entgegenbringen.»[11]

Diese Freude, wenn sie denn außer in der Phantasie der Märchenerfinder überhaupt existierte, schlug bald in grenzenlose Verzweiflung um. Denn bei allem schwülstigen Gerede vom «Leid der Vergangenheit» war keine frühere Erfahrung Tibets auch nur annähernd mit dem Elend vergleichbar, das die Große Proletarische Kulturrevolution über das Land bringen sollte.

Über alle Maßen

Um ein Unrecht gutzumachen, ist es notwendig,
die normalen Grenzen zu überschreiten, und das
Unrecht kann gar nicht gutgemacht werden, ohne
daß man die normalen Grenzen überschreitet.

Mao Zedong, *Vom Zu-weit-Gehen*

Das Wort Hölle ist zu schwach... um zu
beschreiben, was in jenen Jahren geschah.

Harrison E. Salisbury[1]

Nachdem Mao mit seiner Politik des «Großen Sprungs nach
vorn» auf die Nase gefallen war, hatte man ihn ein paar Jahre
kaltgestellt. Doch 1965 war er wieder da, zum uneingeschränkten Klassenkampf entschlossen und zur Beseitigung der inneren
Opposition. Im August 1966 setzte Mao die Große Proletarische
Kulturrevolution in Gang, um Chinas kulturelle Vergangenheit
zu zerschlagen.

Es war eine Periode kollektiven Wahnsinns, der Legalisie-
rung jeder Art von Mord und Gewalttaten. Brigaden junger
Rotgardisten, eine von Maos Frau Jiang Qing verwirklichte
Horrorvision, denen keinerlei Schranken gesetzt waren, wüteten überall im Land, lösten die vorhandenen Parteiorganisa-
tionen durch Revolutionskomitees ab, die ausschließlich aus
Anhängern Maos und seiner utopischen Pläne bestanden. Die
«Vier Alt» – alte Ideen, alte Kultur, alte Sitten und alte Gebräuche – mußten den «Vier Neu» (oder den «Vier Säuberungen»)
weichen, die, je nach Maßgabe Maos, der Verbesserung
von Politik, Wirtschaft, Organisation oder Ideologie dienen
sollten.

158

Ganz China wurde durch die Kulturrevolution terrorisiert, aber die Tibet zugefügten Leiden übertrafen alles bisher Dagewesene. Tibet stellte für die Zerstörer eine unwiderstehliche Herausforderung dar. Das langsame Tempo des Wandels, die anhaltende Macht der Religion, eine ans Mittelalter gemahnende Kultur wirkten derart aufreizend, daß die Roten Garden planten, das gegenwärtige Regime endgültig zu vertreiben und ein radikales sozialistisches Programm durchzupeitschen, ohne Rücksicht auf örtliche Verhältnisse, auf die Mentalität oder Bedürfnisse der Betroffenen.

Im Juli 1966 traf eine kleine Schar Rotgardisten in Lhasa ein, um die revolutionäre Initialzündung zu entfachen. Ihr Programm entsprach dem, was man von einer Bande ungestümer junger Rowdys erwarten konnte, die jeden Bewegungs- und Handlungsspielraum hatte.

«Wir, eine Gruppe gesetzloser revolutionärer Rebellen, werden die eisernen Besen schwingen und mit wuchtigen Keulen zuschlagen, um die alte Welt zu zertrümmern und auf die Menschen einzudreschen, daß ihnen Hören und Sehen vergeht. Wir fürchten weder Unwetter noch Sturm, weder Flugsand noch Steinschlag... Wir werden rebellieren, rebellieren und bis zum Ende rebellieren, um eine leuchtend rote neue Welt des Proletariats zu erschaffen.»[2]

Weil die Kulturrevolution im wesentlichen ein mörderischer Kampf zwischen den Anhängern und Gegnern Maos innerhalb der Kommunistischen Partei war, beteiligten sich viele junge Tibeter daran, um sich Luft zu machen und mit Vergnügen zuzusehen, wie sich die Chinesen gegenseitig in Stücke rissen. Es gab Tibeter in beiden Lagern, aber keiner wußte so recht, worum es eigentlich ging; ebensowenig vermochten sie sich vorzustellen, zu welchen Greueltaten das führen würde. Sie wurden, nicht weniger als die große Mehrheit unschuldiger Tibeter, zu tragischen Opfern der Kulturrevolution. Denn ihre Religion, ihre Kultur und ihre Lebensweise waren das eigentliche Schlachtfeld, auf dem die rivalisierenden Gruppen um die Vorherrschaft kämpften.

Am 25. August zeigten die Rotgardisten nach ihrer Antrittsveranstaltung in Lhasa zum ersten Mal ihr wahres Gesicht: Von den Chinesen gedrängt und vor Erregung wie berauscht, fielen Banden in China erzogener junger Tibeter in das größte Heiligtum Tibets ein, den Jokhang-Tempel, und zertrümmerten in einer orgiastischen Zerstörungswut all die unersetzlichen Kunstschätze, die dort lagerten. (Ironischerweise hatte der Panchen Lama ausgerechnet hier viele der wertvollsten Kultgeräte aus anderen Klöstern deponiert.) Tagelang wüteten die jungen Fanatiker in den Höfen, verbrannten alte Schriften, enthaupteten die Buddhas, zerschmetterten und besudelten jahrhundertealte Bildwerke. Zum Schluß demolierten sie Teile des Tempels selbst, verwandelten die Nebengebäude in einen Schweinestall und ein Schlachthaus und errichteten ihr Hauptquartier in den Kapellen und Lagerräumen.

Dann nahmen sie sich die anderen Klöster Tibets vor. Nach dem Ende der Kulturrevolution waren von den ursprünglich 6254 Klöstern, Tempeln, Einsiedeleien und Schreinen nur noch sehr wenige übrig, und auch die befanden sich im letzten Stadium des Verfalls. An ihre Stelle traten Kommunen. Bereits 1962 hatten die Tibeter Anweisung erhalten, um Kollektivierung zu bitten, obwohl dies das Letzte war, was irgend jemand wünschte oder brauchte in einem Land, wo weite Bodenflächen brach lagen und nur von den Nomaden als Viehweiden genutzt wurden. Da sie wußten, was im Osten geschehen war, befürchteten die meisten Menschen in der Autonomen Region Tibet, daß Kommunen das Ende bedeuten würden für die paar Freiheiten und Habseligkeiten, die ihnen noch geblieben waren.

Mit Ausbreitung der «Kulturrevolution» genannten Kulturvernichtungsaktion steigerte sich also auch die Kampagne zur Errichtung von Kommunen. Ende 1966 war beinahe jedes Dorf in Tibet kollektiviert, Grund und Boden sowie alles, was sich darauf befand, in den Gemeinbesitz von straff organisierten Produktionsgruppen aus etwa 100 Familien überführt. (Die Bauern wurden wie im Osten mit einer Grundration an Getreide entlohnt und gezwungen, ihre Erzeugnisse zu extrem niedrigen Festpreisen an den Staat zu verkaufen.) In der Theorie hörte sich ein solches Gleichheitsprinzip vortrefflich an, in der Praxis jedoch war es ein Rezept für die Katastrophe. Viele der ehemaligen Leibeigenen, die von der Auflösung der alten Güter profitiert hatten, merkten jetzt, daß sie alles Gewonnene wieder verloren hatten. Sämtliche Tiere, alle Geräte mußten abgeliefert werden – Vergütung wurde versprochen, aber nie geleistet. Die Bauern wurden angewiesen, Reis oder Weizen anzubauen anstelle von Gerste, das einzige, was in dieser Höhe und auf einem derart ausgelaugten Boden gedieh. Getreide wurde entsprechend den Arbeitspunkten ausgeteilt, die nur nach beträchtlicher Übersollerfüllung vergeben wurden. Die Tibeter waren, wie Tsering Dordsche Gaschi schrieb, «Bienen, die Honig sammelten, ohne davon Nutzen zu haben».[3]

Die Kommunen waren ein Gefängnis, um das Volk unter Maos Joch zu zwingen. Es waren allein die Chinesen, die Befehle erteilten und Entscheidungen trafen: «Die Tibeter mußten täglich vor Anbruch der Dämmerung aufstehen und arbeiten, bis sie in der Dunkelheit nichts mehr sehen konnten... Abends mußten sie stundenlang dauernde Vorträge besuchen, in denen der Marxismus-Leninismus und unermüdlich die Worte Mao Zedongs gepredigt wurden... Die Kommunen sind buchstäblich die Hölle auf Erden.»

Protest war zwecklos. Zur Verstärkung wurde Militär entsandt, um die Befehle durchzusetzen und Protestierer massenweise zu verhaften.

Bei den Nomaden stand die herkömmliche Lebensform in noch krasserem Gegensatz zur Kollektivierung. Dementsprechend wurden sie durch die Einführung der Kommunen besonders hart betroffen. Tausende von Jahren hatten die Nomaden Tibets ihre Schafe, Ziegen und Jaks aufgezogen, die imstande waren, in dieser Höhenlage unter extremen Bedingungen zu weiden. Der Jak gab Wolle, Milch, Käse und Fleisch, die bei den Bauern gegen Getreide eingetauscht werden konnten. Doch die Roten Garden verboten Tauschgeschäfte und schlachteten die meisten Tiere. Döndrup Tschödön, die ehemalige Leibeigene, die das neue Regime zaghaft begrüßt hatte, berichtet von einer Frau, die ein Lamm ohne Genehmigung geschlachtet hatte und die nun zur Strafe, mit dem blutigen Tierschädel um den Hals, durch die Kommune Spießruten laufen mußte – als warnendes Beispiel.

Döndrup Tschödön mußte an einem Intensivkurs zwecks

politischer Umerziehung teilnehmen und wurde dann in ihrem Dorf als Politoffizier eingesetzt. Doch sie war bereits völlig desillusioniert, da sie allzu deutlich erkannt hatte, daß die «große Veränderung», die gewöhnliche Tibeter zu Herren im eigenen Haus machen sollte, mit einer kompletten Machtübergabe an die Chinesen enden würde. «Die unausweichliche Tatsache ist», schrieb sie, «daß jetzt alles in Tibet Privateigentum von ein paar Herrschenden in Peking ist: die Berge, die Wälder, Flüsse und grünen Felder, die Tiere, Bodenschätze und auch Menschen – sie können damit nach Belieben verfahren, ohne Angst vor Konsequenzen. Kann ein Tibeter sagen, was er will, essen, was er mag, leben, wie er möchte und gehen, wohin er will? Nein!»[4]

In der Kommune war es verboten, sich außerhalb des Hauses oder Feldes frei zu bewegen. Sogar zum Holzsammeln in der Umgebung mußte eine Genehmigung eingeholt werden, während ein Tagesurlaub zum Besuch von kranken Verwandten zahllose Eingaben erforderte.

Wangdu Dordsche, ein Bauer in Südtibet, wurde zusammen mit anderen Dorfbewohnern zum Vortrag eines chinesischen Generals beordert. «Die Reaktionäre werden nicht aussterben», erklärte der General, «es sei denn, die Massen vernichten sie, ebenso wie der Staub im Zimmer nicht verschwindet, wenn wir ihn nicht wegfegen.»[5] Döndrup Tschödön hat eine ähnliche Erinnerung: «Eines Tages kamen zwei chinesische und sechs tibetische Beamte in unsere Kommune und wählten dreißig junge Tibeter aus der untersten Klasse, die Parteimitglieder waren. Diese dreißig Rekruten wurden zu Rotgardisten ernannt und instruiert, was sie zu tun hätten.»[6] Ihre Aufgabe bestand darin, die Parole «Zerschlagt die Vier Alt» in die Tat umzusetzen. («Die Vier Alt sind alles Tibetische, und die Vier Neu das, was die Chinesen sagen.»[7]) Bei der Durchführung hatten sie «unbarmherzig, zornig und fanatisch» vorzugehen und jeden anzuzeigen, der nicht mitmachen wollte, auch ihre eigenen Eltern. Sie begannen, ihrem eigenen Bericht zufolge, damit, «alle kleinen Schreine zu zerstören und die Gebetsfahnen herunterzureißen. Dann konfiszierten sie alle religiösen Gegenstände, sogar Gebetsschnüre. Sie vernichteten sämtliche religiösen Monumente und Bilder in unserem Gebiet. Sie holten die Statuen aus dem Tradruk Dölma Lhakhang und verkauften sie in dem chinesischen Antiquitätengeschäft in Tsethang und verbrannten alle alten heiligen Schriften.»

Jeder Hinweis auf Religion war verboten – als hätte es den Buddhismus nie gegeben. Die Menschen wurden gezwungen, «ihre Verachtung für die alte Gesellschaft zu zeigen» und besonders für die «korrupten» Mönche.[8] Die Verwüstungen wurden von tibetischen Rotgardisten durchgeführt, begleitet von Musik und Trommelwirbel und wildem Schwenken roter Fahnen. «Die Tibeter taten es! Die Chinesen standen bloß herum und gaben Befehle», erinnerte sich Künsang, ein armer Bauer aus Südtibet. «Als eines der Zerstörungsteams ins Kloster Lhalung einzudringen versuchte, stand der Pförtner neben dem Tor Wache und rührte sich nicht vom Fleck. Die Chinesen beschimpften ihn als ‹reformfeindlich› und zerrten ihn hinaus. Das Kloster wurde dann Ziegel für Ziegel vor seinen Augen abgetragen – er verlor darüber später völlig den Verstand.»[9]

Der Wandalismus war nicht so ziellos, wie es den Anschein hatte. Dölma Tschösom erinnert sich, daß die Roten Garden, als sie die Tempel und Klöster zu zerstören begannen, zuerst sämtliche Gegenstände aus Gold und Silber ausräumten und nach China schickten. (Viele kostbare religiöse Objekte aus Tibet wurden später auf den Märkten von Hongkong und Taiwan zum Verkauf angeboten.) «Den Leuten wurde dann befohlen, die Bildwerke aus Stein oder Ton zu entfernen und in den Fluß oder auf den Boden zu werfen. Einige meiner Nachbarn weigerten sich, das zu tun, und wurden zu Tode gefoltert.»[10]

Deyang, eine tibetische Freundin, erzählte Catriona Bass, daß die Einheiten während einer verheerenden Brennstoffknappheit in Lhasa ihre Arbeiter mit dem Auftrag in die Klöster schickten, alles mitzunehmen, was sich verbrennen ließ:

«Sie erinnerte sich daran, wie sie einmal mit einem vollen Lastwagen aus Ganden zurückgekehrt waren. Auf der Ladefläche stapelten sich Altäre, Säulen, Fensterrahmen, Bücher, Musikinstrumente, Kessel, Schöpfkellen – alles, was sie mit bloßen

Händen oder mit Äxten hatten losmachen können. Zurück in Lhasa, wurde das meiste als Feuerholz verteilt, einige Dinge konnten jedoch ‹gerettet› werden. Die fein geschnitzten Einbände der religiösen Bücher dienten als Waschbretter, erzählte sie mir, und aus den zerbrochenen Altären wurden Wandtafeln für die Kinder. Die Trommeln und Zimbeln, die seit Jahrhunderten die Opferzeremonien für buddhistische Gottheiten begleitet hatten, wurden jetzt bei Paraden zu Ehren des Mannes eingesetzt, der ihre Zerstörung angeordnet hatte. Deyang lachte bitter, als sie durch mein Zimmer marschierte und rief: ‹Lang lebe der Vorsitzende Mao!› Dabei reckte sie eine Hand in die Luft und schlug mit der anderen eine imaginäre rituelle Trommel.»[11]

Lamas und andere «Reaktionäre» wurden gezwungen, bei der Vernichtung der kostbaren Objekte mitzuhelfen. Wer sich weigerte, wurde gedemütigt. Augenzeugenberichten zufolge hatte man in Lhasa alle hohen Lamas und Regierungsbeamten mit Narrenkappen durch die Stadt Spießruten laufen lassen, wobei Chinesen sie mit Peitschen antrieben.[12] Tschömpel Sonam, ein Mönch in Shigatse, schilderte als einer unter vielen, wie Mönche und Nonnen zum Geschlechtsverkehr in der Öffentlichkeit gezwungen wurden.[13] Viele wurden dann zur Heirat genötigt, andere begingen Selbstmord. Yesche Gompo, ehemals Mönch in Drepung, wurde lange gepeinigt wegen seiner Ablehnung, Fleisch zu essen, zu trinken, zu rauchen oder mit Frauen zu verkehren. Der Führer seines Nachbarschaftskomitees beschuldigte ihn des «alten Denkens»: «Er sagte, ich sei insgeheim immer noch ein Mönch. Sie ließen mich die Schweine versorgen, die Latrinen säubern, die niedrigsten Tätigkeiten verrichten, die sie sich ausdenken konnten.»[14] Wem der Besitz von Mönchsgewändern oder die Ausübung religiöser Zeremonien nachgewiesen wurde, der ging seiner Getreidegutscheine verlustig, wurde als «Agent der Sklavenhalter» eingestuft und einem Thamzing unterworfen.

«Chinesen und Rote Garden beschuldigten alle Tibeter, die alte Gegenstände aufbewahrten, des Versuchs, die Vergangenheit wiederaufleben zu lassen, sie waren ‹der Feind im Innern›. Tibeter, die man beim Verbrennen von Weihrauch ertappte, wurden der versuchten Brandstiftung angeklagt und ebenfalls zum Spießrutenlaufen mit Narrenkappen verurteilt. Alle Menschen, die lautlos vor sich hinmurmelten, wurden als abergläubisch gebrandmarkt.»[15]

Gyaltsen Tschödön, damals noch ein Kind, bestätigt, daß «es niemandem erlaubt war, Gebete zu sprechen, Butterlampen anzuzünden oder bildliche Darstellungen im Hause zu haben. Auch die Lippen im Gebet zu bewegen, war ein Verbrechen. Aber mein Vater war Mönch gewesen, bevor ihn die Chinesen aus seinem Kloster verjagten, und er las die heiligen Schriften und lehrte mich heimlich Gebete.»[16] Als Gyeltsens Vater dabei erwischt wurde, wie er einem in einer Höhle versteckten hohen Lama Lebensmittel und Kleider brachte, wurden er und seine Frau mit Thamzing bestraft. Die Chinesen beschuldigten sie, «einen unnützen Esser zu füttern» und entzogen der Familie alle Vergünstigungen und Vorrechte. Eine Frau aus einer Kommune bei Shigatse erzählte, wie die Bewohner ihres Dorfes gemeinsam alle ihre Gebetsmühlen in den Fluß werfen mußten. «Wir haben ein paar Gebetsschnüre auf dem Dachboden versteckt und so gerettet», sagt sie.[17] Trotz der rigorosen neuen Gesetze gelang es vielen, ihre Bildwerke und Schriften zu verstecken, manche in den Bergen, andere daheim in Truhen, um sie dann und wann hervorzuholen – zu einer Andacht, bei der sie ihr Leben aufs Spiel setzten.

Die Veränderungen verschonten keinen und machten gewöhnlichen Tibetern das Leben zur Hölle. Sie waren Spitzeln auf Gedeih und Verderb ausgeliefert, die sie jeden Augenblick denunzieren konnten. Ob die Anschuldigungen zutrafen oder nicht, war unerheblich. «Es gab kein Gesetz, das Unschuldige schützte», schreibt Döndrup Tschödön. «Die Menschen hatten niemanden, der ihre Rechte wahrnahm. Angst und Verzweiflung regierten unser Land.»[18] Viele wählten den Freitod.

Die Tibeter standen unter einem schweren, kollektiven Schock. Die Gebetsfahnen, die jahrhundertelang jedes Dach geschmückt hatten; die auf jeder Paßhöhe errichteten Steinmonumente; die Haufen von Steinen mit eingravierten Mantras, die den Eingang zu jeder Stadt, jedem Dorf und jedem Kloster markieren; die Felsbilder, d. h. die in Felsen eingemeißelten

Gebete, die überall in der tibetischen Landschaft zu finden sind; die Gebetsmühlen; das zu Weihrauch verbrannte Rhododendron- und Wacholderholz; all das war verschwunden, ersetzt durch die Worte des Vorsitzenden Mao im *Roten Buch*.

«Die Roten Garden streiften wie die Wahnsinnigen durch das Land und zerstörten alles», sagte Döndrup Tschödön. «Sie gingen von Haus zu Haus und zwangen jeden, Porträts von Mao zu kaufen und malten seine Aussprüche überall an die Wände. Von jedem wurde verlangt, daß er Maos *Rotes Buch* ständig bei sich trug. Sie hielten Leute auf der Straße an und ließen sie Maos Worte zitieren. Wer dabei versagte, wurde festgenommen.»[19]

Inkarnierte Lamas mußten Fische fangen, Schweine und Schafe schlachten. Gewöhnliche Tibeter, die ihr Leben lang jede Kreatur vor Schaden bewahrt hatten, mußten laut Befehl alle Hunde töten, die ihnen vor die Augen kamen, insbesonders die Lhasa Apsos, die als typisch für die alte Gesellschaft galten. Bald waren alle Apsos mit Stöcken oder Steinen erschlagen, erschossen oder vergiftet. Auch Kraniche und Enten fehlten an den Flüssen. Neun- und zehnjährige Kinder wurden angehalten, Fliegen, Ratten und Hunde zu töten. «Sie werden in Gruppen auf die Jagd nach Vögeln losgeschickt. Abends müssen sie ihre Beute den Chinesen abliefern. Das Konkurrenzdenken wird gefördert, und diejenigen, die sich bei der Vogeljagd am laschesten gezeigt haben, erhalten grausame Strafen. Ihre Eltern werden wegen Aufzucht ‹reaktionärer› Nachkommen ebenfalls beschimpft und bestraft.»[20]

Es wurde nicht mehr «gefeiert mit Freunden und Verwandten», kein Tschang mehr getrunken, das geliebte Gerstenbier. Festspiele und Jahrmärkte alten Stils waren verboten, und wer der Jugend davon erzählte, mußte angezeigt werden: «Kein Tibeter durfte darüber sprechen, daß es im alten Tibet Freiheit und Glück gegeben hatte. Wenn man von einem Tibeter eine derart konterrevolutionäre Äußerung wie Lob der ‹toten Vergangenheit› hörte, setzte er sich einem Thamzing oder der Verhaftung aus.»[21] Tibetische Sprichwörter, Redensarten und Volkslieder waren genauso verboten; an ihre Stelle traten neue chinesische Lieder, gespickt mit Mao-Zitaten. Alle mußten die «revolutionäre Sprache» sprechen, ein künstliches Gemisch aus Chinesisch und Tibetisch, das nur wenige Tibeter zu lernen vermochten.

«Bitte» und «Danke» waren verboten, ebenso der alte tibetische Brauch, die Zunge herauszustrecken und leise zu lachen, als respektvolle Geste der Begrüßung. Nicht einmal Namen blieben unangetastet. Zahlreichen Tibetern wurde befohlen, die chinesische Entsprechung ihres Namens anzunehmen, eine Silbe von Maos Namen jeweils eingeschlossen. Wenn Eltern sich weigerten, erhielten ihre Kinder Namen, die ihre Hausnummer angaben, Geburtsdatum oder -gewicht oder auch das Alter des Vaters. «Was die chinesischen Administratoren betraf», kommentiert Avedon, «so waren in der nächsten Generation Tibets viele nichts weiter als Nummern.»[22]

Alte tibetische Küchengeräte aus Messing, Bronze und Kupfer wurden beschlagnahmt. Männern wie Frauen war untersagt, tibetische Haartracht zu tragen. Wenn sie sich weigerten, ihre langen Zöpfe – «schmutzige, schwarze Rückstände der Leibeigenschaft» – abzuschneiden, übernahmen das die herumziehenden Trupps der Rotgardisten.* Frauen wurden die einfachen Muschelarmbänder abgestreift, die einen elementaren Bestandteil ihrer Kleidung darstellten. Künftig sollten die Tibeter keine Zeit mehr mit dem Anlegen von Schmuck vergeuden, sondern sich statt dessen dem Memorieren der Worte des Vorsitzenden Mao widmen, erklärten die Chinesen.

Die Roten Garden zerschlugen sogar die Blumentöpfe, so daß die Tibeter sich nicht mehr an der bunten Blütenpracht freuen konnten, die sie so liebten. Alles, was einst das Herz entzückt hatte, war verboten, sogar das Tragen der Tschuba, des traditionellen tibetischen Gewandes. An seine Stelle traten der reizlose, zugeknöpfte blaue Overall und das chinesische Käppi.

«Die Volkskommune ist eine Goldene Brücke zum Sozialis-

---

* Nicht alle Rotgardisten fanden Geschmack an diesem Sport. Dawa Tsering gestand Catriona Bass, daß er dafür zu schüchtern gewesen war. «Die anderen Roten Garden hielten den Leuten den Kopf fest und schnitten ihnen mit einem Messer die Haare ab. Ich konnte das nicht. Wenn sie sich wehrten, ließ ich sie laufen.» (*Der Ruf des Muschelhorns*, S. 274)

mus, wo es keine Unterdrückung oder Ausbeutung gibt»,
schwärmte eine chinesische Parole. «Sie ist ein sozialistisches
Paradies.» Doch das System mit seinen Arbeitspunkten und den
hohen Abgaben mag in China funktioniert haben, in Tibet
brachte es die Bevölkerung an den Rand des Hungertodes, wenn
die Getreidezuteilung bereits Monate vor Jahresende aufge-
braucht war.

Die gesamte Macht lag bei der örtlichen Kommunistischen
Parteileitung, die direkt der Zentrale in Peking unterstand. «Es
war viel, viel schlimmer als der Aufstand von 1959», sagte Pema
Saldon. «Der dauerte ja nur drei Tage, die Kulturrevolution
dagegen insgesamt sieben Jahre. Es wurde nicht nur alles zerstört, sondern auch die gesamte tibetische Vergangenheit gebrandmarkt. Die Tibeter wurden bettelarm, denn aus Furcht vor
Repressalien hatte man alles, was alt und kostbar war, einfach in
die Flüsse geworfen. Sie kippten ganze Wagenladungen hinein.
Solche Leute wurden von den Rotgardisten gelobt, die andere
ermunterten, ihrem Beispiel zu folgen. Meine Familie trennte
sich von jedem Schmuckstück, all ihre Perlen und das Gold
wanderten in den Fluß.

Die ganze soziale Ordnung wurde auf den Kopf gestellt. Mein
Vater, ein wohlhabender Kaufmann, wurde zur ‹Reform durch
Arbeit› geschickt und mußte einen mit Ziegelsteinen beladenen
Karren ziehen. Jeden Tag mußte er schriftlich Selbstkritik üben
und einen Bericht über den Fortschritt seiner politischen Entwicklung abfassen. Meine Mutter wurde trotz ihres schlechten
Gesundheitszustandes als Sortiererin in eine Garnkooperative
geschickt. Als kleines Kind war ich den größten Teil des Tages
allein, ohne etwas Eßbares im Haus. Meine Eltern kamen nur
zum Schlafen heim.»[23]

Wer auch nur irgendwie aufmuckte, hatte ein Strafgericht mit
anschließendem Thamzing zu gewärtigen. Tsering Yüdön war
als Kind in Kham Zeugin, wie ihr Vater, ein mäßig bemittelter
Bauer, verurteilt wurde: «Ich war noch sehr klein und wußte
nicht, was das alles bedeutete. Aber ich wurde mitgenommen zu
einer Massenversammlung sämtlicher Dorfbewohner. Mein Vater wurde angeklagt, und alle anwesenden Tibeter mußten ihn
schlagen. Manche konnten den Anblick nicht ertragen und

hielten sich die Augen zu. Als ich sah, wie mein Vater geschlagen wurde, weinte ich. Sie brachten ihn nicht fort, sondern behielten ihn im Dorf und ließen ihn sich zu Tode schuften. Er konnte nicht so schwer arbeiten, wie sie es wünschten, deshalb schlugen sie weiterhin auf ihn ein. Sie brachen ihm den rechten Arm, verweigerten ihm ärztliche Behandlung und ließen ihn weiter schuften. Bald danach starb er.»[24]

Jeder ehemalige Grundbesitzer wurde dieser «Reform durch Arbeit» ausgesetzt. Oder Schlimmerem. Die Behandlung von Lobsang Rinchok, der aus einer Adelsfamilie stammte, war typisch: «Sie stülpten mir eine Narrenkappe aus Papier auf den Kopf. Sie war sehr groß und bestand aus drei Teilen. Auf einen schrieben sie meinen Namen, auf die beiden anderen meine Verbrechen: Erstens war ich ein Grundbesitzer, und zweitens hatte ich einem Kloster angehört und sogar als inkarnierter Lama gegolten. Außerdem befestigten sie eine Holzplatte mit Eisenbändern auf meiner Brust. Mein ganzes Sündenregister stand darauf geschrieben. So ausstaffiert mußte ich mit vielen Leidensgenossen durch die Städte und Dörfer ziehen und dabei lauthals verkünden, wir seien Reaktionäre, die gegen Mao gekämpft hatten. Wenn wir das nicht taten, schlugen uns die Soldaten. Die Chinesen riefen sämtliche Bewohner einer Häusergruppe zusammen und zwangen sie, uns ein Thamzing zu verabfolgen. Sie mußten das tun, oder sie kamen selber an die Reihe. Manche Tibeter starben bei dieser qualvollen Prozedur.

Mitunter behandelten sie dich wie einen Fußball, kickten dich von einem zum anderen. Eines Tages hakte es bei mir aus. Ich wollte sterben und glaubte, wenn ich protestierte, würden die Chinesen mich erschießen. Sie ließen sich nicht gern auf Diskussionen ein. Also sagte ich: ‹Sie beschuldigen uns, Hunde, Schakale, Hyänen, Blutsauger zu sein. Aber die armen Leute werden von Ihnen weit schlechter behandelt als jemals zuvor, und jetzt sind Sie es, die auf edlen Pferden herumreiten.› Ich wartete – und hoffte – auf die Kugel im Genick, doch sie kam nicht. Statt dessen ließen sie das Gebiß eines Pferdezaumes holen und zwängten es mir in den Mund. Sie benutzten dabei einen Hammer, und ich dachte, sie würden mir die Zähne ausschlagen. Dann sagte jemand: ‹Warum satteln wir ihn nicht auch noch?› Das taten sie und ließen die Tibeter nacheinander auf mir reiten – wie auf einem Pferd.»

Er wurde in sein Heimatdorf zurückgeschickt, wo er für die Leerung der Senkgruben sorgen mußte. Eines Tages ergriff er die Flucht, wurde aufgegriffen und verhaftet: «Dann wurde ich zwanzig Tage lang einem Thamzing unterzogen, manchmal von den Bewohnern eines einzigen Hauses, manchmal auch von zweien auf einmal. Es war so schrecklich, daß ich wieder zu wünschen begann, sie würden mich ins Hauptquartier des Distrikts schaffen und erschießen. Deshalb spielte ich den Verrückten, fluchte und lästerte, trat und biß die Tibeter, die mich malträtierten. Die Chinesen fesselten mich einfach mit Beinen und ausgestreckten Armen an einen Mast, so daß ich mich nicht mehr rühren konnte.»[25]

Eine Tibeterin mußte mit ansehen, wie ihre Eltern auf einer Versammlung unter dem Gejohle der Rotgardisten gezwungen wurden, «Verbrechen gegen das Volk» zu gestehen. Als das alte Ehepaar auf dem Podest stand, bewarfen es Kinder mit Steinen; sie erhielten dafür einen Silberdollar. «Am schwersten zu ertragen war der Anblick, wenn Menschen durch das Stadtzentrum zur Hinrichtung gebracht wurden. Es gab Jungen und Mädchen darunter, die noch nicht einmal groß genug waren, um über die Seitenwände der Lastwagen hinausblicken zu können. Aber sie waren groß genug, um erschossen zu werden.»[26]

Die internen täglichen Auseinandersetzungen zwischen den Rotgardisten steigerten sich, die Morde und Greueltaten ebenfalls. Das Thamzing war oft gefolgt von Massenvergewaltigungen und öffentlichen Züchtigungen.

«Frauen wurden entkleidet, gefesselt und mußten unter Bewachung auf zugefrorenen Seen stehen. Ein Mann und seine Tochter wurden gezwungen, in der Öffentlichkeit den Geschlechtsakt zu vollziehen... Tibeter aus der Oberschicht ließ man tagelang gefesselt in Jutesäcken liegen... Ganze Familien mußten fünf Stunden hintereinander in eisigem Wasser stehen, mit Narrenkappen auf dem Kopf und schweren Steinen an den Beinen. Eine Selbstmordwelle erfaßte das Land, denn viele Tibeter zogen es vor, sich von Felsen herunterzustürzen oder sich zu ertränken, als von der Hand chinesischer Banden zu sterben.»[27]

Flüchtlinge, denen es in dem allgemeinen Durcheinander gelungen war, nach Indien zu entkommen, berichteten: «Tibeter wurden routinemäßig verstümmelt, ihre Ohren, Zungen, Nasen, Finger und Arme abgeschnitten, Genitalien und Augen verbrannt. Manche wurden an den Daumen aufgehängt und mit kochendem Wasser übergossen, um ihnen vermeintliche Informationen über Unruhestifter abzuringen. Am 9. Juni 1968 wurden die Leichen von zwei Männern auf die Straße geworfen, direkt vor dem alten Gefängnis in Lhasa. Sie waren durchlöchert von Nägeln, nicht nur an den Händen, sondern auch am Kopf und am Rumpf.»[28]

Volksfeind Nummer 1 war der Dalai Lama, der «Wolf im Mönchsgewand», der den Klauen der Chinesen entkommen war. Während der Kulturrevolution steigerten sich die Anwürfe gegen ihn bis zur Hysterie. Im Dezember 1968 charakterisierte Radio Peking ihn als «politische Leiche», als Bandit und Verräter. Ein Artikel in der *Beijing Review* nannte ihn «einen Henker... mit honigsüßen Worten auf den Lippen und Mord im Herzen»[29]. Derselbe Artikel mutete der Leichtgläubigkeit der Leser noch weiteres zu mit der Behauptung, daß der tibetische Führer «jährlich dreißig Menschenköpfe und achtzig Portionen Menschenfleisch und -blut zu Opferzwecken verbraucht» – bei religiösen Zeremonien, um damit Unheil für den Volksbefreiungskrieg heraufzubeschwören. Lodi Gyatso, ein Nomade aus Westtibet, erinnert sich, daß man ihm erzählte, der Dalai Lama sei «ein Metzger mit blutigen Händen, der sich von Menschenfleisch ernähre»[30]. Von den politischen Versammlungen berichtet Dölma Tschösom, daß allabendlich «die Chinesen uns befahlen, uns gegen den Dalai Lama auszusprechen, doch die meisten von uns weigerten sich. Wir sagten: ‹Er ist unser Gott, unser Führer.› Ich wurde dafür heftig geschlagen. Ein chinesischer Funktionär hob mich hoch und warf mich zu Boden. Ich wurde ohnmächtig.»[31]

«Wer dirigierte den Aufstand?» lautete die Standardfrage bei den abendlichen Versammlungen; die obligatorische Antwort war: «Der Dalai Lama.» Unmittelbar darauf kam die nächste

Frage: «Was für eine Art von Leben führte er?» Die Tibeter kannten auch darauf mittlerweile die «richtige» Antwort: «Er war ein vergnügungssüchtiger Mann, der Frauen, Gold und Silber liebte und der sein Land an die Imperialisten verraten und verkauft hat.» Von denen, die nicht in diesen Denunziantenchor einstimmten, hieß es laut Döndrup Tschödön, sie seien «infiziert von blindem Glauben und leerer Hoffnung», und unter dem Vorwand, sie von einer «bedauerlichen geistigen Belastung» zu befreien, wurden sie dem Thamzing unterworfen und mußten sich zu «falschem Denken» bekennen:

«Bei diesen Versammlungen mußte jeder laut verkünden: ‹Die Götter, die Lamas und die Klöster sind Werkzeuge der Ausbeutung. Diese drei Sklavenhalter machten Tibeter arm. Die Chinesische Kommunistische Partei hat uns Nahrung, Kleidung, Häuser und Land gegeben; die Chinesische Kommunistische Partei ist gütiger, als es unsere eigenen Eltern sind. Möge die Chinesische Kommunistische Partei zehntausend Jahre leben. Möge Mao Zedong zehntausend Jahre leben. Die Verbrechen der drei Sklavenhalter, die sich am Fleisch des Volkes gemästet und sein Blut getrunken haben, sind größer als das Gebirge und höher als der Himmel, aber vom heutigen Tage an werden wir sie vernichten.›»[32]

Jahre später sprach Seine Heiligkeit in seiner Autobiographie bekümmert über jene Zeit:

«Ich wurde zum Hauptangriffspunkt der chinesischen Regierung und in Lhasa regelmäßig als jemand verunglimpft, der sich lediglich als religiöser Anführer ausgab, in Wirklichkeit aber ein Dieb, ein Mörder und ein Vergewaltiger war. Sie deuteten sogar an, daß ich Frau Gandhi gewisse recht verblüffende sexuelle Dienste leistete.»[33]

Der ehemalige Mönch Yesche Gompo mußte Höllenqualen erdulden. Die Chinesen hatten eine Schmähschrift gegen den Dalai Lama vorbereitet, die öffentlich verlesen werden sollte und befahlen ihm, sich aufs Podium zu stellen und den Text ins Tibetische zu übersetzen:

«Ich erklärte ihnen, das könne ich nicht, mein Chinesisch sei dafür nicht gut genug. Nun drohten sie mir furchtbare Strafen an, wenn ich mich weigerte. Doch sie konnten mich nicht

172

kleinkriegen. Irgend etwas in mir setzte aus, ich verlor eine Weile den Verstand und bekam einen Wutanfall. Meine Eltern und meine ältere Schwester starben alle um diese Zeit – an Erschöpfung, Hunger und Verzweiflung. Ich wollte auch sterben.»[34]

Um das Elend vollzumachen, grassierte Hungersnot. Freilich nicht unter den Chinesen. Ein Mann, der eine Stellung als Koch in einer chinesischen Verwaltungsbehörde bekam, berichtete, daß er drei Mahlzeiten täglich zubereiten mußte, wofür ihm Reis, Mehl, Hammelfleisch, Jak-Steak, Schweinefleisch, Huhn, Butter, Eier und Gemüse zur Verfügung standen. Ungeachtet solcher Diskrepanzen hatten die Chinesen die Stirn, den Tibetern zu erzählen, daß sie glücklich dran wären, da sie in einer idealen Welt lebten. Auf den politischen Versammlungen sollten die Hungernden die «bittere Vergangenheit» von gestern mit dem strahlenden Glück der befreiten Gegenwart vergleichen. Aber die Tibeter hatten ein Sprichwort: «Wenn du den Skorpion kennengelernt hast, erscheint dir der Frosch als göttlich.» Selbst diejenigen, die der Zerschlagung der alten Gesellschaft zunächst Beifall gezollt hatten, wären jetzt gern bereit gewesen, die Gegenwart für die Vergangenheit einzutauschen. Einer der Renegaten wagte es, die unfaßbare Prozedur der Reformen auf eine sarkastisch-doppeldeutige Formel zu bringen: «Indem wir den ganzen Schund und Schmutz der alten Gesellschaft beseitigen, führen wir die ‹drei Säuberungen› der neuen Gesellschaft durch. Einerseits machen wir das Äußere dadurch sauber, daß wir keine bourgeoise Kleidung tragen. Andererseits säubern wir das Innere dadurch, daß wir wenig essen. Drittens ist die neue Gesellschaft so gut, daß sie auch ohne Menschen sauber bleibt.»[35]

Ein anderer Mann fand gar den Mut, in einer öffentlichen Versammlung zu resümieren: «Wenn sie das vom Frost verdorbene Tsamba essen, scheiden die Menschen dünnen Stuhl aus; wenn das Vieh verfaulten Rettich frißt, scheidet es dünnen Kot aus; wenn die Menschen sich an die schlechten alten Zeiten erinnern, scheiden sie Tränen aus.»[36]

Mao war der Erreichung seines Ziels nahegekommen. «Um ein Unrecht gutzumachen», hatte er in dem Essay *Vom Zu-weit-*

Gehen geschrieben, der die Kulturrevolution in Gang setzte, «ist es notwendig, die normalen Grenzen zu überschreiten, und das Unrecht kann gar nicht gutgemacht werden, ohne daß man die normalen Grenzen überschreitet.» Seine Anhänger hatten seine Worte für bare Münze genommen und sie zum Epitaph für Tibet gemacht.

Ein chinesisches Vietnam
(1969–76)

«Es war ein Fehler», sagte mir ein chinesischer
Funktionär. «Was in Tibet geschah, war ein Exzeß.
In chinesischen Augen waren es keine Greuel-
taten.»

Paul Theroux, *Riding the Iron Rooster*

Topai Adhi hatte 1967 bereits neun Jahre im Gefängnis verbracht und meinte, Schlimmeres könne ihr nicht mehr zustoßen.
Sie irrte sich:
«Eines Tages wurden zwanzig von uns in einen Raum gebracht, in dem sich Stühle und mehrere Kohleöfen befanden.
Man verabreichte uns etliche Becher mit einem sehr süßen
Getränk, das – wie wir später erfuhren – zur Steigerung der von
uns abzugebenden Blutmenge dienen sollte. Wir konnten gar
nicht verstehen, warum sie so freundlich zu uns waren. Doch
bald begann uns von den Öfen und dem Getränk so heiß zu
werden, daß wir schweißgebadet waren und feuerrote Köpfe
bekamen. Binnen einer Stunde erschienen chinesische Ärzte
und entnahmen unserer linken Hand eine ganze Flasche Blut.
Bei unserem ohnehin furchtbar geschwächten Zustand hatte das
ein Anschwellen des ganzen Körpers zur Folge, und wir wurden
ohnmächtig. Drei meiner Freundinnen starben sofort. Ich leide
seitdem unter chronischen Ohnmachtsanfällen.»[1]
Das Blut war sicherlich für die Armee bestimmt. China hatte
die Überzeugung gewonnen, daß eine atomare Massenvernichtung drohte und daß es, umgeben von feindseligen Nachbarn –
Indien? die UdSSR? – aufs höchste gefährdet war. Im Oktober
1968 befand sich ganz China in Alarmbereitschaft. Die Tibetische Freiwilligenarmee in Mustang entdeckte Anzeichen für

175

einen massiven strategischen Ausbau an den Grenzen zum Himalaya mit geheimen Flugbasen, unterirdischen Bunkern, Raketenabschußrampen und Versorgungsdepots. Sein atomares Zentrum hatte China dem Vernehmen nach von der Provinz Xinjiang nach Nagtschuka in Zentraltibet, rund 265 Kilometer nördlich von Lhasa, verlegt. China hatte sein militärisches Straßen- und Brückennetz, das alle Distrikte der Autonomen Region Tibet miteinander verknüpfte, faktisch vollendet. Tibet war zur Festung geworden, wo in jedem Gebiet Militärbasen entstanden waren und es in jedem Dorf von Soldaten wimmelte. Man hatte größere Flugplätze gebaut – bis auf einen ausschließlich für die Volksbefreiungsarmee bestimmt. Sämtliche Städte wurden auf Luftangriffe vorbereitet: Gräben und Schutzräume gegen radioaktiven Niederschlag wurden ausgehoben, Krankenhäuser evakuiert, Luftschutzübungen veranstaltet.[2]

Die Tibeter beteiligten sich daran nur zögernd. Bauern wurden als Hilfstruppen zur Volksbefreiungsarmee eingezogen. In den Kommunen entlang der Grenzen wurden junge Leute in einer aus zwei Gruppen bestehenden Volksmiliz organisiert. Im oberen Rang (praktisch die neue Offiziersklasse) waren die Burtsen Tschenpo, die begeisterten, jedoch größtenteils unausgebildeten örtlichen Aktivisten, denen die Chinesen mehr trauten als den in China geschulten Kadern. Jeder Einheit wurden zwei dieser Aktivisten zugeteilt mit der Aufgabe, Spione, Konterrevolutionäre, zur Flucht nach Indien gewillte Tibeter oder sonstige Elemente, die sich immer noch in Opposition zur chinesischen Herrschaft befanden, auszusondern. Sie erhielten modernste Waffen, während sich die gewöhnlichen Rekruten im zweiten Rang mit Knüppeln oder Holzstöcken begnügen mußten. Sie sollten die Stellung halten, wenn die Aktivisten einberufen wurden.

Alter bot keinen Schutz. Fünfunddreißig- bis Fünfundvierzigjährige mußten als Transportarbeiter oder dergleichen an die Front gehen, Fünfundvierzig- bis Fünfundfünfzigjährige beförderten medizinisches Versorgungsmaterial, trugen die Verwundeten weg und begruben die Toten.[3] Die entbehrlichen «nutzlosen Esser» – die Fünfundfünfzig- bis Fünfundsechzigjährigen – wurden als Kanonenfutter an die Front geschickt. «Unbewaffnet sollten sie vor den regulären Truppen in Wellen angreifen und das feindliche Feuer auf sich ziehen.»[4]

Auf dem Land wurde das Leben noch unerträglicher. Neben ihrer langen Tagesarbeit auf den Feldern und dem abendlichen Zwangsstudium der *Worte des Vorsitzenden Mao* mußten die Tibeter Straßen und Brücken bauen und Dung sammeln – das alles bei Hungerrationen. Fleisch, Butter und Öl waren äußerst knapp, und die monatliche Getreidezuteilung reichte trotz größter Anstrengungen nie länger als zwanzig Tage.

«Meine Eltern waren durch Hunger und Erschöpfung geschwächt», erzählte mir Lobsang Dschimpa. «Sie arbeiteten von morgens sieben bis abends um zehn Uhr, während wir Kinder in der Obhut von Nachbarn zurückblieben. Nach zehn mußten sie dann noch politische Versammlungen besuchen. Zur Ruhe kamen sie erst nach Mitternacht.»[5]

«Wir litten Hunger», berichtete eine junge Frau. «Wir aßen alle Kräuter und Wurzeln, die wir finden konnten. Manche Kräuter waren giftig, und wir kriegten davon ganz verschwollene Gesichter.»[6] Namgyel, damals Student in Lhasa, mußte ebenfalls körperliche Arbeit leisten, und zwar unbezahlt, da von Studenten erwartet wurde, daß sie die Kommune aus Überzeugung unterstützten. Stunden des Fachstudiums wechselten ab mit Lektionen in politischer Umerziehung, wozu häufig auch Thamzing gehörte:

«Wenn jemand bei diesen Sitzungen gestand, wurden seine Lebensmittelpunkte gekürzt. Tat er es nicht, hatte er sich des Verbrechens, kein Geständnis abzulegen, schuldig gemacht, also wurden seine Lebensmittelpunkte ebenfalls herabgesetzt. Im Herbst hatten wir nur drei Stunden Schlaf, bevor im Morgengrauen die Erntearbeit begann. Wenn eine Frau ein Baby hatte, mußte sie es mitnehmen und auf dem Feld stillen – und die Zeit, die sie dafür brauchte, wurde ihr von den Arbeitspunkten abgezogen. Der Kommunenführer sammelte das Getreide ein und verteilte es. Eine große Menge zweigte er dabei für ‹das Gemeinwohl› ab. Wohin das ging, haben wir nie herausbekommen.»[7]

Die Einwohner von Dingri, einem Dorf in West-Tibet, beschwerten sich bei den chinesischen Behörden über die Lebensmittelknappheit. Ngodrup, ein armer Bauer, der später nach Nepal flüchtete, erinnert sich: «Wir erklärten, in der alten Gesellschaft, als jeder das tat, was er gut konnte und alle untereinander mit ihren Erzeugnissen Tauschhandel betrieben, habe es nie irgendwelchen Mangel gegeben. Sie antworteten, wir wären schon wieder dabei, ‹die alten Lügen zu verbreiten› und versicherten uns, die Verhältnisse würden sich bald bessern.»

Von Mitleid mit den hungrigen Tibetern weit entfernt, konzentrierten sich die Chinesen darauf, riesige Lebensmittelvorräte für die Armee anzusammeln; und sie lehnten es ab, die Getreidemenge, die von den Tibetern als Gemeindesteuer zwangsweise zu entrichten war, herabzusetzen. Es gab eine Steuer zur «Kriegsvorbereitung», eine aus «Liebe zur Nation»; eine andere für den «Getreideüberschuß»; und wieder eine «gegen Hungersnot», die alle zur Erntezeit eingezogen wurden. Nach jeder Ernte, beklagte sich Döndrup Tschödön, «kann man sehen, wie die Chinesen unter verschiedenen wohlklingenden Vorwänden unser Getreide auf Lastwagen wegkarren.»

Außerdem hatte die Volksbefreiungsarmee ihre Maschinengewehre nun auch auf die einst unantastbare wildlebende Tierwelt Tibets gerichtet. Man schlachtete die Herden von Wildeseln ab, die früher frei und unbehindert das Land des Schnees durchstreiften.

Ständig in unerträglichem Maße angepeitscht, schlugen die Tibeter schließlich zurück, auch diejenigen, die einst die soziale Revolution der Chinesen begrüßt hatten. Zur ersten offenen Revolte kam es 1969 in Nyemo, 90 Kilometer westlich von Lhasa, ausgelöst von einer hochgeachteten Nonne, Tinle Tschödön. In Trance schrie sie das Orakel heraus, daß die Chinesen die tibetische Religion und Kultur auslöschten und es an der Zeit sei, sich gegen sie zu erheben. Ihre Worte wirkten wie ein Schlachtruf. Die Bevölkerung von Nyemo stürmte in höchster Erregung los, zum Angriff auf einen chinesischen Posten, tötete Soldaten und Beamte und schlitzte Spionen und Informanten den Mund auf. Einige chinesische Beamte entkamen nach Lhasa und berichteten, daß eine größere Revolte im

Gange sei. Sie hatten recht: Der Aufruhr breitete sich wie ein Flächenbrand in 29 Distrikten Tibets aus.

Die Chinesen erkannten jedoch anfangs die Bedeutung des Geschehens in Nyemo nicht. Sie glaubten, es handle sich lediglich um einen neuen Ausbruch der Streitigkeiten zwischen den Roten Garden und der Partei. Doch Nyemo markierte einen Wendepunkt, an dem die Auseinandersetzung zwischen rechts und links in der Kommunistischen Partei zum Schnee von gestern wurde und der Kampf der Tibeter gegen die Chinesen begann. Als die Chinesen das schließlich begriffen, erfolgte eine Überreaktion. Es ergingen Befehle an die Behörden in allen 29 Distrikten, die Rädelsführer der Revolte zu liquidieren. Tsering Wangtschuk, ein tibetischer Kader, erfuhr von chinesischen Kollegen, daß der Befehl von oberster Stelle gekommen sei:

«Viele erzählten mir, ihnen sei bei dem Anblick der Hingerichteten schlecht geworden. Manche Opfer wurden mit Äxten in Stücke zerhackt. Die chinesischen Kader sagten, das Gemetzel wäre absolut unentschuldbar. Ich ging selber nach Nyemo und stellte fest, daß achtzehn Rädelsführer in einer öffentlichen Massenversammlung abgeurteilt und anschließend erschossen worden waren. Die Behörden bedauerten lediglich, daß sie sechs weitere, die sich in die Berge geflüchtet hatten, nicht erwischen konnten. Nyemo war ein Geisterdorf – es gab dort nur noch alte Leute und Frauen. Die Chinesen im Dorf standen unter Hochspannung, alle mußten Waffen tragen. Ich erinnere mich, wie es einmal, als die chinesischen Kader schliefen, plötzlich ein Geräusch gab und alle aufsprangen und ihre Pistolen zückten. Aber es war nur eine Maus. Sie fürchteten derart um ihr Leben, daß jeder, der nachts seine Notdurft verrichten wollte, einen anderen weckte und sich von ihm nach draußen begleiten ließ.»[8]

Im östlichen Tibet waren solche Gewaltausbrüche keineswegs ungewöhnlich. Die Chinesen hatten längst jede Hoffnung aufgegeben, die ungebärdigen Männer in Kham und Amdo zu zähmen. Doch jetzt gärte es in ganz Tibet. Sobald ein Brandherd gelöscht war, flammte woanders ein neuer auf. In Lhasa selbst schlug die schwelende Unruhe in Gewalt um, nachdem eine Gruppe tibetischer Jugendlicher bei einem Streit zwei chinesische Soldaten getötet hatte.[9] Vor den 300 Militärpolizisten, die ihnen dicht auf den Fersen folgten, suchten die Jugendlichen Zuflucht in dem Jokhang-Tempel, und als ihnen befohlen wurde, ihre Waffen auszuliefern, behaupteten sie, keine zu besitzen. In ihrer Todesangst schworen sie, sie seien loyale Kommunisten und stammten allesamt aus der Unterschicht. Sie hielten ihre Exemplare der *Worte des Vorsitzenden Mao* hoch, während sie ein Zitat herunterleierten: «Die Armee muß mit dem Volk eine Einheit bilden, damit sie in den Augen des Volkes als dessen ureigene Armee angesehen wird.» Die Armee ließ dieser Appell an die Klassensolidarität ungerührt, als sie die Jugendlichen im Jokhang mit Bajonetten und Gewehrkolben malträtierte: 12 starben, 49 waren verletzt. Man verweigerte ihnen ärztliche Behandlung, bis tibetische Ärzte erschienen, um sie wegzubringen. Die Überlebenden stimmten ein Lied des tibetischen Widerstands an:

> Nicht trauern sollst du, Volk von Tibet,
> Die Unabhängigkeit wird unser sein.
> Gedenke unsrer Sonne,
> Gedenke Seiner Heiligkeit!

Nach dieser Entweihung von Tibets Allerheiligstem wuchs die antichinesische Stimmung rapide. Akte zivilen Ungehorsams mehrten sich und erreichten im Juni 1969 ihren Höhepunkt mit einer Massenveranstaltung, bei der die gesamte Bevölkerung von Lhasa demonstrativ den Geburtstag des Buddha feierte.

Im Sommer 1970 fand eine größere Revolte im Südwesten von Tibet statt. Sie griff auf 60 der 71 Distrikte der Autonomen Region Tibet über und kostete 12 000 Tibetern und mehr als 1000 chinesischen Soldaten das Leben. Darauf begann eine intensive Säuberungswelle mit dem Ziel, jede Opposition in allen Bereichen Tibets auszumerzen. Das seit langem bei den Chinesen vorhandene Mißtrauen gegenüber den tibetischen Kadern steigerte sich zur offenen Feindschaft, als klar wurde, daß diese Kader bei den Aufständen eine führende Rolle gespielt hatten. Tausende von ihnen wurden mit einem Schlag beseitigt. Der Terror erreichte ungeahnte Ausmaße, als die

Akten der Sicherheitspolizei über jeden Tibeter genauestens überprüft wurden. John Avedon berichtet darüber:

«Tausende wurden bei nächtlichen Razzien verhaftet, ins Gefängnis gebracht und Verhören unterzogen. In jeder Gegend wurden Gruppen von zehn bis zwanzig Personen ausgesondert, um an ihnen eines von drei Exempeln zu statuieren: Thamzing, Einkerkerung oder öffentliche Hinrichtung. Fotos der zur Exekution Bestimmten wurden in jedem Bezirk ausgehängt, mit dem obligaten roten X auf Gesicht oder Körper markiert, ihre Verbrechen – ‹Aktivitäten gegen Partei und Volk› – darunter aufgeführt. Die Hinrichtungen selbst fanden auf öffentlichen Versammlungsplätzen statt, wo das Opfer, mit einer von einem chinesischen Aufseher fest um den Hals gezurrten Drahtschlinge (um zu verhindern, daß sie ein letztes Wort des Widerstandes herausschrien), den Genickschuß bekam. Unmittelbar danach wurden die vorn in der Menge stehenden Familienangehörigen gezwungen, Beifall zu klatschen, der Partei für ihre ‹Güte› zu danken, daß sie das ‹schädliche Element› unter ihnen beseitigt hatte, und dann die noch warme, blutige Leiche ohne Zeremonie und ohne Hüllen in einem improvisierten Grab zu verscharren.»[10]

Wangtschen befand sich unter den Verhafteten. Man beschuldigte ihn, den Aufstand in den Distrikten Lhorong und Phenbar angezettelt zu haben und schickte ihn für vier Jahre ins Gefängnis:

«Während dieser Zeit mußte ich achtundfünfzig Tage kniend zubringen, die Hände erhoben, gefesselt und mit Eisblöcken beschwert. Jeden fünften Tag gaben sie mir zu essen, eine kleine Schale Tsamba und kaltes Wasser, die übrige Zeit blieb ich hungrig. Eines Tages, als ich gefesselt in meiner Zelle war, die Finger mit dünnem Draht umwunden, sollte ich die Hand ausstrecken und mein Essen durch das Gitter in Empfang nehmen. Als ich das tat, schlug mich ein Wärter mehrmals mit einem Bajonett. Ich wurde jeden Morgen beim Wecken geschlagen und am Abend wiederum. Ich hatte kein Bett, in der Zelle war nichts bis auf einen Kübel und einen Spalt im Fußboden, durch den die stinkende Brühe geschüttet wurde. Später entdeckte ich, daß mein Zellennachbar keinen solchen Spalt hatte

und somit auch keine Möglichkeit, seine Exkremente loszuwerden. Der Inhalt seines überquellenden Kübels ergoß sich über
den ganzen Fußboden und fror fest. Da sie ihm nichts zu trinken
gaben, war er gezwungen, seinen Durst mit diesem ‹Eis› zu
löschen.»[11]

Die Gefangenen durften nicht einmal miteinander reden, wie
der Mönch Lobsang Vanya Kewley berichtete: «Taten wir es, so
beschuldigte man uns der Verschwörung gegen den Staat und
bohrte den Gefangenen Messer in die Hoden. Die Betroffenen
starben keines leichten Todes. Ebensowenig diejenigen, denen
man die Kehlen aufschlitzte.»[12] Während seiner Haft erlebte
Lobsang Nyima die Hinrichtung von 34 Tibetern mit und danach
13 weitere Exekutionen, darunter die von drei hohen Lamas:
«Wir wurden gezwungen zuzusehen, und mich stellte man in
die vorderste Reihe. Das Areal um das Gefängnis war inzwischen ein einziges riesiges Grab, und es gab keinen Platz mehr.
Also begannen die Chinesen, die Leichen aus großer Höhe in
den Fluß zu werfen. Bei den Hinrichtungen hoben sie eine
Grube aus, ließen die Opfer davor Aufstellung nehmen, so daß
sie nach der Exekution direkt hineinfielen.»[13]

Dennoch vermochten diese Grausamkeiten die Flamme der
Rebellion nicht auszulöschen, und die Kämpfe dauerten auch
nach zwei Jahren weiter an. Nachdem 500 junge Tibeter, die für
die Unabhängigkeit ihres Landes demonstriert hatten, 1972 in
Kongpo Tramu (Zentraltibet) hingerichtet worden waren[14],
erschien die indische *Times* mit der Schlagzeile «China erlebt in
Tibet sein Vietnam»[15].

Doch China wandelte sich zur gleichen Zeit. Es war jetzt
bemüht, sein Image im Ausland zu verbessern. Die Behörden in
Peking kamen verspätet zu der Erkenntnis, daß die Kulturrevolution in Tibet sich als Bumerang erwiesen und auch den Rest
von internationalem Goodwill zerstört hatte. Mit einem neuerlichen abrupten politischen Schwenk bemühten sie sich 1972,
einiges von dem angerichteten Schaden zu bereinigen.* Das

* Für Reparaturarbeiten am Jokhang-Tempel, dem Potala-Palast und dem
  Kloster Drepung in Lhasa war bereits Geld zur Verfügung gestellt worden.

Verbot, tibetische Kleidung zu tragen, wurde aufgehoben und die Resolution «Vier Freiheiten» proklamiert: Sie betrafen die Religionsausübung, den privaten Ankauf und Verkauf, das Leihen und Verleihen gegen Zinsen und die Einstellung von Arbeitern und Dienstpersonal. Zwei Jahre später wurde eine Gruppe von 40 Tibetern sogar in ihrem Vorhaben bestärkt, eine Pilgerfahrt nach Bihar in Nordindien zu unternehmen, wo der Dalai Lama eine religiöse Zeremonie abzuhalten gedachte.

Selbst einige Gefangene wurden entlassen, darunter auch Wangtschen. Obwohl sein Körper überall geschwollen und aufgedunsen war und er nicht richtig laufen konnte, wurde er geradewegs auf seinen alten Posten bei einem Bautrupp zurückgeschickt – «immer noch auf der schwarzen Liste und immer noch mit Sprechverbot». Lobsang Rinchok wurde ebenfalls entlassen. Von rund hundert Soldaten in sein Dorf begleitet, mußte er seine Verbrechen immer wieder vor einer öffentlichen Versammlung bekennen und schwören, jetzt ein «neuer Mensch» zu sein und bereit zur Zusammenarbeit mit den Chinesen. Trotzdem wurde er neuerlich verhaftet, als die Polizei ein kleines Zeitungsfoto des Dalai Lama bei ihm entdeckte.

«Eine Versammlung wurde einberufen und mein Verbrechen offenbart. ‹Er versicherte, ein neuer Mensch geworden zu sein, aber er hat sich überhaupt nicht geändert›, sagten sie. Ich erwiderte: ‹Nun ja, Seine Heiligkeit ist mein Führer, und ich achte ihn von ganzem Herzen. Tötet mich, wenn ihr wollt, aber ändern könnt ihr mich nicht.›»[16]

Daraufhin schlugen sie ihn bewußtlos. Er lag einen Monat lang darnieder und wurde während dieser Zeit täglich von einem Chinesen besucht, um sich zu vergewissern, daß er nicht simulierte. Als er wieder zu Kräften kam, flüchtete er wiederum, diesmal zu einem befreundeten Lama, der sich versteckt hatte. Die nächsten paar Jahre verbrachte er «in einem kleinen verborgenen Keller, wo ich gerade genug Platz zum Sitzen hatte, von Gestrüpp, Binsen und Steinen verdeckt».

Die fortgesetzte Verehrung für den Dalai und den Panchen Lama ärgerte die Chinesen, die eine neue Verleumdungskampagne starteten. Auf den nächtlichen politischen Versammlungen mußten die beiden angeprangert werden, während die Behörden daran gingen, sie als Erzfeinde zu verteufeln. Wanderausstellungen zeigten «eine Gebetsschnur aus 108 Schädelknochen, die angeblich von dem Dalai Lama dargebrachten ‹Opfern› stammten, desgleichen Handgranaten und Maschinengewehre, die der Panchen Lama für seinen versuchten Aufstand angesammelt hatte»[17].

Als der zehnte Jahrestag der Autonomen Region Tibet heranrückte (September 1975), luden die Chinesen eine Gruppe «westlicher» Medienvertreter nach Tibet ein. Es waren vorwiegend Sympathisanten des Regimes, wie die Schriftstellerin Han Suyin und der Filmemacher Felix Greene. Die Gäste wurden von Sicherheitspolizei in Zivil begleitet, und die Tibeter durften mit ihnen zusammenkommen unter der Voraussetzung, daß sie nicht über Politik sprachen. «Auf die Frage nach Unabhängigkeit hatten sie zu antworten, das wäre keine gute Idee, da das Leben unter der alten Gesellschaft schlecht war.»[18]

Etwas von der Wahrheit drang durch die rosaroten Brillen. Nach ihrer Rückkehr berichteten die ausländischen Journalisten: daß der Jokhang jetzt als Museum diene; daß rote Propaganda die Religion nahezu verdrängt habe; daß die große Klosteranlage von Drepung, die einst 10 000 Mönche beherbergt hatte, jetzt nur noch von elf alten Krüppeln bewohnt werde; und daß die einzige, von den Chinesen tolerierte Manifestation einheimischer Kultur die «Revolutionsoper» sei, bei der die Musik tibetischen Ursprungs sein mochte, deren Texte jedoch wörtliche Übersetzungen aus dem Chinesischen seien.[19]

Während der Besuch der Medienvertreter mehr oder minder einer Zirkusvorstellung glich, so warfen andere Ereignisse weit längere Schatten. Eines Tages meldete Radio Lhasa beiläufig, daß chinesische Siedler nach Tibet kämen. Bis dahin hatte es nur die Soldaten der Volksbefreiungsarmee und eine gewisse Anzahl von Kadern und Technikern gegeben. Die Roten Garden waren mit der Kulturrevolution gekommen, aber selbst sie hatten keine nennenswerte Verschiebung im Zahlenverhältnis gebracht. Tibet war im Vergleich zu 1949 zwar räumlich kleiner geworden, doch es hatte noch nicht seinen tibetischen Charakter verloren. Im Jahre 1962 hatte Mao sich feierlich verpflichtet, zehn Millionen Chinesen in Tibet umzusiedeln. Nun

13 Jahre später, machte er sich daran, diese Drohung zu verwirklichen.

Das Erscheinungsbild Tibets erfuhr eine radikale Veränderung, als in den Innen- und Außenbezirken jeder tibetischen Stadt die von Chinesen favorisierten häßlichen, eintönigen Zement- und Wellblechbauten entstanden. Errichtet wurden sie von tibetischen Arbeitern, während die Häuser und Büros ausschließlich von Siedlern und einigen Tibetern, die für den Staat tätig waren, genutzt wurden. Von Anfang an gab es keinen Zweifel, daß die Privilegierten Vorzüge genossen, von denen gewöhnliche Tibeter nicht einmal zu träumen wagten. Ihre Häuser waren durchweg mit elektrischen Leitungen unter dem Verputz ausgestattet, während bei den Tibetern bestenfalls eine Glühbirne mit 15 bis 20 Watt von der Decke hing. Die Chinesen bekamen fließendes Wasser, doppelte Rationen Reis und Weizen und konnten in bestimmten Geschäften Konsumgüter erwerben. Besonders gravierend machte sich die Benachteiligung der Tibeter auf dem medizinischen Sektor und im Bildungsbereich bemerkbar. Während die Siedler kostenfreie ärztliche und Krankenhausbehandlung erhielten, mußten sich die Einheimischen mit den kärglichen Dienstleistungen der «Barfußärzte» begnügen – einem Produkt der Kulturrevolution, in der Grundschüler einen zwei- bis sechsmonatigen Schnellkurs in Allgemeinmedizin verpaßt bekamen und dann auf die Kommunen losgelassen wurden, bestenfalls mit einer Erste-Hilfe-Ausrüstung, bestehend aus Fieberthermometer, Magentabletten, Abführmitteln, Hustensaft und Aspirin. Ärztliche Behandlung erhielten nur bettlägerige und schwerkranke Tibeter. Bei weniger ernsten Beschwerden durfte man nicht einmal einen einzigen Tag zu Hause bleiben; das Fehlen bei der Arbeit wurde in solchen Fällen mit einer hohen Geldstrafe geahndet. Döndrup Tschödön zufolge waren Tibeter häufig gezwungen, ihr Blut im nächstgelegenen Krankenhaus zu spenden, um von dem Erlös stärkende Lebensmittel und warme Kleidung zu kaufen.[20]

Das Recht auf Bildung war nur für chinesische Kinder garantiert. Tibetische Schulen gab es, zumindest in ländlichen Gegenden, so gut wie gar nicht. «Schulen sind zwar vorhanden», erklärte Kunsang, ein armer Bauer aus Dingri, der 1974 nach

Nepal floh, «aber sie haben nicht sehr viele Schüler. Denn viele Eltern können es sich nicht leisten, ihre Kinder zur Schule zu schicken. Kostenfrei ist nur der Unterricht. Kleidung, Mahlzeiten, Bücher und Hefte müssen von den Eltern gestellt werden, und das ist natürlich oft unmöglich. Also bleiben die Kinder zu Hause, sammeln Jakdung und Holz, um es den Chinesen zu verkaufen, und pflücken Wildkräuter als Ernährungszusatz.»[21]

Deshalb erhielten viele tibetische Kinder keinerlei Erziehung, zumal dann nicht, wenn ihre Eltern wegen früherer Zugehörigkeit zu einer hohen sozialen Schicht von allen Vergünstigungen ausgeschlossen wurden. «Meine Eltern brauchten mich als Hirtin», erzählte Tashi Dölma, als ich in Dharamsala mit ihr sprach. «Wir hatten ein System von Arbeitspunkten, und sie benötigten alle, die ich verdienen konnte, um Lebensmittel zu kaufen. Schon in frühester Jugend fing ich bei Tagesanbruch zu arbeiten an und kam erst am späten Abend zurück.»[22] Auch Dalha Denkyong aus Gyantse erhielt keine Schulbildung: «Mein Vater wurde ins Gefängnis gesteckt, und ich mußte in einen Steinbruch arbeiten gehen, weil meine Mutter mich nicht ernähren konnte. Die Chinesen benachteiligten Kinder, deren Eltern im Gefängnis waren. Selbst wenn sie gut arbeiteten, bekamen sie weniger zu essen als die anderen.»

In den Städten waren alle Schulen chinesischen Bedürfnissen angepaßt. Lobsang Dschimpa besuchte von 1973 bis 1979 die Grundschule. Den Kindern chinesischer Siedler wurde immer der Vorrang eingeräumt, und es war für die tibetische Mehrheit sehr schwer, sich wenigstens 50 Prozent der vorhandenen Plätze zu sichern. Der Unterricht wurde von chinesischen Lehrern in chinesischer Sprache zum Nutzen chinesischer Kinder erteilt. Für Tibeter wie Lobsang Dschimpa kam nicht viel mehr dabei heraus als gründliche Belehrung über chinesischen Kommunismus:

«Wir mußten die *Worte des Vorsitzenden Mao* auswendig lernen und die Lehre von Marx-Engels studieren. Vormittags hatten wir vier Stunden zu je fünfundvierzig Minuten, eine in Chinesisch, eine Doppelstunde in Staatsbürgerkunde und Politische Erziehung. Nachmittags lernten wir chinesische Geschichte, insbesondere über den Chinesisch-Japanischen Krieg und den Zweiten Weltkrieg. Danach machten wir entweder in der Schule sauber oder sangen chinesische Lieder. Dann folgte eine Stunde Elementarunterricht in Naturwissenschaft, und den Abschluß bildete die verhaßte ‹Kampfsitzung›. Das hieß, daß wir uns gegenseitig beschuldigen mußten, zum Beispiel nicht ordentlich saubergemacht, nicht gut gelernt oder irgend was Freches über die Chinesen gesagt zu haben. Hätte einer von uns zu behaupten gewagt, Mao sei ein übler Tyrann, dann wäre er bestimmt auf der Stelle hingerichtet worden. Eines Tages wurde mir zur Last gelegt, ich hätte bei der Lektüre des Roten Buches einen Federhalter über Maos Bild gehalten und dabei einen Tropfen Tinte auf das Gesicht des Vorsitzenden fallen lassen. In den folgenden drei Wochen wurde mir das Leben sehr schwer gemacht, auch wenn ich beteuerte, daß ich Mao liebte und bloß einen Augenblick eingedöst wäre. Ich mußte mich einem Thamzing unterziehen, zuerst im Klassenzimmer, dann vor allen Schülern, und später mußte ich endlose Loyalitätserklärungen schreiben. Mein ‹Geständnis› wurde eine ganze Woche lang in der Schule verlesen.»[23]

Doch auch wenn Lobsang Dschimpa das nicht wissen konnte, waren Maos Tage gezählt. Im September 1976 starb der «Große Steuermann». Tatsächlich war er seit langem leidend, und das Land wurde eigentlich von seiner Frau Jiang Qing und einer Gruppe von Radikalen regiert, der bald berüchtigten «Viererbande». Nur wenige Wochen nach dem Tod des Vorsitzenden wurden Jiang Qing und ihre Gefolgsmänner verhaftet und vor Gericht gestellt. Als der gemäßigte Deng Xiaoping an die Macht kam, begann man in Tibet zu glauben, das Schlimmste sei überstanden. Hatte nicht das Netschung-Orakel Anfang des Jahrzehnts vorausgesagt, nach Maos Tod würde alles, was er aufgebaut hatte, zu Staub zerfallen? Es war eine alte tibetische Sitte, das Bild eines Verstorbenen abzuhängen. Begeistert machten sich die Tibeter daran, die zahllosen Porträts von Mao zu entfernen, die mehr als zehn Jahre jeden Winkel ihres Lebensraums verunstaltet hatten. Das war zu viel für die Chinesen, die keinen Grund zum Feiern sahen. Sie nahmen zahlreiche Verhaftungen vor.

Neuanfang im Exil
(1963–73)

Seit Mitte der sechziger Jahre waren alle Verbindungen der Flüchtlinge zu ihrer Heimat abgebrochen, bis auf vereinzelte, oft bereits überholte Informationen und Gerüchte, die reisende Händler aus Nepal verbreiteten. Man erfuhr nur wenig über die Kulturrevolution, die ihre Landsleute an den Rand des Abgrunds gebracht hatte; gar nichts über die verzweifelten Revolten. Ein undurchdringliches Dunkel trennte sie von ihren Angehörigen und ihrer eigenen Vergangenheit.

In ihren Reihen hatte sich jedoch eine Art Wunder ereignet. Nicht länger verwirrt und hilflos, hatten die Tibeter sich tatkräftig ihrer neuen Lage angepaßt. «Sie bestätigten meinen Glauben an die Kraft einer positiven Einstellung, wenn diese mit großem Tatendrang verbunden ist», schrieb der Dalai Lama später.

Nicht alle tibetischen Flüchtlinge waren auf dem indischen Subkontinent geblieben. Manche hatten sich in fernere Gegenden begeben und dort kleine Gemeinden gegründet, die größte in der Schweiz, andere in Kanada, den Vereinigten Staaten, in Frankreich und Großbritannien. Die Exilregierung eröffnete Büros in Katmandu, Zürich, New York, Washington und London, die sich um die Interessen der dort ansässigen Tibeter kümmern und gleichzeitig den Gastländern Informationen über Tibet, seine Kultur und Lebensweise vermitteln sollten. Die tibetische Diaspora nahm Gestalt an.

Doch die Mehrheit war in Indien geblieben. Nehru war 1964 gestorben, und seine Nachfolger, Lal Bahadur Shastri und Indira Gandhi, hatten die tibetischen Flüchtlinge weiterhin unterstützt. Die Menschen in Dharamsala waren arm, sie führten ein spartanisches Leben, aber sie waren frei. Die Exilregierung, obzwar nicht gerade straff organisiert und primitiv untergebracht, bestand jetzt aus mehreren hundert Personen in verschiedenen, immer größer werdenden Abteilungen. Der Dalai Lama wußte, wie wichtig eine brauchbare Verfassung für die Tibeter war, auch wenn sich vorerst kein Staat in der Lage sah, sie anzuerkennen. Manche Mitglieder der alten, zutiefst konservativen Familien verübelten die Abkehr vom alten System schärfstens und betrachteten die demokratischen Prinzipien ihres Führers voller Mißtrauen. Doch die Mehrzahl der Flüchtlinge stimmte mit dem Dalai Lama überein, daß die neue Freiheit Veränderungen und Chancengleichheit für alle erforderlich machte. Die Suche nach Demokratie war Teil der Überlebensstrategie in einer modernen Welt.

Der Verfassungsentwurf wurde am 10. März 1963 veröffentlicht, und bei den anschließenden Wahlen zur Versammlung der Volksdeputierten machten die Tibeter zum ersten Mal Bekanntschaft mit der geheimnisvollen Wahlurne. Drei Jahre danach hatten sie die Möglichkeit, für Kandidaten, die von Wahlkomitees aufgestellt worden waren, zu votieren; und 1975 konnten sie ihre eigenen Kandidaten in Vorwahlen aufstellen. Jüngere Tibeter wie der Dalai Lama strebten mehr – und radikalere – politische Veränderung an, die alten Konservativen jedoch lehnten es rundweg ab, auch nur einen Schritt weiterzugehen.

Diese Weigerung der älteren Generation, mit der Zeit zu gehen, frustrierte eine Gruppe von fünf idealistischen jungen Tibetern – Lodi Gyari, Tendsin Tethong, Sonam Topgyel, Tendsin Gesche und Dschamyang Norbu –, so daß sie 1970 einen Jugendkongreß initiierte, der demokratisch im wahrsten Sinne des Wortes sein sollte, mit einer ebenso zukunftsorientierten wie der öffentlichen Meinung verantwortlichen Führung. Der Dalai Lama gab der Idee seinen Segen und sorgte für die Finanzierung der Eröffnungssitzung, die von 500 begeisterten jungen Tibetern besucht wurde. Zum ersten Mal seit dem Exil gab es laut Dschamyang Norbu «eine Organisation, die wußte, was sie tun wollte; die keine Organisation der Regierung, die weder regional noch sektiererisch war, sondern etwas Neues: Sie war national»[1].

Die Gruppe, die den Jugendkongreß ins Leben rief, gehörte zur ersten Generation, die eine moderne Erziehung außerhalb von Tibet erhalten hatte. Uneingeengt durch eine stark ritualisierte Kultur, konnten sie die Probleme ihrer Gesellschaft nüchtern einschätzen. «Sie sahen», erläuterte Lhasang Tsering, später Vorsitzender des Kongresses, «daß es in Zukunft zwei Gruppen junger Tibeter geben würde: eine in Tibet, unter chinesischer Herrschaft geboren, ohne jede Kenntnis von Freiheit, die den Dalai Lama nie zu Gesicht bekommen hat; die andere, im Exil geboren, die nichts über die Chinesen weiß, nichts über den Kommunismus und die Tibet nie betreten hat. Wie könnte man sie alle erreichen? Wir leben nicht nur hier im Exil, sondern sind überall verstreut, über ganz Indien, über die ganze Welt. Daher hielten die jungen Männer, die den Kongreß gründeten, eine Bewegung für dringend notwendig, die ein Forum schaffen würde, Menschen zusammenzubringen, ihre Ideen zu koordinieren, ihre Energien zu bündeln.»[2]

Der Jugendkongreß sah sich selbst als dringend erforderliche «loyale Opposition». Als solche war sie dem tibetischen Kabinett (Kaschag) unwillkommen, das, mit den Worten von Dschamyang Norbu, «keine wie immer geartete Opposition wünschte, ob loyal oder nicht»[3]. Nicht ohne Grund fühlte sich der Kaschag durch diese jungen Menschen bedroht, die mehr von der modernen Welt hielten als die alten Würdenträger. Die Zeichen standen auf Sturm.

Das Tibetan Children's Village hatte seine Anfangsschwierigkeiten überwunden*, und Absolventen der verschiedenen tibetischen Schulen in Indien und Nepal hatten ihre Bewährungsprobe bereits bestanden. «Die Kinder sind Ihr kostbarstes Gut», hatte Nehru dem Dalai Lama gesagt. Und das bewahrheitete sich nun. Die tibetische Jugend sprach fließend Englisch und Hindi und erwarb sich Fähigkeiten, die sich ihre Eltern nicht hätten träumen lassen. Ugyen Norbu zum Beispiel gehörte während seiner Schulzeit in Simla zu 80 tibetischen Jungen und Mädchen, die unter der Schirmherrschaft einer dänischen Gruppe für die Weiterbildung in Skandinavien ausgesucht wur-

---

* Nach dem Tod von Tsering Dölma, der älteren Schwester des Dalai Lama, im Jahre 1964 hatte seine jüngere Schwester, Dschetsün Pema Gyelpo, die Arbeit übernommen.

den. Nach einem sechsmonatigen Grundlehrgang in Dänemark
gingen die Mädchen nach Schweden, die Jungen nach Norwe-
gen. Wie viele seiner Freunde wollte Ugyen Norbu Lehrer
werden. Doch nach einer auf Tonband übermittelten Botschaft
des Dalai Lama änderten sie ihre Meinung. «Wir sind nicht bloß
eine große Familie», ermahnte er die jungen Tibeter, «sondern
wir versuchen, eine Nation wiederaufzubauen. Es steht euch frei
zu studieren, was immer ihr wollt. Aber denkt daran, daß die
meisten eurer Landsleute in Siedlungen leben und dringend
Unterricht in modernen landwirtschaftlichen Methoden benötigen.»

Binnen zwei Wochen hatten 15 Jungen die Norweger gebeten,
ihnen zur Ausbildung als Landwirt zu verhelfen. «Bis dahin»,
sagt Ugyen Norbu, «hatten wir Ackerbau als sündhaft betrachtet. Wir glaubten, daß man beim Pflügen des Bodens unweigerlich Insekten töten müsse, und das galt uns als Sünde. Wir
verschwendeten kaum Gedanken daran, daß es uns nichts aus-
machte, die Erzeugnisse des Bauern zu verzehren. Als uns diese
Kassette vorgespielt wurde, dachten wir alle noch einmal über
unsere Pläne nach.»[4]

Die großzügigen norwegischen Behörden richteten zwei
Landwirtschaftslehrgänge für die jungen Tibeter ein, und nach
zweieinhalb Jahren, in denen sie Landwirtschaft im allgemeinen
wie auch unter tropischen Bedingungen studiert hatten, kehrten
sie 1968 nach Indien zurück. «Wir waren nicht hochqualifiziert»,
sagt Ugyen Norbu, «aber wir verfügten über eine Menge Enthu-
siasmus und zumindest ein wenig praktische Erfahrung.»

Sie waren überaus willkommen. Die neuen Siedlungen wuchsen rapide, und man hatte immer mehr Tibeter aus den Straßenlagern dorthin geholt. In der südindischen Siedlung Bylakuppe
lebten jetzt beispielsweise 3200 Menschen, die nicht mehr hoffnungslos verzweifelt waren, sondern in hohem Maße motiviert.
Sie hatten sich Häuser aus Ziegelstein gebaut und brannten
darauf, sich die für die Tropen erforderlichen landwirtschaftlichen Fähigkeiten anzueignen. Die Voraussetzungen ließen immer noch viel zu wünschen übrig, und die Flüchtlinge waren
noch weit entfernt von Autarkie, aber sie hatten das Land
gerodet, und die meisten erhielten – dank verschiedener Hilfsor-

ganisationen – eine elementare medizinische Versorgung. Überdies erstanden zur großen Freude der Tibeter viele der bedeutenden Klöster wie Ganden, Drepung und Sera im tropischen Klima Südindiens aufs neue.

Ugyen Norbu wurde als Landwirtschaftsinspektor in die Siedlung im Staat Orissa entsandt: «Zwei von uns gingen dorthin. Ich war verantwortlich für fünfzehn Traktoren und zweiunddreißig Fahrer, die dreitausend Morgen zu pflügen hatten. Kein Tibeter in der Siedlung wußte, wie man einen Traktor fährt. Ich mußte es ihnen beibringen. Wir haben wirklich etwas zustande gebracht. Das war nur den Traktoren zu verdanken. Bevor wir kamen, waren zehn Prozent des Bodens ungenutzt, aber sobald sie Traktoren hatten, konnte das ganze Land bestellt werden. Wir bauten die verschiedensten Getreidesorten an, von denen viele den Tibetern völlig unbekannt waren.»

Während der sechziger Jahre hatten die Amerikaner die von Mustang aus operierenden tibetischen Guerillas weiterhin unterstützt und die UN-Resolutionen befürwortet, die sich für die «Achtung der fundamentalen Menschenrechte des tibetischen Volkes» einsetzten. Vor einer Anerkennung von Tibets Recht auf Unabhängigkeit von China waren sie jedoch stets zurückgeschreckt. Mit amerikanischer Unterstützung wurde das kommunistische China 1971 in die Vereinten Nationen aufgenommen. Als US-Präsident Richard Nixon ein Jahr danach «die chinesische Karte ausspielte» und Peking besuchte, erwärmte sich die Atmosphäre zwischen den beiden Ländern spürbar. Dieses neue Verhältnis zu China bedeutete, daß die Amerikaner Tibet wie eine heiße Kartoffel fallenließen. Die tibetischen Freiheitskämpfer in Nepal dagegen empfanden den Treuebruch als Todesstoß, wie sich der ehemalige Guerilla Lhasang Tsering deutlich erinnert:

«Die CIA entzog uns ihre Unterstützung, und die Chinesen begannen, auf die Nepalesen Druck auszuüben, die daraufhin unser Lager einkreisten. Wir hätten gegen sie kämpfen können, wir waren bereit dazu. Wir hatten Waffen, wir kannten das Gelände, wir waren kampferprobt und hatten als Freiwillige nichts zu verlieren. Doch dann traf ein Tonband mit einer zwanzigminütigen Botschaft Seiner Heiligkeit ein, in der er darauf hinwies, daß mindestens zwölftausend tibetische Flüchtlinge in Nepal lebten, daß wir nichts gegen die Bevölkerung dieses Landes hätten und daß Gewalt und Blutvergießen in jedem Fall das falsche Mittel wären. Er bat uns, die Waffen niederzulegen.

Die meisten unserer Führer waren Khampas. Als sie die Stimme Seiner Heiligkeit hörten, die sie aufforderte, die Waffen zu strecken, gingen einige davon und schnitten sich die Kehle durch.»[5]

Die Bitte des Dalai Lama erregte bei den Guerillas Zorn. «Wie kann ich mich den Nepalesen ergeben, wenn ich niemals vor den Chinesen kapituliert habe?» rief einer ihrer Anführer, der ein paar Tage später den Freitod wählte.[6] Manche entschlossen sich zögernd, die Waffen niederzulegen. Doch die Nepalesen, die ihnen im Gegenzug zu einer Kapitulation die Freiheit versprochen hatten, brachen ihr Versprechen jetzt, drangen in Mustang ein, beschlagnahmten tibetisches Eigentum und verhafteten die entwaffneten Freiheitskämpfer. Etwa vierzig flohen, um weiterzukämpfen. Bald darauf wurden sie jedoch in der Nähe der indischen Grenze von den Nepalesen aus dem Hinterhalt überfallen, wobei die meisten den Tod fanden, auch ihr Anführer, General Wangdu.

Auf diese traurige und unrühmliche Weise endete ein Guerillakrieg, der über nahezu zwei Jahrzehnte tapfer ausgefochten worden war.

«Das ist purer Kolonialismus»
(1979)

> Bei jeder Gelegenheit benachteiligt, sind die
> Tibeter zu Bürgern zweiter Klasse verurteilt, zu
> einem Leben in Schmach und Schande im eigenen
> Land: Es ist sehr schwer für sie, die chinesische
> Politik ihnen gegenüber anders zu sehen als eine
> Politik der Apartheid und des totalitären
> Rassismus.
>
> Püntsog Wangyel in *The Tibetans*

Nach Maos Tod im Jahre 1976 wurde die Viererbande für alles
verantwortlich gemacht, was Tibet in den vergangenen zehn
Jahren angetan worden war. Doch die Verhältnisse in Tibet
verbesserten sich nicht, als sie von der Bildfläche verschwand.
Chinesische Siedler strömten weiter ins Land, und ein Viertel-
jahrhundert nach der Invasion wurde die Autonome Region
Tibet unverändert von orthodoxen kommunistischen Funktionären kontrolliert, die nicht Tibetisch sprachen und völlig isoliert von der tibetischen Bevölkerung lebten.

Dabei begann in China ein frischer Wind zu wehen und die
Jahre des radikalen Experimentierens zu vertreiben. Die gemä-
ßigten neuen Führer wollten den Vereinigten Staaten unbedingt
zeigen, daß sie das Land zu modernisieren und den wirtschaftlichen Rückstand aufzuholen vermochten.

In diesem veränderten Szenario bot Tibet – ein Viertel des
Territoriums der Volksrepublik China – eine ganze Reihe von
Problemen. Es belastete die Ressourcen, stellte eine Region der
dritten Welt in Chinas Hinterhof dar. Zwar verfügte es über
reiche Bodenschätze und natürliche Hilfsquellen; man hatte
aber keinerlei Anstalten gemacht, diese zum Nutzen des Mutter-

194

landes auszubeuten. Tibet verschlang chinesische Arbeitskraft, Geld und Mühe, und die Siedler haßten das Leben auf der Hochebene mit seinen Gesundheitsrisiken. Überdies war das Land unregierbar. Niemand konnte ernsthaft behaupten, die Chinesen hätten die Herzen der Tibeter gewonnen. Die tibetischen Kader erwiesen sich als unfähig. Es gab weit und breit keine brauchbaren Führer – weder der Panchen Lama noch Ngawang Dschigme Ngabö vermochten die Tibeter geschlossen hinter sich zu bringen. Und überdies trauten die Chinesen ihnen nicht.

Widerwillig mußte sich die chinesische Administration eingestehen, daß nur ein Mann imstande war, die Tibeter zu einen und zu führen – der Mann, den sie am meisten haßten, der Dalai Lama. Sie brauchten ihn, weil die Existenz einer tibetischen Exilregierung ihr neuentdecktes Bedürfnis nach internationalem Beifall empfindlich störte und weil er allein in der Lage wäre, der schwelenden Unruhe Einhalt zu gebieten.

Seit dem heftigen Ausbruch von 1972 war die brodelnde Unzufriedenheit kaum abgeflaut, und kleinere Revolten von «Klassenfeinden» hatten die siebziger Jahre kontinuierlich begleitet. Die Chinesen hatten die Hoffnung aufgegeben, Osttibet zu zähmen – 1977 war dort ein Konvoi von über hundert Lastwagen der Volksbefreiungsarmee aus dem Hinterhalt überfallen, ausgeplündert und in Brand gesteckt worden. Und in der Umgebung des Kokonor-Sees in Amdo hatte im Juli ein Aufstand von 20 000 Tibetern viele Todesopfer gefordert. Aber auch in Zentraltibet gehörten Sabotage und Rebellion mittlerweile zur Tagesordnung. Die Lage war außer Kontrolle geraten.

Mitte 1977 gab Ngawang Dschigme Ngabö, inzwischen ein hochrangiges Mitglied der Verwaltung Tibets in Peking, öffentlich bekannt, daß China die Rückkehr des Dalai Lama und seiner mit ihm geflüchteten Anhänger begrüßen würde – als chinesische Bürger, versteht sich. Um dem Angebot eine gewisse Glaubwürdigkeit zu verleihen, lockerte Peking gegenüber Tibet die Zügel. In Lhasa durften ältere Tibeter den Jokhang auf den geheiligten Pilgerpfaden umrunden. Das Verbot, die Nationaltracht zu tragen, wurde aufgehoben, und Hua Guofeng,

Maos designierter Nachfolger, forderte sogar die Wiedereinführung der alten tibetischen Bräuche.

Bedauerlicherweise konnte die nach wie vor äußerst radikale Parteizentrale in Tibet einen solchen nachgiebigen Kurs nicht brauchen. Ob aus Unkenntnis der Instruktionen oder aus schierem Blutdurst, sie kümmerten sich jedenfalls nicht darum – und heizten prompt den Terror wieder an. Eine neue Kampagne – die «Drei Antis» (gegen Kleinhandel, Bagatelldiebstähle und schlechte Elemente) – beschnitt einige der kürzlich gewährten «Vier Freiheiten» und führte zu Tausenden von Verhaftungen und Massenexekutionen, allein am 1. August wurden in Lhasa 20 Hinrichtungen durchgeführt.[1]

Doch Pekings Pläne kamen dennoch voran. Am 25. Februar 1978 wurde der Panchen Lama plötzlich entlassen – nach 15 Jahren Haft in einem Hochsicherheitsgefängnis. Und als Hu Yaobang, der neue Generalsekretär der Kommunistischen Partei, öffentlich zugab, die Kulturrevolution sei eine Katastrophe für China gewesen, begann es so auszusehen, als könnte tatsächlich eine Veränderung bevorstehen.

Deng Xiaoping räumte ein, daß in Tibet «Fehler» gemacht worden seien und schlug eine Zusammenkunft mit dem Dalai Lama vor, um dessen Rückkehr zu erörtern. Der erhob keine Einwände, da ihm ausschließlich am Glück und Wohlergehen seines Volkes lag. Als Pragmatiker wußte er, daß die einzige Hoffnung für sein Land in einem wie auch immer gearteten Kompromiß mit China bestand. Dennoch war er auf der Hut. «Aber wie sagt schon das alte indische Sprichwort», schreibt er in seiner Autobiographie. «‹Wer einmal von einer Schlange gebissen wurde, ist selbst bei einem Seil vorsichtig.›»[2]

Am 10. März 1978 (dem Jahrestag des Aufstands in Lhasa) machte er die Probe aufs Exempel und forderte freie Ein- und Ausreise für Tibeter. Überraschenderweise erteilte Peking den Tibetern die Genehmigung, nicht nur mit ihren geflüchteten Verwandten zu korrespondieren, sondern sie auch – erstmals seit 1959 – zu besuchen.

Im November wurden 34 Häftlinge, größtenteils ältere ehemalige Verwaltungsbeamte des Dalai Lama, aus dem Gefängnis entlassen, wo sie 19 Jahre eingesessen hatten. Den Chinesen zufolge waren dies «die letzten Anführer der Rebellion». Man versprach ihnen Resozialisierung, Arbeitsbeschaffung oder sogar die Ausreise, falls sie das wünschten. Ein solches Maß an Entgegenkommen war jedoch nicht ganz uneigennützig. Man ließ die ehemaligen Häftlinge in einer Volksversammlung aufmarschieren und eine offizielle Aufforderung an alle Tibeter im Exil richten, in ihre Heimat zurückzukehren. Die Flüchtlinge begrüßten zwar den plötzlichen Wechsel der Tonart, bekundeten aber diesem Manöver gegenüber beträchtliche Reserve, während fünfzehn junge Männer tatsächlich umgehend ein Visum beantragten, um die Ernsthaftigkeit des Angebots zu testen. Ihr Antrag wurde denn auch abgelehnt, weil sie als Nationalität tibetisch und nicht chinesisch angegeben hatten.

Welche Rolle der Panchen Lama im Verlauf dieses Dramas spielen sollte, wurde bald deutlich: Es war seine Stimme, die im Februar 1979 den Dalai Lama zur Rückkehr aus dem Exil aufforderte. Es war klar zu erkennen, daß der Panchen Lama seit seiner «Umerziehung» – für die er den Chinesen öffentlich überströmend gedankt hatte – seine Rolle als offizielles Sprachrohr wieder aufgenommen hatte. «Ich kann versichern, daß der gegenwärtige Lebensstandard der Tibeter in Tibet um vieles besser ist als unter dem alten Gesellschaftssystem», erklärte er, doch niemand fiel darauf herein.[3] (Freilich war es zweifellos um vieles besser als das Leben in einem chinesischen Gefängnis.)

In seiner Ansprache zum 10. März desselben Jahres appellierte der Dalai Lama an die Chinesen, «ihre Fehler zu akzeptieren, die Tatsachen anzuerkennen und das Recht aller Menschen auf Gleichheit und Glück».[4] Binnen einer Woche rangen sich die Chinesen zu noch dramatischeren Zugeständnissen durch, hoben die Kennzeichnung von 6000 «Klassenfeinden» als «Schwarze Bande»* auf und entließen fast 400 weitere, zu

---

* 1963 waren die Tibeter in zehn Kategorien klassifiziert worden. Gutsbesitzer mit ihren Familien und ranghöhere Lamas rangierten an oberster Stelle als Volksfeinde Nummer eins und wurden als «Schwarze Bande» abgestempelt.

langen Haftstrafen Verurteilte, von denen viele 20 Jahre und mehr im Gefängnis gesessen hatten.*

Lobsang Nyima, Beri Laga, Topai Adhi und Lobsang Rinchok gehörten zu den Betroffenen. Lobsang Nyima kehrte als freier Mann in sein Dorf zurück, für ihn indes eine zweischneidige Erfahrung. «Die meisten, die ich gekannt hatte, waren tot, eine neue Generation lief herum, chinesisch gekleidet. Als sie mir von den gräßlichen Dingen erzählten, die im Dorf geschehen waren, wußte ich, daß ich nicht länger dort bleiben konnte.»[5] Beri Laga hatte ihre Haft überlebt und sogar die chinesischen Wärter durch ihre Zähigkeit verblüfft. «Meine Angehörigen fanden es unglaublich, daß ich immer noch am Leben war», erzählte sie mir, «und noch unglaublicher, als ich sagte, daß ich dies meinem Glauben zu verdanken habe. Ich hatte Tag und Nacht zu den Drei Juwelen gebetet, die Qualen zu überstehen, und mein Glaube erhielt mich aufrecht.»[6] Topai Adhi war 1974 aus dem Gefängnis entlassen worden, jedoch als «Klassenfeind» mit dem strikten Verbot, «irgendwelche Kontakte mit Menschen aufzunehmen oder auch nur vom Boden aufzublicken». Nach einem langen Arbeitstag in einer Ziegelfabrik mußte sie abends alle möglichen niedrigen Dienstleistungen verrichten. «Jeder schaute auf mich herunter und tyrannisierte mich», sagte sie.[7] Als der diskriminierende Status endlich aufgehoben wurde, schickte man sie auf eine Baustelle, wo zu ihrer Erleichterung «uns wenigstens keine chinesischen Gewehre mehr in den Rükken gebohrt wurden und wir einen kleinen Lohn erhielten»[8].

Lobsang Rinchok wurde nach Xining beordert, um dort seinen Entlassungsschein in Empfang zu nehmen: «Auf einer großen Versammlung, die stark an frühere Thamzings erinnerte, wurden die Anklagen gegen mich und die Kennzeichnung

---

* Damit war die Angelegenheit bei weitem noch nicht abgeschlossen. Im März 1979 berichtete ein Artikel in der Zeitschrift *Time* über ein «verzweigtes Gefängnissystem» in der chinesischen Provinz Qinghai, dem früheren tibetischen Amdo. Ein dort für zweieinhalb Jahre inhaftierter Amerikaner meinte, die Hälfte der schätzungsweise vier Millionen Einwohner seien entweder Gefangene oder Zwangsarbeiter. (*Time*, 26. 1. 1979. Zitiert von Püntsog Wangyel in *The Tibetans. Two Perspectives on Tibetan-Chinese Relations.*)

198

als ‹Klassenfeind› aufgehoben. Es gab sogar ein Festessen mir zu Ehren, was des größtmöglichen Effektes wegen über den Rundfunk verbreitet wurde... Sie erklärten ferner, sie wollten mir rückwirkend von 1963 an meine Bezüge auszahlen, insgesamt 48 000 Yuan, was ich ablehnte. ‹Ich habe bis jetzt überlebt und werde das auch weiterhin tun – ohne Ihre Hilfe›, sagte ich. Daraufhin wurde ich ins Hauptquartier des Distrikts beordert, um mir dort Beleidigung der Partei vorwerfen zu lassen.»[9]

Der Dalai Lama schlug vor, einen Untersuchungsausschuß nach Tibet zu entsenden, der sich über die tatsächlichen Verhältnisse informieren und den Kontakt zwischen Flüchtlingen und ihren Landsleuten daheim wieder herstellen sollte – und das unter der Voraussetzung, daß seinen Vertretern uneingeschränkte Bewegungsfreiheit gewährt werde und ihnen die Wahl ihrer Gesprächspartner überlassen bleibe. China willigte ein. Danach entwickelte sich alles mit atemberaubender Geschwindigkeit, bis am 2. August 1979 eine Delegation von fünf Mitgliedern der Exilregierung – aus allen drei Provinzen von Tibet, jeder von ihnen kannte das Land aus alten Zeiten genau, war aber auch der modernen Welt gegenüber durchaus aufgeschlossen – von Dharamsala nach Peking aufbrach. Dort blieben sie zwei Wochen, um eine viermonatige Rundreise durch Tibet vorzubereiten.

Das Ergebnis stellte für die Chinesen eine bittere Enttäuschung dar. In seiner zehn Jahre danach verfaßten Autobiographie äußerte sich der Dalai Lama zu dieser eklatanten Fehlspekulation:

«Ich weiß noch immer nicht, welche Eindrücke vom ‹neuen Tibet› nach Meinung der Führungsspitze in Peking die Delegation mitnehmen sollte. Wahrscheinlich war man davon überzeugt, sie würden überall in ihrem Heimatland so viel Zufriedenheit und Wohlstand vorfinden, daß es ihnen sinnlos erscheinen mußte, weiterhin im Exil zu bleiben... Es war gut, daß sie sich ihrer Sache so sicher waren, denn während sich die erste Delegation noch in Peking aufhielt, entsprachen die Chinesen meinem Vorschlag, noch drei weitere Delegationen nach Tibet reisen zu lassen.»[10]

«In diesem Stadium glaubten die Chinesen wirklich an ihre

eigene Propaganda», bestätigte ein ehemaliger tibetischer Kader. «Sie dachten, sie hätten in Tibet den ‹neuen sowjetischen Menschen› geschaffen und waren entzückt über die Gelegenheit, ‹das sozialistische Paradies auf dem Dach der Welt› vorzuführen.»[11] Trotz des gegenteiligen Beweises glaubten sie, die meisten Tibeter hätten sich vom Dalai Lama abgewandt. Unmittelbar vor Ankunft der Delegation organisierten die Behörden in vielen Teilen Tibets Versammlungen, auf denen sie die Leute baten, ihre Abneigung zu verbergen und den Besuchern gegenüber Höflichkeit zu wahren. Die Tibeter wurden ausdrücklich ersucht, sie nicht mit Sand und Steinen zu bewerfen!

Was tatsächlich geschah, erschütterte die Chinesen bis ins ideologische Mark. Denn von dem Augenblick an, in dem die Delegation in ihren weißen Toyota-Kleinbussen auf der tibetischen Hochebene ankam, in dem vorwiegend nomadischen Gebiet von Amdo, wurden sie von begeisterten, aber kummervollen Menschenmassen umlagert, die weinten und klagten. Heinrich Harrer berichtete darüber:

«Die Tibeter strömten zusammen und brachten den 16 Gesandten ihres Lamakönigs Ovationen der Liebe und Demonstrationen der Verzweiflung dar, ohne auf die entsetzten Chinesen Rücksicht zu nehmen. 30 Jahre harter, grausamer chinesischer Umerziehung waren nicht in der Lage gewesen, ihren tiefen Glauben zu zerstören. Heimlich holten sie ihre Gebetsmühlen aus den Verstecken, brachten die weißen Glücksschleifen, weinten und berührten die Besucher. Es war eine Demonstration der Zugehörigkeit, wie keiner es für möglich gehalten hatte.»[12]

Die Besucher selbst waren fassungslos. Ihre Gastgeber hatten sie in ihrem eigenen Interesse ausdrücklich gewarnt, die Wagenfenster zu öffnen oder mit den Leuten zu sprechen, doch die Entwicklung verselbständigte sich. «Es war unglaublich», sagte Lobsang Samten, der Bruder des Dalai Lama. «Überall schrien Menschen, warfen Tücher, Äpfel und Blumen. Sie zertrümmerten die Fenster in allen Wagen. Sie kletterten auf die Dächer und drängten sich nach innen, streckten die Hände aus, um uns zu berühren. Die Chinesen brüllten: ‹Nicht aussteigen! Die werden Sie umbringen!› Alle Tibeter weinten, riefen: ‹Wie geht's dem Dalai Lama? Wie geht's Seiner Heiligkeit?› Wir riefen zurück:

‹Es geht ihm gut. Wie geht es euch?› Als wir dann sahen, wie arm sie waren, war das so traurig, daß wir alle auch zu weinen begannen.»[13]

Lobsang Samten berichtete auch von dem Zwischenfall, der diese außergewöhnliche Rückkehr am besten charakterisiert:

«Eines Tages machten wir Mittagspause in einem kleinen Dorf. Vor dem Gästehaus versammelte sich eine Menschenmenge, doch die chinesischen Wachen ließen sie nicht herein. Wir warteten auf das Essen, als ein junger Tibeter irgendwie durch die Tür gelangte. Er war sehr jung, ungefähr zwanzig, und sehr kräftig gebaut. Ein großer, starker Bursche – ein echter Khampa – mit nackter Brust, in Schaffell gehüllt, langhaarig. Er scherte sich keinen Deut um die Chinesen, marschierte geradewegs an ihnen vorbei zu unserem Tisch, blieb stehen und schaute mich nur groß an. Er zitterte heftig am ganzen Körper. Dann brach er in Tränen aus. Sie kullerten ihm einfach aus den Augen. Ich bemühte mich, ihn zu trösten. ‹Keine Sorge›, sagte ich. ‹Ich weiß, wie dir ums Herz ist.› Er sagte kein Wort. Er drückte mir heftig die Hände, sah mich unverwandt an, machte dann kehrt und ging hinaus.»[14]

Zum Entsetzen der Chinesen befanden sich unter den Menschenmassen Tausende von Kindern und Jugendlichen, die um Segen und um Bilder vom Dalai Lama baten – dem «Vorsitzenden Dalai». Manche Szenen waren so gefühlsbetont, daß selbst die offiziellen Reisebegleiter in Tränen ausbrachen. Die Exilanten selbst wurden von Schmerz übermannt, wenn sie die Armut und das Elend dieser verkümmerten, unterernährten Menschen sahen, ihrer Landsleute. «Die meisten waren bloß in Lumpen gehüllt, wie Bettler», sagte Lobsang Samten und ergänzte:

«Wir waren so geschockt, daß nach ein paar Tagen keiner von uns mehr essen oder schlafen konnte. Wir dachten zurück an das Leben im alten Tibet. Wir dachten an unsere Freiheit in Indien und stellten den Vergleich an mit dem, was in unserem Land geschehen war. Die ganze Zeit wiederholten die Chinesen schamlos ihre Propagandasprüche über die verbesserten Verhältnisse und die fröhlichen Menschen. Wir waren wütend.»[15]

Das Jahr 1979 hatte faktisch die schlimmste Mißernte der Neuzeit gebracht, was ebenso auf schlechte Landwirtschaftspolitik wie auf schlechtes Wetter zurückzuführen war. Die Rationen waren so kärglich, daß die Tibeter sich abermals am Rande des Hungertodes befanden, dennoch mußten sie nach wie vor wenigstens 1000 Pfund Getreide an jährlichen Steuern abliefern.[16] Da die Besucher dies wußten, ließen sie sich nicht von den Musterdörfern beeindrucken, die man ihnen vorführte und in denen es reichlich Nahrungsmittelvorräte gab. Die Tibeter hatten ihnen bereits erzählt, daß das alles leeres Gewäsch sei; daß Butter und Fleisch von den Marktständen wieder eingesammelt und weggekarrt würden, sobald die Besucher abgereist waren.

Bestürzt über den völlig unerwarteten Verlauf verbreiteten die Chinesen über Radio Lhasa, daß die Bewohner von Amdo ihren Haß auf die «reaktionären» Besucher nicht verbergen konnten und diese mit Dreck und Steinen attackiert hätten! Gleichzeitig richteten die Behörden in Amdo eine Warnung an Lhasa, womit man dort zu rechnen habe. Lhasa antwortete von oben herab, daß man «dank des hohen Standards der politischen Schulung in der Hauptstadt» keinerlei Schwierigkeiten erwarte.

Als die Gesellschaft sich Lhasa näherte, wurden die Einwohner angewiesen, die Stadt aufzuräumen, ihre besten Kleider anzuziehen und nur zu reden, wenn sie angesprochen wurden. Sie sollten glückliche Gesichter machen und auf Fragen nachdrücklich bekunden, wieviel besser es sich im neuen Tibet lebe im Vergleich zum alten. Die Frauen, seit Jahren ihres Schmucks beraubt, bekamen rosenrote und blaue Bänder, um sie sich ins Haar zu flechten.

Am 29. September traf die Delegation in Lhasa ein und wurde von einer riesigen Menschenmenge fast ungestüm empfangen. Aufnahmen von diesem ersten Morgen zeigen Straßen, auf denen sich trotz einer ausdrücklichen Warnung, in den Häusern zu bleiben, erwartungsvolle Menschen drängen. Zwar hielten sich viele tatsächlich an das Ausgehverbot, dennoch stürmten 17 000 Tibeter (manche mit Kleidungsstücken über dem Kopf, um nicht erkannt zu werden) den Jokhang-Tempel, in den die Delegierten sich zur Andacht begeben hatten. Das chinesische Sicherheitspersonal wurde überrannt, und die Tempeltore gingen bei dem Massenansturm zu Bruch. Diese chaotische Szene wiederholte sich Tag für Tag, Männer und Frauen schrien «Lang lebe Seine Heiligkeit!», warfen weiße Tücher in die Luft, kämpften darum, mit den Delegierten zu sprechen oder sie zu berühren. In all dieser Euphorie konnte ein tragischer Akzent nicht ausbleiben. Am 1. Oktober vergaß sich Tsering Lhamo, die 56jährige Frau eines Gärtners und Mutter von sieben Kindern, so weit, daß sie laut rief: «Tibet ist unabhängig!» Sie wurde festgenommen, sofort einem Thamzing in ihrer Nachbarschaft unterzogen, geschlagen, ins Gefängnis geworfen und gefoltert. Als die Delegation das erfuhr, drohte sie mit ihrer sofortigen Abreise, falls die Frau nicht freigelassen würde. In ihrer Nervosität taten das die Behörden – zumindest ließ man sie frei, bis die Besucher abgefahren waren. (Danach wurde sie neuerlich verhaftet und einer drastischen Elektroschockbehandlung unterzogen, die sie zum Wrack machte. Ihrem Sohn, der mit ihr inhaftiert war unter der Beschuldigung, ein Plakat angeschlagen zu haben, wurde der Kiefer gebrochen und deformiert, wie der Bericht 1983 von Amnesty International bezeugt.)

Von da ab gingen die Chinesen kein Risiko mehr ein. In Shigatse, Sakya, Gyantse wurden sämtliche Einwohner bei Tagesausbruch auf die Felder geschickt, so daß sie bei Ankunft der Besucher außer Reichweite waren.

Im Dezember waren die Delegierten wieder in Dharamsala, «mit Hunderten von Filmrollen, stundenlangen Gesprächen auf Tonband und genügend Informationen, um monatelang damit beschäftigt zu sein, all die Daten zu ordnen, auszuwerten und zusammenzufassen»[17]. Außerdem brachten sie mehr als 7000 Briefe von Tibetern mit, die nach über zwanzig Jahren die Gelegenheit benutzt hatten, an ihre Angehörigen im Exil zu schreiben. Einer dieser Briefe war für Püntsog Wangyel bestimmt, als Antwort auf einen, den er ein paar Monate zuvor abgeschickt hatte:

«Als ich von der Möglichkeit erfuhr, Briefe zu schicken, traute ich meinen Ohren kaum. Ich schrieb einen Brief, wußte aber nicht einmal, an wen ich ihn schicken sollte. Ich beschloß, ihn an meine ganze Familie zu adressieren: meine Mutter, zwei Tanten, einen Onkel und etliche Cousins. Ich bekam eine Antwort von einem meiner Cousins, der mir mitteilte, daß fast alle anderen tot seien. Von der Generation meiner Eltern war keiner mehr da, und von den Kindern meiner Tante lebten nur noch eins oder zwei. Natürlich wagte mein Cousin nicht, mir zu erzählen, wie sie alle gestorben waren.»[18]

Die fast vollständige Zerstörung ihrer Kultur hatte bei den Delegierten Empörung und Abscheu hervorgerufen. Tibetische Tanzgruppen traten für sie auf – in chinesischen Kostümen und mit chinesischem Make-up. Auch die alten Volksweisen gab es nicht mehr, die einzigen erlaubten Lieder waren Lobeshymnen auf Mao, nach chinesischen Melodien.

«Zudem wurden die Delegierten mit zahllosen Schilderungen von jahrelangen Hungersnöten, öffentlichen Hinrichtungen sowie groben und widerlichen Verletzungen der Menschenrechte konfrontiert. Am häufigsten beklagt wurde die Trennung der Kinder von ihren Eltern, um sie entweder in China zu ‹erziehen› oder für die Zwangsarbeit zu verwenden, die Inhaftierung unschuldiger Menschen und der Tod von Tausenden von Mönchen und Nonnen in Konzentrationslagern. Es war eine schreckenerregende Aufzählung, belegt durch Dutzende von Fotos von Klöstern, von denen nur noch Ruinen übrig waren. Oder sie wurden als Getreidelager, Fabriken und Schweineställe verwendet.»[19]

Für all dies wurde die Viererbande verantwortlich gemacht. «Wann immer wir eine Klosterruine sahen, sagten sie: ‹Oh, das haben nicht wir getan, es war die furchtbare Viererbande. Wir sind ständig dabei, die Dinge zu verbessern. Kommen Sie in vier bis fünf Jahren wieder und machen sich ein Bild von dem Unterschied gegenüber jetzt›», lautete der Kommentar von Püntsog Tashi Takla.[20] Doch für die Delegierten war offensichtlich, daß die Verbesserungen nicht den Tibetern zugute kamen. In vielen Fällen hatte man um eine alte tibetische Stadt einfach eine chinesische «Neustadt» herumgebaut, und der tibetische Teil lag da «wie ein offenes Grab», wie Lobsang Samten bemerkte:

«Die Gebäude waren völlig verfallen, die Straßen verschlammt und unpassierbar. Die Menschen wohnten in dunklen, verrotteten Räumen, fast ganz ohne Möbel oder Hausrat, kein fließendes Wasser und nur gelegentlich Strom. Das chinesische

Viertel wiederum bestand aus Neubauten, wenn auch nicht sonderlich gepflegt, doch die Bewohner waren weit besser genährt und gekleidet als die Tibeter.»[21]

In den neuen Herstellungsbetrieben – für Zement, Leder, Wollstoffe, Textilien, Molkereiprodukte – hatten die Chinesen sämtliche Spitzenstellungen inne, während die schlecht bezahlten, schweren, schmutzigen Jobs den Tibetern vorbehalten blieben. Die Erzeugnisse trugen die Etikettierung «Made in China» und waren für China bestimmt oder zum Verkauf in Nepal oder Hongkong. Es gab Elektrizität, doch nur für die chinesischen Stadtviertel; Straßen, aber nur für das Militär; die Kraftfahrzeuge, meistens schwere Lastwagen, gehörten der chinesischen Regierung; die Konsumgüter waren für Tibeter unerschwinglich.

Was das Gesundheitswesen betrifft, so hatten zahlreiche Tibeter Rücken- und Nierenleiden, eine Folge der überlangen Arbeitszeiten auf den Feldern, bei jeder Witterung und in unzureichender Kleidung. Sie litten an Unterernährung, Herz- und Lungenbeschwerden, vor Ankunft der Chinesen unbekannt, sowie an Nervenkrankheiten, bedingt durch die ständig präsente Furcht vor Spitzeln und dem «Klopfen an der Tür»[22]. Dennoch gab es, wie schon erwähnt, kaum ausgebildete Ärzte, und die tibetische Landbevölkerung mußte sich auf die schlecht ausgerüsteten «Barfußärzte» verlassen, deren Unfähigkeit lebensbedrohlich war. Man hatte Krankenhäuser gebaut, aber dort wurden chinesische Siedler begünstigt. Das Erziehungswesen orientierte sich ausschließlich an chinesischen Interessen. Die Unterrichtssprache war Chinesisch, Tibetisch wurde kaum gelehrt; die meisten Schulbücher waren auf Chinesisch abgefaßt, und die überwiegende Mehrzahl der Lehrer beherrschte nicht mehr als die Anfangskenntnisse des Tibetischen.

Eine neue intensive Bodenbewirtschaftung hatte zwar eine oder zwei Rekordernten gebracht, doch die Zwangseinführung des Kommunesystems, unzumutbare Steuerlasten und viele Arbeitsstunden mit leerem Magen trugen zu den jahrelangen Hungersnöten bei. Überdies lehnten die Chinesen es ab, Land brachliegen zu lassen, um im Fruchtwechsel anzubauen, und beharrten nach wie vor darauf, Reis und Weizen anstelle von

Hochlandgerste zu pflanzen; beides hatte zu einer raschen Erosion der empfindlichen Ackerkrume geführt und weite Landstriche in Wüsten verwandelt. Allerdings wurde nichts davon jemals zugegeben. Tsering Wangtschuk, der tibetische Kader, der es zum Reporter bei Radio Lhasa gebracht hatte, sagte, daß «Mißernten nur dann Nachrichtenwert besaßen, wenn sie mit Naturkatastrophen in Verbindung zu bringen waren. Durch die Parteipolitik verursachte Mißernten jedoch waren tabu – über die durften wir nie berichten. Wenn die Partei unrecht hatte, so mußte man dies verheimlichen. Unsere Aufgabe war es zu beweisen, daß die Partei immer recht hat.»[23]

Die eindeutig negative Reaktion der Delegierten auf das, was sie in Tibet zu sehen bekommen hatten, schockierte und verärgerte die Regierung in Peking. Sie machte klar, daß sie öffentliche Kritik von Außenstehenden nicht hinnehmen werde. Da der Dalai Lama ein weiteres Blutbad unter seinem leidgeprüften Volk unter allen Umständen vermeiden wollte, beschloß er, die Ergebnisse nicht zu veröffentlichen. Es war jedoch für Mai 1980 eine zweite Delegation geplant, gefolgt von einer dritten im Monat darauf und später vielleicht noch eine vierte und fünfte.

Die zweite Untersuchungskommission wurde von Tendsin Tethong geleitet, einem Gründungsmitglied des Jugendkongresses, jetzt Chef des New Yorker Tibet-Büros. Ihr gehörten ferner an Püntsog Wangyel, Vorstand der kleinen tibetischen Gemeinde in Großbritannien, sowie der Präsident des Jugendkongresses und die Vertreter des Dalai Lama in Japan und der Schweiz. Alle fünf waren Anfang Dreißig. «Ich wollte feststellen», sagte der Dalai Lama, «welchen Eindruck die Situation in Tibet auf Menschen machte, die noch unvoreingenommen waren.»[24]

Diesmal rüsteten die Chinesen die Polizei in Lhasa und anderen größeren Städten mit Schußwaffen, Ketten und elektrischen Schlagstöcken aus. Das seit 1959 geltende Alkoholverbot wurde aufgehoben, vermutlich als Anreiz für die Tibeter, sich während des Besuchs zu betrinken. Höfliches, zuvorkommendes Verhalten wurde diesmal nicht empfohlen. Es galten streng spezifizierte Vorschriften: Jeder Versuch, Kontakt aufzunehmen, wurde bestraft wie im Fall von Tsering Lhamo.

«Wenn sie der Delegation zufällig begegneten», berichtet er Avedon, «durften die Leute nicht lächeln, weinen, Hände schütteln, nicht aufstehen, falls sie saßen, nicht den Hut ziehen, weiße Tücher verschenken oder sie zu sich einladen. Die Logtschopas (Ketzer, Reaktionäre) würden ‹Unabhängigkeits-Abzeichen› verteilen, hieß es, kleine Medaillen mit der tibetischen Flagge. Die sollten sie zu Boden werfen und darauf herumtrampeln. Es wurden Broschüren verteilt, in denen die zuverlässigen Antworten auf eventuelle Fragen der Besucher formuliert waren, während Parteikader in einem Schnellkurs über tibetische Geschichte belehrt wurden, daß Tibet seit jeher ein Bestandteil von China war.»[25]

Die Tibeter ließen sich nicht einschüchtern. Trotz der Drohungen lief alles genauso ab wie beim ersten Mal. Die Delegierten wurden auf der Fahrt durch Amdo und Kham von Menschentrauben umlagert. Die Leute trugen ausrangierte chinesische Uniformen, warfen sich auf die Straße, um die Toyotas zu stoppen, oder beugten sich ehrfürchtig über Erdklumpen, auf denen die Reifen der Kleinbusse Abdrücke hinterlassen hatten. Tausende baten um die «Unabhängigkeits-Abzeichen», vor denen die Chinesen sie gewarnt hatten, die allerdings zu ihrer Enttäuschung gar nicht existierten. Zehn- und Zwölfjährige überreichten Blumen mit den Worten: «Möge die Sonne von Buddhas Lehre wieder aufgehen.» Mütter hielten den Besuchern ihre Babys hin und baten, ihnen seit langem verbotene tibetische Namen zu geben, denn die jetzigen beinhalteten lediglich das Gewicht bei der Geburt oder das Alter des Vaters. «Wenn man diese Dinge sieht und hört, zerreißt es einem das Herz», sagte Tendsin Tethong. «Es hinterläßt einen sehr tiefen Eindruck.»[26]

Die Besucher stellten ebenso wie ihre Vorgänger in der ersten Gruppe fest, daß weite Landstriche versandet waren und daher nicht mehr ausreichend Futter für die einheimischen Wildtiere liefern konnten. Wo es früher Bären, Adler, Gänse und Enten, Kraniche, wilde Jaks, Hirsche und Gazellen gegeben hatte, war jetzt – von ein paar vereinzelten Reservaten in Amdo abgesehen – die Tierwelt restlos verschwunden. Auf ihren sämtlichen Reisen bekamen sie nur ein Kaninchen und ein paar Murmeltiere zu Gesicht. (Dschetsün Pema Gyelpo, die einen Monat später mit der dritten Gruppe reiste, war ebenfalls entsetzt über die Veränderung. Sie konnte sich noch an die Scharen von Hirschen, Rehen und Wildeseln erinnern, die den Karawanen stundenlang folgten; auf den langen Strecken, die sie zurücklegten, traf man viel eher auf Gazellen, Rehe und Antilopen als auf Menschen. Doch jetzt war weit und breit nichts zu sehen, nicht einmal die berühmten weißen Kraniche von Tibet, obwohl es die richtige Jahreszeit für sie war.) Daß es verboten sei, Tiere zu töten, war zwar auf Hinweisschildern zu lesen, aber die Einheimischen erklärten, das habe die Chinesen nicht daran gehindert, sie massenweise abzuknallen. Wie Püntsog Wangyel erfuhr, «bestand eine besonders beliebte Methode darin, auf einem Motorrad mit Beiwagen in ein Rudel Rehe hineinzufahren, die Tiere mit einem Maschinengewehr niederzumähen und dann die Kadaver in einem Jeep einzusammeln»[27].

Alle Straßenschilder waren chinesisch, die meisten Orte hatten chinesische Namen, und von den tibetischen Gebieten gab es keine Karten. Die Umbenennungen hatte man während der Kulturrevolution vorgenommen, und jetzt konnten nur noch wenige Tibeter die alten Stätten richtig lokalisieren. Die charakteristischen Inschriften und Bilder, einst Wahrzeichen des Glaubens an Berghängen und Felswänden, waren überall ersetzt durch *Die Worte des Vorsitzenden Mao*.

Als die Kommission im Juni nach Kham gelangte, stellte sie fest, daß die Landschaft nicht wiederzuerkennen war: ringsherum kahle Berghänge, die früher reich bewaldet waren. Den Ostteil von Kham hatte man rigoros abgeholzt, täglich brachten Hunderte von Lastern Holz nach China. (Es heißt, die Chinesen hätten in dreißig Jahren vierundzwanzig Stunden am Tag Bäume gefällt und keine neuen gepflanzt.*)

Hier in Kham erfuhr Püntsog Wangyel endlich etwas über das Schicksal seiner Familie. Es war eine herzzerreißende Geschichte: «Meine Mutter war bereits 1959 umgebracht worden,

---

* Laut Schätzung des Informationsbüros in Dharamsala hat China seit 1959 mit dem Verkauf von tibetischem Holz einen Erlös von 33 Milliarden Dollar erzielt.

bald nach unserem Weggang. Sie wurde zusammen mit verschiedenen anderen Dorfbewohnern verhaftet. Alle wurden gefoltert, um herauszubekommen, wer unsere Flucht organisiert hatte, und natürlich auch, wo sie ihre ‹Schätze› versteckt hatten. Aber es gab bei keinem noch irgendwelche Wertgegenstände. Dennoch schlugen und folterten die Chinesen sie einfach weiter. Ich traf eine Frau, die mit meiner Mutter die Zelle geteilt hatte, im ersten Stock eines Hauses, das früher einem reichen Grundbesitzer gehört hatte. Allen Gefangenen hatte man die Arme auf dem Rücken gefesselt; folglich konnte keiner die Hände benutzen. Sie mußten ihr Essen auflecken wie die Hunde. Es war sowieso kein richtiges Essen, nur eine dünne Brühe. Inzwischen hatten sie meiner Mutter alle Haare ausgerissen. Sie sah aus wie der leibhaftige Tod, war aber noch am Leben.

Meine Mutter versuchte, Selbstmord zu begehen, für eine gläubige Buddhistin ein schreckliches Vorhaben. Es war schwierig, weil sie alle gefesselt waren und keine Gürtel oder dergleichen hatten. In dem Raum gab es nur eine einzige Lüftungsklappe. Meine Mutter kletterte da hinauf und sprang nach unten. Aber sie war nicht tot. Wir bezeichnen das als Karma: Was einem zu leiden bestimmt ist, kann nichts aufhalten. Sie brachten sie in die Zelle zurück und ließen sie einfach dort liegen, bis sie starb. Dann warfen sie ihre Leiche in den Fluß. Ich traf jemand, der ihren Leichnam im Fluß steckenbleiben gesehen hatte. Er holte ihn heraus, schnitt ihn in Stücke und verstreute diese für die Vögel, wie wir es in Tibet immer gemacht haben.»[28]

Püntsog Wangyel beendete seinen atembeklemmenden Bericht mit der Feststellung: «Ich konnte nicht weinen. Jeder bekam Geschichten dieser Art zu hören. Unsere war da gar nichts Besonderes. Ich empfand nicht einmal Zorn oder Wut. Es waren nicht die Chinesen, die diese Dinge getan hatten; die Ausführung hatten sie vielmehr Tibetern überlassen. Die mußten den Befehlen gehorchen. Wenn sie sich weigerten, wurden sie getötet.»[29]

In dreieinhalb Monaten sah die Gruppe Tempel und Klöster nur noch an drei Orten: Gyantse, Shigatse und Lhasa. Kein Wunder, daß Wangyels ehemaliges Kloster nicht mehr existierte: «Es hatte 3000 Mönche beherbergt, aber es war keine Spur mehr davon zu entdecken. Kaum zu glauben, daß es dort gestanden hatte. Nicht einmal von der Grundmauer war ein Stein geblieben. Man hatte die Dorfbewohner gezwungen, es Stein um Stein abzutragen, alles auszurotten. Manche der heiligen Steine waren zum Bau von Toiletten verwendet worden, andere als Straßenpflaster, über das die Dorfbewohner gehen mußten. Die Mönche wurden weggebracht, meistens in Arbeitslager, wo man ihnen ein Minimum an Essen und ein Maximum an Arbeit zuteilte, bis sie starben.»

Wangyels Haus war seit langem niedergebrannt, aber sein Dorf existierte noch, wie die meisten anderen ohne Strom- und Wasserversorgung. Er fragte seine Gastgeber nach dem Grund. «Wir konnten so viele Fragen stellen, wie wir wollten, weil wir ja eine offizielle Delegation waren. Die Chinesen erzählten uns ständig das gleiche: daß sie alles verbessert hätten. Nun ja, sie haben eine ordentliche, feste Brücke über den Fluß gebaut, für ihre Panzer. Aber die von der Bevölkerung ständig benutzte Brücke schien dringend reparaturbedürftig. Es war überall dasselbe: Für Tibeter wurde nichts getan. Es gab moderne Krankenhäuser mit moderner Ausstattung und guter Chirurgie. Aber wenn es darum ging, wer aufgenommen werden durfte, hatten die Tibeter stets das Nachsehen. Die Dörfer waren durchweg schlechter dran als vorher. Früher hatten sie wenigstens ihre Heilkräuter. Aber all das hatte man in der Kulturrevolution weggefegt.»

Auf dem Weg nach Lhasa begegneten die Delegierten zahlreichen vagabundierenden Kindern, die von zu Hause weggelaufen waren, weil ihre Eltern sie einfach nicht mehr ernähren konnten. Sie hörten, daß die Kinder notgedrungen die Abfälle aus den Schweineställen der chinesischen Soldaten stehlen mußten.[30]

Als sie Ende Juli in der Hauptstadt ankamen, wurden sie mit der gleichen Mischung aus Seelennot und Freudentaumel empfangen wie ihre Vorgänger. Eine riesige Menschenmenge erwartete sie vor den Toren vom Gästehaus Nummer eins, wo sie untergebracht waren. «Ich glaube, die Leute hatten seit Wochen nur unseren bevorstehenden Besuch im Kopf», meinte Tendsin Tethong. «Die Chinesen reagierten verblüfft, die Tibeter fasziniert auf die Tatsache, daß der Dalai Lama so junge Menschen mit dieser Mission betraut hatte. Für die Tibeter war es eine überraschende Entdeckung, daß wir gebildet waren und mit den Chinesen ohne Furcht redeten.»[31]

Tags darauf herrschte in den Straßen zum Jokhang-Tempel dichtes Gedränge. Die Gruppe brauchte eine Stunde oder mehr, um durchzukommen. «Nach einem Rundgang durch den Tempel und seine Heiligtümer stiegen wir auf das Dach und blickten hinunter in einen Hof voller Menschen. Wir mußten zu ihnen sprechen, ihnen erzählen, wer wir waren und wer uns geschickt hatte und aus welchem Grund», kommentiert Tethong. «Wir erklärten ihnen, daß wir die Ergebnisse unserer Untersuchungen nicht nur in Dharamsala, sondern weltweit bekanntgeben würden. Wir sagten, daß wir statt des versprochenen Fortschritts nur Zerstörung und Mangel vorgefunden hätten. Wir versicherten, daß die Sorge der Exilgemeinde nicht nur dem eigenen Überleben galt, sondern auch der Bewahrung tibetischer Kultur und Tradition. Wir ermutigten sie, an ihrer Religion und Kultur festzuhalten, damit sich die Hoffnungen Seiner Heiligkeit eines Tages verwirklichen könnten.»

Es war überall das gleiche, wohin sie auch kamen. An jenem Abend strömten so viele zum Gästehaus, daß die Chinesen eine Wache an der Tür postierten, um sie zurückzudrängen. Die Leute ließen sich aber durch nichts abschrecken, drängten noch vor Tagesanbruch wieder herein, «riefen unsere Namen, verlangten, einen von uns zu sehen, egal wen. Sie wollten weiter nichts als uns von ihren Nöten berichten. Sie erzählten uns von Schmerz, Tod, Folter, Hungersnot, Diskriminierung. Sie waren außer sich vor Kummer.»[23]

Am nächsten Tag gab es überschäumende Emotionen, als die Delegation aufbrach, um die Überreste des herrlichen Klosters Ganden zu besichtigen – wörtlich übersetzt «Freudvolles Paradies» –, auf einer hohen Bergkette, etwa 60 Kilometer südöstlich von Lhasa gelegen. 7000 Menschen warteten dort bereits; 84 Lastwagen mit tibetischen Chauffeuren hatten sie hingefahren. «Seht euch an, was die Chinesen mit unserem Ganden gemacht haben», riefen sie immer wieder. Und tatsächlich traf der Anblick die Delegierten völlig unvorbereitet: Sie schauten nach oben und stellten fest, daß das riesige Kloster einfach vom Erdboden verschwunden war.

In den Ruinen, vor behelfsmäßigen Altären und Bildern, die jahrelang irgendwo versteckt gelagert hatten, wurde eine Andacht abgehalten. Die Delegierten sprachen bewegt zu den Anwesenden, und Tausenden von Tibetern entrang sich der lange verbotene Schrei nach Freiheit. In der Stadt kursierte das Gerücht, am nächsten Tag würde die tibetische Fahne gehißt. Da zudem noch eine Gruppe westlicher Journalisten in der Stadt weilte, war die Nervosität der Behörden durchaus verständlich.

Als der Kleinbus der Delegation tags darauf in der Stadt eintraf, geriet die Menge außer Rand und Band. Die Journalisten erschienen eilends auf der Bildfläche und konnten die Worte von Püntsog Wangyel gerade noch mitbekommen: «Mögen die Hoffnungen und Wünsche des Dalai Lama in Erfüllung gehen», sagte er. Sofort sprang ein junger Mann auf und rief: «Lang lebe Seine Heiligkeit, der Dalai Lama!», und die Menge griff den Ruf mit Begeisterung und Inbrunst auf. Die Journalisten versuchten, mit den Demonstranten zu sprechen, wurden jedoch von der Polizei daran gehindert.

Das war zuviel für die Chinesen. Die bereits gefährlich außer Kontrolle geratene Situation drohte jede Minute schlimmer zu werden. Obwohl sie damit riskierten, bei künftigen Verhandlungen mit dem Dalai Lama Probleme zu bekommen, sperrten die Behörden die Delegierten zunächst in ihren Zimmern ein und wiesen sie dann aus. Der Form halber wurde das einem Tibeter überlassen. «Durch Ihre Handlungen», tadelte Sonam Norbu, einer der tibetischen Vizepräsidenten der Autonomen Region Tibet, «haben Sie das tibetische Volk bewußt aufgestachelt, mit dem Mutterland zu brechen und die Bande zu seinen älteren Brüdern, den Han-Chinesen, zu zerschneiden. Das wird nicht geduldet.» Den Tibetern wurde eine unzweideutige Drohung übermittelt. «Vergeßt nicht», lautete die Warnung, «die Abgesandten des Dalai Lama sind wie die weißen Kraniche, sie kommen und gehen. Aber ihr seid wie die Frösche im Brunnen und müßt bleiben.»[33]

«Mit solchen Menschen kann man nicht vernünftig reden», seufzt Tendsin Tethong, «sie wissen genau, was sie wollen und sind fest entschlossen, es auch zu bekommen. Sie hatten das ganze Gästehaus mit Polizei umstellt und ließen niemand in unsere Nähe. Am selben Tag brachten sie uns zum Flugplatz von Lhasa und flogen uns nach Chengdu.»

Die dritte Delegation war bereits über einen Monat unterwegs und hatte vom Dalai Lama die Einwilligung erhalten, ihre Mission fortzusetzen. Sie sollte das Erziehungswesen untersuchen und wurde von Dschetsün Pema Gyelpo geführt, der Schwester des Dalai Lama und Leiterin des tibetischen Kinderdorfes in Dharamsala. Der offizielle Empfang, der ihr zuteil wurde, war von Anfang an lauwarm. Zwischen den Chinesen und ihren Gästen schwelte Animosität, die zeitweilig offen auszubrechen drohte. Dschetsün Pema Gyelpo brachte ihre Eindrücke später zu Papier und kommentierte: «Wo wir auch hinkamen, versuchten sie, uns mit falschen Fakten und Zahlen zu täuschen, und sie setzten außerdem alles daran, jeden direkten Kontakt mit unseren Landsleuten zu verhindern.»[34]

In den ländlichen Gebieten sahen sie zahlreiche schulpflichtige Kinder auf den Feldern arbeiten und schlossen daraus, daß sie keine Schulen vorfinden würden. Die Vermutung erwies sich als zutreffend, obzwar es sie Mühe kostete, ihren Gastgebern eine Bestätigung zu entlocken. In vielen Orten erklärte man ihnen, die Schulen seien «den Sommer über geschlossen», ein merkwürdiges Zugeständnis in einem Land, das während der eisigen Kälte im Winter fast lahmgelegt wurde und die verlorene Zeit bei wärmerer Witterung wieder aufholen mußte. Anderswo führte man den Delegierten eine angebliche Schule für Nomaden vor – Vorspiegelung falscher Tatsachen. Eine andere Schule war um zehn Uhr morgens «über Mittag geschlossen», dabei stapelten sich in sämtlichen Klassenzimmern Bretter.[35]

Trotz aller Störmanöver schaffte es die Gruppe, in 105 Tagen 70 Grund-, Mittel- und Oberschulen zu besichtigen und stellte fest, daß der Bildungsstandard erschreckend niedrig war. Unter den Tibetern gab es 70 Prozent Analphabeten. «Was kann man erwarten, wenn viele Lehrer nicht mehr als zwei Jahre Grundschule absolviert haben?» fragte Dschetsün Pema. Fast 70 Prozent der Lehrer waren Chinesen. Der Tibetischunterricht gehörte mehr oder minder der Vergangenheit an, und nur wenige

Kinder beherrschten es korrekt. In Kham wurde etwas Tibetisch gelehrt, während es in der Autonomen Region Tibet ausschließlich auf Grundschulen beschränkt war und nur zur Vermittlung der marxistisch-leninistisch-maoistischen Ideologie diente.

Im Oktober kehrte auch diese Gruppe mit ihrem Bericht nach Dharamsala zurück. «Ihre Untersuchungen ergaben», schrieb der Dalai Lama, «daß es zwar eine leichte Verbesserung im allgemeinen Bildungsniveau in Tibet während der letzten zwanzig Jahre gegeben hatte, daß dies aber nicht unbedingt von Vorteil war, da für die Chinesen der eigentliche Sinn des Lesens darin lag, den Kindern das Studium der Gedanken des Vorsitzenden Mao zu ermöglichen, und der Sinn des Schreibens, daß sie nun imstande waren, ‹Geständnisse› zu verfassen.»[36]

Die Erfahrung des 13jährigen Lobsang Dschimpa in jener Zeit bekräftigt diese Einschätzung. «Ohne Chinesisch zu können, kam man nicht über die Grundschule hinaus», erklärte er. Bei einer Prüfung in Chinesisch malte der Junge eine dicke Null auf die Seite und dahinter: ICH MÖCHTE TIBETISCH LERNEN. Erbost über diese «offene Rebellion, beriefen die Chinesen eine Versammlung der ganzen Schule ein, um mir Thamzing zu verabfolgen. Ich wurde der Aufwiegelung beschuldigt, die Lehrer schlugen mich einer nach dem anderen, und die Schüler hatten alle laut zu rufen: ‹Schäm dich, pfui, pfui, pfui!› Dann wurde ich hinausgeworfen.»

Die drei Delegationen listeten gemeinsam das Vermächtnis auf, das China ihrem Land in 30 Jahren hinterlassen hatte:

- 1,2 Millionen Tibeter, ein Fünftel der Bevölkerung, sind getötet worden oder Hungers gestorben.
- 6254 Klöster sind zerstört, ihre Wertgegenstände entweder eingeschmolzen oder gegen Devisen verkauft worden.
- 60 Prozent von Tibets literarischem Erbe wurde verbrannt.
- Zwei Drittel des Landes hat sich China selbst einverleibt, nur noch die zentrale und ein Teil der östlichen Region tragen den Namen Tibet.
- Amdo (Qinghai) ist zum größten Arbeitslager der Welt ge-

worden, das schätzungsweise 10 Millionen Gefangene aufnehmen kann.
- Jeder zehnte Tibeter war im Gefängnis; 100 000 waren in Arbeitslagern.
- Ganze Bergketten wurden abgeholzt und Tibets einzigartige Flora und Fauna zerstört.[37]

Eine zweitausendjährige Zivilisation war von Vernichtung bedroht, folgerten sie, um Chinas unveränderte Ziele zu fördern: die Region in eine Militärbastion zu verwandeln, die Zentralasien beherrscht; die unermeßlichen Bodenschätze und die Naturreichtümer des Landes auszubeuten und das tibetische Volk nach ihrem Bild umzuformen.[38] Tibet war jetzt Chinas größte Abschußrampe für Interkontinentalraketen. Zwei Jahre danach zitierte ein Bericht von Reuter in *The Times of India* (25. 8. 1982) den Vorsitzenden der Kommunistischen Partei Tibets, Yin Fatang, mit der Feststellung, die größten Uranvorkommen der Welt befänden sich in den Bergen Tibets, außerdem ungeahnte Mengen an Borax und Eisenerz. «Der tatsächliche Wert wird sich zwar erst in Jahren erweisen, doch stellt der verborgene Reichtum dieser gewaltigen Landmasse jedenfalls einen enormen Aktivposten für Chinas Zukunft dar.»

Wandte man sich von solchen langfristigen Prognosen der Gegenwart zu, so hatte es den Anschein, als könnte der tibetische Wunsch nach Veränderung auf Resonanz stoßen. Am 22. Mai 1980, während sich die zweite und die dritte Delegation noch auf tibetischem Boden befanden, traf Hu Yaobang, der designierte Nachfolger von Deng Xiaoping, in Lhasa ein, um sich selber ein Bild zu verschaffen. Die örtlichen Funktionäre taten ihr Bestes, ihn mit Fehlinformationen abzuspeisen und auf das altbewährte Muster der Potemkinschen Dörfer zurückzugreifen. Wangtschen kannte beispielsweise eine alte Frau, der man «ihr Haus renoviert und mit Lebensmitteln und Möbeln ausgestattet hatte. Man veranlaßte Hu zu einem Besuch bei ihr, und er zeigte sich von dem unerwartet hohen Lebensstandard tief beeindruckt. Woher sollte er auch wissen, daß unmittelbar nach seinem Weggang Funktionäre erscheinen und alles wieder abholen würden?»

Dieser alte Trick wurde immer wieder praktiziert, bis der hohe Gast aus Peking schließlich das Theater durchschaute. Er brachte sein Entsetzen über die tatsächlich herrschende Armut öffentlich zum Ausdruck, womit er den Fehlschlag der chinesischen Wirtschaftspolitik in Tibet zugab. Er versuchte erst gar nicht, seinen Zorn zu verbergen, als er laut die Frage stellte, ob man die 7500 Millionen Yuan, die Peking für die Entwicklung Tibets geschickt hatte, in den Yarlung Tsangpo geworfen habe. Er ging sogar noch weiter. Die in Hongkong erscheinende Zeitschrift *Emancipation Review* schreibt in ihrer Ausgabe vom Dezember 1980: «Hu Yaobang sagte etwas, das niemand in China jemals zu äußern gewagt hatte: ‹Das ist reiner Kolonialismus.›» Empört darüber, wie die extreme Linke die Tibeter in ihrem eigenen Land zu Bürgern zweiter Klasse degradiert hatte, warf er die Parteiführer hinaus, ersetzte sie durch pragmatischere und gemäßigtere Funktionäre und legte einen Sechs-Punkte-Plan vor, mit dessen Hilfe der Lebensstandard, die sozialen Verhältnisse und die freiheitlichen Grundrechte der Tibeter verbessert werden sollten. Binnen drei Jahren sollten 85 Prozent der chinesischen Kader in Tibet abgezogen und durch Tibeter ersetzt werden.* Die Steuerabgaben sollten auf wenigstens zwei Jahre wegfallen; Privatbetriebe wurden in gewissem Umfang zugelassen; und die Bauern durften wieder die einheimische Gerste anbauen. Es sollten Anstrengungen unternommen werden, die tibetische Kultur, Erziehung und Wissenschaft zu reaktivieren und weiterzuentwickeln. Hu Yaobang versprach, die tibetische Wirtschaft innerhalb von drei Jahren wieder auf den Stand zu bringen, den sie vor 1959 hatte.

Es war fast zu schön, um wahr zu sein. Es konnte sich nur mit der Zeit herausstellen, ob es sich hier tatsächlich um einen Neuanfang, um einen geschickten Beschönigungsvergleich oder bloß um den neuesten raffinierten politischen Schachzug der Chinesen handelte.

---

* Zu der Zeit befanden sich in der Autonomen Region Tibet 120 000 chinesische Zivilisten.

Von der Liberalisierung
zur Apartheid
(1980–83)

> Die chinesische Regierung gesteht jetzt das Schei-
> tern ihrer Minderheitenpolitik ein und hat sich ver-
> pflichtet, Korrekturen vorzunehmen. Das muß
> nach den Ergebnissen beurteilt werden.
>
> Chris Mullin, 1981

Waren die schlechten Zeiten tatsächlich vorbei? Sollte wahrhaf-
tig ein neuer Anfang gemacht werden? Die zweite Delegation
traf auf weitverbreitete Zweifel – selbst unter Funktionären der
Kommunistischen Partei. Niemand wagte den Eindruck zu erwecken, als wolle er die Reformen begeistert in die Praxis
umsetzen, aus Angst vor Denunziation, falls sich der Kurs
abermals änderte, berichtete Püntsog Wangyel.[1] Man hielt es für
besser, den Kopf einzuziehen und gar nichts zu tun.

In den Städten tauchten Schilder und Straßennamen in beiden
Sprachen – Chinesisch und Tibetisch – auf. Zehntausend Han-
Kader wurden nach Hause geschickt, ihre Posten von Tibetern
übernommen. Da aber mehr Soldaten der Volksbefreiungsarmee als Ersatz für die abziehenden Kader kamen, sahen die
Tibeter keinen Unterschied. «Die blauen Chinesen gehen, dafür
kommen die gelben», bemerkten sie achselzuckend. Von Redu-
zierung der Militärpräsenz konnte keine Rede sein. «Natürlich
ist Tibet nicht chinesisch», gab ein chinesischer Kader dem
Journalisten Jonathan Mirsky gegenüber zu, «aber es ist strate-
gisch wichtig. Wir dürfen die Russen und Inder nicht hereinlas-
sen – und keine US-Raketenbasen.»[2]

Doch einige repressive Maßnahmen wurden wirklich aufgehoben, was das Alltagsleben etwas leichter machte. Die verhaß-
ten täglichen politischen Versammlungen wurden auf zwei Stun-

den wöchentlich reduziert, an denen jeweils nur ein Familienmitglied teilnehmen mußte. Zum ersten Mal nach zwanzig Jahren konnten die Menschen sich aus ihrem Dorf entfernen, wobei allerdings für Reisen von mehr als – umgerechnet – 16,5 Kilometer nach wie vor eine Genehmigung erforderlich war. Bauern durften ihre geliebte Gerste anbauen und sich Darlehen beschaffen zum Ankauf von landwirtschaftlichen Maschinen.

«Nach dem Besuch von Hu Yaobang wurde es sicher besser», bestätigte Pema Saldon, freilich mit einem gewissen Unterton. «Die Tibeter erlangten ein Stückchen Identität zurück. Wir durften die Tschuba wieder tragen, tibetische Lieder singen. Tibetisch war jetzt wieder Unterrichtsfach, wenn auch nur drei Stunden in der Woche. Andererseits durften Tibeter kein Englisch lernen, obwohl es immer wichtiger wurde. Wenn man später Naturwissenschaft und Technologie studieren wollte, war Englisch unerläßlich. Bei der Stellungssuche war Tibetisch nutzlos. Lohnende Jobs bekam nur, wer Chinesisch in Wort und Schrift beherrschte.»

Kelsang Namgyel arbeitete als Filmautor im chinesischen Propagandaapparat. «Wir hatten den Auftrag, Propagandafilme über die große Liberalisierung bezüglich der tibetischen Sprache und Kultur herzustellen. Wir drehten etwa fünfundzwanzig 16- und 8-mm-Kurzfilme für die ländlichen Gebiete, mit denen demonstriert werden sollte, daß jetzt Unterhaltung auch in tibetischer Sprache geboten werden konnte. Wir mußten sagen, daß chinesische Beamte in Tibet eifrig Tibetisch lernten. Aber das war alles leeres Gewäsch.»[3]

Auch wenn Tibetisch in den ersten drei Grundschuljahren gelehrt werden sollte, wurde der gesamte Unterricht auf der höheren Schule von chinesischen Lehrern in Chinesisch erteilt. Die Engländerin Catriona Bass, die sechzehn Monate in Lhasa als Lehrerin tätig war, schreibt:

«Hatten sie es trotz aller Hürden erst einmal auf die Mittelschule geschafft, mußten die tibetischen Kinder feststellen, daß das, was sie auf der Grundschule gelernt hatten, völlig nutzlos war, weil sie es nicht in der Sprache ihrer Lehrer ausdrücken konnten. Der Unterricht wurde ständig dadurch aufgehalten, daß die Lehrer ihren Schülern erst die notwendigen chinesischen Vokabeln beibringen mußten, ehe sie zum eigentlichen Unterrichtsstoff übergehen konnten...

In ganz China werden die gleichen Lehrbücher benutzt, und die Abschlußprüfung, die über die Zulassung zu einem Universitätsstudium bestimmt, hängt davon ab, ob man die Lehrbücher für alle Fächer durcharbeiten konnte. Die Kinder in den tibetischen Klassen können unmöglich darauf hoffen, jedes Jahr sämtliche Bücher durchzuarbeiten. Und so stoßen sie bei der Abschlußprüfung, die zentral durchgeführt wird, auf noch größere Probleme als beim Übergang von der Grund- zur Mittelschule. Ihre chinesischen Klassenkameraden werden nicht nur in ihrer Muttersprache geprüft, sie können auch Fragen über Themen beantworten, die die tibetischen Schüler nie kennengelernt haben.»[4]

Mit schlechten Schulabschlüssen blieb der Stellenmarkt den Tibetern verschlossen. Der 16jährige Namgyel aus Lhasa erlebte die allen tibetischen Jugendlichen bekannte hoffnungslose Situation. «Sämtliche Schulabgänger in unserem Bezirk mußten eine Schlußprüfung in Chinesisch ablegen», erzählte er. «Nur vier bestanden sie, ich war einer von ihnen. Auch von den vieren bekam lediglich einer einen Job. Wir übrigen erhielten den Befehl, von Dorf zu Dorf zu wandern und bei den Einwohnerversammlungen laut aus den Zeitungen vorzulesen. Wenn wir uns weigerten, hätte man unsere Arbeitspunkte gekürzt, und wir befürchteten, einem Thamzing unterzogen zu werden.»[5]

Pemba, einem intelligenten jungen Tibeter aus Lhasa, erging es noch schlechter: «Ich war drei Jahre auf der Grundschule, wo ich Chinesisch, Rechnen und Tibetisch lernte. Aber vom elften Lebensjahr an hatte ich keinen Schulunterricht mehr. Es gab nichts, was ich tun konnte. Ich holte Wasser für meine Eltern, machte etwas Hausarbeit und spielte mit den anderen Kindern, die in der gleichen Lage waren, Verstecken, Himmel-und-Hölle, all so was.»[6]

Auf religiösem Gebiet war eine Entspannung zu verzeichnen. Der Jokhang-Tempel wurde 1979 wieder eröffnet; Klöster und Tempel – in Sperrbezirken sowie in den für ausländische Touristen zugänglichen – wurden teilweise wieder aufgebaut. Die Genehmigung dafür war jedoch schwierig zu erlangen; die Arbeit wurde gewöhnlich von den Tibetern selbst bezahlt und ausgeführt. Die Chinesen aber rechneten sich den Bau nach Fertigstellung als ihr Verdienst an. Auf Anweisung der Pekinger Behörden wurden Gold- und Kupfergeräte kistenweise nach Tibet zurücktransportiert, die während der sechziger Jahre in verschiedene Provinzen Chinas gebracht worden waren. Mehr als 1500 alte Statuen kehrten so zurück.[7] Darunter befand sich (auf einem Müllabladeplatz am Stadtrand von Peking entdeckt) die lädierte obere Hälfte eines der zwei heiligsten Standbilder Tibets: ein Buddha, bereits altehrwürdig, als er im 7. Jahrhundert nach Tibet gebracht wurde. Während der Kulturrevolution wurde er in zwei Teile zerhackt, der mit Gold und Edelsteinen geschmückte Torso nach Peking geschickt, wo man die kostbaren Ornamente herausbrach und die untere Hälfte als wertlos wegwarf. Jetzt, 1979, wurde die Statue wieder zusammengesetzt.*

Die Gespräche über die Rückkehr des Dalai Lama nach Tibet gingen weiter, wenngleich die Chinesen zunehmend darauf bedacht waren, seine künftige Stellung einzugrenzen – zur Absicherung ihrer Souveränität. Püntsog Tashi Takla gehörte zu einer dreiköpfigen Verhandlungskommission, die im April 1982 von Dharamsala nach Peking flog in der Hoffnung, einen Kompromiß zu finden. «Sie wiederholten unentwegt ‹Tibet ist ein Bestandteil von China›», berichtet Takla, «und sie lehnten jede Diskussion über Unabhängigkeit kategorisch ab. Zweifellos wünschten sie die Rückkehr des Dalai Lama, waren aber nicht dafür, ihm einen Wohnsitz in Tibet zu gewähren. Er hätte es besser in China, sagten sie. Wir bemühten uns, ihnen klarzumachen, daß der Dalai Lama nicht das eigentliche Hauptthema sei, daß es uns mehr um das Glück von sechs Millionen Tibetern ginge. Aber trotz endloser Diskussionen erreichten wir gar nichts.»[8]

Anstatt die wirklichen Probleme anzusprechen, denen sich

---

* Die reparierte Statue wurde 1985 wieder an ihrem angestammten Platz im restaurierten Ramoche-Tempel in Lhasa aufgestellt.

das tibetische Volk gegenübersah, «versuchte China, die Tibetfrage auf eine Diskussion über meinen persönlichen Status zu
reduzieren», monierte der Dalai Lama.[9] Nach der Rückkehr der
Delegierten nach Dharamsala veröffentlichten die Chinesen
eine Erklärung, in der sie als «Hetzer» und «Reaktionäre»
angeprangert wurden, die dem tibetischen Volk verhaßt wären.
Der Dalai Lama begann zu bezweifeln, ob die neue chinesische
Politik tatsächlich besser war als die alte. Ihm fiel dazu ein altes
tibetisches Sprichwort ein: «Sie halten einem braunen Zucker
vor die Augen, aber in den Mund stecken sie einem Siegel-
lack.»[10] Doch er hatte nach wie vor den Wunsch, nach Tibet
zurückzukehren, sei es auch nur besuchsweise; und er hoffte,
1984 eine Abordnung nach Lhasa zu entsenden, die den Weg
ebnen sollte.

Obwohl Fotos vom Dalai Lama den Besuchern Tibets immer
noch an der Grenze abgenommen und sofort vernichtet wurden,
hing sein Bild wieder an tibetischen Wänden, vorsichtshalber
flankiert von denen Maos und Lenins. Die religiöse Reform war
nach wie vor halbherzig. «Wir konnten uns zu Boden werfen,
Hausaltäre errichten, die Tempel besuchen – sofern in unserer
Nachbarschaft einer wiederaufgebaut worden war –, auf Pilgerfahrt gehen, ohne daß man unsere Lebensmittelkarten einzog,
die Lampen in den Heiligtümern mit Yakbutter auffüllen und
unsere Mantras rezitieren», kommentierte Pema Saldon, «aber
wir durften die buddhistischen Lehren nicht im täglichen Leben
praktizieren.» Bei einem Besuch in Lhasa zeigte sich der Journalist Nick Danziger erstaunt über den Pomp: «Der Barkhor, der
bekannte Pilgerpfad um den Jokhang, erweckte den Anschein,
von Gestalten bevölkert zu sein, die geradewegs mittelalterlichen Moralitäten entsprungen waren. Männer, wie Hofnarren
gekleidet, mit Kappe und Glocken; Lamas, die seltsame, aus
menschlichen Oberschenkelknochen gefertigte Trompeten blie-
sen.»[11]

Aber, wie John Avedon bemerkte: «Der Effekt ist, daß die
Tibeter dadurch als rückständiges, abergläubisches Volk erscheinen, das sich blindgläubig vor dämonischen Idolen zu
Boden wirft – genau das, was die Kommunistische Partei Chinas
dem In- und Ausland einhämmern will.»[12] Bei allen äußeren

Zeichen religiöser Toleranz blieb die offizielle Verhaltensweise unverändert. Der vom Informationsamt in Chamdo veröffentlichte *Basic Study Guide*, Nr. 55 (April 1980), brachte folgende Ratschläge für Mitglieder der Kommunistischen Partei und des Jugendverbandes:

«Religion ist Opium für das Volk, von den Kapitalisten zu dessen Unterdrückung verabreicht... Wir müssen Religion ablehnen als blinden Glauben, als ungesetzlich und konterrevolutionär... Wer ein Mitglied der Kommunistischen Partei oder der Kommunistischen Jugendorganisation sein möchte, darf keine Religion praktizieren. Es ist die Pflicht der Kommunistischen Partei, Mitglieder, die noch einen schwachen Glauben an Religion verspüren, davon abzubringen. Wenn sie sich weigern, sollte die Partei sie ausschließen... Unsere Politik hat sich nie geändert; die jüngste Lockerung ist keine neue Politik. Ob der Dalai Lama zurückkommt oder nicht, wir müssen unsere Religionspolitik durchführen... Unter der gegenwärtigen Religionsfreiheit unternehmen die Menschen Pilgerfahrten, praktizieren Religion..., führen Jugendliche an religiöse Stätten und versuchen, ihnen religiöse Vorstellungen zu vermitteln. Manche Lehrer nutzen sogar ihre Autorität dazu, über Religion zu sprechen. All diese Aktivitäten verstoßen gegen die in der Verfassung niedergelegten Grundsätze.»[13]

Das waren keine Anzeichen für eine wirkliche Veränderung. Die Religion war zum Aussterben bestimmt. Regierungsangestellte oder Lehrer wurden bestraft, wenn sie in der Öffentlichkeit beteten. («Aber insgeheim beteten wir trotzdem», bekannte der ehemalige Kader Tsering Wangtschuk. «Ostentativ gingen wir Zigaretten rauchend in den Tempel, um unsere Verachtung für die Religion zu demonstrieren. Doch wenn wir uns unbeobachtet glaubten, gingen wir zurück, um zu beten. Sogar einige der überzeugten Kommunisten taten das.») Mönche, die es wagten, die Menschen im Dharma zu unterweisen, bekamen keine Lebensmittelkarten; Kindern war es verboten, in der Schule zu beten; traditionelle tibetische Feiertage wie der Geburtstag des Dalai Lama durften nicht öffentlich begangen werden.[14]

Die Klöster konnten zwar wieder Novizen aufnehmen, doch

die Anzahl war kontingentiert. Für Ganden, das früher 3300 Mönche beherbergt hatte, betrug die Quote jetzt 300; Sera, einst 5500 Mönche, wurden 400 bewilligt; Drepung – mit mehr als 10 000 Mönchen ehemals das größte Kloster der Welt – bekam 450 zugeteilt.[15] Gemäß den amtlichen Richtlinien mußte der Novize 18 Jahre alt, politisch einwandfrei und von einem Regierungsausschuß, dem Amt für religiöse Angelegenheiten, zugelassen sein – das auch für die Verwaltung und den Tagesbetrieb der Klöster zuständig war. (In der Praxis gelang es den Menschen jedoch oft, die Vorschriften zu umgehen.) Äbte wurden vom gleichen Büro ernannt. Darunter waren viele, die ihre Gelübde widerrufen hatten – oder gegen die man in der Verwaltung gewisse Druckmittel besaß.

Ihre einstige Funktion als Zentren der Gelehrsamkeit konnten die Klöster nicht mehr erfüllen. Laut Aussage eines Mönchs, der jetzt in Dharamsala im Exil lebt, befanden sich die Novizen in der Lage von Kindern, die in eine Schule aufgenommen wurden, «wo es keine Klassenzimmer, keine Lehrer und keine Bücher gibt»[16]. Nachdem man eine ganze Generation gelehrter Mönche liquidiert hatte, waren qualifizierte Nachwuchskräfte dünn gesät; die Novizen konnten häufig weder lesen noch schreiben. Selbst wenn sie sich ausschließlich mit dem Schrifttum befassen könnten, bestand wenig Aussicht, daß sie das zum Verständnis der buddhistischen Philosophie für erforderlich gehaltene zwanzigjährige Studium vollenden würden. Faktisch blieb ihnen kaum Zeit für Studium und Meditation. Lobsang Dschimpa, der als Dreizehnjähriger wegen seiner Forderung, Tibetisch zu lernen, von der Grundschule verwiesen worden war, wurde 1982 «inoffizieller Mönch» im Kloster Sera. Das heißt, er gehörte zur großen Gruppe derjenigen, die – weil sie unter achtzehn waren, weil sie aus einer höheren Gesellschaftsschicht stammten oder auch als politisch unzuverlässig galten – keine formelle Regierungsgenehmigung zum Eintritt in ein Kloster erhalten hatten, aber auf eigene oder auf Kosten der Familie zugelassen wurden. Er erzählte mir über das Klosterleben unter chinesischer Kontrolle: «Den Mönchen werden nur drei Tage im Monat zugestanden, an denen sie sich dem Studium der Religion widmen dürfen, nämlich der achte, fünfzehnte und dreißigste Tag des tibetischen Monats. Die übrige Zeit müssen sie körperlich arbeiten. Wir haben jeden Tag von acht bis achtzehn Uhr auf den Feldern gearbeitet oder in den Klöstern irgendwelche Bautätigkeiten verrichtet. An den Abenden mußten wir dann zwecks Indoktrination politische Versammlungen besuchen.

An Schrifttum und an Lehrern herrscht großer Mangel. Fast alle älteren Mönche sind tot – haben Selbstmord begangen oder sind hingerichtet worden. Die Chinesen gewähren dem Kloster keine Subvention, die Mönche müssen ihren Unterhalt aus eigenen Kräften oder mit privaten Spenden bestreiten.»*

Den gesamten Wiederaufbau leisteten die Mönche selbst. Das Studium beschränkte sich notgedrungen auf irgendwelche Lükken im Stundenplan. Wenn ausländische Besucher unbequeme Fragen zu stellen begannen, zum Beispiel, warum so viel Wiederaufbauarbeit erforderlich sei, ließ sich alles mit einem Seufzer und dem Hinweis auf die berüchtigte Viererbande erklären. Niemand wagte zu erwähnen, daß die Zerstörung größtenteils Jahre vor der Kulturrevolution – bzw. vor dem Auftreten der Viererbande – stattgefunden hatte. Ebensowenig erfuhren die Touristen, daß ihre an den Altären hinterlassene Geldspende direkt auf ein Konto bei der Bank of China wandern würde und nur von Funktionären abgehoben werden durfte.

Im Mittelpunkt von Chinas Plänen für die Entwicklung Tibets stand der Tourismus. Zum ersten Mal kamen ausländische Besucher – und Devisenbringer – in großer Zahl nach Tibet. Die geführten Reisegruppen trafen via Chengdu in Westchina ein und wurden vorwiegend in Häusern untergebracht, die Chinesen gehörten. Viele dieser frühen Besucher sympathisierten mit dem chinesischen sozialistischen Experiment, und so erlebten diejenigen, die intensiv nach tibetischen Gesprächspartnern Ausschau hielten, einen bösen Schock. Sie sahen nun selber, daß die tibetische Kultur zerstört, die Landschaft mit Ruinen übersät war. Der preisgekrönte indische Reiseschriftsteller Vi-

---

* In ein paar Klöstern, die als «Nationaldenkmäler» gelten, wie die «Drei Säulen» in Lhasa, beziehen die Mönche ein kleines Einkommen.

kram Seth schrieb über seine Begegnung mit einer jungen Frau, deren Mutter nach der Verhaftung ihres Mannes an gebrochenem Herzen gestorben war:

«Wir sind zwar jetzt in Sicherheit, aber ruiniert. Wir haben fast nichts. Das meiste von dem, was wir hatten, wurde konfisziert... Und was die Familie betrifft: Sehen Sie sich meinen ältesten Bruder an. Der ist vor Kummer wahnsinnig geworden. Und mein jüngerer Bruder rennt kopflos durch die Gegend und ist außerstande, irgend etwas zu arbeiten. Mein Vater auch... Sobald jemand von meiner Mutter spricht, verschlägt ihm der Schmerz die Rede. Und wer weiß, in einem oder zwei oder fünf Jahren ändert sich die politische Linie abermals, und die Chinesen schinden uns wieder genauso wie vorher. Es ist nicht nur die Viererbande, die uns das angetan hat.»[17]

Ihre Ängste waren leider berechtigt, es dauerte nicht lange, bis sich die Politik wiederum änderte. Auch Heinrich Harrer war nach einem Besuch 1982 recht optimistisch, doch als er ein Jahr später über sein Wiedersehen mit Tibet schrieb, hatte die Hoffnung bereits abgenommen.[18] (Vielleicht war die Erwartung von 1980 von Anfang an zum Scheitern verurteilt; Hu Yaobang, der sie geweckt hatte, wurde sechs Jahre danach seines Amtes enthoben, zum Teil wegen seiner «Nachgiebigkeit» gegenüber Tibet.)

Unzufriedenheit brodelte immer unterschwellig. Der Widerstand war in den Untergrund gezwungen worden, nachdem man viele Tausende von Dissidenten verhaftet oder hingerichtet hatte.* Geheime Unabhängigkeitsgruppen waren entstanden, die sich vorwiegend aus mangelhaft gebildeten jüngeren Tibetern zusammensetzten, desorganisiert waren und über wenig Hilfsmittel verfügten, sich aber bei der Bevölkerung breiter

---

* Das Büro für Information und internationale Beziehungen in Dharamsala hatte 1983 folgende Statistik erstellt: Über 1,2 Millionen Tibeter waren an den Folgen der chinesischen Okkupation gestorben: 173 221 waren in Gefängnissen und Arbeitslagern umgekommen; 156 758 waren hingerichtet worden; 432 705 hatten im Kampf das Leben verloren; 342 970 waren an Hunger gestorben; 92 731 hatten durch Folter den Tod erlitten und 8002 Selbstmord begangen. *(Present Conditions in Tibet, 1990)*

Unterstützung erfreuten. Die Unabhängigkeitsbewegung hatte noch keine gefährlichen Ausmaße angenommen, doch da sie Unbehagen und Verzweiflung der Tibeter widerspiegelte, bot sie den Behörden durchaus Anlaß zur Besorgnis.

Im Mai 1982 wurden in Shigatse 115 Dissidenten verhaftet. Natürlich bezeichnete man sie nicht als Dissidenten (ein Begriff, der sich im kommunistischen Vokabular nirgends findet), sondern als Delinquenten, Pornographen und Schwarzhändler. In der chinesischen Terminologie wird «Pornographie», abgesehen von der üblichen sexuellen Bedeutung, als Sammelbegriff verwendet für alles, was die kommunistische Ideologie unterminiert und «das Mutterland spaltet». Jedes Gerede von tibetischer Unabhängigkeit gefährdete also die Einheit des Mutterlandes. Es war konterrevolutionär und seit 1951 in vielen Fällen als Kapitalverbrechen gewertet worden.

Die Tibeter schenkten chinesischen Versprechungen nicht mehr den geringsten Glauben, und die Chinesen beschlossen 1983, die Schraube fester anzuziehen. Sie begannen, Tibet mit Chinesen zu überschwemmen. Das war die bewährte Methode, die China stets als gezielte Anti-Minderheitenpolitik in anderen Gegenden eingesetzt hatte, um jeden Widerstand zu überwinden. In der Mandschurei zum Beispiel blieben nur zwei bis drei Millionen Mandschu in einem von 75 Millionen Chinesen besiedelten Gebiet; in Ostturkestan (von den Chinesen Xinjiang genannt) war die Zahl der 1949 dort lebenden Chinesen inzwischen auf sieben Millionen angewachsen, mehr als die Hälfte der Gesamtbevölkerung; und in der Inneren Mongolei gab es 8,5 Millionen Chinesen gegenüber zwei Millionen Mongolen.[19] Tibet konnte nun mit einem ähnlichen Schicksal rechnen. John Gittings äußerte sich dazu in *The Guardian*: «Hinter diesem Streben nach Dominanz des Chinesischen steckt das Postulat einer überlegenen Kultur. Es ist so tief im chinesischen Bewußtsein verankert, daß ihre an Rassismus grenzende väterliche Fürsorge größtenteils unbewußt ist und daher um so mehr resistent gegen Reform.»[20]

Die Unabhängigkeitsgruppen wurden zur Tat aufgerüttelt. Obzwar die meisten von ihnen gewaltlosem, passivem Widerstand den Vorzug gaben, kam es zu manchen spontanen Gewalthandlungen. Die Chinesen stellten plötzlich fest, daß die Straßen nicht mehr sicher waren. Im Mai 1983 wurden sieben chinesische Touristen, die mit einem Kleinbus in Südwesttibet unterwegs waren, beraubt und aufgeknüpft; im Juni wurden drei weitere in Lhasa gelyncht. Gerade weil chinesische Beamte im Juli verlauten ließen, sie seien an einer Rückkehr des Dalai Lama nach Tibet in keiner Form mehr interessiert, wurde sein Geburtstag in Sakya und Lhasa demonstrativ gefeiert. Jugendliche verteilten Flugblätter, die von 2500 politischen Gefangenen in tibetischen Gefängnissen sprachen und die chinesischen Invasoren aufforderten, dorthin zurückzugehen, wo sie hergekommen waren. Vierzig ausländische Journalisten, die Lhasa im August besuchten, unterzog die Flughafenpolizei einer Leibesvisitation, um sich zu vergewissern, ob sie etwa Exemplare dieser Flugblätter bei sich trugen.

Die Journalisten fanden buchstäblich eine Stadt im Belagerungszustand vor, in der chinesische Soldaten zu Tausenden durch die Straßen patrouillierten und amtliche Plakate überall vor bewaffneten Umsturzversuchen warnten.[21] Doch die Dissidenten hatten lediglich *eine* Waffe – das geschriebene Wort. «Sie wandern nachts über den Markt», berichtete Michael Weisskopf in der *International Herald Tribune*, «schieben den Besuchern rasch irgendwelche Schriftstücke zu und flitzen davon. Mehrere Briefe waren vom ‹Volk von Tibet› an die Vereinten Nationen adressiert. Ein teilweise in englischer Sprache abgefaßter Brief forderte die Chinesen dringend auf, ‹den Genozid, das Blutbad in Tibet zu beenden›.»[22]

Im August begann in ganz China eine zwölfmonatige Kampagne gegen Kriminalität. In der letzten Woche des Monats verhängten die tibetischen Behörden eine Ausgangssperre und starteten eine wilde Razzia auf «Kriminelle». Während der folgenden sechs Wochen wurde jeder Haushalt in Lhasa durchsucht, es gab schätzungsweise 500 Verhaftungen; genaue Zahlen sind allerdings nicht bekannt.[23] In Chamdo sollen 1000 Personen willkürlich auf der Straße festgenommen worden sein, für Gyantse, Shigatse und Dingri wurden geringere Zahlen genannt. Am 13. September wurden 370 tibetische Mönche, die an der Restaurierung von Ganden arbeiteten, von 1000 chinesischen Soldaten umzingelt, zusammengeschlagen und auf Lastwagen geworfen. (Ein betagter Mönch und ehemaliger Abt wurde totgeschlagen.) Bis November sollen sich in den Gefängnissen von Lhasa 750 inhaftierte Tibeter befunden haben, 50 davon in Einzelhaft angekettet. Mit größter Wahrscheinlichkeit wurden viele weitere in die Arbeitslager im Norden deportiert, aus denen nur wenige jemals zurückgekehrt sein werden.

Am 27. September 1983 wurden sechs «Konterrevolutionäre» in Shigatse öffentlich hingerichtet – vor den Augen der zwangsweise hinbeorderten gesamten Bevölkerung. (Die Chinesen waren auf ihre frühere Praxis zurückgekommen, den Gefangenen die Stimmbänder durchzutrennen, damit sie sich nicht laut gegen ihre Peiniger äußern konnten.) Nach Verlesen einer Liste ihrer Verbrechen wurden die Opfer durch Genickschuß liquidiert. Am 1. Oktober sollen in Lhasa sechs Exekutionen stattgefunden haben. Bei sämtlichen Opfern handelte es sich um politische Aktivisten. Ein Augenzeuge schilderte eine der Hinrichtungen folgendermaßen: «Die Opfer mußten sich in einer Reihe aufstellen und bekamen einen Genickschuß. Wangdu war nicht gleich tot, und sie mußten ihm noch drei weitere Schüsse verpassen. Als seine Angehörigen herbeieilten, um die Leiche abzuholen, nahm man ihnen zehn Yuan für jede Kugel ab, die sie an ihn verwendet hatten.»[24] Die Angehörigen mußten den Chinesen öffentlich danken für die Beseitigung von «asozialen, reaktionären Elementen»[25].

Am 4./5. Oktober sollen 21 Menschen in Polizeikasernen von Lhasa hingerichtet worden sein. Angst vor einer neuen düsteren Epoche erfüllte die Tibeter, die jetzt abermals voll Schrecken auf das «Klopfen an der Tür» warteten. Als Nachrichten von dieser jüngsten Repressionsserie Dharamsala erreichten, demonstrierten die Flüchtlinge in Delhi sowie in sämtlichen tibetischen Siedlungen in Indien und Nepal. Doch der Dalai Lama, der diese Kehrtwendung fast erwartet hatte, erkannte, daß ein neuer Faktor hinzugekommen war, der sich auf lange Sicht positiv für Tibet auswirken könnte: Journalisten aus vielen Ländern befanden sich vor Ort und konnten die Lage mit eigenen Augen sehen und beurteilen.

Die vehemente Empörung, die andere Länder nach Veröffentlichung der Berichte äußerten, unterstrich die absolute Verständnislosigkeit des Westens dafür, daß im China Deng Xiaopings wirtschaftliche und politische Reformen strikt auseinandergehalten wurden. Die erste war zwingend notwendig; die zweite mußte nicht besonders geplant werden. Als die Chinesen unmittelbar nach dieser neuerlich aufwallenden Kritik bekanntgaben, daß sie im Begriff seien, eine liberalere Politik durchzusetzen, meinten sie damit die Wirtschaftspolitik: Die Kommunen wurden aufgelöst, Landwirte durften ihren Grund und Boden 30 Jahre behalten, Bauern wurde ihr Viehbestand als Eigentum zuerkannt, und sie waren nicht mehr verpflichtet, über die Hälfte der Fleisch-, Gerste- und Buttererträge als Steuer an den Staat abzuführen, Privatunternehmen wurden wieder zugelassen, ebenso der Handel mit China, Indien und Nepal. Diese Reformen gereichten Nomaden und Händlern unbestritten enorm zum Vorteil. Doch den Beginn größerer politischer Freiheit kündigten sie *nicht* an.

Waren die Bauern glücklich? Nun, vielleicht eine Zeitlang, bis sie feststellten, daß sich die Veränderungen für sie ganz und gar nachteilig auswirkten. Wie einer von ihnen Vanya Kewley erzählte:

«Was die Chinesen der Außenwelt einreden, ist eine Sache, aber was sich innen tut, ist etwas ganz anderes. Sie sagen, sie haben ihre Politik in Tibet liberalisiert und den Tibetern mehr Land und mehr Freiheit gegeben. Das stimmt zum Teil. Ja, wir können wieder Gerste anbauen. Landbesitz ist jetzt erlaubt, aber was eine Gruppe produziert, darf sie offiziell nur über das chinesische System verkaufen, und wenn der Erlös über die offizielle Quote hinausgeht, muß sie den Überschuß auf eine chinesische Bank einzahlen. Ist das geschehen, hat die Familie keinerlei Möglichkeit, ihre Ersparnisse abzuheben, zum Beispiel in einem Notfall, wenn jemand operiert werden muß...

Ja, manche von uns haben ein Stückchen Land gekriegt, aber Saatgut und Düngemittel, die wir in chinesischen Läden kaufen müssen, sind so teuer, daß es schließlich nicht mal für eine Mahlzeit täglich für die Familie reicht. Wir müssen alles in den Geschäften kaufen, die von Chinesen betrieben werden: Dinge für die Landwirtschaft, die Kleider, die ich trage, sogar meine

Schnürsenkel. Die Chinesen berechnen uns sehr hohe Preise, aber wir haben ja keine andere Wahl.»[26]

Entwertet wurden die Zugeständnisse auch durch den dramatischen neuen Antrieb, den die chinesische Einwanderung erhielt. Im September 1983 richtete die offizielle *Beijing Review* einen dringenden Appell an chinesische Staatsangehörige, sich zahlreich auf der tibetischen Hochebene anzusiedeln wegen des Bedarfs an Hilfs- und Facharbeitern, um ein «rückständiges» und «barbarisches» Land zu entwickeln. In Amdo (Qinghai) betrug das Verhältnis zwischen chinesischen Siedlern und Tibetern bereits drei zu eins, in der Autonomen Region Tibet waren die Tibeter jedoch immer noch in der Überzahl. Also versuchten die Chinesen, ihren eigenen Bevölkerungsüberschuß – vorwiegend junge Leute – in eben diese Autonome Region zu locken. Arbeitskräften, die gewillt waren auszuwandern, wurden unwiderstehliche Anreize geboten: höhere Löhne – das Doppelte, Drei- und manchmal sogar das Vierfache dessen, was sie zu Hause verdienen konnten; zinslose Darlehen; garantiert gute Unterbringung und reichlich Heimaturlaub. Facharbeiter bekamen Dreijahresverträge, die verlängert werden konnten, kurze Arbeitszeiten und doppelten Lohn sowie alle achtzehn Monate Heimaturlaub. Für diejenigen, die bereit waren, Einheimische zu heiraten und sich auf Dauer niederzulassen, beispielsweise als Kleinhändler oder Bauern, gab es die Zusicherung einer Erhöhung ihrer Rente um 10 Prozent.

All diese Streicheleinheiten konnten ihre Wirkung nicht verfehlen, und die *Beijing Review* verkündete in ihrer Ausgabe vom Februar 1984 lammfromm, daß Tibeter jetzt «Schulter an Schulter mit unzähligen Han-Chinesen kämpften, die auf die Bequemlichkeiten ihrer Heimatstädte verzichtet und sich ganz der Aufgabe gewidmet haben, die tibetischen Regionen zu modernisieren»[27]. Im Mai meldete Radio Peking, daß mehr als 60 000 chinesische «Experten» – die Vorhut einer gewaltigen künftigen Arbeitskolonne – unterwegs nach Tibet seien. Bis Juli waren 20 000 weitere – «Ingenieure» und «Bauführer» – in Shigatse eingetroffen. Die Zuwanderer sollten bei einer Reihe neuer Bauprojekte beschäftigt werden, 14 für 1984 und 42 für 1985: Hotels, Kinos, ein Stadion, Krankenhäuser, Elektrizitätswerke und Fabriken. Man begann ferner, die vorhandenen Einrichtungen für den Luftverkehr zu erweitern: Ein ehrgeiziges Bauprogramm für Flugplätze wurde gestartet, damit auch größere Maschinen in Tibet Landemöglichkeit hätten. (Diese Verbesserungen würden natürlich auch die wirtschaftliche Integration Tibets in China beschleunigen.) «Alles wurde getan, um die Neuankömmlinge zu ermuntern», bemerkte der ehemalige Kader Kelsang Namgyel bitter. «Selbstverständlich erhielten sie weit höhere Löhne als wir. Aber zusätzlich gewährte man ihnen noch eine Menge Zuschüsse. Einer war als Ausgleich für die Höhenlage Tibets bestimmt, so eine Art ‹Atmungszuschuß›. Unsere Ansicht darüber sah so aus: ‹Müssen sie unbedingt so viele Chinesen hereinholen, um den Tibetern zu helfen, wie sie uns dauernd erzählen? Warum können sie nicht Tibeter für diese Arbeit ausbilden? Die müßten sie wenigstens nicht fürs Atmen bezahlen.›»[28]

Für Tibeter war diese neue Entwicklung katastrophal. Übriggebliebene Wälder wurden jetzt gerodet, um ausschließlich chinesischen Gemeinden Wohnraum zu verschaffen; chinesische Siedlungen, fünf- bis zehnstöckige Wohnblocks wurden am Rande von allen größeren tibetischen Städten und Ortschaften errichtet – natürlich mit Strom und fließendem Wasser. Tibetische Ansiedlungen verkamen über Nacht zu Elendsvierteln; wo Stromversorgung vorhanden war (das heißt, wo Chinesen ansässig waren), stand sie Tibetern nur abends für drei bis vier Stunden zur Verfügung. Keine Chinesen, keine Elektrizität. In den fruchtbaren Flußtälern von Kham errichteten die Chinesen landwirtschaftliche Siedlungen, zwangen die Tibeter, die Nutzflächen zu verlassen und hoch oben auf den Nomadenweiden Zuflucht zu suchen.[29] In Lhasa führte der Zustrom von Chinesen unvermeidlich zu Versorgungsengpässen, inflationärem Preisanstieg und Massenarbeitslosigkeit unter den Tibetern, da der Arbeitsmarkt von chinesischen Ansiedlern überschwemmt wurde. Chinesische Arbeiter genossen automatisch den Vorrang (und höhere Bezahlung) auf dem Stellenmarkt. Rund 30 000 Tibeter, die in Lhasa in staatlichen Arbeitseinheiten beschäftigt waren, wurden durch Zuwanderer ersetzt und in ihre Dörfer zurückgeschickt, um sich dort eine Stelle zu suchen.[30]

Nach und nach begannen die chinesischen Immigranten, mit Hilfe ihrer staatlichen Zuschüsse und dem leichten Zugang zu billigen Rohstoffen aus China – die täglich mit Lastwagentransporten eintrafen – tibetische Restaurants zu übernehmen und herkömmliche Gewerbe zu betreiben wie Schneiderei, Bau- und Zimmerhandwerk und Autoreparatur. Da jetzt fast alle Fabrikarbeiter Chinesen und die Tibeter nur noch als Hilfskräfte gefragt waren, blieb den Einheimischen nicht viel mehr übrig, als Straßenhandel zu betreiben. Die Anzahl der Bettler stieg täglich.

All das hatte unweigerlich zur Folge, daß die Tibeter ihre eigene Kultur in Frage stellten und sich sogar ihrer schämten. Ihr Selbstwertgefühl sank. «Wie wäre Ihnen wohl zumute», fragt John Avedon herausfordernd, «wenn Sie als Tibeter zu den Glücklichen gehören, die den Abfall aus den Minen beseitigen dürfen, auf Straßenbaustellen arbeiten, in einem chinesischen Truppenlager den Boden fegen oder die Schweine füttern? Dafür bekämen Sie wahrscheinlich einen bis zwei Yuan am Tag – ungefähr siebzig Cent. Und wie sieht Ihr Lohnstreifen aus, wenn Sie ein frisch eingetroffener chinesischer Immigrant sind? Zunächst einmal erhalten Sie einen garantierten Zuschuß von zwölf Dollar, den Ihnen der Staat gewährt, um die Mehrkosten für die benötigte bessere Ernährung in dem anstrengenden Höhenklima zu decken. Dazu kommen noch kostenfreie Möbel, Haushaltsartikel und Kleidung.»[31]

Die Diskriminierung wurde von den Kadern bitter registriert, sagte Kelsang Namgyel: «Alle neu angekommenen chinesischen Funktionäre bekamen eine Wohnung oder zumindest ein ordentliches Zimmer, während wir Tibeter, die acht bis zehn Jahre für sie gearbeitet hatten, immer noch ohne Bleibe waren. (Als ich zu arbeiten begann, mußte ich einen Raum ohne Kochgelegenheit mit sechs anderen teilen.) Wenn einem Han-Kader die Glühbirne durchbrannte, erhielt er unverzüglich Ersatz. Sie gaben ihm auch einen Besen, um die Wohnung zu fegen, weil ‹er doch den weiten Weg gekommen ist, um Tibet zu helfen›, erklärten sie.

Der Han-Kader, der achtzehn Monate in Tibet gearbeitet hat, bekommt sechs Monate bezahlten Urlaub und einen Freiflug nach Hause. Tibeter, die in Lhasa arbeiten, aber zum Beispiel aus Chamdo stammen, hatten nach dieser Zeit auf dem Papier Anspruch auf einen Monat Urlaub, aber in der Praxis war das alles Gewäsch, wir bekamen nicht annähernd soviel. Für unsere Heimreise mußten wir jedenfalls selber sorgen und auch sämtliche sonstigen Kosten tragen. Und wenn wir dann nach einer mehrtägigen unbequemen Fahrt im Lastwagen zurückkamen, wurden uns nur vierundzwanzig Stunden zur Erholung bewilligt. Falls wir länger brauchten, wurde uns der Lohn gekürzt. Wenn aber die Han-Funktionäre nach ihren sechs Monaten zurückkehrten, erhielten sie sieben Tage bezahlten Urlaub, um sich von der kurzen Flugreise zu erholen. ‹Er braucht Ruhe nach dem weiten Weg›, erklärten sie, ‹er muß sich erst wieder akklimatisieren.›»

Und wenn der chinesische Zuwanderer schließlich nach Hause zurückkehrt, «geben sie ihm einen Zuschuß für die Wohnung, für Mobiliar und Ausstattung und eine schöne Gratifikation, dazu noch massenhaft Holz. Sie leihen ihm einen Lastwagen und zahlen alle Kosten für Be- und Entladen. Die chinesischen Kader fertigen riesige Kisten an und packen sie so voll mit all ihren Besitztümern, daß sie einen Kran mieten müssen, um sie in den Laster zu verfrachten.»[32]

Dordsche Tsepel, ein Tibeter, der bei der Sicherheitspolizei arbeitete – «ich mußte mir ja irgendwie meinen Lebensunterhalt verdienen» –, äußert sich ebenso verbittert: «Die Chinesen behaupten, sie wären gekommen, um den Tibetern zu helfen, aber sie tun weiter nichts, als uns auszuplündern und unsere ganzen natürlichen Reichtümer nach China zu schaffen. Bei der Ankunft haben sie leere Koffer, doch dann ziehen sie mit zwei bis drei voll beladenen Lastwagen wieder ab. Eine Versetzung nach Tibet ist eine Garantie dafür, daß sie ihr Glück machen.»[33]

Lobsang Nyima, der sich jetzt voll und ganz für die Unabhängigkeit Tibets einsetzt, traf in jener schwierigen Zeit in Lhasa ein: «Ich schlug mich als Straßenhändler durch. Die Lebensbedingungen waren schrecklich. Fleisch und Butter waren unerschwinglich, und selbst Tsamba konnten sich viele Tibeter nicht leisten. Lhasa wimmelte von Chinesen, und von der Altstadt war außer der baufälligen Gegend um den Barkhor nichts mehr übrig. Die Tibeter wurden wie Tiere oder einfältige Wilde behandelt, und das erbitterte sie zutiefst. Ich versuchte, den Jüngeren klarzumachen, was die Chinesen im Schilde führten und wie man sich dem Widerstand anschließen könnte.»[34]

Catriona Bass war beim ersten Anblick von Lhasa entsetzt über das, was sie sah: «Wir fuhren durch die hellerleuchteten Straßen einer typischen chinesischen Vorstadt. Überall um uns herum Gebäude mit hohen Mauern, gesichtslose Wohnblocks und breite Straßen in der gleichen öden Symmetrie. Trotz der vielen Kilometer und unzähligen Bergketten, die Tibet von Zentralchina trennen, schien Lhasa sich kaum von Wuhan, Chengdu, Xian oder Peking zu unterscheiden.»[35]

Der Terror von Lautsprechern, die den ganzen Tag über Ermahnungen hinausplärrten, die Partei zu lieben, dem Volk zu dienen, für die Zukunft des Kommunismus zu arbeiten, trug zur weiteren Desillusionierung bei. Am Barkhor «hatte man historische Gebäude und enge Gäßchen abgerissen und sie durch kitschige Laternen und in Beton gefaßte Blumenbeete ersetzt, um den Blick auf den Tempel eindrucksvoller zu gestalten». Das Schreckgespenst der Apartheid nahm ungeahnte Dimensionen an, als die meisten Tibeter in ihren Slums vegetierten, in fast jeder Hinsicht benachteiligt und ausgeschlossen von den meisten Dingen, die das Leben angenehmer und erträglicher machen könnten.

Die «Endlösung»
(1985)

In den letzten 27 Jahren hat eine systematische
Ausbeutung von Tibets Naturschätzen stattgefunden. Mehr als alles andere wurde Tibet zum Roh-
stofflieferanten für die wirtschaftliche Entwicklung
Chinas gemacht. Wenn der gegenwärtige Trend
anhält und wenn die Chinesen mit dem wirtschaftlichen Entwicklungsplan für Tibet ihr Ziel einer
umfassenden Modernisierung weiterhin blindlings
und übereilt ansteuern, ohne Rücksicht auf die
Voraussetzungen des Landes und die Bedürfnisse
des Volkes, dann besteht die Gefahr, daß Tibet
nicht nur von einem wirtschaftlichen Chaos,
sondern von einer wirtschaftlichen Katastrophe
heimgesucht wird.

Der Dalai Lama, 1986

Anfang 1985 traf eine vierte, vom Dalai Lama entsandte Delegation in Peking ein, um über die Bedingungen für eine Rückkehr
des Dalai Lama zu verhandeln. Zu ihrer Bestürzung verkündete
die chinesische Regierung wiederum, daß die Verwaltung von
Tibet ihre Sache sei und bleibe; daß der Dalai Lama gegebenen-
falls nach Peking, nicht aber nach Tibet zurückkehren dürfe.
Eines Tages sprach Ngawang Dschigme Ngabö zu dieser
Gruppe, der Mann, den die meisten für den größten Verräter
hielten und der jetzt in Peking lebte.

«Er fing mit den üblichen Schlagworten und Phrasen an», sagt
Tendsin Atisha, ein Mitglied der Delegation. «Nun, das mußte
er ja. Die Chinesen hörten zu. Doch plötzlich, zu unserem
Erstaunen, beugte er sich vor und sagte eindringlich: ‹Der

Vorschlag, den Dalai Lama hierherkommen zu lassen, ist von enormer Bedeutung. Nach der Abreise müssen Sie alle *sehr sorgfältig* darüber nachdenken.› Wir waren alarmiert, wir meinten, daß er uns zu verstehen geben wollte, der Dalai Lama dürfe nicht nach Peking gehen. Ich glaube jetzt, daß Ngabö ein Feigling und ein Schwächling war, aber niemals ein Verräter. Ihm liegen die Interessen Tibets am Herzen. Sehen Sie doch, wie die Chinesen ihn in Peking unter Verschluß halten. Wenn sie ihn wirklich für ihren Mann hielten, hätten sie ihn aller Welt vorgeführt als einen Tibeter, der sie liebt und bewundert.»[1]

Der Dalai Lama verlor durch diesen Rückschlag nicht den Mut. «Ich halte es immer noch für besser, persönlich miteinander zu reden, als wenn wir uns weiterhin den Rücken zukehren... Politik ist wie Judo, man muß immer wachsam sein. Die Chinesen haben uns in diesem Sport reichlich Erfahrung sammeln lassen.»[2]

Als die Delegierten im Sommer 1985 nach Amdo und Kham gelangten, versetzte ihnen der ungeahnte Zustrom chinesischer Siedler einen Schock. Die Tibeter wurden in ihrer neuen Rolle als Ureinwohner von den Chinesen einkassiert, aus dem Erwerbsleben verdrängt, da sie mit ihnen geschäftlich nicht konkurrieren konnten. In Taktser, dem Heimatdorf des Dalai Lama, waren von vierzig Familien nur noch acht tibetisch.

Die Delegierten durften nicht in die Autonome Region Tibet einreisen, da am 1. September 1985 aus Anlaß des zwanzigjährigen Bestehens in Lhasa pompöse Festlichkeiten im Beisein der ausländischen Presse stattfinden sollten. Plaketten mit Abbildungen vom Potala wurden verteilt, und die Tibeter mußten endlose Proben im Fahnenschwenken und Blumenstreuen über sich ergehen lassen. Doch als der Tag heranrückte, bekamen die Chinesen kalte Füße, da ihnen klar wurde, daß die Tibeter in jedem Fall nur unter Zwang erscheinen würden und die Gelegenheit zu Protesten gegen die chinesische Herrschaft nutzen könnten. Aus anderen Gegenden wurden zusätzliche Militär- und Sicherheitskräfte zu Tausenden abkommandiert, zusammen mit zweihundert Beamten von der Abteilung für Öffentliche Sicherheit in Peking. Es gab keine weiteren Genehmigungen für Journalisten zum Besuch der Stadt, die nun gesperrt war, mit Kontrollstellen an allen Hauptstraßen. Zwischen 21 Uhr und 7 Uhr bestand Ausgehverbot, und 90 potentielle Unruhestifter wurden verhaftet.

Diesmal gab es wenig, was diese paranoiden Reaktionen gerechtfertigt hätte. Freilich beschmierte irgend jemand die Türen von einigen chinesischen Büros mit Kot; und drei Tage vor den Festlichkeiten wurden drei selbstgebastelte Bomben entdeckt, eine vor dem neuen Postamt und zwei in dem Stadion, wo die Feier stattfinden sollte. Es genügte, die Chinesen zu einer panikartigen Verlegung des Schauplatzes zu veranlassen und zur Verkürzung der Feier auf einen halbstündigen Festakt (An- und Abtransport der Tibeter erfolgte mit Lastwagen) sowie zur Streichung sämtlicher Siegesparaden. Die Tibeter kümmerte das so oder so kaum. Das einzig bemerkenswerte Ereignis für sie war der Besuch des Panchen Lama, sein zweiter; der erste hatte vor der Kulturrevolution stattgefunden. Sie bereiteten ihm einen begeisterten Empfang, denn er lebte zwar, angeblich verheiratet, in Peking, aber für sie war er momentan der einzig greifbare geistige Führer, und seine Vergangenheit hatten sie ihm längst verziehen.

«Die Menschen hatten ihre Meinung über ihn geändert», sagte Tendsin Atisha, der im Juli in Peking mit ihm zusammengekommen war. «Als wir ihn in Peking sahen, erklärte er uns ganz ungeschminkt, daß er nicht sagen könne, was er denkt, und hoffe, wir würden das verstehen. Er war nur durch eine mehr oder minder zufällige Verkettung von Umständen zum Helfer der Chinesen geworden. Wir feierten zusammen mit ihm den Geburtstag des Dalai Lama, und dabei sprach er – vor all den chinesischen Würdenträgern – das Gebet für ein langes Leben Seiner Heiligkeit, für die Erfüllung aller seiner Wünsche. Danach sagte er, was die Chinesen ihm befohlen hatten, nämlich, daß Tibet ein Teil von China sei und so weiter – eine Art Pflichtübung. Er befand sich in einem chinesischen Käfig. Aber er tat viel für die Wiederbelebung tibetischer Kultur und die Bewahrung tibetischer Traditionen. Wenn er Städte in Kham und Amdo besuchte, die vollständig von Chinesen beherrscht wurden, drängte er die Tibeter dort, tibetische Kleidung zu tragen und Tibetisch zu sprechen. Seine Worte hatten viel Gewicht.»[3]

Die Chinesen taten ihr Bestes, den Panchen Lama hinters Licht zu führen, was das Leben im heutigen Tibet betraf. Catriona Bass erfuhr in Lhasa: «Bevor man ihn in ein Dorf führte, wurden alle Dorfbewohner neu eingekleidet; neue Thermosflaschen und Radios wurden in ihre Häuser gestellt. Aber die Chinesen konnten Panchen Rinpotsche nicht täuschen. Er wußte, daß das alles nicht echt war.»[4]

Der Panchen Lama war nicht der einzige, der sich nicht hereinlegen ließ. Falls die Chinesen gehofft hatten, die ausländischen Journalisten zu beeindrucken, so war das mit Sicherheit fehlgeschlagen. Die Journalisten hatten in der kurzen Zeit in Lhasa genug gesehen und gehört, um sich davon zu überzeugen, daß die Tibeter zu den bedrohten Völkern gehörten. Ein Artikel im Londoner *Spectator* mit der Überschrift «Tibets barbarische Eroberer» berichtete von der Überschwemmung tibetischer Städte mit chinesischen Arbeitskräften und Propaganda und schloß:

«Chinesische Kinos, chinesisches Fernsehen – in Tibet eine besonders schlagkräftige Waffe –, chinesische Hotels, Zollämter, Theater, sie alle werden, sofern nicht bereits im Bau befindlich, Lhasa innerhalb der nächsten zwei Jahre mit einem Netz überziehen, so daß nur noch winzige Nischen mit tibetischer Eigenart zurückbleiben.»[5]

Noch schlimmer war nach Ansicht des Autors der Versuch, die tibetische Jugend chinesisch zu prägen, nicht nur durch Lockmittel wie Kassettenrecorder und Fernseher, sondern, viel beunruhigender, durch «die barbarische Praxis, Kinder für mehrere Jahre von ihren Familien zu trennen und in China erziehen zu lassen. Die Eltern haben dabei kaum ein Wort mitzureden, und mehrere Mütter in Lhasa schilderten, wie sie ihre Söhne Tag und Nacht im Auge behalten, um zu verhindern, daß auch sie plötzlich verschwinden. Das mögen abergläubische Hirngespinste sein, aber auf den Straßen von Lhasa gibt es tatsächlich wenige 15- bis 21jährige Tibeter.»

Die Hauptleidtragenden der neuen Repression waren gewöhnlich die Frauen. Als die Chinesen in den siebziger Jahren in

Zentralchina rigorose Maßnahmen zur Geburtenkontrolle eingeführt hatten, erschien diese Politik zwar hart, aber doch verständlich. Als das Gesetz jedoch auf Tibet angewendet wurde, wo pro Einwohner gegenüber China das fünfundsiebzigfache an Raum vorhanden ist, wirkte das widersinnig.

Im Laufe der siebziger Jahre wurden die Vorschriften tatsächlich leger gehandhabt. Doch ab 1983 wurde in manchen Gebieten Tibets die Durchsetzung schärfer betrieben. Ein dem Dalai Lama übermittelter Bericht eines gewissen Tendsin aus Amdo schildert, wie eines Tages in seiner 400 Einwohner zählenden Dorfgemeinde ein neunköpfiges Team auftauchte, um ein Geburtenkontrollzentrum für die Gegend einzurichten. Sie schrieben die Namen sämtlicher Frauen auf, unterteilten die Leute in kleine Gruppen und «gingen in mehr als vierzig Haushalte, wo sie die Frauen durch Einschüchterung dazu trieben, sich Eingriffen zur Geburtenbeschränkung zu unterziehen. Die sich weigerten oder protestierten, wurden gefesselt, heftig geschlagen und dann zur Zwangssterilisation weggeschleppt. Außerdem schlachteten die chinesischen Behörden ihre Hühner, Schafe und Ziegen für den eigenen Verzehr ab.»[6]

Gewöhnlichen tibetischen Familien wurden zwei Kinder genehmigt, Staatsangestellten nur eins. Zu jener Zeit durfte eine Staatsangestellte, die bereits mit dem zweiten Kind schwanger ging, es auch zur Welt bringen, doch ein weiblicher Kader berichtete Catriona Bass: «Wenn man mehr als ein Kind hat, verliert man das Anrecht auf sämtliche Sonderleistungen. Ohne ‹Ein-Kind-Bescheinigung› gibt es keinen monatlichen Bonus. Und wenn neue Wohnungen vergeben werden oder wenn es um Lohnerhöhung geht, hat man mit der ‹Ein-Kind-Bescheinigung› viel bessere Chancen.»[7]

Nicht im Staatsdienst beschäftigte Familien, die das Limit von zwei Kindern überschritten, mußten schwer dafür bezahlen. Tashi Dölma, eine in Amdo tätige Ärztin, erzählte mir von der Kusine ihrer Mutter, einer Nomadin, die bereits die gesetzlich zulässigen zwei Kinder hatte: «Als sie das dritte bekam, mußte sie eine hohe Geldstrafe zahlen. Das Kind ist jetzt viereinhalb. Sobald es sechs ist, wird es vom Schulbesuch ausgeschlossen und bekommt auch keine Lebensmittelkarte. Die Familie muß dann ihre Rationen mit ihm teilen und außerdem 500 Yuan im Jahr Geldstrafe entrichten.»[8]

Es gab eine Praxis, von der nur wenige gehört haben: die Entwürdigung junger tibetischer Mädchen aus ländlichen Gebieten, die zum Eintritt in die Volksbefreiungsarmee geködert werden. Ein Beispiel dafür ist die Geschichte von Lhakpa Tschungdak, auf die ich ausführlicher eingehen möchte.

Lhakpa aus dem Dorf Meldrogungkar bei Lhasa war eine intelligente Vierzehnjährige, als 1983 ein Werbeoffizier in ihrer Mittelschule erschien, auf der Suche nach dreißig Jungen und einem Mädchen für die Volksbefreiungsarmee. Er versprach, daß jeder Rekrut, der drei Jahre in der Armee bliebe, danach nicht nur eine feste Stellung im Staatsdienst bekäme, sondern daß auch für die Familie lebenslänglich gesorgt würde. Für arme Dorfbewohner eine verlockende Aussicht, so daß es ein erhebliches Gerangel unter den Bewerbern gab. Zu ihrer Freude wurde Lhakpa nach einer gründlichen körperlichen Untersuchung auserwählt.

Sie verließ 1984 ihr Heimatdorf mit dem Versprechen, sie könne in einem Lazarett als Ärztin ausgebildet werden. Doch zuerst mußte sie in der Tanztruppe der Volksbefreiungsarmee als Tänzerin arbeiten:

«Es waren die Erste-Klasse-Kasernen von Lhasa. Wir Mädchen sollten die Offiziere bedienen, ihnen Wasser bringen, die Betten machen und so weiter. Sie gaben offensichtlich den Neulingen den Vorzug vor den Dienstälteren. An meinem ersten Abend schickte einer dieser Offiziere nach mir. Ich dachte, er hätte einen Auftrag für mich. Er hatte graue Haare und sein falsches Gebiß herausgenommen. ‹Du bist jetzt mein kleines Mädchen und mußt tun, was ich dir sage›, erklärte er. Er begann mich zu betätscheln, ich schrie und hörte nicht mehr auf. Er ließ mich los, und ich ging zitternd zurück in mein Zimmer.»

An diesem Punkt ihres Berichts war Lhakpa erblaßt. Sie litt offensichtlich Qualen und konnte nur mit Mühe weiterreden:

«Nach drei Stunden zitierte er mich wieder zu sich und fragte mich nach meiner Familie aus. Er gab mir ein Bonbon. Ich wollte es zuerst nicht, nahm es dann aber. Dann reichte er mir ein Glas Orangeade. Nachdem ich es getrunken hatte, wurde mir schwindlig, und ich fiel in Ohnmacht. Als ich wieder zu mir kam, war ich nackt und blutete, und ich begann zu weinen. Der Offizier sagte achselzuckend: ‹Ich hab dich vergewaltigt. Na und? Ich werde das auch weiter tun, solange du hier bist. Dafür bist du ja da, das mußt du begreifen.›

Bald darauf trafen eine Menge Offiziere aus Zentralchina ein, und es fand ein Empfang für sie statt. Ich bekam einen Schreck, als man mir auftrug, nach dem Dinner Wasser in eines ihrer Zimmer zu bringen. Aber als ich eintrat und drei hochrangige Offiziere mit Sternen sah, atmete ich erleichtert auf. Von drei Männern hatte ich sicher nichts zu befürchten. Dann fingen alle auf einmal an, mich zu streicheln und drängten mir ein Bonbon auf. Das muß ein Betäubungsmittel enthalten haben. Ich wurde nicht richtig bewußtlos, ich konnte alles sehen, was sie machten, aber ich verlor jedes Empfindungsvermögen. Sie haben mich drei oder vier Stunden ununterbrochen vergewaltigt. Dann setzte es wirklich bei mir aus. Ich wollte sterben. Ich sah ein Obstmesser auf dem Tisch und versuchte, mich zu erstechen. Den Offizieren war das völlig gleichgültig, aber einer von den draußen postierten Leibwachen stürzte ins Zimmer und packte das Messer.»

Lhakpa wurde in ein Lazarett gebracht, bekam eine Bluttransfusion und einen Traubenzuckertropf und wurde nach fünf Tagen in die Kaserne zurückgeschickt. Im Verlauf der folgenden achtzehn Tage wurde sie noch von zahlreichen Männern mißbraucht. Sie erklärte ihren Vorgesetzten, wenn sie weiterhin bei der Tanztruppe bleiben müßte, würde sie weglaufen und zu Hause jedem erzählen, was man ihr angetan hatte. Daraufhin versetzte man sie in ein großes Lazarett beim Kloster Sera, zusammen mit zwölf anderen jungen Tibeterinnen. Man versprach ihr abermals eine Ausbildung, doch die beschränkte sich auf Turnen vormittags und politische Theorie nachmittags.

«Da war ein gleichaltriges Mädchen aus Chamdo dabei, sie hieß Tsewang. Als wir uns nach der Politischen Erziehung ausruhten, riefen sie ein paar Offiziere heraus. Sie blieb drei Stunden weg, und als sie zurückkam, weinte sie. Ich fragte sie nach dem Grund, und sie antwortete zunächst, sie hätte Heimweh. Aber dann gestand sie, die Offiziere hätten sie der Reihe nach vergewaltigt. In der nächsten politischen Versammlung bekam sie Unterleibsblutungen. Der Instruktor sagte, sie hätte nur ihre Periode und sollte sich nicht darum kümmern. ‹Im Krieg könntest du dir schließlich auch nicht freinehmen, nur weil du deine Periode hast›, sagte er.

Ich war als nächste dran. Ein Offizier verlangte, ich solle in seiner Küche Gemüse waschen. Er sah sich nebenan unanständige Filme an und rief mich herein, um zuzuschauen. Die weiblichen Soldaten hätten andere Aufgaben und Pflichten als die männlichen, erklärte er mir. ‹Das gehört zu eurer Ausbildung›, sagte er und fügte hinzu, im Krieg mit Japan wären weibliche Soldaten von den Japanern vergewaltigt worden. ‹Du mußt lernen, wie man mit so was fertig wird.› Er wurde erregt, und im Verlauf des Films versuchte er, mich zu vergewaltigen. Ich wehrte mich, aber er warf mir ein imprägniertes Tuch über den Kopf. Und so wurde ich doch wieder vergewaltigt. Dann hielt er mir einen Vortrag über die Pflichten eines weiblichen Soldaten. ‹Ich bin dir im Grunde keinerlei Erklärungen schuldig›, sagte er. ‹Du bist keine Jungfrau, du hast es mit vielen Männern getrieben. Du bist eine Hure, weiter nichts.›»

Lhakpa fuhr mit der Hand über ihr vorzeitig gealtertes Gesicht. Sie war jetzt zweiundzwanzig, sah aber doppelt so alt aus. In den folgenden sechs Monaten wurde sie fortgesetzt vergewaltigt. «Die Chinesen sagten, es wäre sinnlos, sich zu beschweren, für eine Tibeterin ginge es beim Militär nur darum, um sonst gar nichts.

Die hohen Tiere der Volksbefreiungsarmee statteten dem Lazarett häufige Besuche ab, um sich mit den tibetischen Mädchen zu vergnügen. Wer von ihnen sich weigerte, bekam die dreckigsten Arbeiten, zum Beispiel die Beseitigung von Auswurf. Zwei der Mädchen wurden schwanger. Bei der einen, sie stammte aus Shigatse, wurde eine Abtreibung gemacht, und sie mußte sagen, ein tibetischer Freund habe sie geschwängert. Als ich sie besuchte, sah ich viele Föten in Eimern herumliegen. Die andere stürzte sich aus einem Fenster im zweiten Stock. Aber sie brach sich nur ein Bein, und sie brachten sie ins Lazarett und machten eine Abtreibung.»

Kurz vor Ende der dreijährigen «Ausbildung» trafen sich alle dreizehn Mädchen zum Erfahrungsaustausch. Sie hatten durchweg die gleiche Behandlung erduldet: Betäubung, dann Vergewaltigung, bei einigen durch zehn Offiziere hintereinander:

«Manchen hatte man sogar die Vagina vernäht, um sie für chinesische Penisse zu verkleinern. Wir waren alle verbittert, weil sie uns so viel versprochen und wir gehofft hatten, wir könnten unseren Familien helfen. Wir entschieden uns dann für gemeinsamen Selbstmord, weil unser Leben ja zerstört war. Einen Mann würden wir jetzt nie mehr finden. Aber wir gelobten, vor dem Tod unseren Angehörigen die Wahrheit zu erzählen. Wir wollten tibetische Mädchen warnen, unter keinen Umständen zur Volksbefreiungsarmee zu gehen.»

Bedauerlicherweise waren in der Gruppe zwei Spitzel, die den Plan den Chinesen verrieten. Die Mädchen wurden von dreißig bis vierzig Soldaten umzingelt, die sie mit Gewehrkolben schlugen, um sie dann zu verhaften. Lhakpa wurde beschuldigt, die Rädelsführerin zu sein:

«Sie schlugen mich, bis ich ‹gestand›. Dann wurden wir alle in verschiedenen Abteilungen des Lazaretts untergebracht. Mich hat man – und das mit Sicherheit absichtlich – auf eine Station für Infektionskrankheiten versetzt. Die einzige Veränderung hier bestand darin, daß es chinesische Ärzte (ebenfalls Angehörige der Volksbefreiungsarmee) waren, die uns vergewaltigten. Nach neun Monaten entließen sie uns und schickten uns in unsere Heimatdörfer zurück. Zwei Mädchen gelang es, eine Stellung in der Feldküche zu bekommen, eine oder zwei fanden Arbeit als Putzfrauen im Lazarett. Sechs waren so traumatisiert, daß sie nicht mehr nach Hause zurückkehren mochten. Sie trieben sich als Taschendiebinnen und Prostituierte auf den Straßen von Lhasa herum. Aber mich sollten sie nicht so leicht loswerden. Ich wandte mich an die Verwaltungsbehörden und drohte, jedermann zu erzählen, wie sie mich mißbraucht und zum Wrack gemacht hatten. Ich war schwanger und beschuldigte einen der Ärzte, dafür verantwortlich zu sein. Der brachte mich sofort weg und nahm eine Abtreibung vor. Aber endlich fingen sie an, mir eine Ausbildung zu geben – zwei Monate als Krankenschwester, zusammen mit zwei anderen aus unserer Gruppe.»

Während dieser Ausbildung kam Lhakpa hinter eine weitere, ihrer Meinung nach weitverbreitete Praxis:

«Die tibetischen Patienten im Hospital wurden als Versuchskaninchen für die chinesischen Medizinstudenten benutzt. Eines Tages wurde ein tibetischer Junge namens Tendsin, Laufbursche bei der Volksbefreiungsarmee, mit einer Schußwunde am Bein eingeliefert. Ein kleiner Kerl, ungefähr achtzehn. Er war bereits auf dem Wege der Genesung, da nahmen sie ohne jede Erklärung eine Bauchoperation an ihm vor. Es stellte sich heraus, daß die in der Ausbildung befindlichen Medizinstudenten an ihm herumgepfuscht hatten. Er wurde immer schwächer und fing schließlich an zu delirieren. Er winkte mich heran, und ich ging an sein Bett. ‹Wenn ich tot bin›, flüsterte er, ‹erzählen Sie den Leuten draußen, daß ich ermordet wurde.› Drei Tage später starb er.

Ursprünglich waren sämtliche Patienten Angehörige der Volksbefreiungsarmee. Dann beschloß man, tibetische Patienten aufzunehmen, die sich eine Vorauszahlung der sehr hohen Kosten leisten konnten. Einmal wurde eine Frau aus Ngari eingeliefert, die an chronischen Kopfschmerzen litt. Man führte am Ende der Wirbelsäule eine dicke Kanüle ein, um Rückenmarksflüssigkeit zu entnehmen. Durch ein Mikroskop inspizierten die Medizinstudenten einer nach dem anderen die ‹Nadel›, wobei jeder damit manipulierte, sie herauszog und wieder einführte. Der Zustand der Frau begann sich zu verschlechtern, sie hatte Schüttelfrost und wurde ohnmächtig. Sie konnte nicht einmal mehr den Kopf drehen, ohne mit dem ganzen Körper nachzuhelfen. Dabei litt sie lediglich an Kopfschmerzen, als sie eingeliefert wurde. Bald darauf starb sie.

Wenn ein chinesischer Offizier behandelt werden sollte, wurde das Verfahren an einem tibetischen Patienten, der an ähnlichen Beschwerden litt, vorher ‹geprobt›. Falls diese Vorübung an dem Tibeter zufriedenstellend ausfiel, kam der Offizier an die Reihe. Benötigte ein Offizier eine Bluttransfusion, so mußten die tibetischen Patienten als Spender herhalten.»

Manchmal mußten die Mädchen Leichen von Tibetern, die nicht von Hinterbliebenen abgeholt wurden, zur Beseitigung wegschaffen. Die Männer, die sie für die Bestattung unter freiem Himmel* präparierten, beschuldigten die Chinesen des Mordes von gesunden Menschen: «Sie sagten: ‹Den Leichen fehlen lebenswichtige Organe oder sie befinden sich an der falschen Stelle. Sogar die Geier verschmähen es, deren Fleisch zu fressen.›»

Im Jahre 1985 konnte Lhakpa es nicht mehr aushalten und beantragte die Entlassung wegen einer familiären Notlage. Obwohl dies als schwerer Verstoß gegen die militärische Disziplin galt, fand sie schließlich Arbeit in der Registratur einer Polizeidienststelle, die sich mit Scheidungsfällen befaßte.

Trotz alledem gab es manche Beispiele von echter Liberalisierung. Im Dezember 1985 entschlossen sich die Chinesen zu einem größeren Zugeständnis (was sie später vermutlich bedauerten) und erteilten 10 000 Tibetern die Genehmigung, an der Kalachakra-Weihe teilzunehmen, die der Dalai Lama in Bodh Gaya in Indien vollzog.** 500 Pilger nahmen ihre Kinder mit und ließen sie in Indien zurück, um ihnen die Erziehung zu ermöglichen, die ihnen in Tibet verwehrt wurde. Die Botschaft der Pilger an ihre Landsleute im Exil war entmutigend. Liberalisierung bleibe weitgehend illusorisch, sagten sie, die Zukunft sehe düster aus.

Dennoch gab es Anfang 1986 einen letzten Hoffnungsschimmer. Die Feierlichkeiten zum Mölam-Fest wurden erstmals seit 1959 wieder zugelassen. Im März 1986 strömten Pilgerscharen aus ganz Tibet nach Lhasa, um daran teilzunehmen. Manche waren wochenlang unterwegs. Das Fernsehen in Peking zeigte Szenen, in denen tibetische Kader Almosen an die 1000 anwesenden Mönche verteilten, und äußerte über die 100 000 farbenfroh gekleideten tibetischen Pilger herablassend, daß sie «an ihrer merkwürdigen Kultur und Religion Vergnügen finden»[9].

Es waren auch Touristen anwesend. Die anfangs spärlichen ausländischen Besucher strömten jetzt massenhaft ins Land, und seit Ende des vergangenen Jahres waren sogar «Rucksackurlau-

---

* Bei diesem uralten Ritual wird der Leichnam zerstückelt auf einem Felsen den Geiern vorgeworfen, die gebräuchlichste Bestattungsform in Tibet.
** Die letzte, die er in Tibet selbst vollzog, fand 1957 statt.

ber» als Einzelreisende erlaubt. Die chinesischen Zuwanderer kamen weiterhin in Scharen, behaupteten freilich nicht mehr, sich für die Barbaren aufzuopfern, sondern machten offen Jagd auf die fette Beute, die in Tibet zu holen war. In Lhasa wimmelte es überall von chinesischen Straßenhändlern und Ladenbesitzern. «Neue Restaurants wurden eröffnet und luden die Ausländer zu einem westlichen Frühstück ins ‹Dumpling›, ‹The Tasty Restaurant› oder ‹The Merry-Making Dining Room› ein. Eines Tages eröffnete mit einer Salve von Feuerwerkskörpern und mit westlicher Discomusik ein Geschäft in der Straße der Glückseligkeit, in dessen Schaufenstern Tibets erste Coca-Cola-Dosen ausgestellt wurden.»[10]

Wie der Journalist Nick Danziger feststellte, war es eine alles andere als klassenlose Gesellschaft, in der es kaum Kontakte gab zwischen den zwei Gruppen, «die ich nur als chinesische Kolonialherren und tibetische Eingeborene beschreiben kann. Die Elite ließ sich von ihren Chauffeuren im Auto herumkutschieren, um sich an Delikatessen zu laben, die eigens aus Zentralchina eingeflogen wurden... Es dürfte ihnen leichtgefallen sein, die bittere Armut draußen vor den Restaurantfenstern zu vergessen.»[11]

30 000 weitere Touristen wurden im kommenden Sommer erwartet – eine Bluttransfusion für die darniederliegende Wirtschaft, auch wenn viele argwöhnten, die Chinesen hätten am liebsten Tourismus ohne Touristen. Denn die waren gewillt, mit den Tibetern zu reden, und die Tibeter nutzten jede solche Gelegenheit nach Kräften. Ein Schüler von Catriona Bass, ein junger Mönch, zeigte ihr die Abschrift eines Briefes, den er durch einen westlichen Touristen an die Vereinten Nationen geschickt hatte:

«Die Chinesen sprechen von Liberalisierung, sie sagen, die Tibeter hätten es noch nie so gut gehabt wie heute, aber die Tibeter sind noch immer unglücklich. Wir haben keine echte Freiheit... Viele Tibeter leiden noch immer in Gefängnissen für ihre Überzeugung... Sie werden geschlagen und gefoltert und schlimmer behandelt als Verbrecher... Das tibetische Volk ist sicher: Wenn die westlichen Länder von dem Leid der Tibeter wüßten, würden sie sie in ihrem Kampf unterstützen.»[12]

Er habe das nicht aus Naivität geschrieben, sagte er, sondern aus Verzweiflung. «Wir *müssen* mit den Touristen sprechen, wir *müssen* der Außenwelt von Tibet berichten. Vielleicht können wir damit auf lange Sicht doch etwas bewirken. Eine andere Möglichkeit haben wir nicht.»

Bereits in jenem Sommer 1987 deuteten gewisse Anzeichen darauf hin, daß der politische Kontrollapparat keineswegs demontiert worden war. Catriona Bass beobachtete, daß sich «politischer Eifer wieder intensiv bemerkbar machte. Die Bevölkerung wurde ermahnt, ihr ‹Denken zu vereinheitlichen›; die ideologische Erziehung müsse verbessert werden. Die künftigen Ereignisse warfen ihre Schatten voraus.» Im Mai wurden etwa 250 junge Tibeter, von denen bekannt war, daß sie Verwandte in Dharamsala hatten, in Lhasa als «asoziale Elemente» verhaftet und auf einem Marsch durch die Straßen als politische Verbrecher vorgeführt. In Amdo wurden sechs Personen in einer öffentlichen Versammlung zum Tode verurteilt und hingerichtet.

Im Juli 1987 aß Yulu Dawa Tsering, ein Tibeter, der nach 1969 zwanzig Jahre im Gefängnis gesessen hatte, bei seinem Cousin in Lhasa zu Abend. Dabei lernte er einen italienischen Urlauber, einen Zahnarzt aus Mailand, kennen. Die Unterhaltung wandte sich der Politik zu. Was hielten seine Gastgeber vom Dalai Lama, erkundigte sich der Zahnarzt, wünschten sie seine Rückkehr? Was dachten sie über die Chinesen? Und so fort. Yulu antwortete:

«Möge Tibet vom Wolfsrachen befreit werden... Wir sind sechs Millionen Tibeter, unser einziger Führer ist der Dalai Lama. Wenn sich seine Wünsche erfüllen, dann sind die Bedürfnisse des tibetischen Volks befriedigt... Wir alle hoffen und wünschen, daß Seine Heiligkeit im Ausland bleiben möge und alle Staaten der Welt ihn bei seiner Arbeit unterstützen und auf friedlichem Weg die tibetische Unabhängigkeit erreichen.»[13]

Sechs Monate danach wurden Yulu Dawa Tsering und sein Cousin, Thubten Tsering, verhaftet, beschuldigt, mit «reaktionären Ausländern, die sich als Touristen ausgaben»[14], gesprochen und an jenem Abend konterrevolutionäre Propaganda verbreitet zu haben.* Die Lage hatte sich mittlerweile hoffnungslos verschlechtert. Es gab keinen Ausweg – und es war der Dalai Lama selbst, der ahnungslos die Lunte gezündet hatte.

* Die chinesische Regierung machte aus Yulu Dawa Tsering eine der Schlüsselfiguren hinter der tibetischen Unabhängigkeitsbewegung. Er erhielt eine exemplarische Haftstrafe von zehn Jahren, das Doppelte des üblichen Höchstmaßes für diese Art von Delikten.

Der Kampf ist aufgenommen
(1987)

Sechs Monate danach wurde Yulu Dawa Tsering
verhaftet. Niemand hat ihn seither gesehen. Die
Polizei beschuldigte ihn, sich an jenem Abend für
die Konterrevolution eingesetzt zu haben; er habe
die Präsenz der Chinesen in Tibet kritisiert, wird
behauptet. Falls er das tat, so war er nicht allein.
Seit September 1987 haben sich Tausende von
Tibetern an antichinesischen Demonstrationen
beteiligt; 30 kamen bei gewaltsamen Übergriffen
der Polizei auf die Demonstranten ums Leben.
Schätzungsweise 2000 wurden inhaftiert wegen
Demonstrierens, wegen kritischer Äußerungen
über China oder Lektüre entsprechender
Bücher.

Tibet Support Group UK Leaflet, 1988

Der Dalai Lama war im Exil zum unermüdlichen Reisenden
geworden; überall trat er als Wortführer für die Sache Tibets ein
und fand bei seinen Zuhörern stets Verständnis und Mitgefühl.
Nach seinen Besuchen in den Vereinigten Staaten in den Jahren
1979, 1981 und 1984 hatte er sich dort so viel Sympathie und
Wertschätzung erworben, daß 1986 einundneunzig Kongreßab-
geordnete den chinesischen Präsidenten schriftlich ersuchten,
wieder direkte Gespräche mit den Vertretern des Dalai Lama
aufzunehmen. Das Schreiben blieb unbeantwortet. Doch die
Amerikaner ließen nicht locker, und im Juni 1987 verurteilte das
Repräsentantenhaus einstimmig Chinas Annexion von Tibet
und den Verlust von über einer Million Menschenleben unter
der chinesischen Okkupation.[1]

Im September 1987 wurde der Dalai Lama eingeladen, vor dem amerikanischen Kongreß zu sprechen. Dieses historische Ereignis erwies sich auch als Katalysator für die Sache der Tibeter. In einem Fünf-Punkte-Friedensplan skizzierte der Dalai Lama eine friedliche buddhistische Charta für sein Land:

1. Umwandlung des gesamten Gebiets von Tibet in eine «Friedenszone»

Die tibetische Hochebene – einschließlich Kham und Amdo – sollte entmilitarisiert werden. In dieser Friedenszone sollte ein Verbot für Herstellung, Erprobung und Lagerung von atomaren und anderen Waffen gelten, desgleichen für die Nutzung von Kernkraft, auch zu friedlichen Zwecken, wegen der hochgiftigen Rückstände. Die Hochebene sollte in den größten Naturschutzpark der Erde umgewandelt werden, in dem die Tier- und Pflanzenwelt gesetzlich geschützt ist. Die Ausbeutung der natürlichen Ressourcen sollte sorgfältig gesteuert werden und der soziale Entwicklungsprozeß in Abstimmung mit den Bedürfnissen und Möglichkeiten der Bevölkerung erfolgen. Nationale Ressourcen und Politik hätten der Förderung des Friedens und des Umweltschutzes zu dienen. Organisationen, die sich der Friedensförderung und dem Umweltschutz verpflichtet haben, könnten in einem Tibet, das auch für die Unantastbarkeit der Menschenrechte eintritt, Stützpunkte errichten.

Wenn Tibet als friedliche, befreundete Pufferzone Indien und China trennt, könnten sich die indischen Truppen von den Grenzen zum Himalaya zurückziehen. Die Chinesen würden sich sicherer fühlen, und das Vertrauen zwischen den Völkern dieser Region könnte wiederhergestellt werden.

Doch für dieses Vertrauen sei eine wichtige Vorbedingung der Abzug der chinesischen Truppen:

«Nach dem Holocaust der letzten drei Jahrzehnte, in dem fast eineinviertel Millionen Tibeter durch Hinrichtung, Folter, Verhungern oder Selbstmord ihr Leben verloren haben, während Zehntausende in Gefangenenlagern dahinvegetierten, kann nur ein Abzug der chinesischen Truppen einen Prozeß der Wiederannäherung einleiten.»[2]

2. Beendigung der chinesischen Umsiedlungspolitik, die eine fundamentale Bedrohung der Existenz Tibets darstellt.

Der Dalai Lama nannte diese Politik eine «Endlösung durch die Hintertür» und zog den Vergleich mit der Mandschurei, der Inneren Mongolei und Ost-Turkestan, wo die einheimische Bevölkerung zur Bedeutungslosigkeit reduziert worden war. «Damit die Tibeter als Volk weiterbestehen können», sagte er, «ist es unerläßlich, daß die Umsiedlung gestoppt wird und die chinesischen Siedler nach China zurückkehren. Sonst werden die Tibeter bald nur noch eine Touristenattraktion und Relikte einer erhabenen Vergangenheit sein.»[3]

3. Respektierung der fundamentalen Menschenrechte und der demokratischen Freiheiten des tibetischen Volkes.

«Die Menschenrechtsverletzungen in Tibet gehören zu den schlimmsten auf der ganzen Welt. Das bezeugen Amnesty International und ähnliche Organisationen. Die Diskriminierung der Tibeter erfolgt durch Anwendung einer rigiden Apartheidpolitik, die von den Chinesen als ‹Trennung und Assimilation› bezeichnet wird. In Wirklichkeit sind die Tibeter Menschen zweiter Klasse in ihrem eigenen Land.»[4]

4. Wiederherstellung und Schutz der natürlichen Umwelt Tibets und Aufgabe der chinesischen Ausbeutung Tibets zum Zweck der Herstellung von Kernwaffen und der Lagerung von radioaktivem Abfall.

«Die Tibeter haben vor jeder Form des Lebens großen Respekt. Dieses tief verwurzelte Gefühl wird noch verstärkt durch den Buddhismus, der es verbietet, einem Lebewesen, ganz gleich, ob Mensch oder Tier, Schaden zuzufügen. Vor dem Einmarsch der Chinesen war Tibet eine schöne, unberührte Wildnis, ein Ort der Zuflucht in einer einzigartigen, natürlichen Umgebung.

Leider wurde die Tier- und Pflanzenwelt in Tibet in den letzten Jahrzehnten fast gänzlich zerstört; in vielen Gebieten ist der Schaden, der den Wäldern zugefügt wurde, nicht mehr gutzumachen. Die Gesamtauswirkungen auf Tibets empfindliche Umwelt sind verheerend.»[5]

5. Ernsthafte Verhandlungen über den künftigen Status Tibets und die Beziehungen zwischen den Völkern Chinas und Tibets.

Zu diesem letzten seiner fünf Punkte betonte der Dalai Lama nachdrücklich, daß er durch einen regionalen Frieden zum Weltfrieden beizutragen gedenke und daß er nach einer Lösung suche, die im langfristigen Interesse aller Beteiligten liege.

Es überraschte ihn jedoch nicht, daß die Chinesen seine Rede scharf verurteilten und als gezielten Aufruf zum Separatismus hinstellten.

«In Tibet hörten wir durch die Chinesen von dem Friedensplan», erzählte mir der junge Mönch Lobsang Dschimpa*. «In ihrer rasenden Wut bezichtigten sie den Dalai Lama, er versuche, das Große Mutterland zu spalten. Das machte wiederum uns sehr zornig.»

Am 24. September 1987 beorderten die Chinesen in Lhasa 15 000 Menschen zur Teilnahme an einer politischen Massenversammlung, in der acht Dissidenten zu Gefängnis und drei zum Tode verurteilt wurden. Einer wurde sofort vor dem Stadion erschossen, ein zweiter zwei Tage später. Dem indischen Journalisten Amit Roy zufolge entsprach dies der Logik eines alten chinesischen Sprichworts, das empfiehlt, die Hühner abzuschlachten, um die Affen abzuschrecken.

Die Drohung funktionierte freilich nicht. Nach einer Diskussion in Lobsang Dschimpas Zelle im Kloster Sera brach am Morgen des 27. September eine Gruppe von dreißig Mönchen zum traditionellen Rundgang um den Jokhang-Tempel auf und machte daraus einen Akt des Widerstands. «Wir beschlossen», sagte Lobsang Dschimpa, «eine friedliche Demonstration zu veranstalten, um den Friedensplan Seiner Heiligkeit zu unterstützen und gegen die Hinrichtungen zu protestieren. Wir verfaßten eine Erklärung, in der es erstens hieß, daß Tibet zwar angeblich unabhängig sei, aber keine Freiheit habe. Zweitens,

---

* Er wurde 1988 in den USA mit dem Reebok Human Rights Award ausgezeichnet. Der Preis wird an Personen unter Dreißig vergeben, die trotz widriger Umstände das Bewußtsein der Weltöffentlichkeit für Menschenrechtsfragen geschärft haben.

daß sich zwischen Chinesen und Tibetern Haß und Feindschaft zu entwickeln drohe und daß diese Gefahr erst dann gebannt wäre, wenn Tibet wieder unabhängig würde. Drittens unterstützten wir das Konzept des Dalai Lama von Tibet als Friedenszone. Wir schickten diese Erklärung anonym an die Chinesen und klebten außerdem Plakate mit diesem Text an die Mauern von Lhasa.

Wir hatten uns drei feste Regeln auferlegt: 1. Wir waren zur Gewaltlosigkeit entschlossen, auch unter Todesdrohung. 2. Wir würden es begrüßen, wenn Laien sich uns anschließen, aber keinen Versuch unternehmen, sie dafür zu gewinnen. 3. Wenn einer von uns festgenommen wurde, durfte er die Namen der anderen, auch unter Androhung von Folter, nicht preisgeben. Da wir alle Mönche waren, besaßen diese Regeln die bindende Kraft von feierlichen Gelübden.

Es war uns gelungen, ein paar tibetische Flaggen anzufertigen – nach chinesischem Recht eine strafbare Handlung. Am Morgen des 27. September machte die erste Gruppe von dreißig Mönchen drei Rundgänge um den Jokhang – sie trugen die Fahnen (keine Gewehre, nur Flaggen!) und skandierten fünf verschiedene Parolen: ‹Unabhängigkeit für Tibet›, ‹Der Dalai Lama ist Tibets wahrer Führer›, ‹Chinesen, geht heim›, ‹Freilassung für alle politischen Gefangenen› und ‹Achtet die Allgemeine Erklärung der Menschenrechte›.»[6]

Die Mönche, denen sich etwa 200 Zuschauer anschlossen, setzten ihre Demonstration vor dem Regierungsgebäude der Autonomen Region Tibet fort. 27 wurden sofort festgenommen und brutal zusammengeschlagen.

Gerüchte, die verhafteten Mönche seien gefoltert und zum Tode verurteilt worden, verbreiteten sich mit Windeseile. Vier Tage darauf, am 1. Oktober, dem chinesischen Nationalfeiertag, gehörte Lobsang Dschimpa selbst zu einer Gruppe von 34 Mönchen, die beim Rundgang um den Jokhang Sprechchöre für die Unabhängigkeit anstimmten und tibetische Flaggen schwenkten. Eine Anzahl gewöhnlicher Tibeter hatte sich ihnen angeschlossen. Beim vierten Rundgang wurden etwa 60 Demonstranten, darunter sämtliche Mönche, verhaftet und zu dem gegenüberliegenden Polizeirevier gebracht. Augenzeugen bekunden, daß die Festgenommenen noch auf offener Straße von den Sicherheitskräften mit Knüppeln, Steinen, Fäusten und Schaufeln traktiert wurden.

Vor dem Polizeirevier sammelte sich eine aufgebrachte Menge von zwei- bis dreitausend Menschen und verlangte lautstark die Freilassung der Demonstranten, während die Polizei versuchte, einzelne von ihnen zu verhaften. Einem gemeinsam verfaßten Augenzeugenbericht zufolge, der dem Dalai Lama von 45 westlichen Touristen übermittelt wurde, «tauchten plötzlich einige Dutzend Beamte mit Videokameras auf, um die Menschenmenge zu filmen. Da sie Angst hatten, nachträglich identifiziert zu werden, bewarfen einige Demonstranten diese Beamten mit Steinen. Daraufhin eröffneten die Sicherheitskräfte das Feuer. Einige Tibeter gerieten in Panik, stürzten ein paar Polizeifahrzeuge um und setzten sie in Brand.»[7]

Elf Polizeifahrzeuge wurden umgeworfen und angezündet. Um ihre festgenommenen Mitdemonstranten zu befreien, machte sich die Menge daran, die Tür zum Polizeirevier einzuschlagen. Dann griffen sie zu Decken, Tischen und Kerosin, um das Gebäude in Brand zu stecken.[8] Die ersten Schüsse gab die Polizei gegen 11 Uhr ab. Gleichzeitig liefen ungefähr zehn Mönche durch den brennenden Eingang, vermutlich, um ihre verhafteten Freunde zu befreien. Auf dem Dach erschienen Polizisten, warfen Steine und feuerten in die Menge. Während einige Polizisten in die Luft schossen, sahen mehrere Augenzeugen, wie andere mit Pistolen und automatischen Waffen gezielt in die Menge schossen. «Ein Polizist trat aus der auf der Hinterseite des Daches befindlichen Gruppe nach vorn», erinnert sich ein britischer Tourist in einer eidesstattlichen Erklärung, «zielte sorgfältig und drückte mit der rechten Hand seine Pistole ab. Er wiederholte das mehrmals und ohne jede Hast. Ich konnte von meinem ungefähr dreißig Meter entfernten Standort sehen, daß er langsam, mit Vorbedacht in die Menge zielte.»[9]

Später entdeckten Augenzeugen reihenweise Einschüsse (offenbar aus automatischen Waffen stammend) in der Mauer des Jokhang, in knapp zwei Meter Höhe, nahe der Stelle, wo Tibeter vor der Schießerei Schutz gesucht hatten.

Zwei junge Amerikaner, John Ackerly, ein Rechtsanwalt, und Blake Kerr, ein Arzt, die von Tibet aus den Mount Everest besteigen wollten, waren Zeugen des Todes mehrerer Tibeter, darunter ein etwa neunjähriger Junge, den ein Schuß in den Rücken getroffen, und ein Fünfundzwanzig- bis Dreißigjähriger, der einen Herzschuß erhalten hatte.[10] Die beiden Amerikaner konnten einigen Verwundeten Erste Hilfe leisten, obwohl ein europäischer Arzt berichtete, die Menschen wären häufig zu verängstigt gewesen, um sie durchzulassen: «Es war ein gewaltiger Schock, als wir merkten, daß die Menschen nicht ins Krankenhaus gebracht werden wollten, weil sie fürchteten, dort verhaftet zu werden.»

Tibetischen Quellen zufolge wurden zwei oder drei der im Polizeirevier festgehaltenen Demonstranten erschossen, möglicherweise, als sie durch die Fenster zu fliehen versuchten, während das Gebäude brannte. Ein Tibeter, der entkam, berichtete später über die Zeit im Polizeigewahrsam: «Die Mönche beteten ungefähr zwanzig Minuten gemeinsam. Vier Polizisten mit Pistolen bewachten uns. Plötzlich hörte man vier Schüsse. Ein Mönch aus dem Kloster Netschung, der in meiner Nähe stand, wurde durch die Schädeldecke getroffen, aus seinem Kopf quoll Blut und bespritzte mich von oben bis unten.»[11]

Sonam Tseten, ein neunjähriger Junge, war mit seinem Vater vom Land gekommen, um einen Onkel am Barkhor zu besuchen und seinen sechzehnjährigen Bruder Kunga, einen Novizen in Sera, wiederzusehen. Als die Demonstration begann, stürzten sie alle ans Fenster, um den Ablauf zu beobachten. Zu ihrer Überraschung entdeckten sie Kunga sowie zwei Onkel mütterlicherseits, Karsel und Gyaltsen, mit einer Anzahl anderer Mönche beim Rundgang um den Barkhor. Was dann geschah, erzählte mir Sonam Tseten, immer noch vor Entsetzen wie gelähmt: «Die Chinesen kamen und verhafteten sie. Später eröffneten sie das Feuer. Einer zielte von hinten direkt auf Kunga, und wir sahen, wie er zusammensackte, in den Kopf getroffen. Ich hab die Kugel aus der Stirn wieder rauskommen sehen. Ein Chinese kam mit einem Handkarren angerast und brachte die Leichen weg.»[12] Karsel wurde ebenfalls getötet, Gyaltsen verhaftet. Der Neunjährige, der das alles miterleben mußte, reagierte auf seine Weise: «Ich warf Steine auf die chinesischen Lastwagen, und einer meiner Freunde steckte einen Jeep in Brand. Wir waren so aufgeregt, wir mußten einfach irgendwas tun.» Am nächsten Tag forderten die Chinesen von der Familie 350 Yuan für Kungas Leiche.* «Die Toten hatte man in verschiedene Räume geworfen. Wir fanden Kunga im dritten, in dem wir nachschauten, in einer großen Schublade. Wir brachten ihn ins Kloster Sera.»[13]

Das war erst der Anfang. Am 6. Oktober gingen etwa 90 Mönche aus Drepung – gänzlich unbewaffnet – zum Parteigebäude und verlangten in Sprechchören die Freilassung ihrer Glaubensbrüder; sie wurden von 250 Mann bewaffneter Miliz in Empfang genommen. Augenzeugen berichten, daß die Chinesen auf die Mönche mit Gewehrkolben, Gummiknüppeln und eisenbeschlagenen Gurten eindroschen. Dann wurden sie in Lastwagen verfrachtet und weggebracht.[14]

Tibeter wie westliche Touristen waren überzeugt, daß es ohne die Anwesenheit so vieler Ausländer zu einem Massaker gekommen wäre. Die Chinesen betrachteten die Touristen mit gemischten Gefühlen: Die harte Währung war zwar willkommen, nicht aber die Sympathie für die Sache Tibets. «Die Chinesen haben Angst vor dem Ausländer», sagte eine Tibeterin. «Der Ausländer geht nach Hause zurück und erzählt die Wahrheit.»[15] Für die Tibeter stellte die Anwesenheit von Touristen einen gewissen Schutz dar, doch wenn sie das Land verlassen hatten – was dann?

Die Antwort ließ nicht lange auf sich warten. Die Ereignisse hatten die Chinesen zwar unvorbereitet getroffen, doch sie verloren keine Zeit, die Verbindungen zur Außenwelt zu kappen. Die Meldungen über die Demonstrationen waren indessen bereits um die ganze Welt gegangen. Ein britischer Besucher stellte fest:

«Wir waren so gut wie sicher, wenn es westlichen Ausländern

---

* Der übliche Satz lag anscheinend zwischen 300 und 600 Yuan, annähernd einem Jahresgehalt, das bei den meisten Stadtbewohnern zwischen 300 und 1000 Yuan betrug. In einem Leitartikel der *New York Times* vom Oktober 1987 wurde das jährliche Pro-Kopf-Einkommen der Landbevölkerung mit 110 Dollar (385 Yuan) beziffert. (Siehe auch S. 273)

– oder anderen Personen – nicht gelungen wäre, Nachrichten über die Vorgänge an die Weltpresse durchzuschmuggeln, hätten die Chinesen nie und nimmer zugegeben, daß es in Tibet zu Demonstrationen gekommen war. Dann wäre es ganz nach dem Muster abgelaufen, wie man es den Touristen im Lhasa Hotel am 1. Oktober dargestellt hat: ‹Wegen Verkehrsproblemen in der Stadt findet der Pendelverkehr heute nicht statt.›»

Zum ersten Mal seit 1959 machte Tibet wieder Schlagzeilen und zog die Anteilnahme der Außenwelt auf sich. Der US-Senat verurteilte China einstimmig in scharfer Form wegen Verletzung der Menschenrechte in Tibet, ähnliche Resolutionen wurden vom Deutschen Bundestag und vom Europäischen Parlament verabschiedet.

Diese massive Kritik ließ Peking kalt. Es handle sich um eine innere Angelegenheit, die das Ausland nichts anginge, lautete die Antwort. Man erklärte, daß die Demonstrationen von ein paar «Abweichlern» inszeniert worden seien, die bei den meisten Tibetern auf Ablehnung stießen. Es wurde bestritten, daß es bei dem Aufruhr am 1. Oktober Tote gegeben habe und behauptet, die Polizei habe nicht einmal von ihren Waffen Gebrauch gemacht. Vielmehr hätten die Demonstranten sich der Polizeiwaffen bemächtigt und sich damit gegenseitig attackiert. Erst im März 1988, nach der Zeugenaussage eines Ausländers vor der UN-Menschenrechtskommission in Genf, gestand Peking ein, daß die Polizei schließlich das Feuer eröffnet hatte. Ungeachtet dieses erheblichen Rückziehers hielt der chinesische Regierungssprecher Chen Shiqiu an seiner Vernebelungstaktik fest. Die Demonstranten seien lediglich auf die Polizeiwache gebracht worden, um ihnen Rat zu erteilen, erklärte er. Eine Frau sei von den Demonstranten niedergeschlagen worden; darauf habe die Polizei in die Luft gefeuert und dabei versehentlich zwei Tibeter und einen Chinesen tödlich getroffen. Ein weiterer Tibeter sei durch herabfallendes Mauerwerk getötet worden, behauptete er, ein anderer von einem Dach gestürzt. Er bedauerte, daß China diese Zurückweisung erfahre in einer Zeit, da «Tibeter und Chinesen hart daran arbeiten, gemeinsam ein schönes neues Tibet aufzubauen».

Von diesem schönen neuen Tibet war freilich wenig zu merken in den Tagen nach den Unruhen, als Journalisten und Touristen ausgewiesen, ihre Filme beschlagnahmt wurden und die Verhaftungen begannen. Die Chinesen hatten für alle, die an den Demonstrationen teilgenommen hatten, eine Frist bis zum 15. Oktober gesetzt, sich freiwillig zu melden. Nach Verstreichen dieses Stichtages griffen sie brutal durch. Ganze Gebiete wurden von bewaffneten Polizeieinheiten abgeriegelt. Bei nächtlichen Razzien in Wohnhäusern wurden Hunderte – zumeist junge Leute – mitgenommen. (Die von den abreisenden Ausländern konfiszierten Filme hatten zur Identifizierung der Demonstranten beigetragen.) Berichten zufolge wurden weit über tausend Tibeter inhaftiert und die meisten von ihnen gefoltert.

Die Klöster Drepung, Sera und Ganden wurden von der Geheimpolizei besetzt. Die Mönche hatten sich einem intensiven Programm zur politischen Umerziehung zu unterziehen; sie durften ohne offizielle Genehmigung weder das Kloster verlassen noch mit anderen Klöstern Verbindung aufnehmen. Die mit Gummiknüppeln und elektrischen Schlagstöcken bewaffneten Sicherheitskräfte wurden verstärkt; Streifenwagen der Polizei jagten mit gellenden Sirenen durch die Stadt, und schwerbewaffnete Soldaten patrouillierten durch die Straßen. Chinesisches Militär umrundete den Barkhor gegen den Uhrzeigersinn – eine Drohgebärde, mit der die neue «Politik der Angst» symbolisiert wurde.

Jedermann fürchtete sich. In der Nacht, als die Verhaftungen begannen, lag Sonam Tseten wach und lauschte: «Ich bekam es mit der Angst zu tun, und mein Vater auch. Die Chinesen hatten vom Dach des Polizeireviers aus alles mit Videokameras aufgenommen und verhafteten in dieser Nacht jeden, den sie wiedererkannten. Mein Vater befürchtete, sie würden auch mich als Steinewerfer festnageln und mitnehmen. Deshalb sagte er, ich solle das Land verlassen. Am nächsten Morgen fuhren wir in einem Lastwagen, unter einer Gemüseladung versteckt, los und waren den ganzen Tag und die ganze Nacht unterwegs, bis wir die Grenze zu Nepal erreichten. Dort traf mein Vater eine Vereinbarung mit ein paar Kulis. Sie verkleideten mich als Kuli und nahmen mich mit.»[16]

So verließ ein verängstigter Neunjähriger sein Zuhause, seine Familie und sein Land, um allein ins Exil zu gehen.

Der 13jährige Pemba wurde festgenommen. Er gehörte zu der Generation, die Tibet nie ohne Chinesen gekannt hatte. Er war nach dem Horror der Kulturrevolution geboren worden. Am 1. Oktober hatte er einfach nichts Besseres zu tun und sich deshalb zusammen mit einem Freund der Demonstration angeschlossen: «Wir sind nur hingegangen, um mitzuschreien ‹Freiheit für Tibet› und so was... Bis dahin hatte ich eigentlich nie über tibetische Unabhängigkeit nachgedacht. Aber an dem Tag wurde mir plötzlich klar, daß mir was daran lag. Die chinesischen Lautsprecher plärrten Beleidigungen gegen den Dalai Lama raus, und das brachte mich richtig in Wut. Ich war so fuchsteufelswild, daß ich mit ein paar Streichhölzern einen chinesischen Jeep in Brand steckte.»[17]

Trotz seiner Jugend wurde Pemba in das berüchtigte Kutsa-Gefängnis in Lhasa gebracht und in eine Zelle mit neun Männern gesperrt:

«Während des Verhörs verprügelten mich die Polizisten und bedrohten mich mit der Waffe. Sie schlugen mir ins Gesicht und ohrfeigten mich so heftig, daß ich eine Mittelohrvereiterung bekam. Dann bearbeiteten sie mich mit elektrisch geladenen Viehstöcken, daß meine Haut Funken sprühte. Sie wollten wissen, ob ich ein Widerstandskämpfer wäre, aber ich hatte keine Ahnung, daß es die überhaupt gab. Sie fragten immer wieder, wer mich dazu angestiftet hätte, an der Demonstration teilzunehmen, und wo sich diese Verbrecher versteckten. Sie gaben mir Fotos, die ich identifizieren sollte. Ich verriet ihnen nichts. Ich konnte ihnen ja auch gar nichts sagen. Sie beschuldigten mich, einem Chinesen die Waffe entrissen und außerdem den Jeep in Brand gesteckt zu haben. Mein Freund wurde auch verhört. Ihn beschuldigten sie, den Deckel vom Benzintank aufgeschraubt zu haben.

Wir hatten Hunger. Morgens gaben sie uns eine kleine Schüssel mit dünnem Brei und eine Tasse schwarzen Tee, mittags zwei Ravioli und eine Schöpfkelle voll Gemüsewasser. Abends das gleiche: Ravioli und schwarzer Tee. Ab neun mußten wir schlafen und bei Tagesanbruch aufstehen. Den Kübel durften wir einmal täglich benutzen. Sonst mußten wir in der Zelle bleiben und auf die Verhöre warten. Wir wurden vierundzwanzig Stunden hintereinander an der Mauer angekettet, die Hände auf dem Rücken gefesselt. Die Ketten waren in verschiedenen Höhen angebracht, die für Kinder wie mich weiter unten. Bei den Verhören drohten die Chinesen, wenn ich noch mal an einer Demonstration teilnähme, käme ich lebenslänglich ins Gefängnis. Unabhängigkeit wäre ein Traum, sagten sie. Tibet wäre immer ein Teil von China gewesen und würde es auch für immer bleiben.»[18]

Pemba wurde nach ein paar Tagen entlassen, um ein umfangreiches neues politisches Umerziehungsprogramm mitzumachen. Von Liberalisierung war nicht mehr die Rede, sondern jetzt wurde Ideologie wieder groß geschrieben, und 600 Propagandatrupps führten in ganz Tibet Umerziehungskurse durch. Pemba erzählte mir:

«Wir mußten dreimal täglich an der politischen Schulung teilnehmen, um 9 Uhr 30, um 12 Uhr und um 14 Uhr. Wir waren etwa fünfundzwanzig, zwischen fünfzehn und fünfunddreißig Jahre alt, alle frisch aus dem Gefängnis entlassen. Sie belehrten uns über die Kommunistische Partei und darüber, daß Tibet seit 700 Jahren zu China gehört. Und wir mußten unsere Fehler bekennen, Berichte über einander abfassen, uns gegenseitig denunzieren. Aber wir ließen uns nicht unterkriegen und schlichen uns nachts hinaus, um selbstbeschriebene Plakate anzukleben, auf denen wir ihnen blutige Rache schworen.»

«Wir spürten alle ein neues Gefühl von Verbundenheit», sagte Pema Saldon. «Nationalbewußtsein keimte auf, als die Menschen die Ungeheuerlichkeit dessen, was man ihnen angetan hatte, in vollem Umfang erkannten. Auch diejenigen, die bei den Chinesen angestellt waren, die von Chinesen erzogen wurden und sie bislang unterstützt hatten, begannen umzudenken und das Regime abzulehnen. Die Menschen waren restlos desillusioniert. Jeder wollte Freiheit und die Rückkehr des Dalai Lama. Diese Demos wurden nicht organisiert, sie kamen einfach spontan zustande, und alle beteiligten sich, von kleinen Kindern, die Kiesel warfen, bis zu alten Leuten, die Pflastersteine ausgruben und sie an kräftigere weiterreichten, die sie schleudern konnten. Dem Regime wurde eine einmütige totale Abfuhr erteilt.»[19]

Lobsang Dschimpa, der junge Mönch, wurde auf dem Polizeirevier festgehalten, bewußtlos geschlagen und dann von der Menge befreit, als sie das Gebäude stürmte. Er fand sich von Unbekannten umsorgt, als er wieder zu sich kam. Von da an wurde er von Haus zu Haus weitergereicht, versteckte sich «in Latrinen, unter Betten, überall, wo es mir gut schien», während die Polizei nach ihm suchte, da sie ihn für einen Anstifter hielt. «Sie verhörten alle meine Verwandten und Freunde und durchsuchten ihre Wohnungen. Meine Mutter behandelten sie so gemein, daß sie einen Herzanfall erlitt und starb.»[20] Um nicht entdeckt zu werden, hatte er seine Mönchsgewänder abgelegt und das Haar wachsen lassen. Am 15. November sah er ein Fahndungsplakat, das demjenigen, der ihn – tot oder lebendig – auslieferte, eine Belohnung in Aussicht stellte. «Dem Betreffenden wurde ein neuer Lastwagen versprochen und eine Summe von 1000 chinesischen Yuan. Oder auch ein Jeep.»[21] Doch keiner verriet ihn: «Ich konnte überleben, weil so viele Menschen mir immer wieder halfen.»* Acht Monate lang hielt er sich versteckt – in 72 verschiedenen Unterkünften –, wobei ihm immer mehr bewußt wurde, daß «die Tibeter gezwungen wurden, wie Tiere zu leben».

Die Nachrichten über die Aufstände in Lhasa verbreiteten sich rasch in ganz Tibet. In Amdo demonstrierten Hunderte von Oberschülern und Mönchen gegen das brutal durchgeführte Programm zur Geburtenkontrolle und die Überschwemmung ihrer Städte und Dörfer mit chinesischen Siedlern.[22] In Lhasa selbst fanden vor Jahresende noch zwei weitere Aufstände statt. Bei dem einen demonstrierten Ende November 80 Mönche aus Ganden gegen die Arbeitsgruppen, die zu ihrer Disziplinierung im Kloster stationiert worden waren. Zum zweiten kam es Mitte Dezember, als 20 tibetische Nonnen einen Rundgang um den Jokhang machten und verhaftet wurden. Das war ein deutlicher

---

* Als er schließlich nach Lhasa zurückkehrte, überredeten ihn Freunde zur Flucht. Mit Hilfe der tibetischen Widerstandsbewegung überquerte er auf einer geheimen Route den Himalaya und gelangte nach Dharamsala.

Hinweis darauf, was die Tibeter in Zukunft erwartete, wenn sie es sich erlaubten, von Freiheit zu träumen. Aber sie hatten schließlich nichts zu verlieren – außer ihren Ketten.

Vergeltungsmaßnahmen
(1988)

Die Chinesen reißen uns das Herz aus dem Leib.

Frau in Lhasa, 1988

Auf Lhasa lastete eine düstere Vorahnung nahenden Unheils, des Ausgeliefertseins an eine Gewalt, die sich nur noch verschlimmern konnte. Die Spannung zwischen chinesischen Siedlern und Tibetern stieg sprunghaft an. Tibet war jetzt für ausländische Journalisten, Einzelreisende und Menschenrechtsgruppen gesperrt. Ein paar streng abgeschirmte Reisegruppen waren eingetroffen, doch selbst die riefen bei den Chinesen zunehmend Mißtrauen und Fremdenfeindlichkeit hervor. Ein westlicher Student in Lhasa berichtete, es gäbe überall Spitzel, und kein Tibeter wagte es, mit Ausländern zu sprechen. Uniformierte Polizisten waren über die ganze Stadt verteilt und mit Feldstechern und Maschinengewehren auf den Dächern postiert.

Steve Myhill vom Britischen Museum erzählte, daß Mönche im Jokhang «Freiheit für Tibet, Chinesen nicht gut», flüsterten, als seine Reisegruppe vorbeikam, und daß Hunderte von chinesischen Soldaten bei der Besichtigung des Tempels «sich über das Heiligtum lustig machten, während sie schubsend und drängelnd den Pilgern durch die Kapellen folgten und damit einen als Wärter amtierenden Mönch so in Rage brachten, daß er einen Soldaten mit einem Fußtritt eine Treppe hinunterstieß und einen anderen mit Jakbutter vollschmierte»[1].

Die wachsende Verzweiflung der Tibeter und das weltweite Mitgefühl, das ihre Auflehnungsversuche gegen ihre Unterdrücker hervorrief, veranlaßte die Chinesen zu schärferem Durchgreifen. In der Verwaltung tätige Tibeter, darunter der

Panchen Lama, konterten, die Chinesen hätten es verabsäumt, den tatsächlichen Bedürfnissen und Hoffnungen des tibetischen Volkes Beachtung zu schenken. Dies habe zu der gegenwärtigen Krise geführt; und sie warnten vor den katastrophalen Folgen von weiteren repressiven Maßnahmen.

Es war weniger Rücksichtslosigkeit als krasser Mangel an Gespür, der die nächste Revolte herbeiführte, die schwerste seit 1959. Wieder einmal nahte in diesem März 1988 das Mölam Chenmo, das Große Gebet. Den Mönchen war nicht nach Festlichkeiten zumute, da Hunderte ihrer Glaubensbrüder seit den Aufständen im Oktober im Gefängnis saßen, und sie befürchteten Schwierigkeiten, sollte das Mölam wie üblich stattfinden. Statt dessen befürworteten sie einen Boykott mit dem Argument, das Fest würde in jedem Fall nur als «Attrappe» für die Touristen in Szene gesetzt. Doch die Chinesen, schmerzhaft getroffen von den Beschuldigungen des Auslands wegen Menschenrechtsverletzung, wollten sich diese Gelegenheit nicht entgehen lassen, der Welt vor Augen zu führen, daß sie Tibet die Religionsfreiheit wiedergegeben hatten, und sie bestanden darauf, mit den Vorbereitungen fortzufahren. Die Mönche protestierten, doch als die Chinesen blutige Vergeltungsmaßnahmen androhten, mußten sie sich fügen.

Der neuerliche Widerstand hatte die Chinesen allerdings unruhig gemacht. Eine Woche vor Mölam meldete Reuter aus Peking, daß 50 Militärfahrzeuge und mehr als 1000 chinesische Polizisten, viele in Straßenkampfausrüstung, vor dem Jokhang Manöver abhielten. Am 28. Februar berichtete die BBC: «Tausende von chinesischen Sicherheitskräften sind in die Umgebung von Lhasa verlegt worden. Im ganzen Stadtgebiet wurden Straßensperren errichtet. Lange Konvois von gepanzerten Fahrzeugen patrouillieren nachts durch die Straßen, und die Menschen werden über Lautsprecher aufgefordert, zu Hause zu bleiben. In einer dieser Durchsagen hieß es ganz offen: ‹Wer den Befehlen nicht gehorcht, wird umgebracht.›»[2]

Das Fest begann am 3. März in Anwesenheit schwerbewaffneter Polizisten und Soldaten. Etliche mischten sich in Zivil unter die Menge, um alles unter Kontrolle zu halten und doch auf den Filmen der Touristen nicht durch die Uniform aufzufallen.

Manche Polizisten in der Menge waren kahlgeschoren oder trugen Perücken, «um den Eindruck zu erwecken, sie seien Mönche oder Besucher vom Lande»[3]. Wie ein britischer Tourist kommentierte: «Was eigentlich als ernste religiöse Zeremonie des tibetischen Volkes gedacht war, verkam zum kläglichen Spektakel im Dienst der chinesischen Propaganda.»

Am ersten Tag verliefen die Feierlichkeiten ohne Zwischenfälle, und bis zum dritten Tag, dem 5. März, hatte sich die Militärpräsenz etwas gelockert. Doch genau da begannen die Dinge aus dem Ruder zu laufen. In den frühen Morgenstunden wurde die Statue des Maitreya, des Buddha des nächsten Weltzeitalters, in feierlicher Prozession um den Jokhang getragen. Der Zug hatte gerade die Südseite des Tempels erreicht, als etwa 300 junge Mönche lautstark die Freilassung des Lama Yulu Dawa Tsering forderten, der zwei Tage zuvor verhaftet worden war (s. S. 247).*

Danach verlangten sie in Sprechchören die Unabhängigkeit Tibets und kletterten auf eine Tribüne, wo sie die geladenen chinesischen und tibetischen Regierungsbeamten anrempelten.[4] Als die Protestler weggezerrt und festgenommen wurden, begannen Mönche, auch vom Dach des Jokhang, die chinesischen Kameramänner, die vom Dach des Polizeireviers die Vorgänge filmten, mit Steinen zu bewerfen.

Unterschiedliche Berichte machen es schwierig, den genauen Hergang zu rekonstruieren. Manche sprechen davon, daß die Gruppe der Beamten schleunigst im Jokhang Zuflucht suchte und von dort über Funk Hilfe herbeiholte. Patrick Lescot, Reporter von Agence France Presse und an jenem Tag als einziger ausländischer Journalist in Lhasa, sagte, als die Mönche auf den Platz vor dem Tempel zogen, hätten mehrere tausend Zuschauer und Pilger begonnen, einen Trupp von ungefähr fünfzig uniformierten Polizisten mit Steinen zu bewerfen.[5] «Anfangs warf die Polizei bloß Stein um Stein zurück», erklärte einer von etwa 30 in der Menge befindlichen britischen Touristen.

---

* Fünf Tage später, am 10. März, meldete Radio Lhasa, Yulu Dawa Tsering sei wegen Konspiration mit «als Touristen getarnten reaktionären Ausländern» angeklagt.

«Aber dann kamen Lastwagen voller Polizisten zur Verstärkung. Tibeter in der Menge sagten mir, ein chinesischer Offizier habe seinen Leuten zugebrüllt: ‹Legt die Tibeter um.›»

Zwei Stunden später, gegen 11 Uhr 30, stürmten rund 2000 bewaffnete Polizisten und Soldaten den Jokhang unter Einsatz von Tränengas und Schlagstöcken. Ein tibetischer Augenzeuge berichtet: «Schwerbewaffnete Soldaten der Volksbefreiungsarmee kamen zu Tausenden mit Lastwagen aus allen Richtungen. Unter Einsatz von Tränengas drangen sie in den Jokhang, die heiligste Stätte.»[6]

«Alles war voller Rauch, und wir bekamen keine Luft mehr», sagte Gyaltsen Tschödön, eine junge Nonne, die zusammen mit einer Freundin den Mönchen beim Rundgang um den Barkhor gefolgt war. Ein verängstigter Mönch erzählte dem Journalisten Jonathan Mirsky vom *Observer*: «Sie prügelten mit Schlagstökken auf jeden ein, der tibetisch aussah, auch auf einige der regionalen Führer. Sie haben dreißig Mönche getötet. Im Lauf des Tages trugen sie die Leichen hinaus wie Viehkadaver und warfen sie auf zwei Lastwagen.»[7] 30 dürfte wohl übertrieben gewesen sein. Manche sprechen von 16, dazu von zwei tibetischen Laien. (Ein Artikel in der asiatischen Ausgabe vom *Wall Street Journal* meinte, in bezug auf Zahlenangaben bestehe zwischen Tibetern und Chinesen ein entscheidender Unterschied: «Die Tibeter übertreiben, die Chinesen lügen einfach.»[8]) In seiner Autobiographie vertritt der Dalai Lama die Ansicht, daß sie «mindestens zwölf Mönche umbrachten», und fügt hinzu: «Einer wurde zusammengeschlagen, bevor man ihm die Augen ausstach und ihn vom Dach des Tempels aus hinunterstürzte. Die heiligste Stätte des Landes wurde zu einem Schlachthaus.»[9]

Die gewalttätige Reaktion markierte eine entscheidende Veränderung in der Politik. Im Jahr zuvor wurden die Chinesen überrumpelt, und man hatte es der regulären Polizei überlassen, die Demonstrationen einzudämmen. Aber 1988 waren sie vorbereitet: Es wurden für den Straßenkampf ausgebildete Spezialeinheiten eingesetzt. Furchteinflößende Gestalten, die brutal vorgingen, gezielte Todesschüsse abgaben oder gnadenlos auf die Menschen einprügelten, ihnen die Schädel einschlugen.

Die Kunde vom gewaltsamen Eindringen in den Tempel verbreitete sich nachmittags in der ganzen Stadt und versetzte das tibetische Viertel in Aufruhr. Bei den sechzehn Stunden andauernden Straßenkämpfen, die nun folgten, wurde ein chinesischer Polizist aus einem Fenster im zweiten Stock gestürzt und kam dabei ums Leben; Autos wurden in Brand gesteckt und etwa zwanzig chinesische Läden und Restaurants niedergebrannt. Die Sondereinheiten der Polizei griffen die Menge mit Gewehrkolben, Tränengas, elektrischen Schlagstöcken und Eisenstangen an, schleppten Männer, Frauen und Kinder fort.*

«Die Leute waren außer sich», berichtete ein ausländischer Augenzeuge. «Einige weinten und versanken in stumme Verzweiflung... Die Chinesen behaupteten später, die Unruhen seien von einer Handvoll ‹Abweichlern› ausgelöst worden, aber ich sah mit eigenen Augen, wie das gesamte tibetische Viertel, ungefähr 10 000 Menschen, sich gegen die Chinesen erhob. Es war, als ob sich jahrelang unterdrückte Bitterkeit und Enttäuschung plötzlich Luft machten. Ich beobachtete eine Szene unmittelbar nördlich vom Tempel, wo eine junge Nonne – selber Steine werfend – mir zuschrie: ‹Mein Gott, sie bringen die Mönche im Tempel um!› und mich verzweifelt um Hilfe bat. Doch da waren Tausende von chinesischen Soldaten mit Schutzhelmen, Tränengas und Maschinengewehren, und die Tibeter konnten weiter nichts tun als Steine werfen.»[10]

Um Mitternacht waren zahlreiche neue chinesische Truppen eingetroffen, und das Militär hatte die Stadt wieder unter Kontrolle.

Die Chinesen rächten sich furchtbar. Die Nachrichtenagentur Neues China meldete, religiöse Führer in Tibet hätten «Unzufriedenheit» mit der «Nachsicht» der Zentralbehörden geäußert

---

* Eine Videokassette, auf der die Polizei die Vorgänge festgehalten hatte, wurde in den Westen geschmuggelt und dort vielfach gezeigt. Man sieht die Polizei wild auf die Demonstranten einprügeln, die, in die Knie gezwungen, die auf dem Rücken gefesselten Hände hoch erhoben, die Schläge entgegennehmen müssen. Man hört einen chinesischen Offizier sagen: «Schlagt sie nicht hier. Ihr könnt mit ihnen machen, was ihr wollt, wenn ihr sie aufs Revier gebracht habt.» Jedenfalls etwa in dem Sinn.

und forderten «härtere Maßnahmen» zur Beruhigung der Lage.[11] Eine Ausgangssperre wurde verhängt. «In den folgenden Tagen wurden wenigstens 1000 Personen, wahrscheinlich aber viel mehr, verhaftet», berichtete der zuvor zitierte britische Augenzeuge. «Man erfuhr von zahlreichen standrechtlichen Exekutionen. In den folgenden zwei Wochen waren mindestens einmal täglich lange Kolonnen der chinesischen Armee unterwegs, in jedem der 122 Lastwagen fünfundzwanzig bis dreißig Soldaten mit Maschinengewehren; nachdem sie ihre Runde gemacht hatten, durchquerten sie den tibetischen Sektor von Lhasa – eine eindeutige Demonstration der Stärke, mit der die Bevölkerung in Schrecken versetzt werden sollte.»

In Klöstern, Arbeitseinheiten und Nachbarschaftskomitees fand politische Umerziehung in gesteigertem Maße statt. Am 5. September hielt eine Arbeitsgruppe von 45 Mann Einzug im Kloster Sera und teilte den Mönchen mit: «Bekennt eure Teilnahme an den Demonstrationen. Wenn ihr nicht gesteht und wenn ihr es wieder tut, werden wir euch töten; wir werden euch hinrichten, wir werden euch lebenslänglich ins Gefängnis bringen.»[12]

Eingeschüchtert und beunruhigt, wie sie waren, gaben die Tibeter dennoch nicht auf. Sie beklebten die Hauswände im tibetischen Viertel mit Freiheitsplakaten, verteilten Flugblätter auf dem Marktplatz, pinselten, von den Staubwolken chinesischer Fahrzeuge umhüllt, ihre Unabhängigkeitsparolen an die Wände und zeigten mit all dem ihren Widerstand. Sie hörten sich Aufzeichnungen von Ansprachen des Dalai Lama an, obwohl die Verbreitung von jeglichem Material über Seine Heiligkeit in Wort, Bild und Ton strikt untersagt war.[13] Verstöße dagegen wurden streng bestraft. Die 18jährige Tashi Dölma, ein ungebildetes Nomadenmädchen aus Kham, war 1987 auf Pilgerfahrt nach Lhasa gegangen und ein Jahr dort geblieben; ihren Unterhalt hatte sie sich mit Straßenhandel verdient. Verängstigt durch die Demonstration am Mölam-Fest machte sie sich zwei Tage später auf den Heimweg. Als ihr jemand eine Tonbandkassette des Dalai Lama und ein paar Flugblätter mitgab, verstaute sie alles ohne Bedenken unter ihren paar Habseligkeiten. «Vermutlich wußte ich schon, daß es ein bißchen gefährlich war», gibt sie zu, «aber richtig klar war mir nicht, was ich tat, und ich rechnete nicht damit, erwischt zu werden.» An der ersten Kontrollstelle außerhalb der Stadt wurden alle Tibeter durchsucht. Niemand glaubte Tashi Dölmas Einwänden, sie habe die Kassette als Gebetshilfe gekauft und die Flugblätter auf dem Trottoir herumliegend gefunden. Sie wurde festgenommen und ins Gefängnis nach Lhasa zurückgebracht:

«Ich wurde in eine stockfinstere, fensterlose Zelle mit Zementfußboden gesperrt; dort ließen sie mich neun Tage, verhörten mich dauernd bei Tag und Nacht, schlugen und folterten mich mit elektrisch geladenen Viehstöcken. Sie wollten wissen, wer mir die Flugblätter gegeben hatte und drohten, ich würde erschossen, wenn ich's ihnen nicht sagte. Ich hab ihnen kein Wort gesagt.»

Tashi Dölma wurde in ein Gefängnis nach Chamdo verlegt, wo man sie, an Händen oder Füßen angekettet, einen Monat und sechzehn Tage verhörte. Dann kam sie ins Kutsa-Gefängnis nach Lhasa zurück; zunächst vier Monate in Einzelhaft, danach in eine Zelle mit vier jungen Nonnen:

«Es war mitten im Winter. Die Chinesen schütteten mehrere Zentimeter hoch Wasser auf den Zementfußboden der Zelle und ließen uns zwölf Stunden hintereinander darauf stehen. Unsere Knöchel schmerzten unerträglich, während unsere Füße zum Glück nach einer Weile erstarrten. Sie wiederholten diese Folter insgesamt achtmal. Ich habe davon ständige Schmerzen in den Knien und im Rücken zurückbehalten. Dann wieder ließen sie uns stundenlang hängen, die Beine auf einem Tisch, die Hände auf dem Boden. Natürlich gab es außerdem das tägliche Pensum von Tritten und Schlägen mit Viehstöcken.»

Tashi Dölma war dem Tode nahe, als sie ganz plötzlich entlassen wurde. Das Haar war ihr größtenteils ausgefallen. «Die hielten es offenbar für besser, wenn ich außerhalb des Gefängnisses anstatt in ihrem Gewahrsam sterbe», vermutete sie. «Sie gaben mir eine Rechnung über 1000 Yuan: zwei Yuan täglich für das Gefängnisessen. Falls ich nicht binnen einer bestimmten Frist zahlte, sagten sie, würden sie mich wieder verhaften. Ich erklärte, daß ich kein Geld hätte – bei meiner Verhaftung hatte ich 200 Yuan, aber die hatten sie mir weggenommen – und auch keine Angehörigen in Lhasa, die mir helfen könnten. Mir würde nichts weiter übrigbleiben, als in den Straßen zu betteln. Das interessierte sie nicht, sie händigten mir einfach eine schriftliche Bestätigung aus, daß ich wieder verhaftet würde, falls ich nicht bezahlte. Ich wußte, ich mußte versuchen zu fliehen – es gab keine andere Möglichkeit.* Aber für die Nonnen war es noch viel schlimmer als für mich. Sie setzten scharf dressierte Hunde auf sie an und gossen ihnen Urinkübel über den Kopf. Sie gingen ihnen mit ihren elektrisch geladenen Stöcken an die Geschlechtsteile. Eine erblindete, und eine andere wurde chronisch inkontinent. Sie hängten sie mit den Daumen an der Decke auf. Es war fürchterlich, was sie ihnen antaten.»[14]

Es waren bereits so viele Mönche im Gefängnis, daß die Nonnen die schwere Last des Protestes auf sich genommen hatten. Zwei junge Insassinnen des Klosters Chupsang, die Mitte 1990 nach Indien flüchteten, berichteten von den ständigen Schikanen, denen sie durch die dort stationierte ‹Arbeitsgruppe› ausgesetzt wurden:

«Sie sagten: ‹Ihr erklärt unentwegt, Tibet ist ein unabhängiges Land. Das habt ihr viele Jahre laut verkündet. Wann war Tibet je unabhängig, und wer hat euch diese Worte in den Mund gelegt? Heute solltet ihr eure Verbrechen gestehen und euch dem Staat zur Verfügung stellen, dann wird man euch Lebensmittelkarten geben und ihr dürft im Kloster bleiben.›»[15]

Man befal den beiden zu schwören, daß sie nichts mit den «Abweichlern des Dalai Lama» zu tun hätten; sollten sie sich indes nicht fügen, «wird man hier so viele Zwangsmaßnahmen durchführen, daß nicht einmal die Vögel mehr imstande sind zu singen»[16].

Unerschrocken schritten am Sonntag, dem 17. April, 13 Nonnen um den Barkhor und forderten die Freilassung der politischen Gefangenen. Als die Polizei angriff, flohen sie,

---

* Ein Mönch brachte Tashi Dölma ins tibetische Krankenhaus, wo sie allmählich wieder zu Kräften kam. Dann schloß sie sich einer Gruppe von Khampas an, die geschäftlich nach Westtibet unterwegs waren. Danach zog sie mit einer anderen Gruppe südwärts nach Katmandu.

wurden jedoch im Laufe des Tages festgenommen. Eine Woche danach gelang es einer Gruppe von fünf jungen Nonnen, mit einer tibetischen Fahne den Jokhang dreimal zu umrunden, bevor die Polizei einschritt. Eine von ihnen, die 23jährige Gyaltsen Tschödön aus einer Einsiedelei beim Kloster Sera, behauptet, sie habe immer noch «Freiheit für Tibet» gerufen, als man sie wegschleppte. Ihre schreckliche Geschichte ist typisch für viele. (Gyaltsen war zu krank, um bei den Interviews der Filmemacherin Vanya Kewley einbezogen zu werden, die sie mit den übrigen vier Nonnen machte und als die erschütterndsten bezeichnet, die sie je aufgezeichnet hatte. «Ihre Aussagen wurden öfter durch Schluchzen erstickt und unverständlich.»[17])

Gyaltsen zitterte und weinte, als sie mir in Dharamsala – elend und krank – von ihren schrecklichen Erfahrungen berichtete:

«Sie warfen uns in den Lastwagen wie Steine und fuhren uns ins Gefängnis, drehten uns die Arme auf dem Rücken zusammen. Sie nahmen unsere Gürtel weg und machten eine Leibesvisitation. Dann schlugen sie uns und ketteten uns an die Wand. Dann entkleideten sie uns und fuhren mit elektrisch geladenen Viehstöcken* über unsere nackten Körper, Augen, Mund, überall, immer mehrere Männer zugleich. Sie benutzten diese Viehstöcke wie Spielsachen, vergnügten sich damit, vor allem, wenn sie unsere Geschlechtsteile berührten. Sie waren keine menschlichen Wesen, sie waren keine Tiere, sie waren Maschinen. Sie lachten und machten Witze miteinander, während sie solche Dinge taten. ‹Ihr seid keine Nonnen›, sagten sie. ‹Ihr seid bloß Dreck.› Sie riefen uns nie beim Namen, sondern wir mußten auf Bezeichnungen antworten wie: Schwein, Pferd, Esel und so. Wenn sie uns verhörten, befahlen sie uns zu gestehen, wer uns angestiftet hat. Wenn wir stumm blieben, brachten sie uns nach draußen und ließen uns eine Nacht und einen Tag im Freien stehen, mit erhobenen Händen. Während wir dort standen, schlugen sie uns und hetzten ihre Hunde auf uns.»

* Die Benutzung von elektrisch geladenen Viehstöcken war weitverbreitet. Erstmals erwähnt wurde sie in einem Bericht von Asia Watch, *Human Rights in Tibet*, vom Februar 1988. Das amerikanische State Department führt dazu Beweise an in *Country Reports on Human Rights Practices for 1988*, S. 765.

Oft legten sie uns auf den Boden, mit dem Gesicht nach unten, ausgezogen bis auf die Unterwäsche, die Hände flach ausgestreckt – und schlugen auf uns ein. Des öfteren ließen sie aus großer Höhe einen wuchtigen Eisenstab auf unseren Rücken fallen. Meine Wirbelsäule wurde bei dieser Prozedur schwer beschädigt.

Wenn sie uns zu Boden geworfen hatten, trampelten sie manchmal mit ihren wuchtigen, eisenbeschlagenen Stiefeln auf unseren Händen herum. Sie traten uns in Gesicht und Bauch. Kübel voller Urin wurden uns auf den Kopf gestellt, während die Wachen mit Stöcken auf die Kübel einhieben und in brüllendes Gelächter ausbrachen, wenn Urin und Exkremente uns über Gesicht und Körper flossen. Sie nahmen das, was wir zu essen bekommen sollten, tauchten es in Kot und zwangen uns, es zu schlucken.»[18]

Purbu Tsering, ein 27jähriger Anstreicher, wurde beschuldigt, beim Niederbrennen eines chinesischen Restaurants am 6. März beteiligt gewesen zu sein. Er wurde «splitternackt eine ganze Nacht lang mit den Füßen an die Decke gehängt». Dschambel Losel, ein 23jähriger Mönch aus einem kleinen Tempel in Lhasa, wurde ebenfalls an den Beinen mit dem Kopf nach unten aufgehängt.[19] Ein Interview mit einem ehemaligen tibetischen Polizisten ist höchst aufschlußreich.[20] Er bestätigte, daß Gefangene fast immer geschlagen wurden und daß er selber seine eigenen Landsleute gefoltert hatte. «Wenn ein Gefangener beim Prügeln stirbt», erzählte er den Amerikanern John Ackerly und Blake Kerr, «sind die Polizisten nicht dafür verantwortlich, weil das die Schuld des Gefangenen ist.»[21]

Die offiziellen chinesischen Darstellungen erwähnten weder tibetische Verluste noch das Massaker, das den Aufruhr ausgelöst hatte, noch die zahllosen Verhaftungen oder die Folterung der Gefangenen. Sie konzentrierten sich auf den Tod des einen chinesischen Polizisten, der von ein paar «kriminellen Abweichlern» umgebracht worden war. Die Chinesen reagierten faktisch so, als handle es sich bei dem Mord an diesem Polizisten um den einzigen Vorfall, durch den der 5. März berüchtigt wurde. Das Foto von seiner verstümmelten Leiche wurde wochenlang immer wieder im Fernsehen gezeigt. Er wurde als nationaler Held und Märtyrer gepriesen, und man verhaftete vier Tibeter wegen dieses Mordes.

Die Tibeter empfanden Abscheu vor diesem Zynismus, der den Blick der Chinesen auf das ihnen Genehme reduzierte, vor dieser völligen Mißachtung ihrer Menschenrechte. Als eine unabhängige Delegation aus Großbritannien, mit der Genehmigung Pekings und unter Führung von Lord Ennals, in Lhasa eintraf, um die Menschenrechtssituation zu untersuchen, versetzten die Ergebnisse den Mitgliedern einen Schock:

«Personen werden nachts vom Amt für Öffentliche Sicherheit festgenommen und wochenlang in Einzelhaft behalten, ohne daß ihre Angehörigen über die Beschuldigung oder den Verbleib etwas erfahren. Betroffene berichteten uns in heller Verzweiflung von spurlos verschwundenen Verwandten. Mönche, die wir sehen sollten, waren über Nacht verschwunden. In einem anderen Kloster waren kurz zuvor so viele Mönche festgenommen worden, daß man uns ersuchte, mit niemandem darüber zu sprechen, da es sonst zu weiteren Verhaftungen kommen würde.

Angehörige erhalten nach wie vor schriftliche Aufforderungen, die Leichen ihrer verhafteten Verwandten abzuholen, wobei sie eine Gebühr bezahlen müssen, mitunter in der Größenordnung von 600 Yuan.»[22]

Alle, die zur Abholung einer Leiche zitiert wurden, waren erschüttert über deren Zustand. Die Angehörigen von Tendsin Scherab konnten den Toten nur anhand seiner Kleidung identifizieren, so schlimm hatte man sein Gesicht zugerichtet. Sämtliche Knochen waren gebrochen. Dennoch verlangte man ihnen eine «Lagergebühr» von 600 Yuan ab, mehr als ihr Jahresverdienst.[23] Als Kelsang Wangyel, ein 22jähriger Mönch aus dem Jokhang, mit ein paar Freunden zum Polizeirevier ging, um die Leiche eines Kollegen abzuholen, «erklärte man uns, wir müßten 600 Yuan für Arzneimittel und eine Operation entrichten. Wir erwiderten, so viel Geld besäßen wir nicht, worauf man unsere Namen notierte. Dann teilten uns die Polizisten mit, wenn wir nicht mit dem Geld herausrückten, würden wir alle ins Gefängnis wandern. Wir brachten es ihnen am nächsten Tag hin und bekamen die Leiche ausgehändigt.»[24]

Angesichts solcher Greuel empörte es die Tibeter, daß die

Chinesen sich der Außenwelt – insbesondere dem zunehmend beunruhigten Hongkong – gegenüber als Opfer undankbarer Barbaren hinstellten, denen sie zu helfen versucht hatten. Warum sollten die Tibeter für all die Jahre der Unterdrückung und des Elends Dankbarkeit empfinden? Der Fortschritt, der angeblich unmittelbar nach der chinesischen Invasion in Tibet Einzug gehalten hatte – die Straßen, die Schulen, die Krankenhäuser – kam, soweit sie erkennen konnten, fast ausschließlich den Chinesen zugute – die sie jetzt, um allem die Krone aufzusetzen, auch noch in ihrer Existenz bedrohten. Diese Haltung war den Chinesen unverständlich, wie Paul Theroux feststellte, als er Tibet 1988 besuchte. Denn sie waren fest davon überzeugt, daß sie tatsächlich den Fortschritt gebracht hatten:

«Die Chinesen sehen es als Beweis dafür an, daß sie es mit sentimentalen Wilden zu tun haben, wenn Tibeter erklären, die Straßen und Schulen wären lediglich ein weiterer Frevel der Chinesen. Aber das tut der chinesischen Entschlossenheit keinen Abbruch – ganz im Gegenteil. Das heißt nur, daß dort, wo solche Unwissenheit herrscht, viel mehr Arbeit geleistet werden muß, sagen sie, als getreues Echo von Missionaren und Siedlern, Imperialisten und Reisenden in Enzyklopädien auf der ganzen Welt... Die Chinesen haben eine fatale Neigung, sich selbst und ihre Projekte allzu ernst zu nehmen... Was der Missionar in seiner naiven Ernsthaftigkeit nicht begreift, ist die Tatsache, daß es auf der Erde manche Menschen gibt, die nicht errettet zu werden wünschen.»[25]

Man müsse Tibet sehen, um über die Chinesen wirklich Bescheid zu wissen, folgerte Theroux. «Und jeder, der sich von chinesischer Reform zu Rechtfertigung oder Rührung verleiten läßt, muß Tibet einbeziehen als Erinnerung daran, wie streng, wie hartnäckig und materialistisch, wie gefühllos China sein kann.»[26] Der chinesische Sicherheitschef, Qiao Shi, hat sich bei einem Besuch in Lhasa in Juli bei den örtlichen Beamten dem Vernehmen nach gereizt beschwert:

«Wir haben in Tibet die Politik der Befreiung durchgeführt. Wir haben viele Klöster restauriert. Den Mönchen hat man, ihren Wünschen entsprechend, die Ausübung ihrer Religion erlaubt. Die Kollektivierung von Viehbestand und Ackerland ist rückgängig gemacht worden. Also, wenn das keine Liberalisierung ist, was denn sonst? Wo kann man auf der Welt mehr Liberalisierung finden? Anstatt der Regierung für ihre Großzügigkeit dankbar zu sein, haben diese Mönche das Volk zu destabilisieren gesucht.»[27]

Qiao Shi konnte nicht begreifen, daß die Mönche und die meisten Tibeter nur eines wollten: Selbstbestimmung, die Freiheit, Tibeter zu sein. Die Zeit für Milde und Nachgiebigkeit sei jetzt vorbei, folgerte er und bewies damit, wie wenig er verstanden hatte. Künftig müsse man «antichinesische Aktivitäten schonungslos unterdrücken».

Als der erste Jahrestag der Oktoberproteste nahte, wurden die Sicherheitsvorkehrungen verschärft. Trotz des Verbots für Einzelreisende hatten sich viele Rucksacktouristen in die Stadt eingeschlichen; sie kamen häufig mit den Ausflugsbussen und machten sich dann allein auf den Weg. John Billington, ein Tibetisch sprechender britischer Lehrer, der sich den ganzen September und Oktober in Lhasa aufhielt, sagte, daß am 25. September eine Ausgangssperre für Tibeter sowie Ausländer verhängt wurde. Die Sicherheitskräfte veranstalteten eine massive Demonstration der Stärke – etwa 30 wegen geringfügiger Vergehen in einem öffentlichen Prozeß Abgeurteilte mußten durch die Straßen ziehen, von einem Militärkonvoi flankiert: «Ungefähr zwölf Kleinbusse mit Sicherheitskräften, vierzig Motorradfahrer mit bewaffnetem Beifahrer und vier Lastwagen voller Milizsoldaten mit Stahlhelm.»

Doch der Protest zum Jahrestag ließ sich nicht stoppen. Billington war Augenzeuge:

«Die Stände auf dem Barkhor schlossen plötzlich gegen 10 Uhr 45. Eine Gruppe von acht bis zwölf Mönchen... setzte sich zum Rundgang um den Jokhang-Tempel in Bewegung, lautstark Sprechchöre skandierend, eine tibetische Fahne und ein Foto des Dalai Lama in der Hand. Ich erfuhr später, daß die Mönche nicht protestierten, sondern ihre Unterstützung für den Friedensplan des Dalai Lama kundtaten. Als sie den zweiten Rundgang antraten, stürzten sich ungefähr 300 Sicherheitsbeamte mit Stahlhelm auf sie. Die Mönche mischten sich unter die Menge. Das war um 10 Uhr 55. Die Sicherheitskräfte wiederholten ihre

Attacke in beiden Richtungen. Die Menschenmenge ergriff mehrmals die Flucht, strömte aber immer wieder zurück. Ein etwa Sechzehnjähriger wurde festgenommen, weil er Steine geworfen hatte. Um einen Mönch kann es sich nicht gehandelt haben, denn sie zerrten ihn an den Haaren weg. Die Tibeter ließen nicht ab, zu höhnen und zu protestieren, bis schließlich ein Schuß abgefeuert wurde... Entweder Tränengas oder vielleicht auch irgendein Betäubungsmittel. Der Aufruhr endete, als die Sicherheitskräfte um 11 Uhr 29 abzogen.»[28]

An jenem Nachmittag wachten 400 Frauen in stummem Gebet vor dem Jokhang. Obwohl westliche Besucher sich laut Weisung von allen Menschenansammlungen fernzuhalten – oder sie zu ignorieren – hatten, nahmen ein paar an dem Gebet teil. Sie berichteten von hochgradiger Emotionalisierung, von herzzerreißenden Aufschreien: «Die Chinesen saugen uns das Blut aus den Adern» oder «Sie reißen uns das Herz aus dem Leib.»

Am Vorabend des 1. Oktober wurden die Warnungen der Chinesen an die westlichen Besucher noch deutlicher, sie drohten ihnen mit Ausweisung – oder Schlimmerem –, falls sie sich dem Barkhor nähern sollten. Um sämtliche Klöster war Polizei in Stellung gebracht, um jede Aktion der Mönche zu unterbinden; und die Mönche im Jokhang wurden eingeschlossen, zwecks doppelter Absicherung. Kein Besucher durfte den Tempel betreten, Kameras und Fotoapparate wurden konfisziert, wenn man jemand damit hantieren sah. Lastwagen mit Miliz blieben am 1., 2. und 3. Oktober auf dem Platz vor dem Jokhang stationiert. Mannschaften, mit Schutzschildern, Gummiknüppeln, Bajonetten und Maschinenpistolen bewaffnet, patrouillierten ständig in beiden Richtungen auf dem Pilgerpfad. Auf dem Dach des Reviers postierte Polizisten filmten den Platz mit Videokameras und überwachten alles zusätzlich mit Feldstechern. Unter den Umständen konnten die Tibeter ihren Protest nur dadurch äußern, daß sie die Stände auf dem Barkhor am 1. und 2. Oktober geschlossen ließen. Am Abend des 1. Oktober wurde auf einer jungen Weide vor dem Jokhang eine kleine tibetische Fahne gehißt. Dieses winzige Zeichen, mit dem sich tibetischer Widerstand – und tibetische Ohnmacht – manifestierte, wurde jedoch sofort heruntergeholt.

Für die Chinesen, die jeden Jahrestag ihrer Revolutionsgeschichte so begeistert feiern, konnte das Verlangen der Tibeter, ihre eigenen Gedenktage zu begehen, eigentlich kaum überraschend kommen. Den nächsten wichtigen Anlaß bot der 10. Dezember 1988, der vierzigste Jahrestag der Allgemeinen Erklärung der Menschenrechte in den Vereinten Nationen. Christa Meindersma, eine 26jährige Holländerin, war zu jener Zeit in Lhasa. Die Spannung war im Dezember angestiegen, erzählte sie mir, als die Chinesen so viele auf die Niederschlagung von Unruhen spezialisierte Polizisten herangeschafft hatten, daß sie gegenüber den Einwohnern fast in der Überzahl waren. Nur wenige Tage zuvor war der relativ verständnisvolle Wu Jinghua als Parteichef der Autonomen Region Tibet durch Hu Jintao abgelöst worden, und es wurde klar, daß die Politik der «schonungslosen Unterdrückung» durchgesetzt werden sollte. Überall herrschte eine Atmosphäre der Angst – die Leute gingen mit gesenktem Kopf herum. Sie wagten es nicht, mit einem Ausländer zu sprechen.

Am Abend des 9. Dezember wurden überall in Lhasa Sicherheitskräfte in Stellung gebracht, und Trupps der bewaffneten Miliz machten ununterbrochen die Runde. Am Morgen des 10. Dezember strebten etwa 100 Mönche vom Ramoche-Tempel im Norden von Lhasa in Richtung Barkhor, denen sich unterwegs eine Schar einfacher Tibeter anschloß. Darüber berichtete Christa Meindersma, die selbst auf dem Platz vor dem Jokhang bei einem Drink saß:

«Plötzlich tauchte eine Gruppe von etwa dreißig jungen Mönchen auf, einer davon mit einer tibetischen Fahne. Sie wirkten ängstlich und wußten offenbar nicht recht, was sie tun sollten. Als die Menge sich aufmunternd um sie zu scharen begann, eröffnete die Polizei ohne jede Vorwarnung das Feuer und schoß völlig wahllos in die Menschenansammlung. Es schien sie nicht weiter zu kümmern, ob und wen sie trafen. Die Leute versuchten zu fliehen und liefen in alle Richtungen. Ich beschloß, es ihnen gleichzutun, doch als ich mich umdrehte und losrennen wollte, bekam ich einen Schulterschuß.»

Das Verhalten der Polizei unterschied sich bei dieser Gelegenheit grundsätzlich von dem bei früheren Anlässen praktizierten. Binnen zwei Minuten nach Erscheinen hatte sie das Feuer eröffnet und die beiden Fahnenträger, Gyalpo und Kelsang Tsering, tödlich getroffen. Da es sich hier um offenkundige Exekutionen handelte, ergibt sich zwangsläufig der Schluß, daß die Polizei die Politik der «schonungslosen Unterdrückung» von Qiao Shi rücksichtslos in die Tat umsetzte.

«Die Polizei machte Jagd auf sämtliche Umstehenden wie mich, die wegzulaufen suchten», fuhr Christa Meindersma fort. «Sie schossen die ganze Zeit auf uns. Trotz der Schmerzen an der Schulter schaffte ich es weiterzurennen. Zuerst fand ich Zuflucht bei einer tibetischen Familie, aber ich wußte, daß ich dort nicht bleiben konnte – es wäre für sie zu gefährlich gewesen. Sie trieben einen Freund von mir auf, einen Kanadier, der mich auf dem Rücken zum Krankenhaus trug. Unglücklicherweise tauchte die Polizei abermals auf und machte Jagd auf uns, also mußte ich absteigen und selber laufen, obwohl ich kaum noch Kraft hatte.»

«Menschen fielen schreiend zu Boden», berichtete Ron Schwartz, ein kanadischer Professor für Soziologie. «Ich sah Leute, die Verwundete auf dem Rücken trugen, in ihre Häuser rennen und irgendwo ein Versteck suchen.»[29] Ein britischer Tourist lief vor den Schüssen davon und flüchtete sich mit etwa 50 Tibetern in eine schmale Gasse. «Die Polizei feuerte von beiden Seiten Tränengas in den Durchgang», sagte er.[30]

Im Krankenhaus flüsterte ein tibetischer Arzt Christa ins Ohr, sie habe nur eine Fleischwunde und dürfe es unter keinen Umständen zulassen, daß die Chinesen sie operierten. Das Reinigen und Verbinden der Wunde wäre in 20 Minuten erledigt, meinte er. Doch dann wurde sie zu einem chinesischen Chirurgen gebracht, der eine etwa fünfstündige Operation für notwendig erklärte und sich anschickte, ihr zur Vorbereitung eine Injektion zu verabfolgen. Christa lehnte das jedoch mit solcher Entschiedenheit ab, daß er bloß die Wunde säuberte und sie entließ.

Daß Christa Meindersma, eine westliche Ausländerin, bei der Demonstration angeschossen worden war, hatte einen ganz neuen Faktor ins Spiel gebracht. Das Augenmerk der westlichen Medien konzentrierte sich wieder auf Tibet. Christa kehrte zusammen mit anderen westlichen Freunden nicht in ihre bescheidene Unterkunft zurück, sondern quartierte sich im größten Hotel von Lhasa ein, wo alle Zimmer Telefon hatten. Es gelang ihr, ausländische Pressevertreter wissen zu lassen, wo sie sich befand, so daß sie ihnen einen genauen Bericht über die Ereignisse des Tages geben konnte. Die Chinesen behaupteten inzwischen, sie und ihre Freunde hätten die Unruhen angestiftet. Christa war klar, daß sie jeden Augenblick verhaftet werden konnte, und so rief sie die Niederländische Botschaft in Peking an. Sie sprach gerade mit dem zuständigen Referenten, als die Polizei hereinstürmte, um das Zimmer zu durchsuchen. Sie nahmen ihre sämtlichen Fotos, Aufzeichnungen und Filme mit, ein Bild des Dalai Lama und ihren Paß – wobei der Botschaftsangehörige in Peking alles mithörte. Als die niederländische Regierung von dem konfiszierten Paß erfuhr, legte sie gegen diesen Bruch des internationalen Rechts offiziell Protest ein. Die kanadische Regierung machte noch mehr Aufhebens davon, als mehreren ihrer Staatsangehörigen ebenfalls die Pässe abgenommen wurden. Der internationale Eklat war den Chinesen unangenehm; zögernd gaben sie nach und die Pässe an die Inhaber zurück.

Doch wenn auch die Publicity Tibet zugute kam, so war sie sehr teuer erkauft. Denn man rechnet mit bis zu 18 Toten an jenem Tag, mit mehr als 150 Schwerverletzten und mit Hunderten von Festgenommenen. Die Hoffnung auf ein Ende des Tötens war so gering, daß die Entschlossenheit der Tibeter, an der Gewaltlosigkeit festzuhalten, unweigerlich ins Wanken geraten mußte.

Der Dalai Lama war sich dieser Gefahr sehr wohl bewußt und suchte nach Möglichkeiten, um eine weitere Eskalation zu vermeiden. In einer historischen Rede vor dem Europäischen Parlament in Straßburg am 15. Juni (und ermutigt durch Appelle verschiedener westlicher Staatsmänner, die Verhandlungen über die Zukunft Tibets wiederaufzunehmen) erneuerte und präzisierte er seinen Fünf-Punkte-Friedensplan. In dem Versuch, die Verhandlungen mit China in Gang zu bringen, erklärte er seine Bereitschaft, die Forderung nach völliger Unabhängigkeit Tibets fallenzulassen; und er sei auch willens, die Außenpolitik und Verteidigung Tibets den Chinesen zu überlassen. Es hatte den Anschein, daß er China tatsächlich die «Oberhoheit» im Gegenzug zu interner Autonomie Tibets anbot. Diese verblüffenden Vorschläge wurden nicht nur in Peking zwiespältig aufgenommen. In Dharamsala verschärfte das Kompromißangebot den Streit zwischen den Tibetern, welche die pragmatische Einstellung des Dalai Lama teilten und jenen – insbesondere den Jungen –, die zunehmend aggressiver wurden. Für sie stellten die Vorschläge des Dalai Lama einen Ausverkauf dar. Püntsog Wangyel, der die Tibet Foundation in London leitete (und laut Jonathan Mirsky «der bekannteste Tibeter westlich von Dharamsala» war[31]), galt zunehmend als Vertreter des militanten Standpunkts. «Wir, die wir außerhalb von Tibet leben, haben kein Recht, die Unabhängigkeit herzugeben ohne die vollständig freie Zustimmung der Tibeter, die in Tibet leben», sagte er. Unter den Tibetern im Exil befanden sich viele Gegner der Vorschläge von Straßburg. Sie befürchteten, daß man den Chinesen nicht trauen könne, daß sie, sobald Tibet bei seiner Forderung nach vollständiger Unabhängigkeit Abstriche gemacht hätte, das weitere Schicksal des Landes als eine reine «innere Angelegenheit» abtun würden.

Die Chinesen verurteilten die Straßburger Rede des Dalai Lama erneut als «Versuch, das Mutterland zu spalten» und kritisierten das Europäische Parlament, weil es zugelassen hatte, daß sie in seinen Räumen gehalten wurde. Trotzdem äußerten sie im Herbst ihre Bereitschaft, das Gespräch mit dem Dalai Lama wiederaufzunehmen. Dieser ernannte ohne Zögern eine fünfköpfige Delegation und schlug für den Januar 1989 ein Treffen in Genf vor. Mit einer so prompten Reaktion hatten die Chinesen wohl nicht gerechnet, und sie suchten Zeit zu gewinnen. Zuerst erhoben sie Einwände gegen Genf und erklärten, das Treffen solle in Peking stattfinden. Dann lehnten sie es ab, ein Mitglied der tibetischen Exilregierung zu akzeptieren, da sie diese ja nicht anerkannten. Und schließlich versetzten sie den Gesprächen, noch ehe sie angefangen hatten, den Todesstoß mit der Ankündigung, sie würden mit keinem reden, der jemals die Unabhängigkeit Tibets gefordert habe. Das hieß im Klartext: entweder Gespräche mit dem Dalai Lama oder gar keine. Zum soundsovielten Mal war alles festgefahren. Der Januar kam und ging, aber Gespräche fanden nicht statt.

Ein anderes Ereignis betrübte die Tibeter in jenem Januar zutiefst. Der Panchen Lama starb, erst 53jährig, bei einem seiner seltenen Besuche in Tibet. Auf seine Weise hatte er die Sache Tibets kontinuierlich unterstützt. Aus zuverlässiger Quelle wurde Dharamsala informiert, er habe unmittelbar vor seiner Abreise an einer Sitzung mit hochkarätigen Regierungsvertretern in Peking teilgenommen und ihnen die Frage gestellt, welche Vorteile ihrer Meinung nach das Siebzehn-Punkte-Abkommen jemals für Tibet gebracht habe. Bei dieser Zusammenkunft habe er «vor Wut mit der Faust auf den Tisch geschlagen». Eine Woche vor seinem Tod griff er das Thema noch einmal in einer öffentlichen Ansprache in Tibet auf. Was immer die Chinesen den Tibetern an Nutzen gebracht haben mochten, sagte er traurig, nichts davon war den hohen Preis wert, den die Tibeter dafür bezahlt hatten.

Es war mutig von ihm, das auszusprechen, und manche meinen, eben das habe ihn vielleicht das Leben gekostet. Denn kurz nach der Ankunft in seinem Kloster Tashilhünpo erlitt der Panchen Lama einen Herzanfall und starb. In Tibet waren – und sind – viele davon überzeugt, daß er von den Chinesen vergiftet wurde. Tendsin Atisha ist freilich anderer Meinung. «Er hatte immer gelobt, auf tibetischem Boden zu sterben, und ich denke, er kam heim, um zu sterben – friedlich, in seinem Kloster. Es war ein symbolischer Tod.»

Der Dalai Lama fand noble, großzügige Worte zu seiner Würdigung: «In seinem ganzen Leben hat der Panchen Lama Freiheit niemals gekannt. Doch wir sehen in ihm immer einen Freiheitskämpfer. Ich meine, den deutlichsten Hinweis darauf gibt seine letzte Rede..., als er wahrhaft mutig erklärte, die Chinesen hätten Tibet zwar manchen Fortschritt gebracht, doch zu einem furchtbaren Preis. Das auszusprechen, erforderte großen Mut und zeigte für mich eindeutig, daß er ein echter

Tibeter geblieben war. Ich denke, daß er unter äußerst schwierigen Umständen wie ein Politiker agiert hat. Den Chinesen zuliebe wiederholte er ständig, daß Tibet ein Teil von China ist, immer ein Teil von China war und es auch immer sein würde. Dafür erntete er Lob von der chinesischen Führung. Aber andererseits trat er in manchen recht scharfen Reden dafür ein, Tibets spirituelles Leben, seine Kultur, Kleidung und Sprache zu bewahren. Er machte das sehr geschickt, viel geschickter, als ich es jemals gekonnt hätte. Und noch etwas. Wenn *ich* den Chinesen in die Hände gefallen wäre, glaube ich nicht, daß ich so viel Mut aufgebracht hätte wie er. Schließlich mußte er auch ein gerütteltes Maß an Folter über sich ergehen lassen. Deshalb rühmen wir ihn.»[32]

Der Dalai Lama erhielt eine offizielle Einladung, an dem Begräbnis teilzunehmen. Aber da keinerlei Einigung über die Genfer Gespräche erzielt worden war, sah er sich dazu nicht in der Lage. Der Tod des Panchen Lama bedeutete, daß es noch schwieriger sein würde als je zuvor, mit den Chinesen zu verhandeln. Er war immerhin ein wertvoller Vermittler gewesen, einer, der zumindest versucht hatte, sein Land dessen verständnislosen Oberherren zu erklären.

«Die Hühner abschlachten und die Affen abschrecken»

(1989)

Pekings Politik basierte auf einem alten
chinesischen Sprichwort, das empfiehlt, die
Hühner abzuschlachten, um die Affen abzuschrecken. Gemeint ist damit, daß die Affen durch
den Anblick kopflos vor ihnen herumflatternder
Hühner in Panik versetzt werden.

Amit Roy

1989, das denkwürdige Jahr, in dem die Staaten Osteuropas end-
lich ihre totalitären Regime abschafften und sich auf den weiten
Weg zur Demokratie machten, war auch das Jahr, in dem der
Platz des Himmlischen Friedens zum Brennpunkt wurde. Im Juni
sah die ganze Welt mit hilflosem Entsetzen zu, wie das schwache
Flämmchen der chinesischen Demokratie zertreten wurde.

Drei Monate zuvor war es in Lhasa zu einer ähnlichen Greuel-
tat gekommen. Doch das nahmen weniger Menschen zur Kenntnis. Dennoch bestand, trotz der mehr als 3000 Kilometer Entfernung zwischen Peking und Lhasa, ein Zusammenhang zwischen
beiden Ereignissen. Was in Lhasa geschah, war von entscheidender Bedeutung für das, was sich später in Peking abspielte.
Nach dem März 1989 in Lhasa wußte die Zentralregierung in
Peking, daß sie bis in die Grundfesten ihrer Existenz gefährdet
war und keine weiteren Angriffe auf ihre Autorität zulassen
konnte. Aus eben dieser Erkenntnis heraus war die Aktion auf
dem Platz des Himmlischen Friedens von vornherein zum Scheitern verurteilt. Denn «unter Deng wie unter Mao und den
Kaisern vor ihnen war es die wichtigste Funktion von Chinas
Hauptstadt gewesen, die Autorität des Herrschers zu manife-
stieren, der in ihren Mauern residierte»[1].

Obwohl die Menschen in China und Tibet so gut wie nichts über die politischen Stürme erfahren hatten, die durch Osteuropa gefegt waren, hatten sie immerhin genug herausgefunden, um ihre eigenen Führer erzittern zu lassen. In Peking hatte die Bevölkerung die Hinrichtung der Ceauşescus in Rumänien mit Knallfröschen gefeiert. Chinas Studenten, Lehrer, Schriftsteller und andere Intellektuelle erhoben die Forderung nach Demokratie, Freiheit und Wahrung von Gesetz und Recht. Die Stimmen der Andersdenkenden mehrten sich und verliehen der gerade erst entstehenden Demokratiebewegung eine beträchtliche Eigendynamik.

In Tibet waren es die Mönche, die sich ernsthaft mit dem Thema «Demokratie» beschäftigten. Bereits im vergangenen Jahr hatte eine Gruppe von Mönchen in Drepung den genauen Begriffsinhalt untersucht und ihre hervorragende Analyse, in Holzdruck vervielfältigt, in den Dörfern rund um Lhasa verteilt.[2] Sie hatten einen genauen Plan ausgearbeitet für ein Tibet, das frei von chinesischer Herrschaft und gemäß der Verfassung lebte, die der Dalai Lama im Exil entworfen hatte. Von einer Wiederherstellung des Status quo ante, also einer Rückkehr zum alten Tibet, war darin keine Rede. Die Mönche bemühten sich intensiv, mit der Vergangenheit zu brechen. «Nach vollständiger Beseitigung der Praktiken der alten Gesellschaft mit all ihren Fehlern wird das zukünftige Tibet keine Ähnlichkeit mit früheren Verhältnissen aufweisen, weder durch Wiedereinführung der Leibeigenschaft noch durch eine Variante des sogenannten ‹alten Systems›, in dem eine Reihe von Adelsfamilien und Klostergütern die Herrschaft ausübten.» Für die Verfasser hieß Demokratie Herrschaft des ganzen tibetischen Volkes und nicht Oligarchie, die sich auf eine Klasse gründete, auf Macht oder Reichtum. In diesem Staat sollte der Wille des Volkes an erster Stelle stehen mit unbeschränkter Meinungsfreiheit, «ohne Grund zu Furcht, Heuchelei oder Heimlichkeit». Im Namen dieses künftigen Tibet riefen die Mönche junge und alte Tibeter auf, sich zusammenzuschließen, alles in ihren Kräften Stehende zu tun, um die Bewegung zur Wiederherstellung der Freiheit Tibets zu unterstützen.

Es war ein vehementer Appell, und er stieß auf begeisterte

Zustimmung. Als erstes weigerten sich die Mönche abermals, das Mölam-Fest zu feiern. (Mindestens zwei ranghohe Mönche wurden festgenommen, weil sie ihre Kollegen nicht zur Teilnahme überreden konnten.) Dann fand am 5. März eine Demonstration zum dreißigsten Jahrestag des Aufstands in Lhasa vom 10. März 1959 und zum ersten Jahrestag der Demonstration vom 5. März 1988 statt. Es war ein kleiner, trotziger Protest von 13 buddhistischen Mönchen und Nonnen, die den Jokhang umrundeten und eine tibetische Fahne aus Papier trugen, auf der ein handgemalter Schneelöwe sich stolz vor dem Gebirgspanorama aufrichtete. Neben den üblichen Parolen riefen sie: «Das ist eine friedliche Demonstration. Bitte keine Gewalt anwenden!», und auf englisch: «Freiheit! Freiheit!»[3]

Die Chinesen hatten Unruhen erwartet und in Versammlungen von Nachbarschaftskomitees und Arbeitseinheiten die Tibeter gewarnt (wie sie es auch am 10. Dezember 1988 getan hatten), daß jeder, der an Demonstrationen teilnehme, riskiere, erschossen zu werden. Trotz der Warnung schlossen sich zahlreiche Tibeter dem Protest an, und Hunderte schauten zu. Als der Zug sich dem Polizeirevier näherte, warf ein Polizist vom Dach eine Flasche in die Menge hinunter, worauf ein junger Tibeter einen großen Stein gegen die Mauer des Polizeireviers schleuderte. Ein amerikanischer Zuschauer, der das Dach des Polizeireviers beobachtete, berichtete: «Plötzlich hörte ich ein Dutzend Schüsse, die von oben kamen.»[4] Der Jugendliche, der den Stein geworfen hatte, wurde erschossen, und zwei Tibeter, die den Gestürzten aufheben wollten, wurden ebenfalls angeschossen und verwundet. Aus der Menge hagelte es daraufhin Steine und Wurfgeschosse, doch als die Polizei Tränengas einsetzte, zerstreute sie sich in Panik.

Chinesische Berichte erwähnten nichts davon, daß die Polizei das Feuer eröffnet hatte, sondern vermeldeten, daß «diese Nonnen und Lamas einen Streit vom Zaun zu brechen begannen. Sie bespuckten Sicherheitsbeamte, fingen an, das Polizeirevier mit Steinen zu bombardieren und Fenster und Türen zu zertrümmern.»[5] Nach dieser Version der Ereignisse war die Polizei nur zögernd zum Einsatz von Tränengas geschritten. Lediglich Tränengas, versteht sich.

Die Tibeter wußten es besser, und dieses kaltblütige Erschießen von unbewaffneten Demonstranten bewirkte eine heftige Reaktion. Über drei Tage hinweg steigerte sich die friedliche Demonstration explosionsartig zu einem Ausbruch des Volkszorns, der alles mitriß. Ganz Lhasa schien auf den Beinen zu sein, drängte sich auf den Straßen, schwenkte tibetische Fahnen und rief nach Unabhängigkeit. Pemba, der sich nach seiner Entlassung aus dem Gefängnis 1987 einer Umerziehung unterwerfen mußte, war am zweiten Tag dabei:

«Es verlief alles sehr chaotisch, mit spontanen Demonstrationen überall in der Stadt. Die Chinesen begannen wahllos zu schießen und Tränengaskanister zu werfen. Die Leute warfen Flugblätter, die die Unabhängigkeit Tibets forderten, in die Luft. Ein Mann trug vom Fleischmarkt her eine riesige tibetische Flagge, und eine Menschenmenge folgte ihm über die Hauptstraße, die zu einem chinesischen Krankenhaus führte. Die Chinesen riegelten die Straße vor dem Krankenhaus ab. Darauf hoben die Tibeter den Mann mit der Fahne in Schulterhöhe und schrien los. Die Soldaten brachten ihre Waffen in Anschlag; die Polizisten griffen zu Schutzschildern und Gummiknüppeln.

Im Nu machte die Menge kehrt in Richtung auf das Tibetische Medizinische Institut, drängte in eine chinesische Straße und steckte chinesische Geschäfte in Brand. Nach einer Weile trennte ich mich von dieser Gruppe und ging zum Barkhor zurück, wo ebenfalls Läden angezündet wurden. Die bewaffnete Polizei rückte an und zielte auf die Menge, die, laut schreiend, zurückwich.»[6]

In verschiedenen Teilen von Lhasa drangen Tibeter in chinesische Läden ein, schleppten alle Waren auf die Straße und verbrannten sie. Bei gelegentlichen Polizeieinsätzen in den Straßen ließ man die Emotionen erst den Siedepunkt erreichen, bevor wahllos in die unbewaffnete Menschenmenge geschossen wurde. Mehreren Augenzeugen zufolge feuerten die Polizisten mit Maschinengewehren in tibetische Häuser, wodurch ganze Familien ums Leben kamen.[7]

Jeder spürte, daß diesmal alles ganz anders verlief als je zuvor. Die Chinesen gaben in einem verräterischen Kommentar von

Radio Lhasa indirekt zu, daß die Unabhängigkeitsbewegung zunehmend stärker wurde. Nach der üblichen Beschuldigung, die Unruhen seien von einer Handvoll «Abweichlern» oder von der als Touristen verkleideten «Dalai-Clique» angeheizt und manipuliert worden, bezeichneten sie den Kampf gegen solche Verbrecher als «mühsame, schwierige und langfristige Angelegenheit», auf die die Parteimitglieder sich tunlichst vorbereiten sollten.[8] Es war klar, daß man einen Kampf bis aufs Messer ins Auge faßte, in dem die Politik der «schonungslosen Unterdrükkung» ihre Rechtfertigung finden würde. Von nun an waren wahllose oder gezielte Todesschüsse die übliche Antwort auf jeden öffentlichen Protest. Eine zutiefst erschütterte Führung war anscheinend zu dem Schluß gekommen, daß ihre einzige Erfolgschance in einer furchterregenden Zurschaustellung nackter Gewalt lag.

Die Angaben über Verluste schwankten enorm, nämlich von den mit elf Toten bezifferten der Chinesen zu den von der tibetischen Exilregierung genannten 400. Eine etwas vorsichtigere tibetische Schätzung von 80 bis 150 Toten dürfte der Wahrheit wohl näher kommen. Aber wie Nyima Tsamtschö, eine Neunzehnjährige aus Lhasa, die später inhaftiert wurde, erklärte: «Da die Chinesen praktisch auf jeden Tibeter in Sichtweite schossen, war es schwierig für uns, die genauen Zahlen in Erfahrung zu bringen.»[9]

Am 7. März um Mitternacht wurde das Kriegsrecht verhängt – zum ersten Mal seit 1959 –, um laut chinesischer Aussage «die Gesellschaftsordnung aufrechtzuerhalten sowie Leben und Eigentum der Menschen zu schützen»[10]. Eine auf unbewaffneten Protest übertrieben wirkende Reaktion. In Wirklichkeit ging es hier um reinen Terror.

«Es hatte den Anschein», schreibt der Dalai Lama, «daß die Chinesen Lhasa nun in einen Schlachthof verwandeln wollten, in ein tibetisches *Killing Fields*. Zwei Tage später, am dreißigsten Jahrestag des Aufstandes des tibetischen Volkes, schickte ich deshalb einen Aufruf an Deng Xiaoping, in dem ich an ihn appellierte, sich persönlich dafür einzusetzen, daß das Kriegsrecht aufgehoben und die Unterdrückung unschuldiger Tibeter beendet würde. Er antwortete nicht.»[11]

Es herrschte strikte Nachrichtensperre. Doch durch ein paar Ausländer, die während der Unruhen in Tibet weilten, hatte die Außenwelt von den Greueltaten und ihren blutigen Nachwirkungen erfahren. Die westlichen Medien berichteten über die dramatischen Ereignisse, und die öffentliche Anteilnahme für Tibet stieg neuerlich sprunghaft an.

Die Chinesen wollten nicht Gefahr laufen, sich noch mehr Kritik einzuhandeln. Die Polizei weckte Touristen ebenso wie Journalisten mitten in der Nacht und teilte ihnen mit, sie müßten das Land binnen sechsunddreißig Stunden verlassen. Am 9. März waren alle abgereist. Als letzte Erinnerung an Lhasa verfolgte sie das gespenstische Bild von Männern, Frauen und selbst Kindern, die aus ihren Häusern gezerrt und auf Militärlastwagen abtransportiert wurden. Ein westdeutscher Reisender sagte bei der Ankunft in Chengdu, die Einwohner von Lhasa seien entsetzt gewesen über die Ausweisung der Ausländer. «Die Tibeter versicherten mir immer wieder: ‹Wir sind erledigt. Wir sind am Ende.›»[12] – «Die Chinesen warten nur darauf, reinen Tisch zu machen, zumindest nach Ansicht der Tibeter», sagte Steve Marshall, ein Amerikaner, «und dabei wollen sie keine Zeugen.»[13] – «Die Disziplinierung hat begonnen», meinte Chris Helm, ein anderer Amerikaner, «wer weiß, was geschieht, wenn die neugierigen ausländischen Zuschauer verschwunden sind?»[14] Andere berichteten, Tibeter hätten sie mit Tränen in den Augen gebeten zu bleiben. Doch sie mußten gehen. Bei der Abreise wurden sie alle paar Meter strengen Sicherheitskontrollen unterzogen. «Es wimmelt von grünen Uniformen, wo man auch hinschaut. Man kann sich vor lauter bewaffneten Männern nicht rühren.»[15]

Der Kriegsrechtserlaß untersagte alle Versammlungen, Streiks, Umzüge und Proteste. Überall gab es Kontrollposten, die jede Bewegung innerhalb und außerhalb der Stadt überwachten. Auswärtigen wie etwa Pilgern und Händlern, die keine schriftliche Genehmigung vorweisen konnten, wurde die Einreise nach Lhasa verweigert. 40 000, die sich bereits in der Stadt aufhielten, wurden ausgewiesen. Jedes im Arsenal der Regierung verfügbare Instrument – Gerichte, Polizei, Armee, bewaffnete Miliz, «patriotische Organisationen», Medien – wurde eingesetzt, «um mit entschlossenen, gezielten und raschen Schlägen gegen die schwerwiegenden Verbrechen einer kleinen Gruppe von Separatisten vorzugehen, die Einheit, Stabilität und Solidarität des Mutterlandes sabotieren»[16]. «Das Volk wird keine Krawalle dulden», warnte ein vom Fernsehsender Lhasa ausgestrahlter Aufruf. «Die große Einigkeit zwischen Menschen verschiedener, durch Blutsverwandtschaft fest verbundener Nationalitäten duldet keine Sabotage und ist unzerstörbar. Seitdem die Unruhen und Rebellionen niedergeworfen wurden..., hat das Banner nationaler Einigkeit (in Tibet) noch an blendender Schönheit gewonnen und erstrahlt in neuem Glanz.»[17]

Doch das «Banner nationaler Einigkeit» war eine tragische Farce. Weit entfernt von «blendender Schönheit» und neuem Glanz, wurde es einer widerstrebenden Bevölkerung von 20 000 bis 30 000 schwerbewaffneten Truppen aufgezwungen, die zur Ergänzung der bereits zu Tausenden in Lhasa stationierten paramilitärischen Streitkräfte anrückten. Lastwagen mit jeweils 25 Soldaten patrouillierten bei Tag und Nacht um den Barkhor. Zu Beginn dieses neuerlichen Alptraums war Lhasa von der Außenwelt abgeschnitten.

Als die Isolierung vollzogen war, setzte die Maßregelung ein. Chinesische Sicherheitskräfte schlugen bei Nacht zu, traten Türen ein, führten systematische Haussuchungen durch, töteten einige Bewohner und schleppten andere ab. Eine Frau, die später nach Indien flüchtete, erzählte, wie ihr Mann, zwei Kinder und ihr Babysitter bei einer dieser nächtlichen Razzien erschossen wurden, während sie selber Verletzungen davontrug.[18] Man schätzt, daß bis zu 2000 Tibeter festgenommen wurden, entweder bei den Demonstrationen oder in den ersten Tagen des Kriegsrechts.[19]

Pema, ein 24jähriger Händler, wurde am 5. März um Mitternacht verhaftet und auf ein Polizeirevier in Lhasa gebracht.[20] Sechs Polizisten fesselten ihn mit Stricken, verabfolgten ihm mit elektrischen Schlagstöcken Schocks und schlugen ihn mit Stöcken und Gewehrkolben bewußtlos. Dann wurde er in ein Verhörzentrum gebracht und einer unter dem Namen «Flugzeug» bekannten Folter unterzogen:

«Zwei Männer verlangten, ich solle aufstehen. Als ich antwortete, ich könne nicht aufstehen, fingen sie an, mir von beiden Seiten Fußtritte zu verpassen. Sie befestigten noch einen Strick an dem, der bereits meine Hände auf dem Rücken fesselte, und hängten mich dann an die Decke. Nach ein paar Stunden in dieser Position waren meine Schultern ausgerenkt. Jedesmal, wenn sie an mir vorbeikamen, versetzten sie mir Fußtritte. Am nächsten Morgen holten sie mich herunter. Ich konnte mich nicht mehr rühren. Sobald ich die Arme nach vorn nehmen wollte, bewegten sie sich automatisch wieder nach hinten.»

Kurz darauf wurde Pema in das Kutsa-Gefängnis verlegt: «Sie steckten mich in eine Art rechteckige Grube, etwa 120 mal 60 Zentimeter. Sie war gut zwei Meter tief. Ich wurde in Handschellen hineingestoßen. Zum Hinsetzen war kein Platz, deshalb mußte ich die ganze Zeit stehen... Auf jeder Seite der Grube befand sich eine Öffnung, durch die sie zwei heißgemachte Teigtaschen (Momos) und einen Becher schwarzen Tee, mit scharfem Pfeffer verrührt, schoben. Wenn man den trank, brannte es wie Feuer in den Gedärmen. Sie ließen mich eine Woche in der Grube stehen, und in der ganzen Woche kriegte ich nur eine Mahlzeit am Tag, immer das gleiche... Wegwerfen konnte ich das nicht, weil sie dann angefangen hätten, auf mich einzuschlagen.»

Pema wurde nach zwei Monaten und vierzehn Tagen aus Kutsa entlassen, wo er die letzten Tage in einer «normalen» Zelle verbracht hatte, angekettet an einen Eisenstuhl, der wiederum an einer Zementsäule festgekettet war. Für das Verbrechen der Teilnahme an der Demonstration wurde seine gesamte Habe konfisziert, bis auf 150 Yuan. Sein Besitz hatte aus 3000 Yuan Bargeld, einem Fernsehapparat, einem großen Tibetteppich, einem Kassettenrecorder und einem Fahrrad bestanden.

Namgyel, ein Bauernsohn aus der Umgebung von Lhasa, hatte an der Demonstration teilgenommen und wurde nach einem Polizeifoto wiedererkannt:

«Sie verhafteten mich, als ich in meiner Mittagspause Gemüse einkaufte. Sie brachten mich nach Kutsa und ließen mich eine Nacht und einen Tag halb vornübergebeugt stehen, von einem

Sicherheitsbeamten bewacht. Als sie mich in dem darauf folgenden Verhör fragten, ob ich irgendwelche Fahrzeuge in Brand gesteckt hätte, taten mir die Beine so unerträglich weh, daß ich alles gestand, was sie wollten: Lastwagen angezündet, laut nach Unabhängigkeit gerufen, nach dem Dalai Lama und so was alles. Sie verspotteten den Dalai Lama: ‹Der hat riesige Reichtümer besessen und für euch nicht mal Straßen gebaut. Wir sind zu Fuß hergekommen, um euch zu befreien, weil Tibet ein Teil des Großen Mutterlandes ist. Ihr glaubt, der Dalai Lama tritt für Frieden ein, aber da irrt ihr euch. Er hetzt nur die Abweichler auf.› Ich entgegnete: ‹Ich kämpfe nicht für den Dalai Lama. Wir haben hier in Tibet keine Gleichheit. Man gibt uns keine Chancen. Mir hat man auf der Schule das Abgangszeugnis verweigert, und ich habe keine Aussicht auf einen anständigen Job. Ich kämpfe für ein ordentliches Auskommen für mich und für all die verzweifelten jungen Leute in Tibet.› Dafür versetzten sie mir einen solchen Schlag auf den Mund, daß sämtliche Schneidezähne abbrachen.

Am folgenden Tag boten sie mir Geld an, wenn ich meine Freunde verriete, Geld für jeden, den ich ihnen nannte, dazu das Versprechen, mir eine gute Stellung, bessere Unterkunft und so weiter zu beschaffen. Doch selbst wenn ich dazu bereit gewesen wäre – es gab keinen, den ich hätte verraten können. Zu der Demonstration waren Menschen aus ganz Tibet gekommen, und die meisten hatte ich nie zuvor gesehen.

Daraufhin ketteten sie mich jede Nacht an und ließen mich tagsüber frei. Dann schickten sie mich zu einer Arbeitseinheit in einen Steinbruch. Dort war ich bis März 1990. Eines Tages, bei den Neujahrsfeiern, waren keine Wachen da, die aufpaßten, und ich konnte fliehen.»[21]

Auch Lobsang Nyima gelangte in den Westen, doch seine einst ungebrochene Energie hatte er weitgehend eingebüßt. «Wenn uns niemand zu Hilfe kommt», sagte er verbittert, «wäre es besser, eine Atombombe auf Tibet abzuwerfen und damit den Fall aus der Welt zu schaffen. Alles, selbst das, wäre besser als die jetzige Versklavung.»

Tibetische Bestrebungen nach Selbstbestimmung stießen in Peking nach wie vor auf Unverständnis und auf scharfe Kritik. «Die Unruhen in Lhasa haben ihren eigenen speziellen Hintergrund», verkündete der Leitartikel in *People's Daily* vom 14. März, «aber sie zeigen den Stellenwert, den wir einem gesicherten Umfeld beimessen müssen... Hast und ungeduldiges Drängen nach Fortschritt in der Frage der Demokratie fördern nur die destabilisierenden Faktoren.»[22]

Trotzdem gingen die Demonstrationen in Lhasa ebenso wie anderswo den Mai über weiter. 500 Studenten und Lehrer unternahmen in Amdo einen Protestmarsch gegen die repressiven Maßnahmen, mit denen die März-Demos in Lhasa niedergeknüppelt worden waren. Im gleichen Monat begann Chinas Jugend Demokratie und Freiheit einzufordern, aufgerüttelt durch den Tod von Hu Yaobang, dem reformwilligen ehemaligen Generalsekretär der Kommunistischen Partei, dessen Absetzung erfolgt war, kurz nachdem er für Veränderungen in Tibet plädiert hatte. Als die Studenten in Peking ihren aussichtslosen Protest erhoben, traten die Studenten an der Universität von Lhasa aus Solidarität in den Hungerstreik.

Alles nützte nichts. Weder der März in Lhasa noch der Juni auf dem Platz des Himmlischen Friedens: Pekings Entschlossenheit, die Macht um jeden Preis in der Hand zu behalten, durfte nie wieder in Zweifel gezogen werden. Wie der Dalai Lama schreibt: «Sie zeigten der ganzen Welt ihre Methoden der Machterhaltung. Von nun an können sie die tibetischen Vorwürfe, die chinesischen Besatzungstruppen würden die Menschenrechte verletzen, nicht mehr entrüstet zurückweisen.»[23] (Sechs Wochen nach dem Massaker auf dem Platz des Himmlischen Friedens erklärten sich die Chinesen zu einem Treffen mit dem Dalai Lama bereit – ohne irgendwelche Bedingungen. Dann machten sie das Angebot wieder zunichte durch den Zusatz, er müsse zuvor alle Forderungen nach Unabhängigkeit Tibets aufgeben – und eine Begegnung mit Mitgliedern der Exilregierung komme nach wie vor nicht in Frage.)

Die paar ausländischen Gruppen, die im Juli nach Tibet einreisen durften, um der Flaute im Tourismus etwas aufzuhelfen, fanden Lhasa äußerst ruhig vor, obwohl Kontrollstellen an jeder wichtigen Straßenkreuzung und an den Zugängen zum tibetischen Stadtviertel immer noch von Soldaten besetzt waren.

Doch die Illusion, daß alles in bester Ordnung sei, verflog rasch, sobald die Gruppen die Klöster besuchten. Ein Journalist vom *Observer*, der als Tourist reiste, berichtete, er sei «von flüsternden Mönchen ins dunkle Innere geführt worden. Sie hielten sorgfältig Ausschau nach den von der Regierung bestallten ‹Aufpassern›, die an jedem wichtigen Punkt in Lhasa postiert sind, während sie mir von den Problemen, die Tibet plagen, erzählten. Mehrere von ihnen steckten mir gedruckte Aufrufe zu»[24]. Diese Appelle waren erstmals in englischer Sprache auf den kleinen viereckigen Blättern gedruckt, die normalerweise den in den Wind verstreuten Gebeten vorbehalten sind. Eine der Botschaften lautete:

SCHLUSS MIT DEM VÖLKERMORD IN TIBET. SCHLUSS MIT ZWANGSSTERILISATION, MEDIZINISCHER PFUSCHEREI, RASSENDISKRIMINIERUNG UND VOR ALLEM MIT UMSIED- LUNGSPOLITIK. WIR KÄMPFEN FÜR UNSERE LEGITIMEN RECHTE – DAS RECHT AUF SELBSTREGIERUNG UND SELBSTBESTIMMUNG UNSERER ZUKUNFT.[25]

Im August erklärten die Chinesen, sie planten keine Aufhebung des Kriegsrechts und unterstrichen ihren Entschluß damit, daß sie zehn Tibeter wegen «lautstarker reaktionärer Parolen» und Sachbeschädigung bei den Märzunruhen zu drei Jahren Gefängnis verurteilten. Gegen zwei nach den Krawallen inhaftierte Männer aus Lhasa wurde die noch gravierendere Anschuldigung erhoben, sie seien Geheimagenten der Exilregierung in Dharamsala und Anstifter der Unruhen. Es geschah zum ersten Mal, daß eine Anklage wegen Spionage – in China ein Kapitalverbrechen – sich in dieser Form gegen Tibeter richtete. Die Aussichten auf Verhandlungen mit Dharamsala schienen sich immer mehr zu verflüchtigen.

Im September 1989 zeitigte der nach dem Massaker auf dem Platz des Himmlischen Friedens eingeschlagene harte Kurs eine weitere Verschärfung: Es wurde eine neue Umerziehungskampagne für die Tibeter in Gang gesetzt. Im ganzen Land wurden die Menschen zu jeweils dreistündigen Versammlungen beordert, in Nachbarschaftskomitees oder in den Klöstern, manchmal zweimal wöchentlich, manchmal fünfmal, manchmal täglich, am Abend und oft auch am Morgen. Manchmal dauerten die Versammlungen bis zu acht Stunden, und an kritischen Daten, wie beispielsweise am Jahrestag des 10. März, konnten sie sich über den ganzen Tag hinziehen. Die Teilnahme war obligatorisch, Entschuldigungen wurden nicht akzeptiert, und jede Familie mußte einen Vertreter entsenden. Flüchtlinge, die einige Monate später in Indien befragt wurden, erklärten, es sei wie eine genaue Wiederholung der Kulturrevolution gewesen: «Man hatte gegenseitig Kritik zu üben, Demonstranten zu denunzieren, Plakatkleber zu nennen und so fort ... Für alle, die bei diesen Versammlungen keine Leute denunzieren wollen, gibt es überall in der Stadt Stellen, wo man jeden denunzieren kann, ohne seinen Namen anzugeben. Der Betreffende wird dann ohne weitere Nachprüfung verhaftet.»[26]

Ein Büroangestellter erklärte: «Wir mußten das Material lesen, das die Chinesen uns gaben, und dann alles gestehen, was wir falsch gemacht hatten, und auch Menschen denunzieren, die innerhalb und außerhalb des Landes für die Unabhängigkeit Tibets arbeiteten. Wir mußten den Dalai Lama kritisieren und ihn als ‹der Dalai-Reaktionär› oder ‹der separatistische Unruhestifter› bezeichnen.»[27]

«Sie beschneiden die Zuteilungsquote, oder man bekommt keine Genehmigung zum Kauf von Kerosin zum Kochen», sagte ein anderer. «Das ist natürlich ein großes Problem, wenn man kein Öl kriegt, weil man dann nicht kochen kann.»[28] Als besonders perfide Note kam hinzu, daß diese Sitzungen auf chinesisch abgehalten wurden, auch wenn kaum Chinesen daran teilnahmen.

Die Entschlossenheit der Tibeter und ihr Zusammengehörigkeitsgefühl verstärkten sich durch solche Repressalien nur noch. In Schulen und Hochschulen schrieben Kinder und Studenten Lieder und Gedichte, die ihrem Verlangen nach Unabhängigkeit Ausdruck gaben – und ihrer Bereitschaft, dafür zu sterben. Tibetische Kader und Staatsangestellte waren es leid, stets benachteiligt zu werden und ließen oft jede Vorsicht außer acht. Lhakpa Tschungdak hatte trotz ihrer Stellung bei der Polizei an den Demonstrationen von 1987 und 1988 teilgenommen und

schlug jetzt Plakate an und sang mit ihren Freunden Unabhän-
gigkeitslieder. «Es gibt ein altes tibetisches Sprichwort», sagte
mir Kelsang Namgyel. «‹So sehr du auch innerlich brennst,
laß den Rauch nicht herausdringen.› Nun aber war der Moment gekommen, in dem wir alle anfingen, Dampf abzulas-
sen.»[29]

Innerhalb und außerhalb Tibets ließen tibetische Jugendliche
«Dampf ab». Forderungen nach Gewaltaktionen fanden zunehmend Gehör. Ein junger Mann, mit dem ich in jenem September
in Dharamsala sprach, war gerade aus Tibet gekommen und
nicht für Kompromisse zu haben. «Der Dalai Lama plädiert für
Gewaltlosigkeit, und ich verstehe das. Er ist ein Bodhisattva, ein
Mann des Friedens. Ich aber nicht. Wenn ich an die Chinesen
denke und daran, was sie getan haben, dann bin ich zum Kampf
gegen sie bereit, sofern es dafür auch nur die geringste Chance
gibt.»[30]

Die jungen Exiltibeter, die im September zu ihrem jährlichen
Jugendkongreß in Dharamsala zusammenkamen, waren in der
gleichen militanten Stimmung. Es herrschte eine gespannte
Atmosphäre kaum unterdrückter Wut. Der Dalai Lama eröffnete ihre Beratungen mit einem nochmaligen dringenden Appell zur Gewaltlosigkeit, doch seine Zuhörer reagierten stör-
risch. Seine Heiligkeit war dennoch optimistisch, denn er
glaubte an eine Besserung der Lage, wenn man nur geduldig
abwartete. «Die alte chinesische Denkweise stirbt aus. Die neue
Generation wird so gut wie sicher ganz anders sein. Dann gibt es
auch Platz für Diskussionen. Wir sind nicht antichinesisch, wir
empfinden den Chinesen gegenüber keine Feindseligkeit. Wir
müssen mit ihnen reden.»[31]

Der Jugendkongreß allerdings war nicht seiner Meinung,
räumte der Dalai Lama ein, als ich am Nachmittag jenes ersten
Tages mit ihm sprach. Die Begegnung mit den streitbaren
jungen Leuten hatte ihn spürbar mitgenommen. Er war sich
durchaus bewußt, daß seine Argumente bei jugendlichen Heiß-
spornen keinen Anklang fanden und vertraute dennoch darauf,
daß er die Vernunft auf seiner Seite hatte:

«Sie sagen, wir müssen jetzt zu Gewaltaktionen schreiten.
Meine Antwort darauf ist, ja, ich weiß, die Lage ist ernst, aber

wenn wir zu den Waffen greifen, wird sie nur noch ernster. Den Chinesen ist es ein leichtes, noch mehr Militär ins Land zu schicken. Der Außenwelt würden sie erklären, sie hätten das tun müssen, um Recht und Ordnung aufrechtzuerhalten. Und im Namen von Recht und Ordnung könnten sie tibetische Dörfer vernichten. Doch wenn die Tibeter stumm bleiben und gewaltlose Taktiken verfolgen, wird es für die Chinesen sehr schwer sein, uns zu vernichten. Würden sie daraufhin Truppenverstärkungen heranschaffen, müßten sie der Außenwelt eine Erklärung für ihr Verhalten geben. Die internationale öffentliche Meinung übt einen gewissen Druck auf sie aus.

Es gibt noch einen weiteren Faktor. Angenommen, die Tibeter greifen tatsächlich zur Gewalt– mit ein paar Gewehren, ein paar Bomben – was kann das bewirken? Es verschärft lediglich die Krisenatmosphäre. Um wirklich Effekt zu erzielen, würden wir viel mehr Waffen und Ausrüstung benötigen. Doch wer würde uns die liefern?

Da saßen sie nun an diesem Vormittag und erklärten alle, wir müßten zu den Waffen greifen und gegen die Chinesen kämpfen. Das sagt sich sehr leicht. Aber wenn es in die Praxis umgesetzt werden soll, erweist es sich als unmöglich. Zum einen würde Indien das nicht zulassen. Amerika, Rußland, Frankreich ebensowenig – niemand würde uns helfen oder Waffen liefern. Und noch etwas: Wenn Tibeter zur Gewalt greifen, wären sie keine Ausnahme mehr. Viele Länder unterstützen Tibet gerade wegen dieser Besonderheit, weil es um seine Freiheit gewaltlos kämpft. Wir sollten an unserer Gewaltlosigkeit festhalten, weil sie einzigartig ist. Es ist etwas ganz Neues auf diesem Planeten, gewaltlos für Freiheit und Verständigung zu kämpfen.»[32]

Nach gründlicher Gewissenserforschung rief der Jugendkongreß letztlich doch nicht zu den Waffen. Eine qualvolle Entscheidung, gestand Lhasang Tsering, der für eine zweite Amtsperiode wiedergewählte radikale Präsident. «Wir kämpfen nicht nur um Freiheit», erläuterte er vehement nach der Schlußsitzung des Kongresses, «für uns ist es eine schiere Überlebensfrage.» Dann erklärte er die Gründe für dieses starke Bedürfnis der Selbstbehauptung.

«Ich bin ein ganz normaler Mensch. Als Achtjähriger von

meinen Eltern getrennt, kenne ich nicht einmal meinen Familiennamen. Das ist die tibetische Tragödie. Als ich im Kinderdorf arbeitete, gab es viele Kinder, die den Namen ihres Vaters nicht kannten, und unter den Delegierten heute sind viele, die ihre Eltern nie gekannt haben, die nicht einmal deren Namen wissen, die sogar Angst haben zu heiraten, denn es könnte sich ja um ihre eigene Schwester oder ihren eigenen Bruder handeln.

Aber mit unserer Forderung nach Waffengewalt meinen wir nicht den Angriff auf andere Menschen, sondern das Recht jedes einzelnen, jedes Volkes, sich gegen drohende Vernichtung zu wehren.»

Dennoch wollte er sich den Wünschen Seiner Heiligkeit nicht widersetzen und suchte nun nach Wegen, den Drahtseilakt zu vollziehen: einerseits der unmittelbaren Gefahr zu begegnen, die seine Landsleute bedroht, und andererseits auf dem Pfad der Gewaltlosigkeit zu bleiben. Ich fragte ihn, ob er sich Erfolgschancen ausrechne. «Ich bin durchaus hoffnungsvoll», erwiderte er.

«Wir werden Wege finden – außerhalb von Tibets Grenzen. Gewaltlose Wege – das haben wir sehr klar zum Ausdruck gebracht. Wir hoffen, die Welt hilft uns dabei. Heute machten viele unserer Mitglieder den Vorschlag, wir alle sollten nackt, mit Tiermasken, auf die Straßen gehen und die Öffentlichkeit bitten zu entscheiden, ob die Tibeter Menschen oder Tiere sind. Wir sind nicht als Menschen anerkannt worden, mit denselben Grundrechten auf Ehre, Gleichheit und Würde, wie sie anderen Völkern zugebilligt werden. Wir verlangen nicht mehr als dies: Wir wollen wie Menschen behandelt werden.»

Binnen weniger Wochen wurde Tibet tatsächlich eine Art von Anerkennung zuteil, als sein rückhaltloses Bekenntnis zur Gewaltlosigkeit dem Dalai Lama den Friedensnobelpreis einbrachte. Er befand sich in Kalifornien, als die Meldung eintraf – am 4. Oktober. Seine Reaktion, wie er sie mir wenige Monate später beschrieb, war typisch für ihn:

«Das Gerücht kam mir am späten Nachmittag zu Ohren. Da war ich denn doch ein bißchen aufgeregt. Dann hörte ich um 20 Uhr 30 Ortszeit Radio, und es wurde nichts darüber gesagt. So dachte ich: Nun ja, es war eben bloß ein Gerücht und ging zu

Bett. Am nächsten Morgen stand ich wie üblich um vier Uhr auf. Dann hörte ich, daß mir der Preis verliehen worden sei. Aber da empfand ich keine Aufregung mehr.»[33]

Bei der Erinnerung brach er in schallendes Gelächter aus. «Der Dalai Lama hat ein wunderbares Lachen an sich», hatte die *Washington Post* bei seinem ersten Besuch in den USA geschrieben. «Es hallt durch den Raum, als ob all seine früheren dreizehn Inkarnationen mit einstimmten.»[34]

Zufällig wurde am selben Tag die Nachricht verbreitet, daß fünf tibetische Nonnen in einer öffentlichen Massenversammlung verurteilt und in Arbeitslager geschickt wurden wegen Teilnahme an einer kleinen Demonstration im September. Damit erhöhte sich die Zahl der im vergangenen Monat Verurteilten auf vierzehn. Die fünf Nonnen sollten mit «reaktionären Parolen lautstark und hysterisch» nach einem unabhängigen Tibet verlangt haben, als sie am 22. September den Jokhang umkreisten.[35]

Der Nobelpreis stellte sowohl eine Anerkennung der legitimen Ansprüche des Dalai Lama als auch eine Verurteilung des chinesischen Regimes dar. Nach dem Massaker auf dem Platz des Himmlischen Friedens war es eine Sympathiekundgebung für die leidenden Menschen in Tibet wie in China. China wertete die Auszeichnung als unerhörten Affront. Der Rechtskonsulent der chinesischen Botschaft in Oslo, Wang Guisheng, beanstandete die Entscheidung, den Preis an den tibetischen Führer zu vergeben, als «Einmischung in Chinas innere Angelegenheiten» und «Verletzung der Gefühle des chinesischen Volkes».

Ganz anders die Sicht des Dalai Lama: «Mit Genugtuung erfüllte mich die weltweite Anerkennung, die der Bedeutung von Mitgefühl, Versöhnung und Liebe gezollt wurde... Der Vorsitzende Mao hat einmal gesagt, die politische Macht rühre vom Lauf der Gewehre her. Damit hatte er nur zum Teil recht. Die Macht, die auf Gewehren basiert, ist nur von kurzer Dauer. Am Ende triumphiert die Liebe der Menschheit für Wahrheit, Gerechtigkeit, Freiheit und Demokratie. Ganz gleich, was Regierungen auch tun mögen, am Ende setzt sich immer die Menschlichkeit durch.»[36]

Einer Gruppe von Tibetern zufolge, die im November nach

Nepal flüchtete, erfuhren die Einwohner von Lhasa die Nachricht über den Nobelpreis zuerst durch die Sendungen in tibetischer Sprache von All-India Radio und durch die Meldungen in chinesischer Sprache der Stimme Amerikas, von Radio Moskau und der BBC. Doch da nur wenige jemals etwas vom Nobelpreis gehört hatten, wurde ihnen die Bedeutung nicht klar, bis die Chinesen ihn herabzusetzen begannen. Sie sagten zum Beispiel, der Dalai Lama hätte diesen Preis gar nicht verdient, sondern «dunkle Kanäle» zu den Amerikanern benutzt, um ihn zu bekommen.

Die Tibeter gerieten in einen solchen Freudentaumel, daß sie auf die Straßen strömten. Massendemonstrationen machte das Kriegsrecht unmöglich, es kam jedoch in Lhasa zu einer spontanen Feier, an der sich etwa tausend Menschen beteiligten und die den ganzen Tag andauerte. Viele Tibeter legten die Arbeit nieder, schlugen Plakate an, auf denen sie dem Dalai Lama ein langes Leben wünschten, den Chinesen nahelegten, das Land zu verlassen und der Welt für ihre Unterstützung der tibetischen Sache mit Weihrauch und Tsamba dankten.[37] Da sie tatsächlich keine Ahnung hatten, was die Tibeter da feierten, ließen die Chinesen das Treiben bis gegen 19 Uhr zu. Dann begriffen sie plötzlich, was los war und änderten prompt ihr Verhalten. Die Tibeter wurden daran gehindert, vor dem Jokhang ein kleines Denkmal zu errichten, und mit einer so strengen Strafe bedroht, «daß die Maßregelung vom März sich dagegen wie eine Kindergesellschaft ausnehmen würde»[38].

Die Freudenkundgebungen über den Nobelpreis versetzten die Chinesen derart in Panik, daß sie sämtliche mit dem Dalai Lama verbundenen religiösen Aktivitäten verboten. Praktiken wie das Werfen von Tsamba und das Abbrennen von Wacholderholz wurden als Aberglauben bezeichnet, waren deshalb verfassungswidrig und leicht zu verbieten. Im Oktober stellte der *Peasant's Daily* eine Verbindung zwischen Buddhismus und feudalistischen Praktiken her und warnte:

«Da diese feudalistischen und abergläubischen Aktivitäten den Verstand der Massen vergiften, die gesunde Entwicklung unserer jungen Generation nachteilig beeinflussen, die allgemeine Stimmung unserer Gesellschaft verderben und den Aufbau einer sozialistischen geistigen Zivilisation in unseren ländlichen Gebieten verhindern, sollten wir ihre Bedeutung unter gar keinen Umständen unterschätzen und in unserer Wachsamkeit nicht nachlassen.»[39] Im Dezember erhielt das Verbot Gesetzeskraft. Ein Ausschuß wurde eingesetzt zwecks Überprüfung von jedem, der die Nobelpreisverleihung gefeiert hatte, und jeder, der Weihrauch abgebrannt oder Tsamba geworfen hatte, wurde verhaftet. Lhakpa Tschungdak wurde zu ihrem Abteilungsleiter, einem Tibeter, bestellt. Er teilte ihr mit, daß die Chinesen durch Videos beweisen könnten, daß sie Tsamba geworfen hatte, und daß sie im Falle ihrer Verhaftung mit 15 Jahren Gefängnis rechnen müsse. Bestürzt entschloß sie sich zur Flucht, solange dafür noch Zeit war.

Das kleinste Anzeichen von Nationalgefühl wurde geahndet. Der 19jährige Lhakpa Tsering und fünf andere Schüler der Oberschule von Lhasa wurden im November festgenommen, weil sie Kopien der tibetischen Flagge hergestellt und Flugblätter für die Unabhängigkeit an Hauswände geklebt hatten. Ein Lehrer an einer anderen Schule in Lhasa wurde inhaftiert, weil er «reaktionäre» Lieder an die Tafel geschrieben hatte. Nach einer Erntedankfeier in einem Nonnenkloster wurden 17 Nonnen verjagt, zwei von ihnen später verhaftet und ins Kutsa-Gefängnis gebracht. Eine der beiden, die 18jährige Namdröl Tendsin, berichtete von Elektroschocks, mit denen man sie traktierte, während sie an einem Stuhl festgebunden war, die Finger an beiden Händen mit Drähten umwunden. Die starken Stromschläge schleuderten sie wiederholt zu Boden. Wenn sie ohnmächtig wurde, brachte man sie jedesmal rasch wieder zu Bewußtsein, so daß die Tortur neuerlich beginnen konnte.[40]

Im Oktober dekretierte die Regierung, daß Kinder, deren Eltern an Demonstrationen teilgenommen hatten, weder für eine Ausbildung noch für qualifizierte Stellungen in Frage kämen, sondern lediglich für niedrige Dienstleistungen. Das gab dem verheirateten ehemaligen Mönch Yesche Gompo den Rest, dessen Frau nach den Demonstrationen von 1987 inhaftiert worden war. Zu allem Überfluß hatten die Chinesen sein Haus im tibetischen Viertel von Lhasa abgerissen, angeblich, weil es alt war. «Aber sie machten so was, weil sie häufig Silber, Gold oder andere vergrabene Schätze im Schutt fanden. Dann bauten sie das Haus wieder auf und verlangten eine viel höhere Miete dafür.»[41] Die Einwohner waren über diese neue Entwicklung entsetzt. Ein Mann meinte, als er auf den Abriß seines Hauses wartete: «Das ist so, als wenn man einen völlig intakten Zahn zieht und ihn durch einen falschen ersetzt.» Obwohl die Chinesen behaupteten, die Veränderungen kämen den Tibetern zugute, war es doch nur ein weiterer Schlag gegen Tibets Kultur und galt allgemein als Teil der «Endlösung».

«Die Chinesen tun gar nichts zu unserem Nutzen», klagte ein Mönch. «Das Bauprogramm in Lhasa ist nichts weiter als eine Fassadenkorrektur, mit der den Leuten eingeredet werden soll, daß die Kommunisten uns helfen. Das gehört alles zu ihrem Hauptziel: den Buddhismus auszulöschen und unseren Geist zu zerstören. Wenn das so weitergeht, verschwinden nicht bloß unsere Häuser, sondern auch die Tibeter als Volk werden ausgerottet.»[42]

Für Yesche Gompo, seine Frau und ihre beiden Söhne im Alter von dreieinhalb und sieben Jahren wurde es Zeit zu gehen. Traurig bereiteten sie die lange, geheime Reise nach Indien vor.

Der 10. Dezember, der Tag der Nobelpreisverleihung in Oslo, ging an den Tibetern nicht «ungestraft» vorüber. Mönche in Ganden, Gefangene in ihrem eigenen Kloster, erklärten, als sie morgens die Milch holen wollten, seien sie von Soldaten mit Eisenstangen, Holzknüppeln und Ledergurten geschlagen worden.[43]

In seiner Rede in Oslo lenkte der Dalai Lama die Aufmerksamkeit der Weltöffentlichkeit auf das tragische Schicksal seines Landes. Doch die Verleihung des Nobelpreises an «einen einfachen Mönch aus dem fernen Tibet» war für ihn ein sicheres Zeichen der Hoffnung. «Sie bedeutet, daß wir, obwohl wir auf unsere Not nicht mit Gewalt aufmerksam gemacht haben, nicht vergessen worden sind. Sie bedeutet auch, daß unsere Werte, vor allem unsere Achtung allen Formen des Lebens gegenüber und der Glaube an die Macht der Wahrheit, heute anerkannt und wir in unserer Auffassung bestärkt werden.»[44]

Er versprach (und erfüllte sein Versprechen auch prompt),

die mit dem Preis verbundene Summe (469 000 $) zur Hilfe für Menschen in Hungersnot, für Leprakranke in Indien und für eine Reihe von Friedensprojekten überall in der Welt zu verwenden. Von den vielen Spenden für gute Zwecke gingen 6000 $ als medizinische Hilfe nach Rumänien. Und er beschwor China, sich dem von Osteuropa gegebenen Beispiel eines Reformkurses anzuschließen und so ein zweites Rumänien im Himalaya zu verhindern.[45]

Sein Aufenthalt in Europa fiel mit den historischen Umwälzungen zusammen. So besuchte er Berlin an dem Tag, an dem Egon Krenz gestürzt wurde. Mit Unterstützung der DDR-Behörden gelang es ihm, auf die Mauer zu steigen. «Als ich dort oben stand, dicht vor einem noch bemannten Wachturm, reichte mir eine alte Frau wortlos eine rote Kerze. Bewegt zündete ich sie an und hielt sie empor. Einen Augenblick lang drohte die kleine flackernde Flamme zu erlöschen, wurde dann aber wieder größer. Und während sich die Menschen um mich herumscharten und meine Hände berührten, betete ich, daß das Licht des Mitgefühls und des Bewußtseins die Welt erfüllen und die Finsternis der Angst und Unterdrückung vertreiben möge.»[46]

Die Chinesen rügten die DDR-Regierung für diesen Mangel an Urteilsvermögen.[47] Ministerpräsident Li Peng verurteilte den vehementen Reformprozeß in Osteuropa. Peking habe klug gehandelt, sagte er, im Juni gegen die eigene Demokratiebewegung energisch eingeschritten zu sein und damit China vor «Chaos und Konfusion» bewahrt zu haben, die jetzt anderswo herrschten.[48]

Wie wenig sich in Tibet geändert hatte, machten die Chinesen zu Ende dieses im guten wie im bösen ereignisreichen Jahres mit einer Massenversammlung deutlich, in der elf tibetische Mönche zu Gefängnisstrafen bis zu 19 Jahren verurteilt wurden für das «konterrevolutionäre Verbrechen», sich für die Unabhängigkeit Tibets eingesetzt zu haben. Ihr Anführer, zu 19 Jahren verurteilt, war Ngawang Pültschung, der die Allgemeine Erklärung der Menschenrechte der Vereinten Nationen ins Tibetische übersetzt hatte. Er leitete jene Gruppe von Mönchen aus Drepung, die es gewagt hatten, eine Charta für ein unabhängiges, demokratisches Tibet auszuarbeiten.

«Ein brodelnder Vulkan»
(1990/91)

«Sie kommen in der Nacht», berichtete ein kürzlich in Indien angelangter Flüchtling schaudernd, «gewöhnlich zwischen 23 und 1 Uhr und durchsuchen die Häuser. Wenn sie einen Gast entdecken, der keine Aufenthaltsgenehmigung hat, belegen sie ihn mit einer Geldstrafe von zehn Yuan und sagen ihm, er solle sich am folgenden Tag anmelden. Sie vernehmen den Verdächtigen, und wenn er keine zufriedenstellenden Antworten gibt, verhaften sie ihn. Jeder, der auf ihrer Schwarzen Liste steht, wird festgenommen.»[1]

Der Mann verließ Tibet im Februar 1990, etwa um die gleiche Zeit wie Pema Saldon. Bisher hatte sie den Gedanken an Flucht abgelehnt, weil sie glaubte, sie könnte in Tibet noch von Nutzen sein. Doch als im November 1989 ihr Mann Püntsog verhaftet und der Unruhestiftung beschuldigt wurde, wußte sie, daß sie als nächste drankäme. Nach mehreren erfolglosen Versuchen, Püntsog ausfindig zu machen, flüchtete Pema im Februar nach Nepal – gerade noch rechtzeitig, denn wenige Stunden später erschien die Polizei, um sie abzuholen.[2] Sie gehörte nun zu den 1000 Flüchtlingen, die sich jährlich durch die gefahrvolle Überquerung des Himalaya in Sicherheit brachten. In jenen dunklen Tagen des Kriegsrechts wurden nur wenig Reisegenehmigungen nach Indien und Nepal erteilt, denn Kontakte zu den Tibetern auf der anderen Seite würden die Unzufriedenheit nur noch schüren, befanden die Chinesen. Wenn überhaupt eine Genehmigung erteilt wurde, dauerte das bis zu zwei Jahren. Besuchsvisa für die Exiltibeter gehörten der Vergangenheit an.[3]

Obwohl das Militär noch immer allgegenwärtig und die Atmosphäre gespannt war, wurde das Kriegsrecht am 30. April 1990 aufgehoben. Der Schritt war offenbar zeitlich genau kalkuliert, um Präsident Bush zu beeindrucken, der überlegte, ob er Chinas

«Meistbegünstigungsklausel» erneuern sollte oder nicht, eine handelspolitische Maßnahme, die einen Gegenwert von Milliarden Dollar bedeutete. (Das mutmaßliche Kalkül ging jedenfalls auf: Drei Wochen später wurde der begehrte Status erneuert.) Die Soldaten der Volksbefreiungsarmee zogen ab, wurden jedoch sofort durch Tausende von bewaffneten Polizisten ersetzt, eine undisziplinierte paramilitärische Truppe, die sogenannte Wu Jing. Die Kontrolle war damit lediglich in andere Hände übergegangen. Nach weitverbreiteter Ansicht hatten die Soldaten der Volksbefreiungsarmee nur die Uniformen gewechselt.

Zwei Wochen zuvor hatte man mehrere hundert politisch aktive Nonnen und einige Mönche festgenommen oder aus ihren Klöstern vertrieben und in ihre Heimatdörfer zurückgeschickt – ein Versuch, potentielle Widerstandsnester radikal auszuräumen. Mönche im Potala-Palast durften bleiben, wenn sie sich schriftlich verpflichteten, zwei Jahre lang Ruhe zu wahren.[4] Den Mönchen von Sera und Drepung ließ man diese Wahl nicht, und unter den Ausgeschlossenen befanden sich einige der fortschrittlichsten und bedeutendsten buddhistischen Experten. «Wo werden künftig die Lehrer herkommen?» klagte einer der verbliebenen Mönche. «Sie versuchen, den Buddhismus auszurotten... Die Chinesen reißen den tibetischen Buddhismus an den Wurzeln heraus.» Es stimmte. Der Feind war ausgemacht und im Visier: Das Haupthindernis, das sich dem Herrschaftsanspruch der Chinesen über Tibet in den Weg stellte, war der buddhistische Glaube.

Nur zwei Tage vor Aufhebung des Kriegsrechts wurden die Einwohner von Lhasa zur Teilnahme an einer Massenversammlung im Freien beordert, zu der 43 Tibeter durch die Hauptstraße geführt wurden, wonach sie eine erniedrigende öffentliche Aburteilung hinnehmen mußten. Es war eine deutliche Warnung, und nach dem Abzug der Volksbefreiungsarmee erließ die neue Zivilregierung eine Unmenge von einschränkenden Bestimmungen. Ein sechs Artikel umfassendes Dekret ermächtigte die Stadtpolizei von Lhasa, «Aktivitäten, die sich dem sozialistischen System widersetzen oder auf Spaltung des Mutterlandes abzielen, energisch zu unterbinden». Für jede Art von Versammlung mußte eine Genehmigung eingeholt werden;

und selbst die geringste Ruhestörung war unter Einsatz von Gewalt niederzuschlagen. Das Dekret legte Denunzianten ausdrücklich nahe, an ihre Pflicht zu denken,[5] und erinnerte die Bevölkerung daran, daß es nicht zu ihren verfassungsmäßigen Rechten gehöre, das System zu kritisieren.

Hu Jintao, der neue Parteisekretär, verkündete, daß «Tibet immer noch vor der schwierigen Aufgabe steht, einen tiefgreifenden Kampf gegen Abweichler und Spaltungstendenzen zu führen und die Lage in den nächsten fünf Jahren weiterhin zu stabilisieren». Alles, was in den letzten Jahren nicht richtig funktioniert hatte, war die Schuld von ein paar «Abweichlern» im Solde von Dharamsala und/oder Washington, und die mußten vernichtet werden, egal wie. Um ihrer Entschlossenheit, die Lage durch Terror zu «stabilisieren», Nachdruck zu verleihen, ließ die Regierung zwei Tibeter wegen Fluchtversuchs aus einem Gefängnis in Lhasa* hinrichten – ein Akt, der in ganz Tibet große Verbitterung auslöste und selbst langjährige Kollaborateure gegen das Regime aufbrachte.

Unterdessen dehnte sich die strengere Kontrolle auch auf andere Lebensbereiche aus. Eine der Akademie für Gesellschaftswissenschaften in Shanghai 1989 übermittelte Vorlage hatte die Einrichtung einer Spezialeinheit der Polizei gefordert, die Abtreibungen bei Frauen aus ethnischen Minderheiten mit einer Bevölkerung von mehr als 500 000 veranlassen sollte.[6] Und ein Artikel in *China Population News* bezeichnete die Lockerung der Familienplanung aus «ethnischen Konventionen» als ein «absolut unhaltbares Vorhaben». Fast unverzüglich wurde das Programm zur Geburtenkontrolle in Tibet straffer gehandhabt.

Am 29. Mai 1989 teilten die chinesischen Behörden mit, daß sich 18 000 von den 600 000 Frauen im gebärfähigen Alter in der Autonomen Region Tibet «freiwillig» zur Sterilisation gemeldet hätten. Zwei tibetische Mönche aus Amdo, die man in Dharam-

---

* Späteren Berichten von Amnesty International (und Tibet Information Network) zufolge wurden sie auch wegen Unterstützung der Unabhängigkeitsbewegung angeklagt. Von den Behörden wurde das zwar nie zugegeben, es war aber unter Tibetern durchaus bekannt.

sala interviewte, hatten einiges von dieser «freiwilligen Meldung» mitbekommen, als ein Geburtenkontrollteam in der Nähe ihres Klosters arbeitete:

«Die Dorfbewohner wurden benachrichtigt, daß sich alle tibetischen Frauen in dem Zelt zur Abtreibung und Sterilisation melden müßten, andernfalls drohten schwere Konsequenzen. Diejenigen, die sich weigerten, wurden mit Gewalt hingebracht und einem Eingriff unterzogen. Wir sahen viele Mädchen weinen, hörten ihre Schreie.»[7]

Ein 1989 im *Guardian* veröffentlichter Bericht äußerte die Vermutung, daß die Geburtenkontrollteams durch finanzielle Anreize bewogen würden, so viele Sterilisationen durchzuführen wie nur möglich. Das wird von zahlreichen unabhängigen Zeugen bestätigt, die schildern, wie Frauen – darunter angeblich auch 13- und 14jährige Mädchen – weggeschleppt und schreiend auf Lastwagen verladen werden.

Tashi Dölma war eine von vier tibetischen Ärztinnen in einem Krankenhaus in Amdo, die aus Protest gegen die unmenschliche Politik der Geburtenkontrolle ihre Stellung auf der Entbindungsstation aufgaben:

«In abgelegenen Gegenden, wo kein Krankenhaus vorhanden ist, treffen Teams von chinesischen Ärzten und Krankenschwestern mit zwei Jeeps ein, der eine für sie, der andere für ihre Instrumente bestimmt. Sie fahren von Dorf zu Dorf und sind etwa zwei bis drei Monate unterwegs, um sofort Abtreibungen und Sterilisationen vorzunehmen. Beim Abschluß jeder Rundreise haben sie rund 2000 Fälle erledigt.»

Ein Bericht über Menschenrechte in Tibet stellte fest: «Abtreibung wird gewöhnlich morgens durchgeführt, und die Mütter müssen noch am gleichen Nachmittag wieder nach Hause gehen. Büroangestellte bekommen zwei bis drei Tage bezahlten Urlaub; die Arbeitskräfte auf dem Land sind gezwungen, sobald wie möglich ihre Tätigkeit wiederaufzunehmen.

Ein Flüchtling gibt ein Schreckensbild von der Lage in Chamdo: ‹Sie halten es vielleicht für kaum glaublich, aber die Chinesen erzwingen Abtreibungen auch bei Frauen im dritten, vierten und fünften Schwangerschaftsmonat. Ich habe solche drei, vier oder fünf Monate alten Föten in den Regenrinnen und

Mülltonnen vor dem (Chamdo Public Welfare) Krankenhaus liegen sehen.›

Man ist sogar noch einen Schritt weitergegangen und schreckte nicht davor zurück, die Neugeborenen von Müttern, die bereits zwei Kinder hatten, zu töten: ‹Manchmal steht die Mutter die Wehen durch, bringt das Kind zur Welt, hört das Baby schreien und erfährt, wenn sie wieder ganz wach ist, daß ihr Baby bei der Geburt gestorben ist.›»[8]

Tashi Dölma bestätigt, daß Föten zu einem äußerst späten Zeitpunkt abgetrieben werden: «Der Fötus wird häufig erst entfernt, wenn die Herztöne schon zu hören sind. Die Abtreibung wird zwangsweise vorgenommen und der Fötus dann kopfüber in einen Eimer voll Wasser gesteckt. Gesunde, wohlgestaltete Babys! Manche werden tatsächlich voll ausgetragen, aber nach der Geburt im Wassereimer ertränkt. Die Mütter verlieren darüber fast den Verstand.»[9]

Eine Flüchtlingsfrau aus einem Dorf bei Shigatse berichtete dem Dalai Lama, ein chinesischer Arzt habe ihr gegenüber zugegeben, zwecks Erfüllung seines Abtreibungssolls sei er zur Tötung von Neugeborenen gezwungen. Ein Tibeter, Ehemann einer in einer Entbindungsklinik in Lhasa tätigen Ärztin, erklärte, «Maßnahmen zur Geburtenkontrolle» gehörten zu den Hauptaufgaben des Krankenhauses, und den Babys würden bei der Entbindung häufig tödliche Injektionen verabreicht.[10] Eine andere Klinik war als «Fleischerei» bekannt, wie ein Mann in Lhasa Vanya Kewley berichtete, «weil sie unsere Frauen dorthin zur Zwangsabtreibung brachten. Und vergessen Sie nicht, daß wir Buddhisten sind. Wir halten es für eine furchtbare Sünde, jemandem das Leben zu nehmen... und erst recht einem ungeborenen Kind. Sie als Westliche können nicht wirklich nachempfinden, wie ungeheuer traumatisch es für einen tibetischen Buddhisten ist, ein solches Verbrechen begehen zu müssen.»[11]

Die Wirkung auf die Mutter, der gesagt wird, sie müsse ihr Baby opfern, ist niederschmetternd, bestätigt die Ärztin Tashi Dölma – deren eigenes zweites Kind zwangsweise abgetrieben wurde. «Ich hatte einen dreieinhalbjährigen Jungen, als ich wiederum schwanger wurde. Der Krankenhausdirektor kam nach der achten Woche dahinter und drohte meinem Mann und mir mit dem Verlust unserer Stellung sowie einer hohen Geldstrafe. Sie machten uns das Leben so schwer, daß ich wußte, ich würde mich fügen müssen. Ich wurde gezwungen, mich auf einen Tisch zu legen, sie führten ein elektrisches Gerät in meinen Uterus ein und ließen mich stundenlang so liegen. Ich blutete stark, und der Uterus weitete sich. Dann kamen sie und führten eine Art Spachtel ein, drehten ihn unentwegt herum, schabten den Fötus in kleinen Stücken heraus.»[12]

In Anbetracht dieser Schändlichkeiten ist es unschwer zu verstehen, warum die Stimmung in Lhasa in jenem Sommer 1990 gefährlich aufgeheizt war. «Sie haben es mit uns zu weit getrieben», klagte ein Einwohner von Lhasa. Die ganze Situation sei wie «ein brodelnder Vulkan, und wenn der ausbricht, wird sich der Platz des Himmlischen Friedens dagegen wie ein Picknick ausnehmen»[13]. Ein kühner Vergleich, aus Verzweiflung geboren, aber Ende Mai war ein neues Gesetz in Kraft getreten, das öffentlichen Protest fast unmöglich machte.[14] Alle Demonstrationen mußten im voraus bei den Behörden angemeldet werden, zusammen mit Namen und Adressen der Organisatoren – und dem Wortlaut der Parolen, die skandiert werden sollten! Das neue Gesetz verstärkte den Druck auf Mönche und Nonnen durch ein ausdrückliches Verbot «von der Religion bestimmter Versammlungen, Demonstrationen oder Umzüge, durch die der staatliche Vereinigungsprozeß gefährdet oder die nationale Einheit oder die Stabilität der Gesellschaft zerstört wird». In 300 Meter Umkreis von religiösen Zentren wurden grundsätzlich keine Proteste zugelassen, was jede Demonstration in Nähe eines Klosters oder in tibetischen Stadtvierteln illegal machte. Daher kam der Jokhang-Tempel, seit 1987 Schauplatz so vieler Proteste, für Versammlungen künftig nicht mehr in Betracht.

Das Land war jetzt für ausländische Journalisten und Einzelreisende gesperrt. Ein schwerer Schlag für die Tibeter, bei denen der Tourismus zumeist hoch im Kurs stand – denn sie wußten sehr wohl, daß schon ein kurzer Einblick in die Verhältnisse, unter denen sie lebten, ihnen viele neue Freunde gewonnen hatte, die ihren Kampf unterstützten. Die Chinesen hatten das erkannt und umwarben deshalb eine neue Kategorie von Touristen: die verhältnismäßig begüterten, die nichts als ein ausgefallenes Urlaubserlebnis suchten. «Wir möchten weniger, aber dafür höhere Preise zahlende Gäste als bisher», sagte ein leitender Touristikbeamter in Chengdu der *South China Morning Post*. «Rucksacktouristen geben fast nichts aus, bleiben lange und wiegeln die Tibeter gegen uns auf. Die wollen wir nun wirklich nicht haben.»[15]

Ich nahm an einer dieser teuren und immer noch verhältnismäßig selten angebotenen Rundreisen im September 1990 teil. Die Unterbringung erfolgte im Holiday Inn, das den Chinesen gehört und auch vorwiegend chinesisches Personal hat, obwohl einige tibetische Kleidung trugen. Äußerlich wirkte Lhasa ruhig: Die Straßen waren von Fahrrädern verstopft; die Straßenhändler, die auf dem Barkhor lautstark um Kundschaft wetteiferten, waren fröhlich und pittoresk. Lange Reihen von Pilgern standen vor den Klöstern an oder schlurften drinnen umher, warfen sich der Länge nach zu Boden, murmelten ihre Mantras, ließen ihre Gebetsschnüre durch die Finger rollen, drehten ihre Gebetsmühlen, füllten ranzige Jakbutter löffelweise in die Tempellampen – ein Bild exotischer Zufriedenheit. Ein Autor hat die Szene zutreffend beschrieben:

«Glückliche Musik berieselt den ganzen Tag lang die Ufer des Glücklichen Flusses, glückliche Bienen erfüllen emsig ihre kleinen Aufgaben, jede trägt ihren Teil zum Wohl des Bienenvolks bei, glückliche Touristen, glückliche Tibeter, glückliche Han-Chinesen, jeder spielt seine Rolle in der behutsamen Pantomime, zu der das Leben in Lhasa geworden ist.»[16]

Man konnte sich durchaus fragen, warum eigentlich von der Lage in Tibet soviel Aufhebens gemacht wurde. Bis man andere Dinge zu registrieren begann: daß in manchen Vierteln der tibetischen Hauptstadt fast jeder Passant Chinese war; daß die gleichförmigen, rechteckigen Wohnblocks und Bürogebäude alle aus Beton waren, wodurch Lhasa wie jede andere chinesische Stadt aussah; daß die Läden, die Stände durchweg billige chinesische Waren feilboten und selbst auf dem Barkhor viele der Verkäufer Chinesen waren. Die Katags, die traditionellen tibetischen Glücksschleifen, stammten ebenfalls aus billiger chinesischer Massenproduktion und wurden den Tibetern von chinesischen oder muslimischen Händlern verkauft. Tibetischen

Händlern wurden zum einen willkürlich Steuern aufgebürdet und zum anderen alle Gelegenheiten verwehrt, Waren und Material zu konkurrenzfähigen Preisen zu erwerben, so daß manche, statt etwas zu verkaufen, nur noch betteln konnten. «Ganz gleich, wie hart wir arbeiten», sagte uns ein junger Mann verbittert, «wir Tibeter bleiben arm. Was wir verdienen, wird alles von kommunistischen Spitzenfunktionären abgeschöpft, um mehr und mehr Tagungen auf höchster Ebene zu bezahlen, auf denen sie viel leeres Geschwätz ablassen und rein gar nichts beschließen. Für uns geschieht nichts, und daran wird sich auch nie etwas ändern.»*

Immer streng bewacht, besuchte unsere Reisegruppe die regulären Sehenswürdigkeiten, dabei vor allem die teilweise restaurierten Tempel und Klöster: Jokhang, Potala, Ramoche, Drepung, Sera, Ganden, Samye, Mindroling, Sakya. Es ärgerte uns, daß wir drinnen nur gegen Bezahlung fotografieren durften, denn wir argwöhnten – zu Recht –, daß dieses Geld wohl in die Taschen des Demokratischen Direktionskomitees wanderte, anstatt den Mönchen zugute zu kommen. Das geschieht mit allen Geldern, die von gutgläubigen Pilgern in den Klöstern hinterlassen werden. Wir wunderten uns, daß in Drepung und Sera so wenige Mönche zu sehen waren, denn wir wußten ja nicht, daß man etliche gerade verhaftet oder vertrieben hatte.

Beim Anblick des zerstörten Klosters Ganden konnten wir uns zumindest annähernd vorstellen, was diesem Land widerfahren ist. Als wir durch den wiederaufgebauten Teil des Tempels wanderten, flüsterte uns ein Mönch die Warnung zu, daß unser Reiseführer ein Spion der Regierung sei. Unter gar keinen Umständen dürften wir Bilder des Dalai Lama zeigen. Wegen

---

* Während unseres Aufenthalts in Lhasa erregte der Prozeß gegen die 23jährige Tashi Tsömo, eine Bankangestellte bei der Bank of China, großes Aufsehen. Sie hatte eine beträchtliche Summe unterschlagen, einen Großteil davon für sich verjubelt, aber auch einiges verschenkt. Für die Chinesen war sie ein «Bandit», während die Tibeter in ihr einen weiblichen Robin Hood unserer Tage sahen, der einer raubgierigen Regierung, die das Volk unentwegt schröpfte, das Geld abnahm. Als Tashi Tsömo wegen ihres Vergehens im Dezember 1991 hingerichtet wurde, betrachteten sie daher diese Exekution als politisch motiviert, als weiteren Einschüchterungsversuch.

einer solchen aufrührerischen Handlung habe die Polizei kürzlich einen Touristen verhaftet.

Als wir eines Nachmittags die Fresken in einem der berühmten Gebäude von Lhasa bewunderten, unterbrach unser Führer, ein Mönch, seine Erklärungen (sobald sich ein reichdekorierter Offizier der Volksbefreiungsarmee außer Hörweite befand), um uns zuzuraunen, daß 70 Nonnen diese Woche in der Stadt verhaftet worden seien. Wir überprüften seinen Bericht bei einer zuverlässigen Quelle und erfuhren, daß auch sieben Mönche aus dem Jokhang, 14 aus Drepung, 15 aus Ganden in den vergangenen sieben Tagen ins Gefängnis gebracht worden waren. Und von 92 vertriebenen Nonnen saßen jetzt 28 in irgendeinem Gefängnis in Lhasa. Ich dachte an die junge Nonne, Gyaltsen Tschödön, deren Geschichte mich vor wenigen Monaten in Dharamsala zu Tränen gerührt hatte, und zitterte um diese tapferen jungen Frauen.

Auf dem Land, wo das gewisse urbane Flair von Lhasa wegfiel, wurde uns die entsetzliche Armut der Tibeter bewußt, ihre unerträglichen Lebensbedingungen. Während die chinesischen Siedlungen Strom haben, gibt es in den tibetischen Dörfern keinen. Ihr Wohnraum wurde in den meisten Fällen beschnitten, und sie haben nicht ausreichend zu essen. Kinder laufen selbst in extremen Höhenlagen von 4000 Metern und darüber im Sommer wie im eisigen Winter barfuß und hungrig herum. Nach meiner Rückkehr schrieb ich in einem Artikel:

«Mich verfolgt die Erinnerung an ein Picknick auf einem Feld bei Sakya. Eine kleine Schar von spindeldürren, schmutzigen, zerlumpten, rotznasigen Kindern – und ein paar verzweifelt dreinblickende Erwachsene – tauchte aus dem Nichts auf. Sie bettelten nicht, wie es die Kinder in den Städten längst gelernt haben; sie standen nur da und starrten uns an. Beschämt taten wir, als ob wir den letzten Bissen hinunterschluckten, verstauten dann den Proviant in Büchsen. Sie warteten, bis wir in sicherer Entfernung waren und fielen über die Reste her wie ein Schwarm Raubvögel.»[17]

Drei Monate danach, im Dezember, wurde Lhakpa Tsering, der in Haft saß, weil er in seiner Schule Plakate für die Unabhängigkeit angeschlagen hatte, tot in seiner Gefängniszelle in Lhasa aufgefunden. Er war offenbar von den Wärtern totgeschlagen worden, weil er es abgelehnt hatte, beim Besuch einer ausländischen Delegation den Mund zu halten. 93 weitere politische Gefangene hielten schweigend Totenwache, in den Händen ein Band, das sie aus Streifen seines Bettlakens geknüpft hatten – ein Symbol für Solidarität und Menschenrechte. (Dem Vernehmen nach wurden auch diese Gefangenen nach ihrem Protest geschlagen oder gefoltert. Besucher, die am 20. Dezember im Drapchi-Gefängnis waren, berichteten, die Gesichter der meisten seien «verschwollen und zerkratzt» gewesen und viele hätten Beulen am Kopf gehabt.[18]) Amnesty International forderte eine eingehende Untersuchung des Todes, und 30 US-Senatoren erhoben in einem Schreiben an den chinesischen Ministerpräsidenten Protest gegen eine derart gewaltsame Unterdrückung von Tibetern, die ihre Meinung friedlich kundgetan hatten. Senator Edward Kennedy nannte Tserings Tod «noch eine weitere Menschenrechtstragödie in Tibet, nur allzu typisch für die grausame chinesische Unterdrückung des tibetischen Volkes»[19].

Als der amerikanische Botschafter in Peking im März/April 1991 nach Drapchi kam, um politische Gefangene zu besuchen, griffen die Chinesen zu allen erdenklichen Täuschungsmanövern. Einem von der tibetischen Administration verbreiteten Bericht zufolge wurden gewöhnliche Kriminelle neu eingekleidet, als Demonstranten ausgegeben, die «sich der Umerziehung befleißigen». Die echten politischen Gefangenen hinderte man daran, in die Nähe des Botschafters zu gelangen. Dieser ließ sich freilich nicht täuschen. Die Vorführung der Haftbedingungen in Tibet durch chinesische Funktionäre war nach seinen Worten «genauso falsch wie eine Dreidollarnote... Dieses Gefängnis war kein Pfadfinderlager, und wir wußten es.»[20]

Das Jahr 1991 begann ruhig. Angesichts der geltenden Beschränkungen hätte es auch kaum anders sein können. Die Wachsamkeit der Chinesen nahm zu, je näher der 10. März heranrückte, und die düsteren Vorzeichen mehrten sich, daß noch schärfere Maßnahmen ergriffen würden, um die Tibeter daran zu hindern, diesen wichtigen Jahrestag zu begehen. Bei zwei Massenversammlungen im Februar – die eine in Shigatse, die andere in Chamdo – wurden mindestens drei Tibeter vor der abkommandierten Menge wegen Unterstützung der Unabhängigkeitsbewegung öffentlich abgeurteilt; einen weiteren brandmarkte man als Spion für die Exilregierung. Eine über 900 Mönche in Drepung, Sera und Ganden verhängte zehntägige Ausgangssperre hinderte sie daran, ihre Klöster zu verlassen und in die Stadt zu gelangen. Ein Mönch erhielt bei dem Versuch, trotz des Verbots wegzugehen, eine Schußwunde in der Leistengegend. Offenbar hatten die Chinesen immer noch nicht alle potentiellen Gegner aus den Klöstern entfernt.

Die offizielle Berichterstattung nannte die Lage in Lhasa «stabil», während Touristen große Mengen von Polizisten in Zivil auf den Straßen registrierten, bewaffnete Polizei auf den Dächern rund um den Platz vor dem Jokhang sowie Konvois mit Polizei in gepanzerten Lastwagen, die durch die Stadt patrouillierten. Die wirksamste Maßnahme war jedoch, den ganzen Barkhor aufzureißen, den Pilgerpfad um den Jokhang-Tempel. Dessen polizeiliche Überwachung hatte den Chinesen von jeher Schwierigkeiten bereitet, und die engen Durchgänge boten Flüchtigen oft Unterschlupf. In weniger als zwei Wochen hatten Bulldozer Anfang März den ganzen Pilgerpfad in eine Schutthalde verwandelt; sogar die brandneuen Pflastersteine vor dem Jokhang hatte man wieder herausgerissen. Damit waren sämtliche Aussichten auf eine Demonstration zunichte gemacht. Für die Tibeter ein schwerer Schlag.*

Dennoch gelang es fünf Mönchen (angeblich alle in den Zwanzigern), ihre Klöster zu verlassen, die Straßensperren zu umgehen, die sämtliche Zugänge zur Stadt blockierten, und einen Rundgang um den zerstörten Barkhor zu vollenden. Die bewaffnete Volkspolizei erschien, um sie festzunehmen, als sie gerade inmitten einer großen, Sprechchöre intonierenden Menschenmenge eine tibetische Flagge entrollten. Es war jedoch keine echte Demonstration, und zwar nicht nur wegen der Einschränkungen, sondern auch, weil der Dalai Lama sein Volk

---

* Der Barkhor wurde dann alsbald wieder in Ordnung gebracht.

vor öffentlichen Kundgebungen, wenn auch noch so friedlichen, gewarnt hatte. Es seien bereits zu viele tibetische Protestler erschossen worden, erklärte er bei einem Besuch in Großbritannien im März, das Risiko weiterer Verluste sei unannehmbar. «Für uns ist jeder einzelne getötete Tibeter ein enormer Verlust.»[21]

In seiner Erklärung vom 10. März 1991 räumte der Dalai Lama schließlich ein, daß sein Straßburger Plan von 1988 gescheitert sei und er sein Angebot zurückziehen würde, wenn aus China weiterhin keine Reaktion käme. Doch er plädierte nach wie vor für Gewaltlosigkeit und war fest davon überzeugt, daß sich nur durch Dialog und Verhandlung eine Lösung finden ließe.

Der Wille seines Volkes, an Gewaltlosigkeit festzuhalten, wurde freilich auf eine harte Probe gestellt, als die Chinesen ihre «grandiosen Festlichkeiten» zum vierzigsten Jahrestag ihrer «friedlichen Befreiung» Tibets am 23. Mai inszenierten, dem Tag, an dem das Siebzehn-Punkte-Abkommen unterzeichnet worden war. «Ihnen ist anscheinend nicht klar, was für eine Demütigung wir ertragen müssen, wenn sie uns zwingen, ihre Okkupation zu feiern», wurde ein tibetischer Intellektueller in einer Meldung der Nachrichtenagentur Reuter zitiert. Die Chinesen ahnten, daß die Reaktion der Tibeter lau oder noch schlimmer ausfallen könnte und verhafteten am 10. April vorsorglich 146 «Kriminelle». Die Festnahmen wurden auf einer öffentlichen Massenversammlung bekanntgegeben, bei der die Polizei die Einwohner von Lhasa anwies, «unverzüglich gegen alle kriminellen Elemente einzuschreiten, um das große Ereignis des vierzigsten Jahrestags der Befreiung Tibets in einem einwandfreien sozialen Umfeld zu begehen»[22]. Eine Woche danach wurden 44 weitere «Kriminelle» – keinen von ihnen hatte man vor Gericht gestellt und die meisten ihrer Vergehen wurden nicht spezifiziert – zur Abschreckung durch die Stadt geführt.

Eine wahre «Bauwut» brach aus, als Lhasa einer Verschönerung unterzogen wurde. Tibetische Häuser wurden abgerissen, Straßen verbreitert, Laternen installiert und Bäume gepflanzt. Wichtige Gebäude wurden frisch getüncht und manche mit einer meterhohen «40» bemalt. Zur Erinnerung an die Ankunft der Chinesen in Lhasa sollte eine 70 Meter hohe Metallspirale errichtet werden, ein Vorhaben, das den Tibetern Abscheu einflößte. Dieser Plan wurde später fallengelassen und statt dessen eine monumentale Plastik von zwei vergoldeten Jaks aufgestellt.

Ein solches Maß an Instinktlosigkeit und schlechtem Geschmack ging manchen Chinesen zu weit, insbesondere denen, die Sinn für Geschichte hatten. «Ich mache mir schwere Sorgen, was die Zukunft Tibet bringen wird», schrieb einer von ihnen, ein vor einigen Jahren von China nach Lhasa versetzter Techniker, im März an einen Freund im Westen. «Ich kann Lhasa kaum wiedererkennen. Wie werde ich das alte Tibet vermissen... Komm zurück und schau Dir das alte Lhasa ein letztes Mal an, bevor es verschwindet. Komm rasch... Keine Frage, bald wird ein neues Tibet, ein neues Lhasa auf der Bildfläche erscheinen.»[23]

Ich wurde an meine Gespräche mit ehemaligen tibetischen Kadern in Dharamsala erinnert, die bei vielen der älteren Chinesen, die einige Jahre in Tibet gelebt und die Tibeter liebgewonnen hatten, auf Sympathie und Verständnis gestoßen waren. (Dagegen schienen die in jüngster Zeit Zugewanderten die Tibeter gar nicht wahrzunehmen.) Tsering Wangtschuk hatte keinerlei Zweifel, daß auch die chinesischen Kader widerwillige Opfer des kommunistischen Regimes waren. «Viele von ihnen sind desillusioniert und hassen das System», meinte er.

Den ganzen April und Mai über tauchten an Wänden, Telegrafenmasten und in den Klöstern in Lhasa Tausende von Plakaten und Spruchbändern für die Unabhängigkeit auf, trotz verstärkter polizeilicher Überwachung. Verbotene tibetische Fahnen flatterten trotzig im Wind. Eine Widerstandsgruppe, die Tiger-Drache-Jugendorganisation, produzierte winzige Flugblätter wie Gebetsfahnen mit dem Slogan «Tibet den Tibetern» und der Aufforderung an alle Tibeter, das laut schallend zu rufen. 40 Jahre chinesischer Herrschaft, so erklärten sie, seien gleichbedeutend mit «rücksichtsloser Zerstörung und Ausbeutung von Land und Leuten». Chinesische Politik hieße, «Tibet zu einem Teil von China zu machen, den Buddhismus zu einem blinden Glauben und die Tibeter zu einer einfältigen Rasse»[24].

Die «einfältige Rasse» mußte entweder durch Bestechung oder durch Drohungen dazu gebracht werden, ihren nationalen Niedergang mit allen Anzeichen ungetrübter Freude zu feiern. Aus Lhasa verlautete, man habe etwa 1,5 Millionen Yuan (300 000 $) für die Festlichkeiten reserviert. Ein großer Teil dieser Summe war für Feuerwerk und die Scheinwerferbeleuchtung von historischen Gebäuden bestimmt. Eine Woche vor dem 23. Mai ruhte die Arbeit in Lhasa, Schulen und Fabriken waren geschlossen, die Insassen zu Proben abkommandiert. Hunderte von «fröhlichen» Tibetern meldeten sich widerstrebend «freiwillig» zur Teilnahme an den pompösen Festzügen und aufwendigen Gesang- und Tanzdarbietungen, die an den Mao-Kult der sechziger Jahre erinnerten. Wirklichkeitsnäher waren die fünf Feldgeschütze, die durch die Straßen von Lhasa gezogen wurden, und die vierzehn Lastwagen voller Soldaten, die zusätzlich anrollten.

Am Sonntag, dem 19. Mai, trafen chinesische Spitzenfunktionäre des Zentralkomitees ein unter Führung von Li Tieying, unter dessen Leitung die Delegation 1951 Tibets Unterschrift unter das Siebzehn-Punkte-Abkommen durchgesetzt hatte. Obwohl dieser Affront die Tibeter tief traf, wurde eine große Anzahl von «Freiwilligen» in leuchtend bunter Nationaltracht zum Flugplatz beordert, um die hohen Gäste mit Gesang und Tanz zu begrüßen. Einige Gebiete der Stadt wurden aus Sicherheitsgründen hermetisch abgeriegelt, und an der Straße vom Flugplatz nach Lhasa waren alle zwanzig Meter Trupps der Volksbefreiungsarmee postiert.

Am Jahrestag selbst reduzierten die Chinesen den Schnapspreis in Tibet um die Hälfte. «Irgend ein hoher Verwaltungsbeamter hat erkannt, daß es raffiniertere Methoden gibt, Menschen kirre zu machen, als sie zu erschießen oder einzusperren», hieß es in einem Bericht in The Economist.[25] Viele Tibeter hatten unter dem jahrelangen Leidensdruck jeden Halt verloren und im Alkohol Zuflucht gesucht – nicht im selbstgebrauten tibetischen Bier, sondern in chinesischen Spirituosen, die mit Lastwagen über Tausende von Kilometern von China in alle

Teile Tibets transportiert wurden. Manche Sorten sind ausgesprochen gefährlich und «stark wie Raketentreibstoff», meinte Dschamyang Norbu. «Die Chinesen beabsichtigen, unser Volk zu schwächen», kommentierte ein Beamter im Gesundheitsamt in Dharamsala. «Die Auswirkungen von Alkohol auf die Gesundheit sind allgemein bekannt. Billigen Alkohol zu verkaufen und den Preis am 23. Mai um die Hälfte herabzusetzen, ist eine ganz bewußte Maßnahme. Wenn sie den Tibetern unbedingt etwas Gutes tun wollen, warum haben sie an dem Tag nicht den Preis für Lebensmittel gesenkt? Wieso für Alkohol?»[26]

Aber trotz alledem gerieten die Feierlichkeiten zum Fehlschlag. Ausländische Regierungen erteilten eine Absage. Die Gäste kamen nicht, weil niemand außer dem Gastgeber einen Anlaß zum Feiern sah. Die internationale Gemeinschaft stand China nicht mehr unkritisch gegenüber und blickte mit erheblich mehr Sympathie auf Tibet. Das Massaker auf dem Platz des Himmlischen Friedens und die Erkenntnis, daß China Waffen und Kerntechnik an Pakistan, Syrien (und möglicherweise auch an Iran und Algerien) verkauft hatte, führten zu einer veränderten Einstellung.

Vor dem März 1990 hatten westliche Parlamente gelegentlich gegen Menschenrechtsverletzungen in Tibet protestiert, aber jede Erwähnung der tibetischen Unabhängigkeit sorgfältig vermieden. Nur die Norweger und der tschechoslowakische Präsident Václav Havel hatten es gewagt (ungeachtet der üblichen chinesischen Proteste), den Dalai Lama offiziell zu empfangen. Im März lehnte der britische Premierminister John Major ein Zusammentreffen mit dem tibetischen Führer ab*, hinderte ihn allerdings nicht daran, sich politisch zu äußern, wie es Margaret Thatcher ein Jahr zuvor getan hatte.

In der internationalen Einschätzung Tibets vollzog sich ein bemerkenswerter Wandel. Die Bundesrepublik Deutschland und Costa Rica empfingen den Dalai Lama als erste. Im April 1991 wurde Seine Heiligkeit von Präsident George Bush im Weißen Haus empfangen, und der US-Senat erklärte zum ersten

---

* Im Dezember 1991 hat John Major den Dalai Lama dann doch in der Downing Street empfangen.

Mal seine uneingeschränkte Unterstützung der «Freiheit für Tibet». (China war darüber sehr verärgert, obwohl Bush selbst alsbald – angesichts der Opposition im Kongreß – diesen Schlag durch Erneuerung der «Meistbegünstigungsklausel» abmilderte mit der optimistischen Behauptung, Handel sei ein moralisches Druckmittel, durch das China veranlaßt werden könnte, seinen lädierten Ruf in der Frage der Menschenrechte aufzupolieren.) Am 23. Mai, dem Tag der Jubelfeiern in Lhasa, verabschiedete der Senat eine weitere Resolution, in der Tibet – einschließlich der jetzt den chinesischen Provinzen Yunnan, Gansu, Qinghai und Sichuan einverleibten Gebiete – zu einem Staat erklärt wurde, der sich widerrechtlich unter chinesischer Besatzung befindet. Die rechtmäßigen Vertreter Tibets seien der Dalai Lama und die tibetische Exilregierung, hieß es weiter. Diese historischen Resolutionen des amerikanischen Kongresses, mochten sie vom Präsidenten oder dem State Department unterstützt werden oder nicht, erkannten an, daß Tibet vor der chinesischen Invasion von 1950 als unabhängiger Staat existiert und seine Funktionen ausgeübt hatte, und sprachen sich damit eindeutig gegen Chinas territoriale Ansprüche aus.[27]

Dieser politische Kurswechsel des Westens erfolgte zu einem kritischen Zeitpunkt. China war sich vermutlich klar darüber, daß ausländische Diplomaten nicht an den Feiern in Lhasa teilnehmen würden und schloß daher die in Peking stationierten westlichen Journalisten und Diplomaten von vornherein aus. Die wiederum lieferten Berichte, in denen nicht von Chinas «friedlicher Befreiung» eines rückständigen Landes vor vierzig Jahren die Rede war, sondern von der Zerstörung eines kleinen, einst unabhängigen Staates und von den Bestrebungen einer wachsenden Widerstandsbewegung gegen die Okkupanten.

Am 22. Mai berichtete The Times: «Während Peking in Erwartung des vierzigsten Jahrestages seiner Annexion nervös Truppen nach Tibet entsendet, sind Großbritannien und die Vereinigten Staaten Initiatoren eines diplomatischen Boykotts der Feierlichkeiten. Diplomaten mehrerer europäischer Staaten haben auf Einladungen zu den Feiern in Lhasa oder in den chinesischen Botschaften ihres Landes ebenfalls nicht reagiert. Mit Filmvorführungen auf Empfängen und Propagandaschriften soll versucht werden, die skeptische Haltung der Weltöffent-lichkeit abzubauen.»

Eine befriedigende Lösung ist bisher nicht in Sicht. Der erbitterte, ungleiche Kampf geht weiter. Am 22. Mai warnte Li Tieying auf einer Versammlung in Lhasa die Soldaten: «Ihr befindet euch in einem schwierigen Kampf gegen separatistische Aktivitäten. Wir müssen gegenüber unseren Feinden in hohem Maße wachsam bleiben. Wir dürfen es nicht zulassen, daß ihre Verschwörung den Sieg davonträgt.»

Alle, die den Tibetern Gutes wünschen und ihre unbeirrbare innere Kraft bewundern, können nur hoffen, daß Li Tieying und seinesgleichen Einhalt geboten wird, ehe es zu spät ist. Nur die internationale Gemeinschaft kann auf China den entsprechen-den Druck ausüben, um das zu erreichen. Die Tibeter hoffen trotz allem, denn sie spüren, daß sich das Blatt endlich doch zu ihren Gunsten zu wenden scheint. Im Augenblick stehen sie zwar immer noch allein, genau wie in den vergangenen vierzig Jahren. Aber sie sind verbunden wie nie zuvor. Auf den Straßen von Lhasa wird ein Lied gesungen, in dem sich das Bewußtsein widerspiegelt, daß sie zusammengehören, was auch geschehen mag. «Im Norbulingka haben viele verschiedene Blumen ge-blüht», singen sie. «Doch weder Hagelschauer noch Winterkälte können dem Band, das uns vereint, je etwas anhaben.»[28]

Im Exil: Dharamsala, Himachal Pradesh, Indien

(September 1991)

Tibet lebt heute nicht innerhalb, sondern außerhalb von Tibet. Alles, was Tibet ausmacht – seine Kultur, seine Religion, jeder Bereich –, lebt außerhalb von Tibet.

Khensur Lodi Gyari,
Sonderbotschafter des Dalai Lama
in Washington

Und immer noch fliehen sie, versuchen, der Hoffnungslosigkeit zu entkommen. Heute leben mehr als 110 000 tibetische Flüchtlinge in sechzehn verschiedenen Ländern: die Mehrzahl – 100 000 – in Indien, 6000 in Nepal, 1500 in Bhutan, 1700 in der Schweiz und kleinere Gruppen in anderen Ländern wie den Vereinigten Staaten, wo ihre Zahl rasch wächst, und in England. Die meisten haben nicht die Staatsbürgerschaft ihrer Gastländer angenommen, sondern ihren Flüchtlingsstatus beibehalten, um auf diese Weise zu bekräftigen, daß sie eines Tages heimkehren werden.

Armselig, erschöpft treffen sie ein – ein Strom, der seit über 30 Jahren nicht abreißt. Seit Beginn der letzten Terrorwelle 1987 sind Tausende geflohen, doch nicht alle hatten Erfolg. Viele sterben immer noch unterwegs. Andere erleiden sonst irgendwie Schiffbruch. Im Mai 1990 beispielsweise lieferten die nepalesischen Behörden über 43 tibetische Flüchtlinge an die Chinesen aus, die sie wegen des Versuchs, das Land illegal zu verlassen, inhaftierten. Berichte aus grenznahen tibetischen Gebieten besagen, die Chinesen hätten jedem bei der Flucht erwischten Tibeter eine Geldstrafe von 2000 Yuan auferlegt.

Die meisten kommen wie selbstverständlich zuerst an diesen abgelegenen Ort auf einem Berghang über dem schönen Kangra-Tal. Das mag sich idyllisch anhören, doch Dharamsala ist ziemlich reizlos. Ein tibetischer Freund hat es mit einem Achselzucken charakterisiert: «Hier ist die Welt zu Ende. Der Bus kehrt um, weil er nirgendwohin weiterfahren kann. Wenn du aus deinem Haus trittst, kannst du nur hinauf- oder hinuntergehen.» Beides ist schwierig und an rasches Vorwärtskommen nicht zu denken. Dharamsala ist «im Sommer zu heiß, im Winter eisig; die einzigen angenehmen Monate sind August und September, aber da regnet es ununterbrochen», sagt ein anderer Freund. Es hat die zweitgrößte Niederschlagsmenge auf dem ganzen indischen Subkontinent zu verzeichnen, eine statistische Angabe, der man mühelos glaubt, wenn man miterlebt hat, wie die Monsunregenströme die ungepflasterten Wege in reißende Schlammbäche verwandeln. Der Dalai Lama selbst hat das Klima mit der chinesischen Politik in Tibet verglichen: unberechenbar und unerfreulich.

Aus welchem Grund wählen sich die Flüchtlinge dann Dharamsala als Ziel? Für sie, wie für alle Tibeter, ist es ein heiliger Ort, denn hier lebt der Dalai Lama, hier entwickelt die Exilregierung Zukunftspläne für Tibet. So kommen sie nach einem Aufenthalt in den Transitlagern, wo sie ärztlich untersucht und mit den erforderlichen Injektionen versorgt werden, hierher nach McLeod Ganj, in ein Aufnahmezentrum, wo stets rund 200 auf dem Zementfußboden auf Strohmatten kampieren. Hier haben sie ein Dach über dem Kopf und drei Mahlzeiten auf die Dauer von zwei Wochen.

Manche der jüngeren Ankömmlinge hatten ihre Zweifel, ob der Dalai Lama tatsächlich existiere, und sind ganz verblüfft, daß es ihn wirklich gibt. «Als ich klein war», erzählte mir ein junger Khampa, «hab ich mir den Dalai Lama immer als eine Art reichverzierte Statue vorgestellt, und dann war ich erstaunt, wie ich ihn vor mir sah, einen lebenden, atmenden Menschen. Das hab ich ihm gesagt, und er hat sich geschüttelt vor Lachen.»

Seine Heiligkeit trifft mit allen zusammen, entweder in einer Gruppe oder einzeln, die meisten weinen vor Bewegung und

Ermattung und haben erschütternde Dinge zu berichten. Er trauert mit ihnen, tröstet sie und sorgt für sie nach besten Kräften. Doch es sind so viele, und die Hilfe, die er ihnen bieten kann, ist günstigstenfalls vorübergehend. Das größte Problem stellt die Unterbringung dar. «Im Augenblick schlafen Flüchtlinge zu sechst in einem Bett, seitlich nebeneinandergeschachtelt», erzählt mir Tendsin Chögyel.

Der Sommer 1991 brachte eine ungewöhnlich große Anzahl von Flüchtlingen, über 376 erreichten Dharamsala, und mehrere hundert blieben in Nepal. Als eine Gruppe von 90 Nonnen – die meisten Jugendliche und Zwanzigjährige – hier eintraf und 66 sich entschieden, auf Dauer in Dharamsala zu bleiben, waren überhaupt keine Betten für sie vorhanden, und der tibetische Frauenbund wandte sich an Freunde und Gönner im Ausland um Hilfe. Lediglich 24 Nonnen wollten nach Südindien gehen, in die in Bylakuppe und Mundgod errichteten Nonnenklöster. Den Flüchtlingen steht es jederzeit frei, ihr Ziel zu wählen. Etwa 60 Prozent der jungen Männer, insbesondere die aus Kham und Amdo, entscheiden sich dafür, nach Süden zu gehen, an eine der Klosteruniversitäten der «Großen Drei» – Drepung, Sera und Ganden.

Insgesamt haben sich mehr als 35 000 Tibeter in Südindien angesiedelt, das den Schwerpunkt der Flüchtlingsgemeinde bildet. Sie leben hauptsächlich als Landarbeiter in fünf großen Umsiedlungslagern. Hier geht es «sehr einfach, sehr bescheiden» zu, sagt Tempa Samkhar, der einige Jahre Leiter der ersten Siedlung in Bylakuppe war (jetzt gibt es dort zwei Siedlungen): «Es ist eine Miniaturausgabe von Tibet. Man führt sein Leben genau wie zu Hause. Die meisten stehen um vier Uhr auf, sprechen ihre Gebete, melken ihre Kühe, gehen auf die Felder. Sie tragen tibetische Kleider, essen Tsamba und trinken tibetischen Tee. Natürlich essen sie im Unterschied zu daheim auch Reis und Mais. Sie helfen einander und haben ein gutes Verhältnis zu den einheimischen Indern. Wir haben eine Genossenschaft, die sich um das Wohlergehen der Siedler kümmert, ihnen beim Ankauf von Düngemitteln behilflich ist, ihre Erzeugnisse verkauft und so weiter. Sie hat auch Läden eröffnet, die den täglichen Bedarf befriedigen.»

Doch gutes Ackerland ist rar, und die Siedlungen müssen doppelt so viele Menschen versorgen wie vorgesehen. Keine der Siedlungen verfügt über zweckmäßige Bewässerungsanlagen, und sie haben schwer unter den häufigen Dürreperioden zu leiden. Die Flüchtlinge – einschließlich der Mönche, die mit Landarbeit ihren Lebensunterhalt verdienen müssen – haben indes ihre Fähigkeiten und begrenzten Mittel bestmöglich genutzt, landwirtschaftliche Forschungszentren eingerichtet, Molkereigenossenschaften, Silos, Reparaturwerkstätten für Traktoren und Eisenwarenhandlungen. Für einen kleinen Zusatzverdienst fahren die Flüchtlinge aus Bylakuppe neun Stunden lang in die Berge, um den Touristen dort Pullover zu verkaufen. Handwerkliche Zentren (wo Tibeter und Inder gemeinsam Teppiche weben) bieten Tausenden Beschäftigung. Die Flüchtlinge in Nepal haben sich auf diesem Gebiet besonders erfolgreich betätigt. Der Teppichexport steht in Nepal unter den Deviseneinnahmen an zweiter Stelle. In dem bei Touristen und Bergsteigern beliebten Land haben Tibeter Hotels, Pensionen, Läden und Restaurants eröffnet und viele damit ihr Glück gemacht.

In Dharamsala haben sie das gleiche getan, obwohl es dort weniger Touristen gibt und diese nur kommen, weil sie sich für die Tibeter und den tibetischen Buddhismus interessieren – oder den Dalai Lama sehen wollen. In den sechziger Jahren und Anfang der siebziger Jahre waren es vor allem die Hippies und Blumenkinder, die den Dalai Lama über den Weltfrieden und die Notwendigkeit der Bewußtseinsveränderung reden hören wollten. Manche sind immer noch da, Relikte aus der Vergangenheit – wie die Handvoll Briten.

In den engen, überfüllten, ungepflasterten Straßen von Dharamsala haben die unternehmungslustigen, arbeitsamen Tibeter Häuser gebaut, kleine Hotels, Cafés und Teestuben. Die große Gemischtwarenhandlung der indischen Familie Nowrojee ist noch unverändert vorhanden, doch unmittelbar daneben bieten bunte Marktstände Souvenirs, Trachtenschmuck, alte tibetische Geräte, T-Shirts, indische Röcke, Socken und Turnschuhe an. In einem handwerklichen Zentrum werden tibetische Teppiche, Thangkas (Rollbilder) und Pullover verkauft; es gibt Taxis,

Reisebüros, ein Postamt und zwei Buchhandlungen, auch ein Altenheim. Im Delek-Krankenhaus werden tibetische und indische Patienten liebevoll betreut, wenngleich in sehr beengten Räumlichkeiten, während man sich im Tibetan Medical and Astro Institute mit den traditionellen medizinischen Behandlungsmethoden kurieren lassen kann.

Besucher von Dharamsala bewundern die Tibeter, weil sie so erfinderisch scheinbar sämtliche Schwierigkeiten zu überwinden vermögen und weil sie so «gute» und geduldige Flüchtlinge sind. Doch Dharamsala hat ständig mit Problemen zu kämpfen. Nicht zuletzt bringt der unaufhörliche Flüchtlingsstrom akute Engpässe in der Wasser- und Stromversorgung mit sich. Auch in den besseren Unterkünften gibt es bei der eisigen Kälte im Winter keine Heizung, und fließendes Wasser ist beinahe Luxus. Weil sie unter dem Schutz der indischen Regierung stehen, dürfen die Tibeter von sich aus keine Steuern erheben, um damit die Lage zu meistern. Jeder tut sein Bestes, bringt ausrangierte Kleider und Schuhe in eine zentrale Sammelstelle und stiftet zumindest eine Kleinigkeit für den Flüchtlingsfonds.

Der Frauenverband und der Jugendkongreß (der überall in den verschiedenen Gastländern Mitglieder hat) kümmern sich um viele weitere Belange. Von der indischen Regierung kommt ebenfalls Unterstützung und von zahlreichen privaten Spenden aus dem Westen desgleichen. Zum Beispiel übernehmen Sponsoren in mehreren Ländern die Kosten für die Erziehung von Kindern. Es existieren jetzt 82 Schulen für tibetische Kinder in Indien, Nepal und Bhutan. Von diesen unterstehen 30 der von der indischen Regierung unterstützten Central Tibetan Schools Administration; 43, darunter neun Schulen in tibetischen Kinderdörfern und die Tibetan Homes Foundation, werden von der Erziehungsabteilung der tibetischen Zentralverwaltung betrieben. Außerdem gibt es noch neun autonome Schulen, die meisten in Uttar Pradesh und Sikkim.

Das Tibetan Children's Village sorgt für Unterbringung, Erziehung, Beköstigung und Kleidung von etwa 8000 Flüchtlingskindern, davon annähernd 2000 in Dharamsala, viele von ihnen sind Waisen oder wurden von ihren Eltern nach Indien gebracht, die dann der anderen Kinder wegen sofort nach Tibet zurückkehren müssen. «Es kommen ständig neue», sagte Tsewang Yeshi, der Leiter des Kinderdorfs in Dharamsala, «ungefähr 200 im Jahr. Häuser, die für die Unterbringung von 25 Kindern bestimmt sind, müssen jetzt rund 50 aufnehmen. Von den kleineren Kindern schlafen die meisten zu zweit in einem Bett.» Ich erkundigte mich, was er zu tun gedenkt, wenn die Institution aus den Nähten zu platzen droht. «Also wegschicken werden wir keinen einzigen», erwiderte er. «Und wenn wir sie in Zelten und Baracken unterbringen müssen, wir schaffen es schon irgendwie.»

Auf einem siebeneinhalb Morgen umfassenden Areal in Bir, im fruchtbaren Kangra-Tal unweit von Dharamsala, ist rund um ein handwerkliches Zentrum eine Siedlung entstanden. Es gibt dort auch eine Schule für die Jugendlichen, die aus dem heutigen Tibet kommen und nun ihre ersten Erfahrungen mit der bis dahin unbekannten Freiheit sammeln, die tibetische Kultur kennenlernen und englischen Sprachunterricht erhalten.

Den Chinesen paßt das nicht. Sie sind überzeugt, daß der Dalai Lama junge Tibeter in Bir militärisch ausbilden läßt; daß es sich um eine Schule für Revolutionäre handelt; daß all die schönen Worte über Gewaltlosigkeit lediglich Fassade sind. Da irren sie sich freilich. «In Tibet habe ich nichts über tibetische Kultur gelernt», sagte mir ein Junge, «statt dessen einen Wälzer nach dem anderen über chinesische politische Theorie studieren müssen. Ich bin als Wortführer einer Abordnung in die chinesische Dienststelle gegangen und habe um Unterricht in unserer eigenen Kultur gebeten, aber sie haben nur Flaschen auf meinem Kopf zertrümmert. Die Narben sind noch zu sehen.»

«Wir brauchen unbedingt bessere Schulbildung», erklärte ein anderer Junge. Er war aus Amdo gekommen und zwei Monate bis Indien unterwegs. «Seine Heiligkeit sagt uns, daß nur ein Dialog uns weiterbringt, aber für einen Dialog braucht man Bildung. Sie ist die Voraussetzung für alles.»[1] Die meisten Jugendlichen, die in Bir eine Ausbildung erhalten haben, sind tatsächlich nach Tibet zurückgekehrt, um den Tibetern die Wahrheit über die Exilgemeinde zu erzählen und die Information zu verbreiten, daß alle, die bereit sind, sich nach Indien durchzuschlagen und dabei auch Strapazen und Gefahren nicht scheuen, dort eine gründliche Schulbildung bekommen können. Hochschulbildung für die Exilanten bietet erhebliche Schwierigkeiten. Einige Tibeter besuchen zwar ein College oder eine Universität, aber weit mehr würden es gern tun, wenn sie es sich leisten könnten. Die Möglichkeiten sind begrenzt, die Gebühren hoch, Stipendien rar. Hinzu kommt, daß auch diejenigen, die ein Studium absolvieren konnten, danach Schwierigkeiten haben, eine Stellung zu finden. Diese Situation könnte die jüngeren Tibeter eines Tages zwingen, die Flüchtlingsgemeinschaft zu verlassen und die indische Staatsbürgerschaft zu beantragen. Im Süden geschieht das bereits in gewissem Umfang. «Es gibt ein enormes Arbeitslosenproblem», räumt Tempa Samkhar ein. «Wenn junge Leute die Ausbildung abgeschlossen haben, möchten sie nicht bloß auf den Feldern arbeiten wie ihre Eltern. Sie suchen eine Bürotätigkeit, aber sie können sie nicht in den Siedlungen finden. Ein paar kriegen Arbeit in den Büros der Genossenschaft, andere gehen weg und verkaufen Pullover.»

Das Jugendproblem ist überall kritisch. Junge Tibeter wachsen in Dharamsala in einer Kultur auf, die sich von der ihrer Eltern wesentlich unterscheidet. Sie tragen Jeans und Sweatshirts, sie lieben Popmusik und Fast food. Tendsin Chögyel hält es für die schwierigste Aufgabe, wie man der Jugend traditionelle tibetische Werte vermitteln, wie man sie überzeugen soll, daß es sich lohnt, die tibetische Kultur zu bewahren:

«Wir müssen uns genau darüber im klaren sein, was wir zu erhalten versuchen und warum wir dieses Leben führen. Ich sehe es im Augenblick als unsere Hauptaufgabe an, unsere Gemeinschaft autark zu machen, das Heute bestmöglich zu nutzen, damit es morgen von selber funktioniert. Was wir Tibeter bewahren müssen, ist die Kunst, glücklich zu werden, andere Menschen glücklich zu machen, die Kunst des Mitgefühls. Das ist der entscheidende Punkt in der spezifisch tibetischen Variante des Buddhismus. Der Rest, die äußere Manifestation dieses Konzepts, wie es die alte feudalistische Tradition repräsentierte, ist unwichtig.»

Wie sein Bruder meint auch der Dalai Lama, daß die Tibeter

im Exil ihre augenblickliche Lage optimal nutzen müssen, so daß sie für alles, was die Zukunft bringen mag, gewappnet sind. Im Hinblick darauf drängt Seine Heiligkeit weiterhin auf eine Verfassungsreform. Als im Mai 1990 die neue Zivilregierung in Lhasa die Schlinge um den Hals ihrer tibetischen Untertanen fester zuzog, wurde in Dharamsala ein völlig anderer Prozeß – in Richtung Demokratie und Rechtmäßigkeit – in Gang gesetzt. Auf einer außerordentlichen Versammlung von annähernd 400 Delegierten aus aller Welt wurde zum ersten Mal in der tibetischen Geschichte ein neuer Kaschag (Ministerrat) nicht vom Dalai Lama bestimmt, sondern von den Delegierten gewählt.

Am gleichen Tag, an dem diese Wahl stattfand, sprach der Dalai Lama zu mir von seinem Wunsch nach grundsätzlichem Wandel. Er wollte seinen Verfassungsentwurf von 1963 abändern und keinesfalls mehr als Regierungschef amtieren. «In der Vorstellung der Tibeter rangiert der Dalai Lama als höchster Herrscher über Tibet», räumte er bekümmert ein, denn er wußte um den massiven Widerstand, dem er sich gegenübersehen würde, «aber diese Auffassung ist unhaltbar. Sonst werden wir niemals ein demokratisches System haben. Wir müssen schriftlich festlegen, wie die Wahl der Volksvertreter und wie die Ernennung der Kabinettsmitglieder zu erfolgen hat.»[2] Es sei an der Zeit, sagte er, die Mitglieder des Kabinetts durch Abstimmung zu benennen, nicht durch sein Votum. «Die Menschen werden die Veränderung akzeptieren, weil ich ihnen zugesichert habe, daß ich bis zur endgültigen Befreiung die Führung behalte. Solange wir Flüchtlinge sind, bleibe ich, aber wenn die Tibeter ihre Freiheit errungen haben, werde ich *nicht* mehr an der Regierung teilhaben.»

Seine Entschlossenheit, die Tibeter auf die heutigen politischen Realitäten einzustimmen, zeigte sich im Juni des folgenden Jahres (1991), als die jünst gewählte Abgeordnetenversammlung eine neue Verfassung entwarf, die 115 Artikel enthielt. In einem Artikel ging es darum, daß der Dalai Lama zurücktreten müsse, falls er nicht mehr die erforderliche Stimmenmehrheit bekäme. Die Abgeordneten waren entsetzt über die Zumutung, eine solche Bestimmung ernst zu nehmen. «Wir haben diese Klausel dann tatsächlich ausgelassen», sagt Tendsin

Chögyel, einer der neuen Deputierten, «aber der Dalai Lama veranlaßte uns, sie wieder einzufügen mit dem strikten Hinweis, ohne sie wäre es keine Demokratie.»

Widerstrebend stimmten die Abgeordneten zu (lediglich Seiner Heiligkeit zu Gefallen), daß es eines Tages zur Absetzung des Dalai Lama kommen könnte. Solche Berührungsängste an der Schwelle zur Demokratie ärgern Radikale wie Lhasang Tsering und Dschamyang Norbu, die beide der Meinung sind, daß die tibetische Gesellschaft im Exil immer noch «zu tief im Sumpf der Vergangenheit steckt»[3]. «Wenn wir Demokratie anstreben, dann darf es keine Halbheiten geben», warnt Lhasang Tsering. «Das gegenwärtige System liefert neue Schuhe, um auf derselben alten Straße weiterzugehen. Wir müssen aber auch eine neue Straße bauen. Warum nicht mehr Experimente? Wir haben nichts zu verlieren, wir haben ja bereits alles verloren.»

Dennoch handelt es sich um einen echten Versuch in Demokratie, auch wenn er manchen zu langsam geht. Die neue Verfassung ist größtenteils darauf ausgerichtet, die Fundamente für ein System zu schaffen, das sich für die Siedlungen eignet. «Wichtig für uns ist herauszufinden, ob sich diese Verfassung hier und jetzt verwirklichen läßt», betont Tendsin Chögyel. «Wir wollen ja keine rein nominelle Verfassung, sondern eine lebendige. Unsere Aufgabe als Abgeordnete ist im wesentlichen, die Verfassung zu schützen, das Volk zu vertreten und dafür zu sorgen, daß die Verwaltung möglichst reibungslos funktioniert.»

Ein Verfassungsentwurf für das «zukünftige Tibet» wurde ebenfalls vorbereitet. Und wenn es auch noch einen langen Weg zurückzulegen gilt, so dürften die Tibeter mit Sicherheit die einzigen Flüchtlinge der Welt sein, die schon im Exil einen präzisen konstitutionellen Rahmenplan für die Zukunft erstellt haben.

Integraler Bestandteil der neuen Verfassung ist ein Bekenntnis zur Gewaltlosigkeit, der Verzicht, zur Erreichung der Unabhängigkeit Tibets zu den Waffen zu greifen. Auch dagegen erhebt Lhasang Tsering Einspruch, für den dies gleichbedeutend mit einem Verzicht auf das Recht zur Selbstverteidigung ist. Der Disput geht weiter, auch wenn Freunde im Westen den Tibetern immer wieder betonen, daß gerade die Gewaltlosigkeit so viele Außenstehende zu ihren Mitstreitern macht. «Es ist überaus wichtig, daß wir unseren Freiheitskampf auf diesem gewaltlosen Weg gewinnen», versicherte mir der Dalai Lama, «weil das ein Beispiel für den Rest der Welt sein wird.» Das rasche Verschwinden des Kommunismus in Europa im Herbst 1991 ließ auch in Dharamsala neue Hoffnung aufkommen. Seitdem der 13. Dalai Lama 1931 seine warnende Stimme gegen die Schreckensherrschaft des Kommunismus erhoben hatte, sahen die Tibeter darin eine unbezwingbare negative Kraft. Doch nun wurde diese negative Kraft durch die unterdrückten Völker selbst besiegt. Auch in China ist die Situation nach fester Überzeugung des Dalai Lama reif für einen Wandel. Dabei gibt er zu, daß die alten Männer immer noch an der Macht und fest entschlossen sind, ihren harten ideologischen Kurs weiterhin durchzusetzen:

«Aber der Druck von außen übt auf ihre Politik immer mehr Wirkung aus. Zum Beispiel hat sie die Menschenrechtsfrage früher völlig kaltgelassen. Heute sehen sich die Chinesen gezwungen, ausländische Delegationen zu empfangen, deren Besuch vor allem dem Zweck dient, Menschenrechtsverletzungen zu durchleuchten.»[4]

China ist jedenfalls kein Monolith mehr, und die Lage im Innern muß als überaus labil bezeichnet werden. «Es geht nicht bloß um einen Führungskampf», meint Lhasang Tsering. «Da bestehen Spannungen innerhalb der Partei, Spannungen zwischen Partei und Militär, Spannungen innerhalb der Armee selbst. Das Massaker auf dem Platz des Himmlischen Friedens brachte wirklich den Wendepunkt. Danach bin ich vielen chinesischen Studenten in Nordamerika, Europa, Australien begegnet. Selbst diejenigen, die Tibet immer noch für einen Teil von China halten, glauben jetzt zumindest, was die Tibeter seit langem gesagt haben. ‹Wenn unsere Regierung uns so etwas antun kann, warum sollen wir dann nicht glauben, daß sie mit den sogenannten tibetischen Barbaren noch schlimmer umspringt?› fragen sie. Da gab es bestimmte Teile in der Armee, die im Juni 1989 den Befehlen der Partei nicht gehorchten. Hätte die Führung in einer künftigen ähnlichen Situation das Vertrauen, denen dieselben Befehle zu geben? Und wenn sie es tut, was geschieht dann?»

Dies und die Überzeugung, daß der chinesische Kommunismus ebenso wie der sowjetische schließlich in ein wirtschaftliches Chaos münden wird («Wie die Mandschus und die Nationalisten vor ihnen werden die Kommunisten erkennen müssen, daß sie westliche Wissenschaft und Technologie nicht ohne westliches liberales Denken haben können»[5]), läßt viele Tibeter glauben, daß sie eine neue Chance bekommen.

Diese Hoffnung baut nicht zuletzt auf den Mut und die Entschlossenheit der einfachen Tibeter, die immer noch in der chinesischen Falle sitzen. Es gibt keine Familie in Tibet, die unversehrt geblieben wäre, nicht einmal die Angehörigen von Kadern und Kollaborateuren. Doch die Menschen haben den nach wie vor unbeugsamen Willen, frei zu sein, wie der Dalai Lama betont. Und den unbeirrbaren Glauben an den Dalai Lama, könnte man hinzufügen. «Das ist unsere größte Stärke», bekräftigt Lhasang Tsering. «Auf der Welt gibt es viele Freiheitsbewegungen, aber keine von ihnen hat den Vorteil, einen einzigen Führer zu besitzen, der ausnahmslos von allen Menschen geliebt wird.»

Das Schicksal der Tibeter liegt noch im Ungewissen, und es mag ihnen noch viel Leid bevorstehen, aber die Welt hat endlich angefangen, Tibet wahrzunehmen. Interesse, Sympathie und Unterstützung sind jetzt weitverbreitet. Die Tibeter in aller Welt sind überzeugt, daß sie in ihre Heimat zurückkehren werden, und zwar eher früher als später. «Es hat den Anschein, als ob dieser Zeitpunkt näherrückt», meint der Dalai Lama. «Ich sage den Tibetern neuerdings, daß sich innerhalb von fünf bis zehn Jahren alles geändert haben wird.»

Man kann nur hoffen, daß er recht behält.

Anmerkungen

Prolog

1 *Asia Watch*, Bericht einer amerikanischen Menschenrechtsgruppe, Februar 1990.
2 Rede in Tokio, 1982.
3 16. 3. 91.
4 ABC TV-Film, *Lost Horizons*, Juli 1991.
5 Oberhaus-Debatte über Tibet, 13. 12. 1989.

Nicht Rauch noch Staub

1 Roger Hicks, *Hidden Tibet. The Land and Its People*, S. 31.
2 Heinrich Harrer, *Sieben Jahre in Tibet*, S. 140.
3 Michael Harris Goodman, *The Last Dalai Lama*, S. 23.
4 Harrer, S. 163.
5 Chris Mullin/Phuntsog Wangyal, *The Tibetans. Two Perspectives on Tibet-Chinese Relations*, S. 6.
6 Lama Anagarika Govinda, *Der Weg der Weißen Wolken*, S. 188.
7 Mullin/Wangyal, S. 16.
8 Harris Goodman, S. 27.
9 Interview 1989.
10 Interview, Dharamsala 1989.
11 Interview, Dharamsala 1989.
12 Interview, Dharamsala, September 1989.
13 Hugh E. Richardson, *Tibet and Its History*, S. 12.
14 John Avedon, Artikel in *From Liberation to Liberalisation: Views on «Liberalised» Tibet*, 1982.
15 Tsepon W. D. Shakabpa, *Tibet: A Political History*, S. 204.
16 Shakabpa, a. a. O.
17 Vgl. Peter Hopkirk, *The Great Game*, 1991.
18 Einzelheiten s. Edmund Candler, *The Unveiling of Lhasa 1905*, und Peter Hopkirk, *Trespassers on the Roof of the World*, Kap. 10.
19 Shakabpa, S. 230.
20 K. Dhondup, *The Water-bird and Other Years*, Rangwang Publ., New Delhi, S. 1.
21 Dalai Lama, *Mein Leben und mein Volk*, S. 62.
22 Richardson, S. 188.

Eine Atempause

1 Shakabpa zufolge ersuchte die britische Regierung 1922 um Genehmigung, eine Handelsstraße von Indien nach Gyantse zu bauen. Doch die Einheimischen, die mit Lasttieren ihren Unterhalt verdienten, protestierten; das Projekt wurde fallengelassen.
2 *Mein Leben und mein Volk*, S. 56.
3 Interview, Dharamsala, September 1989.
4 Richardson, S. 33.
5 Vijay Kranti, *Dalai Lama. The Nobel Peace Laureate Speaks*, S. 126.
6 *Mein Leben und mein Volk*, S. 64.
7 Hopkirk, Kap. 15.
8 John Avedon, *In Exile from the Land of Snows*, 1984.
9 Harrer, S. 233.
10 Harrer, S. 233.

Teile und herrsche

1 Interview, Dharamsala, September 1989.
2 Interview, Dharamsala, September 1989.
3 Goodman, S. 156.
4 Interview, Dharamsala, September 1989.
5 Avedon, S. 32.
6 Goodman, S. 160.
7 *Mein Leben und mein Volk*, S. 66.
8 Harrer, S. 268.
9 Interview, Dharamsala, Mai 1990.
10 *Mein Leben und mein Volk*, S. 70.
11 Alexandra David-Néel, *Mein Weg durch Himmel und Höllen*, S. 199.
12 Holmes Welch, *Buddhism under Mao*, S. 18–23.
13 Interview, Dharamsala, Mai 1990.
14 Dalai Lama, *Das Buch der Freiheit* (Bastei-Lübbe-Tb 61239, Berg. Gladbach 1992), S. 108.
15 *Mein Leben und mein Volk*, S. 79–89.
16 *Das Buch der Freiheit*, S. 116.

Ein Akt der Gewalt

1 Interview, Dharamsala, September 1989.
2 Interview, London 1989.
3 Interview, London 1989.
4 Jamyang Norbu, *Horseman in the Snow. The Story of Aten, an Old Khampa Warrior*, S. 70.
5 Jamyang Norbu, a. a. O.
6 Goodman, Kap. 16 (zitierte Augenzeugenberichte).
7 Interview, Dharamsala, September 1989.
8 Christoph von Fürer-Haimendorf, *The Renaissance of Tibetan Civilization*, S. 92.

9 Jamyang Norbu, a. a. O.
10 Goodman, S. 197.
11 Goodman, a. a. O.
12 Interview 1989.
13 Harrer, S. 164.
14 Interview, Dharamsala, September 1989.
15 Mullin/Wangyal, S. 16.
16 *Tibet under Chinese Communist Rule. A Compilation of Refugee Statements, 1958–1975*, Information Office, Dharamsala.
17 Avedon, S. 44.
18 Jamyang Norbu, S. 76.
19 Interview, Dharamsala, Mai 1990.
20 Goodman, S. 255.
21 Vanya Kewley, *Tibet. Behind the Ice Curtain*, S. 270 f.
22 Avedon, S. 47.
23 Avedon, S. 44 f.
24 Jamyang Norbu, S. 91.
25 Goodman, S. 232.
26 Vanya Kewley, S. 91.
27 Nien Cheng, *Life and Death in Shanghai*, London 1986.
28 Fredrick Hyde-Chambers, *Lama, A Novel of Tibet*, London 1984.
29 Interview, Dharamsala, September 1989.
30 Jamyang Norbu, S. 122.
31 Jamyang Norbu, S. 102 f.

Kleines Licht im Sturm

1 Interview, Dharamsala, Mai 1990.
2 Interview, Dharamsala, September 1989.
3 *Mein Leben und mein Volk*, S. 88 f.
4 Interview, Dharamsala, Mai 1990.
5 *Mein Leben und mein Volk*, S. 94 f.
6 Dawa Norbu, *Red Star over Tibet*, S. 132.
7 Dhondup, S. 136.
8 *Mein Leben und mein Volk*, S. 102 f.
9 Avedon, S. 117 f.
10 *Mein Leben und mein Volk*, S. 106.
11 Interview, Dharamsala, Mai 1990.
12 Interview, Dharamsala, Mai 1990.
13 *Mein Leben und mein Volk*, S. 116.
14 Gompo Tashi Andrugtsang, *Four Rivers, Six Ranges*, S. 42 f.
15 Goodman, S. 163.
16 John Prados, *The President's Secret Wars. CIA and Pentagon Covert Operations from World War II through Iranscam*, S. 149–170.
17 Avedon, S. 48.
18 *Das Buch der Freiheit*, a. a. O.
19 *Mein Leben und mein Volk*, S. 107.

Der Elefantenfuß

1 Interview, Dharamsala, September 1989.
2 Interview, Dharamsala, September 1989.
3 Zeugenaussage vor dem Tribunal für Menschenrechte, Bonn, März 1989 und Interview, Dharamsala, September 1989.
4 Catriona Bass, *Der Ruf des Muschelhorns*, S. 170 f.
5 Bericht der Internationalen Juristenkommission, Juli 1960.
6 Goodman, S. 234.
7 Jamyang Norbu, S. 122.
8 Interview, London 1989.
9 Interview, Dharamsala, September 1989.
10 Jamyang Norbu, S. 128.
11 *Mein Leben und mein Volk*, S. 129.
12 *Mein Leben und mein Volk*, S. 127.
13 *Mein Leben und mein Volk*, S. 130.

Aufstand in Lhasa

1 Interview, Dharamsala, September 1989.
2 *Mein Leben und mein Volk*, S. 139.
3 Interview, Dharamsala, Mai 1990.
4 Interview, Dharamsala, September 1989.
5 Interview, Dharamsala, September 1989.
6 Interview, London, Juni 1991.
7 Interview, London, Juni 1991.
8 Interview, Dharamsala, September 1989.
9 *Mein Leben und mein Volk*, S. 154.
10 *Das Buch der Freiheit*, S. 203.
11 *Mein Leben und mein Volk*, S. 155.
12 Interview, London, Juni 1991.
13 *Das Buch der Freiheit*, S. 204.
14 *Das Buch der Freiheit*, S. 205.
15 *Das Buch der Freiheit*, S. 207.
16 *Das Buch der Freiheit*, S. 207 f.
17 *Mein Leben und mein Volk*, S. 162.
18 Dawa Norbu, S. 154.
19 Interview, Dharamsala, Mai 1990.
20 *Tibet under Communist Rule*, S. 33.
21 *Das Buch der Freiheit*, S. 209.

«Frühlingseinzug in Tibet»

1 Interview, Dharamsala, September 1989.
2 Interview, Dharamsala, September 1989.
3 Interview, Dharamsala, Mai 1990.
4 *Tibet under Communist Rule*, S. 34.

5 Tsering Dorje Gashi, *New Tibet* (Information Office, Dharamsala 1977).
6 Bass, S. 273.
7 Bass, S. 273.
8 Avedon, S. 226.
9 Avedon, S. 228.
10 Avedon, S. 230.
11 *Tibet under Communist Rule*, a. a. O.
12 Tsering Dorje Gashi, a. a. O.
13 Vanya Kewley, S. 121.
14 *The Tibetans*, zit. aus *Tibetan Review*, März 1981, S. 4 f.
15 Dawa Norbu, S. 219.
16 Interview, Dharamsala, Mai 1990.
17 *Tibet under Communist Rule*, a. a. O.
18 Dawa Norbu, S. 222.
19 Mullin/Wangyal, a. a. O.
20 *Tibet under Communist Rule*, S. 87.
21 Hugh E. Richardson, S. 213.
22 Aus Privatkorrespondenz von Llewellyn Wyn Griffith, 5. 1. 1948.
23 Dawa Norbu, S. 167.
24 Tsering Dorje Gashi, S. 80.
25 Avedon, a. a. O.
26 *Tibet under Communist Rule*, a. a. O.
27 Paul Theroux, *Riding the Iron Rooster*, London 1988.
28 Avedon, S. 237.
29 Dhondub Chodon, *Life in the Red Flag People's Commune*, S. IV.
30 Dawa Norbu, a. a. O.
31 Tsering Dorje Gashi, a. a. O.
32 Dawa Norbu, S. 185.
33 Interview, Dharamsala, September 1989.
34 Interview, Dharamsala, September 1989.
35 Dawa Norbu, S. 206.
36 *Tibet under Chinese Communist Rule*, a. a. O.
37 Dawa Norbu, S. 206.
38 Interview mit Pema Saldon, Dharamsala, Mai 1990.
39 Kewley, S. 250 f.
40 *Tibet Society and Relief Fund Journal*, Winter 1983/84.
41 *Tibet under Chinese Communist Rule*, a. a. O.

Der weiße Kranich fliegt nach Süden

1 Dawa Norbu, S. 148.
2 *Mein Leben und mein Volk*, S. 171 f.
3 Interview, Dharamsala, Mai 1990.
4 *Das Buch der Freiheit*, S. 224.
5 Mullin/Wangyal, S. 21.
6 Bericht der Internationalen Juristenkommission 1959.
7 Dawa Norbu, S. 155.
8 Interview, London 1989.

9 Avedon, S. 72.
10 Interview, Dharamsala, Mai 1990.
11 Interview, London 1989.
12 *Das Buch der Freiheit*, S. 234.
13 Avedon, S. 82.
14 Avedon, S. 84.
15 Avedon, S. 88.
16 Avedon, S. 88.
17 Goodman, S. 324.
18 *Mein Leben und mein Volk*, S. 185.
19 Dawa Norbu, S. 243.

Befreiung der Nachbarn

1 Dawa Norbu, S. 158.
2 Avedon, S. 118–125.
3 Avedon, S. 267.
4 Avedon, S. 270 f.
5 Prados, a. a. O.
6 Kewley, S. 123.

«Ein großer Stein auf dem Weg»

1 Avedon, S. 271.
2 Interview, Dharamsala, September 1989.
3 *Tibetan Review*, August/September 1969, S. 11.
4 Avedon, S. 274.
5 *Tibet under Chinese Communist Rule*, a. a. O.
6 Interview, Dharamsala, September 1989.
7 Avedon, S. 275.
8 Dhondub Chodon, S. 140.
9 *Peking Review*, Bd. VIII, Nr. 37, 10. 9. 1965.
10 Bass, S. 157f.
11 Avedon, S. 277.

Über alle Maßen

1 *From Liberation to Liberalisation*, S. 184.
2 Erklärung *Lhasa Revolutionary Rebel General Headquarters*, 22. 12. 1966.
3 Tsering Dorje Gashi, S. 24 f.
4 Dhondub Chodon, a. a. O.
5 *Tibet under Communist Rule*, S. 110.
6 Dhondub Chodon, S. 64.
7 Dhondub Chodon, S. 64.
8 *Das Buch der Freiheit*, S. 346.
9 *Tibet under Chinese Communist Rule*, a. a. O.

336

10 Interview, Dharamsala, September 1989.
11 Bass, S. 193.
12 *Tibet under Chinese Communist Rule*, a. a. O.
13 *Tibet under Chinese Communist Rule*, a. a. O.
14 Interview, Dharamsala, Mai 1990.
15 Dhondub Chodon, a. a. O.
16 Interview, Dharamsala, Mai 1990.
17 *From Liberation to Liberalisation*, S. 170.
18 Dhondub Chodon, a. a. O.
19 Dhondub Chodon, a. a. O.
20 *Tibet under Chinese Communist Rule*, a. a. O.
21 Tsering Dorje Gashi, S. 128 f.
22 Avedon, S. 289.
23 Interview, Dharamsala, Mai 1990.
24 Interview, Dharamsala, September 1989.
25 Interview, Dharamsala, September 1989.
26 *From Liberation to Liberalisation*, S. 185.
27 Avedon, S. 290.
28 Avedon, S. 290 f.
29 *Beijing Review*, 19. 7. 1974, S. 11.
30 *Tibet under Chinese Communist Rule*, a. a. O.
31 Interview, Dharamsala, September 1990.
32 Dhondub Chodon, a. a. O.
33 *Das Buch der Freiheit*, S. 267 f.
34 Interview, Dharamsala, Mai 1990.
35 Tsering Dorje Gashi, a. a. O.
36 Tsering Dorje Gashi, a. a. O.

Ein chinesisches Vietnam

1 Aussage beim Tribunal für Menschenrechte, Bonn, April 1989.
2 Avedon, S. 316 ff.
3 Avedon, S. 301.
4 Avedon, S. 301.
5 Interview, Dharamsala, September 1989.
6 Interview, Dharamsala, September 1989.
7 Interview, Dharamsala, Mai 1990.
8 Interview, Dharamsala, September 1991.
9 Avedon, S. 302.
10 Avedon, S. 303.
11 Interview, Dharamsala, Mai 1990.
12 Kewley, S. 124.
13 Interview, Dharamsala, September 1989.
14 S. Bhushan, *China. The Myth of a Superpower*, New Delhi 1976.
15 22. 11. 1972.
16 Interview, Dharamsala, September 1989.
17 Avedon, S. 373.

18 Mullin/Wangyal, S. 10.
19 Howard C. Sacks, *The Quest for Universal Responsibility. Human Rights Violations in Tibet*, S. 20 f.
20 Dhondub Chodon, a. a. O.
21 *Tibet under Chinese Communist Rule*, S. 155.
22 Interview, Dharamsala, September 1989.
23 Interview, Dharamsala, September 1989.

Neuanfang im Exil

1 Interview, Dharamsala, September 1991.
2 Interview, Dharamsala, September 1991.
3 Jamyang Norbu in *Tibetan Review*, November 1990.
4 Interview, London 1989.
5 Interview, Dharamsala, September 1989.
6 Avedon, S. 127.

«Das ist purer Kolonialismus»

1 Avedon, S. 327.
2 *Das Buch der Freiheit*, S. 331.
3 Avedon, S. 328.
4 Avedon, S. 329.
5 Interview, Dharamsala, September 1989.
6 Interview, Dharamsala, September 1989.
7 Aussage beim Tribunal für Menschenrechte, Bonn 1989; Interview.
8 Interview, Dharamsala, September 1989.
9 Interview, Dharamsala, September 1989.
10 *Das Buch der Freiheit*, S. 338.
11 Interview, Dharamsala, September 1991.
12 Heinrich Harrer, *Wiedersehen mit Tibet*, S. 71.
13 Avedon, S. 33.
14 Avedon, S. 419.
15 Avedon, S. 337.
16 *From Liberation to Liberalisation*, S. 177.
17 *Das Buch der Freiheit*, S. 341.
18 Interview, London 1989.
19 *Das Buch der Freiheit*, S. 341.
20 Interview, London, Juni 1991.
21 Avedon, S. 337.
22 W. P. Ledger, *The Chinese and Human Rights in Tibet*, 1988.
23 Interview, Dharamsala, September 1991.
24 *Das Buch der Freiheit*, S. 351.
25 Avedon, S. 344.
26 Interview, Dharamsala, September 1991.
27 *From Liberation to Liberalisation*, S. 133.

28 Interview, London, 1989.
29 Interview, London, Juni 1989.
30 *From Liberation to Liberalisation*, S. 96; Mullin/Wangyal, S. 18.
31 Interview, London, Juni 1989.
32 Interview, London, Juni 1989.
33 Harrer, *Wiedersehen*, S. 72.
34 *From Liberation to Liberalisation*, S. 113.
35 Mullin/Wangyal, S. 18.
36 *Das Buch der Freiheit*, S. 351 f.
37 John Avedon, *Tibet Today*, 1987.
38 Avedon, a. a. O.

Von der Liberalisierung zur Apartheid

1 Mullin/Wangyal, S. 21.
2 *The Times*, 27. 7. 1983.
3 Interview, Dharamsala, September 1991.
4 Bass, S. 105 f.
5 Interview, Dharamsala, Mai 1990.
6 Interview, Dharamsala, Mai 1990.
7 *Forbidden Freedoms: Beijing's Control of Religion in Tibet*, S. 14.
8 Interview, London, Mai 1991.
9 Dalai Lama, *Fünf-Punkte-Friedensplan für Tibet*.
10 *Das Buch der Freiheit*, S. 356.
11 Nick Danziger, *Danziger's Travels: Beyond Forbidden Frontiers*, 1987.
12 Avedon, a. a. O.
13 *From Liberation to Liberalisation*, S. 143 ff.
14 *From Liberation to Liberalisation*, S. 68.
15 W. P. Ledger.
16 *Forbidden Freedoms*, S. 43.
17 Vikram Seth, *From Heaven Lake: Travels through Sinkiang and Tibet*, 1983.
18 Harrer, *Wiedersehen*, a. a. O.
19 Population Transfer and the Survival of the Tibetan Identity, 1986.
20 «Tibetans Struggle for Identity», 9. 9. 1981.
21 Michael Weisskopf in *International Herald Tribune*, 15. 8. 1983.
22 *Herald Tribune*, a. a. O.
23 Newsletter of Tibet Society and Relief Fund of the UK, Winter 1983/84.
24 *Tibetan Review*, Januar 1985.
25 *Tibet. The Facts*, S. 29.
26 Kewley, S. 253.
27 van Walt van Praag, S. 18.
28 Interview, Dharamsala, September 1991.
29 van Walt van Praag, S. 13 f.
30 van Walt van Praag, S. 20.
31 Avedon, a. a. O.
32 Interview, Dharamsala, September 1991.
33 Interview, Bir School, Mai 1990.

34 Interview, Dharamsala, September 1989.
35 Bass, S. 23.

Die «Endlösung»

1 Interview, Dharamsala, September 1989.
2 Vijay Kranti, *Dalai Lama: The Nobel Peace Laureate Speaks*, 1990.
3 Interview, Dharamsala, September 1989.
4 Bass, S. 157.
5 Richard Bassett in *The Spectator*, 14. 9. 1985.
6 *Forcible Birth Control Policy in Communist Chinese-Controlled Tibet from 1983*, Aussage vom 27. 5. 91 beim Office of Information and International Relations in Dharamsala.
7 Bass, S. 179 f.
8 Interview, Dharamsala, September 1991.
9 Bass, a. a. O.
10 Bass, S. 183.
11 Danziger, a. a. O.
12 Bass, S. 187 f.
13 *Defying the Dragon: China and Human Rights in Tibet*, Bericht März 1991, S. 40 f.
14 Radio Lhasa, 10. 3. 1988.

Der Kampf ist aufgenommen

1 Avedon, a. a. O.
2 *Das Buch der Freiheit*, S. 367.
3 *Das Buch der Freiheit*, S. 369.
4 *Das Buch der Freiheit*, S. 370.
5 *Das Buch der Freiheit*, S. 370 f.
6 Interview, Dharamsala, September 1989.
7 *Das Buch der Freiheit*, S. 374.
8 *Defying the Dragon*, Bericht vom 1. 10. 1987.
9 *Defying the Dragon*, a. a. O.
10 *The Suppression of a People. Accounts of Torture and Imprisonment in Tibet*, November 1989.
11 *Defying the Dragon*, a. a. O.
12 Interview mit Sonam Tseten, September 1989 in Dharamsala.
13 Interview, Dharamsala, September 1989.
14 *Defying the Dragon*, S. 23.
15 *Asian Wall Street Journal*, 14. 4. 89.
16 Interview, Dharamsala, September 1989.
17 Interview, Dharamsala, Mai 1990.
18 Interview, Dharamsala, Mai 1990.
19 Interview, Dharamsala, Mai 1990.
20 Interview, Dharamsala, September 1991.
21 Interview, Dharamsala, September 1989.
22 *Defying the Dragon*, S. 24.

Vergeltungsmaßnahmen

1 Steve Myhill vom Britischen Museum in *The Voice of Tibet*, London, Sommer 1988.
2 *Das Buch der Freiheit*, S. 376.
3 *Das Buch der Freiheit*, S. 377.
4 *Defying the Dragon*, S. 25.
5 Robert Delfs in *Far Eastern Economic Review*, 17. 3. 1988.
6 *Tibet in China. An International Alert Report*, August 1988, Dok. 4.
7 *The Observer*, 8. 5. 1988.
8 *Asian Wall Street Journal*, 14. 4. 1988.
9 *Das Buch der Freiheit*, S. 377 f.
10 Aussage beim Information Office in Dharamsala, Name unbekannt.
11 Avedon, S. 32.
12 *Defying the Dragon*, S. 17.
13 *Defying the Dragon*, S. 43.
14 Interview, Dharamsala, Mai 1990.
15 *Defying the Dragon*, S. 17 f.
16 *Defying the Dragon*, a. a. O.
17 Kewley, S. 114.
18 Interview, Dharamsala, Mai 1990.
19 John Ackerly/Blake Kerr, *The Suppression of a People: Accounts of Torture and Imprisonment in Tibet*, S. 37.
20 Ackerly/Kerr, a. a. O.
21 Ackerly/Kerr, a. a. O.
22 *Tibet in China*, S. 36.
23 William McGurn in *Asian Wall Street Journal*, 14. 4. 1988.
24 Ackerly/Kerr, a. a. O.
25 Theroux, S. 481.
26 Theroux, S. 485.
27 Office of Information and International Relations, Dharamsala, Informationsblatt Nr. 4, 1989.
28 *Tibetan Review*, Vol. XXIII, Nr. 12, Dezember 1988.
29 *Defying the Dragon*, S. 26.
30 *Tibetan Review*, Januar 1989.
31 *The Irish Times*, 9. 3. 89.
32 Interview mit dem Dalai Lama in Thekchen Choeling, Dharamsala, September 1989.

«Die Hühner abschlachten und die Affen abschrecken»

1 Michael Fathers/Andrew Higgins, *Tiananmen. The Rape of Peking*, 1989.
2 *Defying the Dragon*, Anhang C, S. 115.
3 *Defying the Dragon*, S. 27.
4 *Time*, 20. 3. 89.
5 *Defying the Dragon*, S. 27.
6 Interview, Dharamsala, Mai 1990.
7 *Das Buch der Freiheit*, S. 383.

341

8 *Irish Times*, Leitartikel, 9. 3. 1989.
9 *Present Conditions in Tibet*, S. 10.
10 *Defying the Dragon*, S. 29.
11 *Das Buch der Freiheit*, S. 384 f.
12 *Time*, 20. 3. 1989.
13 *Irish Times*, 9. 3. 1989.
14 *Irish Times*, a. a. O.
15 *Irish Times*, 10. 3. 1989.
16 *Defying the Dragon*, S. 5.
17 *Defying the Dragon*, S. 6.
18 *Present Conditions in Tibet*, a. a. O.
19 *Defying the Dragon*, S. 37.
20 *Defying the Dragon*, S. 48 f.
21 Interview, Dharamsala, Mai 1990.
22 Fathers/Higgins, S. 11.
23 *Das Buch der Freiheit*, S. 385.
24 Arthur Kent in *The Observer*, 23. 7. 1989.
25 Fathers/Higgins, S. 11.
26 T. I. N. Summary, 25. 5. 1990, S. 5.
27 Arthur Kent in *The Observer*, 23. 7. 1989.
28 T. I. N. Summary, 25. 5. 1990, S. 4 f.
29 Interview, Dharamsala, September 1991.
30 Interview, Dharamsala, September 1989.
31 Interview, 11. 9. 1989; an dem Tag begann der Jugendkongreß in Dharamsala.
32 Interview, September 1989.
33 Interview, Dharamsala, Mai 1990.
34 *Vanity Fair,* Mai 1991.
35 *The Times*, 6. 10. 1989.
36 *Das Buch der Freiheit*, S. 386 f.
37 *Defying the Dragon*, S. 30.
38 *Tibetan Review*, November 1989.
39 *Defying the Dragon*, S. 11.
40 *Tibet Support Group UK Newsletter*, März 1991.
41 Interview, Dharamsala, Mai 1990.
42 *Tibet Support Group UK Newsletter*, März 1991.
43 *Defying the Dragon*, S. 17.
44 Rede bei Verleihung des Friedensnobelpreises, Aula der Universität, Oslo,
11. 12. 1989.
45 *The Times*, 6. 12. 1989.
46 *Das Buch der Freiheit*, S. 387.
47 *The Daily Telegraph*, 7. 12. 1989, Bericht Reuter.
48 Stephen Vines in Hongkong. Artikel im *Guardian*.

«Ein brodelnder Vulkan»

1 T. I. N. Summary, 25. 5. 1990, S. 2.
2 Sie brauchte fünfzehn Tage, um nach Nepal zu gelangen, davon neun Tages-
und Nachtmärsche ohne Pause, oft über hohe Pässe.

3 *Defying the Dragon*, S. 93.
4 *Defying the Dragon*, S. 20.
5 T. I. N. News Update, 30. 5. 1990.
6 *Defying the Dragon*, S. 91.
7 Pema Dechen in *Dolma: The Voice of Tibetan Women*, Sommer 1991.
8 W. P. Ledger, S. 25.
9 Interview, Dharamsala, September 1991.
10 Pema Dechen, a. a. O.
11 Kewley, S. 105 f.
12 Interview, Dharamsala, September 1991.
13 Robert Barnett in *The Spectator*, 16. 3. 1991.
14 T. I. N. News Update, 30. 5. 1990.
15 T. I. N. News Update, a. a. O., S. 4.
16 Alex Shoumatoff in *Vanity Fair*, Mai 1991.
17 *Independent Magazine*, 27. 10. 1990.
18 T. I. N. News Update, 3. 3. 1991.
19 T. I. N. News Update, 3.–22. März 1991 und Tibet Support Group Newsletter, März 1991.
20 *Tibetan Bulletin*, September/Oktober 1991.
21 T. I. N. News Update, 21. 3. 91, und George Hill in *The Times*, 22. 3. 1991.
22 *Tibet News*, Nr. 6, Juli 1991.
23 T. I. N. News Update, 17. 5. 1991.
24 T. I. N. News Update, 20. 5. 1991.
25 *Tibetan Bulletin*, September/Oktober 1991.
26 *Tibetan Bulletin*, September/Oktober 1991.
27 T. I. N. News Update, 30. 8. 1991.
28 *The Voice of Tibet*, Bd. I/6, August 1991.

Im Exil: Dharamsala, Himachal Pradesh, Indien

1 Interview, Bir School, Kangra Valley, Indien, September 1989.
2 Interview, Dharamsala, Mai 1990.
3 Jamyang Norbu in *Tibetan Review*, November 1990.
4 Interview, Dharamsala, September 1991.
5 Interview mit Lhasang Tsering, Dharamsala, September 1991.

Literaturverzeichnis

Den folgenden Autoren und Werken verdanke ich am meisten:

Dalai Lama: *Mein Leben und mein Volk. Die Tragödie Tibets*, Droemer Verlag, München 1962 (stets zitiert nach Knaur-Tb 3698).

Dalai Lama: *Das Buch der Freiheit, Die Autobiographie des Friedensnobelpreisträgers*, Lübbe Verlag, Bergisch Gladbach 1992 (Bastei-Lübbe-Tb 61 239).

Avedon, John: *In Exile from the Land of Snows*, Michael Joseph Publ., London 1984.

Goodman, Michael Harris: *The Last Dalai Lama*, Shambhala Publ., Boston 1986.

Richardson, Hugh E.: *Tibet and Its History*, Shambhala Publ., Boston 1987.

Mullin, Chris/Phuntsog Wangyal: *The Tibetans. Two Perspectives on Tibetan-Chinese Relations*, Minority Rights Group Report, 4, London 1983.

Defying the Dragon. China and Human Rights in Tibet, herausgegeben von LAWASIA (The Law Association for Asia and the Pacific Human Rights Standing Committee) und T. I. N. (Tibet Information Network), März 1991.

Forbidden Freedoms. Beijing's Control of Religion in Tibet. Report by the International Campaign for Tibet, Washington, D. C., September 1990.

Tibet under Chinese Communist Rule. A Compilation of Refugee Statements, 1958–1975, Information Office, Dharamsala.

Weitere Buchpublikationen:

Ackerly, John/Kerr, Blake: *The Suppression of a People.* Accounts of Torture and Imprisonment in Tibet. Physicians for Human Rights, November 1989.

Ash, Niema: *Flight of the Wind Horse*, Rider Press, Pomfret/Vermont 1989.

Avedon, John: *Ein Interview mit dem Dalai Lama*, Diamant Verlag, Jägerndorf 1985 (2. Aufl.).

Avedon, John: *Tibet Today*, Wisdom Publications, Boston 1987.

Bass, Catriona: *Der Ruf des Muschelhorns. Begegnung mit Tibet*, Rowohlt Verlag, Reinbek 1992 (rororo 12 649).

Brook, Elaine: *Land of the Snow Lion. An Adventure in Tibet*, Jonathan Cape Publ., London 1987, 1989.

Bushan, S.: *China. The Myth of a Superpower*, Progressive People's Sector Publ., New Delhi 1976.

Candler, Edmund: *The Unveiling of Lhasa*, London 1905.

Cavendish, Richard (Hg.): *Mythologie der Weltreligionen*, Gondrom Verlag, Bindlach 1991.

Danziger, Nick: *Danziger's Travels: Beyond Forbidden Frontiers*, Random House Publ., New York 1988.

David-Néel, Alexandra: *Heilige und Hexer. Glaube und Aberglaube im Lande des Lamaismus*, F. A. Brockhaus Verlag, Wiesbaden 1984.

David-Néel, Alexandra: *Mein Weg durch Himmel und Höllen. Das Abenteuer meines Lebens*, Scherz Verlag, Bern 1986.

Dawa Norbu: *Red Star over Tibet*, Envoy Press, New York 1987.

Dhondub Chodon: *Life in the Red Flag People's Commune*, Dharamsala 1978.

Dhondup, K.: *The Water-horse and other Years. A History of the 17th and 18th Century Tibet*, Dharamsala 1984.

Fathers, Michael/Higgins, Andrew: *Tiananmen. The Rape of Peking*, The Independent/Doubleday Publ., London 1989.

Fürer-Haimendorf, Christoph von: *The Renaissance of Tibetan Civilization*, Oracle/Arizona 1990.

Gompo Tashi Andrugtsang: *Four Rivers, Six Ranges. A True Account of Khampa Resistance to the Chinese in Tibet*, Dharamsala 1973.

Govinda, Lama Anagarika: *Der Weg der weißen Wolken. Erlebnisse eines buddhistischen Pilgers in Tibet*, Scherz Verlag, Bern 1992 (13. Aufl.).

Harrer, Heinrich: *Sieben Jahre in Tibet. Mein Leben am Hofe des Dalai Lama*, Ullstein Verlag, Berlin 1991 (Ullstein-Tb 32021, 13. Aufl.).

Harrer, Heinrich: *Wiedersehen mit Tibet*, Innsbruck 1983 (zitiert nach Ullstein-Tb 23 157).

Hicks, Robert: *Hidden Tibet. The Land and Its People*, Element Books, Longmead, Shaftesbury/Dorset, 1988.

Hopkirk, Peter: *Trespassers on the Roof of the World. The Race for Lhasa*, Oxford University Press und John Murray Publ., London 1982.

Hopkirk, Peter: *The Great Game. On Secret Service in High Asia*, Oxford University Press 1991.

Hyde-Chambers, Fredrick: *Lama. A Novel of Tibet*, Souvenir Press, London 1984.

Jamyang Norbu: *Horseman in the Snow. The Story of Atan, an Old Khampa Warrior*, Dharamsala.

Kewley, Vanya: *Tibet. Behind the Iron Curtain*, Collins Publ., London 1990.

Kranti, Vijay: *Dalai Lama. The Nobel Prize Peace Laureate Speaks*, Centrasia Publ. Group, New Delhi 1990.

Ledger, W. P.: *The Chinese and Human Rights in Tibet. A Report to the Parliamentary Human Rights Group*, London 1988.

Levenson, Claude B.: *Dalai Lama. Die autorisierte Biographie des Nobelpreisträgers*, Benziger Verlag, Zürich 1990.

Migot, André: *Tibetan Marches*, Rupert Hart-Davis Publ., London 1955.

Nien Cheng: *Life and Death in Shanghai*, Collins/Grafton Publ., London 1986.

Pallis, Marco: *Peaks and Lamas*, Cassell Publ., London 1939.

Prados, John: *The President's Secret Wars. CIA and Pentagon Covert Operations from World War II through Iranscam*, William Morrow Publ., New York 1986.

Rinchen Lhamo: *We Tibetans*, Potala Press, New York 1985 (zuerst London 1926).

Rintschen Dölma Taring: *Ich bin eine Tochter Tibets. Lebenszeugnisse aus einer versunkenen Welt*, Scherz Verlag, Bern 1992 (Neuausgabe).
Sacks, Howard C.: *The Quest for Unviersal Responsibility. Human Rights Violations in Tibet*, Dharamsala 1983.
Seth, Vikram: *From Heaven Lake. Travels through Sinkiang and Tibet*, Random House Publ., New York 1987.
Theroux, Paul: *Riding the Iron Rooster. By Train through China*, Hamish Hamilton, London 1988.
Thubten Jigme Norbu/Turnbull, Colin: *Tibet. Its History, Religion and People*, Chatto & Windus Publ., London 1969.
Tsepan W. D. Shakabpa: *Tibet. A Political History*, Potala Press, New York 1984.
Tsering Dorje Gashi: *New Tibet*, Dharamsala 1977.
Walt van Praag, Michael C. van: *Population Transfer and the Survival of the Tibetan Identity*, A Report of the U. S. Tibet Commission, 1986.
Welch, Holmes: *Buddhism under Mao*, Harvard University Press, Cambridge/Mass. 1972.

Berichte und Dokumentationen:

From Liberation to Liberalisation. Views on «Liberalised» Tibet, Dharamsala 1982.
Government Resolutions and International Documents on Tibet, Dharamsala 1989.
Nobel Prize for Peace. Collected Speeches by the Dalai Lama in Oslo, December 1989, Dharamsala.
Present Conditions in Tibet, Dharamsala 1990.
Search for Jowo Mikyoe Dorjee, Dharamsala 1988.
The Legal Status of Tibet: Three Studies by Leading Jurists, Dharamsala 1989.
Tibet and Freedom, Tibet Society UK.
Tibet, China and the World. A Compilation of Interviews with the Dalai Lama, New Delhi 1989.
Tibet in China. An International Alert Report, August 1988.
Tibet. The Facts, Scientific Buddhist Association, London 1984.
Where Did Tibets Forests Go?, Dharamsala 1988.

Zeitschriften:

T. I. N.: Tibet Information Network, 7 Beck Rd., London E8 4RE. (Unabhängiger Informationsdienst)
Tibet Foundation Newsletter, Tibet Foundation, 43 New Oxford Street, London WCIA IBH. (Vierteljährlich)
The Tibet Society Newsletter, Olympia Bridge Quay, Russell Road (Westside), London W14. (Vierteljährlich)
Tibetan Bulletin, the official journal of the Tibetan Administration, Dept. of Information, Dharamsala 176215 (H. P.), India. (Zweimonatlich)
Tibetan Review, New Delhi. (Monatlich)

Personen- und Sachregister

Abkommen von 1951 47, 49f.
Abtreibung → Geburtenkontrolle, gewaltsame
Ackerbau → Landwirtschaft
Ackerly, John 255, 272
Adelsfamilien 23, 26, 35f., 50, 118
Altan-Khan 27
Alkoholprobleme der tibet. Bevölkerung 316f.
Amdo, Nordteil von Tibet 18f., 32, 38, 48, 50, 55, 62ff., 77, 80ff., 90, 132, 179, 195, 198, 200, 202, 214, 230, 236f., 247, 250, 261, 292, 306
Amerikaner → USA
Amnesty International 251, 305, 312
Analphabetentum 24, 213
Arbeitslager 81, 109f., 116, 147, 151, 204, 214, 228, 298
Armee, chin. → Volksbefreiungsarmee, → Rote Garde
Armee, tibet. 29, 39, 50, 103, 146, 175
Aten, Nomadenführer 57, 59, 62, 70, 90
Atisha, ind. Gelehrter 27
Aufstände der Tibeter 93ff., 129, 132, 141f., 150, 168, 179ff., 195, 252ff., 261, 266f. (auch → Demonstrationen)
Ausbeutung der tibet. Naturschätze 235, 251
Ausbildung → Erziehungsprogramm des Dalai Lama, → Schulen
Auslandsbüros, tibet. 188
Autonome Region Tibet 13, 75, 111, 149, 152, 156f., 160, 176, 180, 184, 188, 194, 212, 214, 216, 230, 236, 277, 305
Avedon, John 113, 136, 145, 155, 167, 181, 207, 221

Barfußärzte 185, 205
Barkhor (Lhasa) 221, 233f., 266, 270, 275, 277, 308, 313
Barnett, Robert 13
Bass, Catriona 86, 156, 163, 167, 218, 234, 238f., 246f.
Bauern → Landwirtschaft

Bautätigkeit, chin. in Tibet 119, 219f., 224, 230, 238, 301, 314
Bell, Sir Charles 30
Beri Laga, tibet. Interviewpartnerin 84f., 123, 198
Bhutan 20, 60, 108, 129, 133, 137, 320, 324
Bildung – Erziehungsprogramm des Dalai Lama, → Schulen
Billington, John 275
Bir, tibet. Siedlung in Indien 325
Bön-Religion 26
Brahmaputra (tibet. Yarlung Tsangpo) 20, 40, 103, 216
Bräuche, Verbot der tibet. 167
Briten-Expedition 1904 29f.
Briten → Großbritannien
Buddha 25, 74, 78, 86f., 180, 207, 220, 265
Buddhismus, tibetischer 22, 25ff., 51, 59, 74, 116f., 163, 221, 223, 299, 301, 304, 323
Bush, George 303f., 317f.
Bylakuppe, tibet. Siedlung in Indien 136f., 191, 322f.

Central Relief Committee 133
Chamberlain, Arthur Neville 15
Chamdo, Stadt 40, 43, 48ff., 64, 66, 76, 141, 222, 227, 232, 269, 306f., 313
Changtang-Steppe 18, 110
Chao Erhfeng, chin. General 55
Chengdu, Stadt 59, 224
Chenresi, Bodhisattva 23, 28
Chen Shiqiu, chin. Regierungssprecher 257
Chiang Kaishek 32, 38, 131
Chupsang, Kloster 270
Chu Shi Gangdrug 80, 90, 109f.
CIA 80, 103, 108, 144ff., 192
Corry, Stephen 125
Curzon, Lord 29

Daladier, Edouard 15
Dalai Lama, Institution des 14, 18, 23, 27f., 44, 49
Dalai Lama, 5, 28

347

352

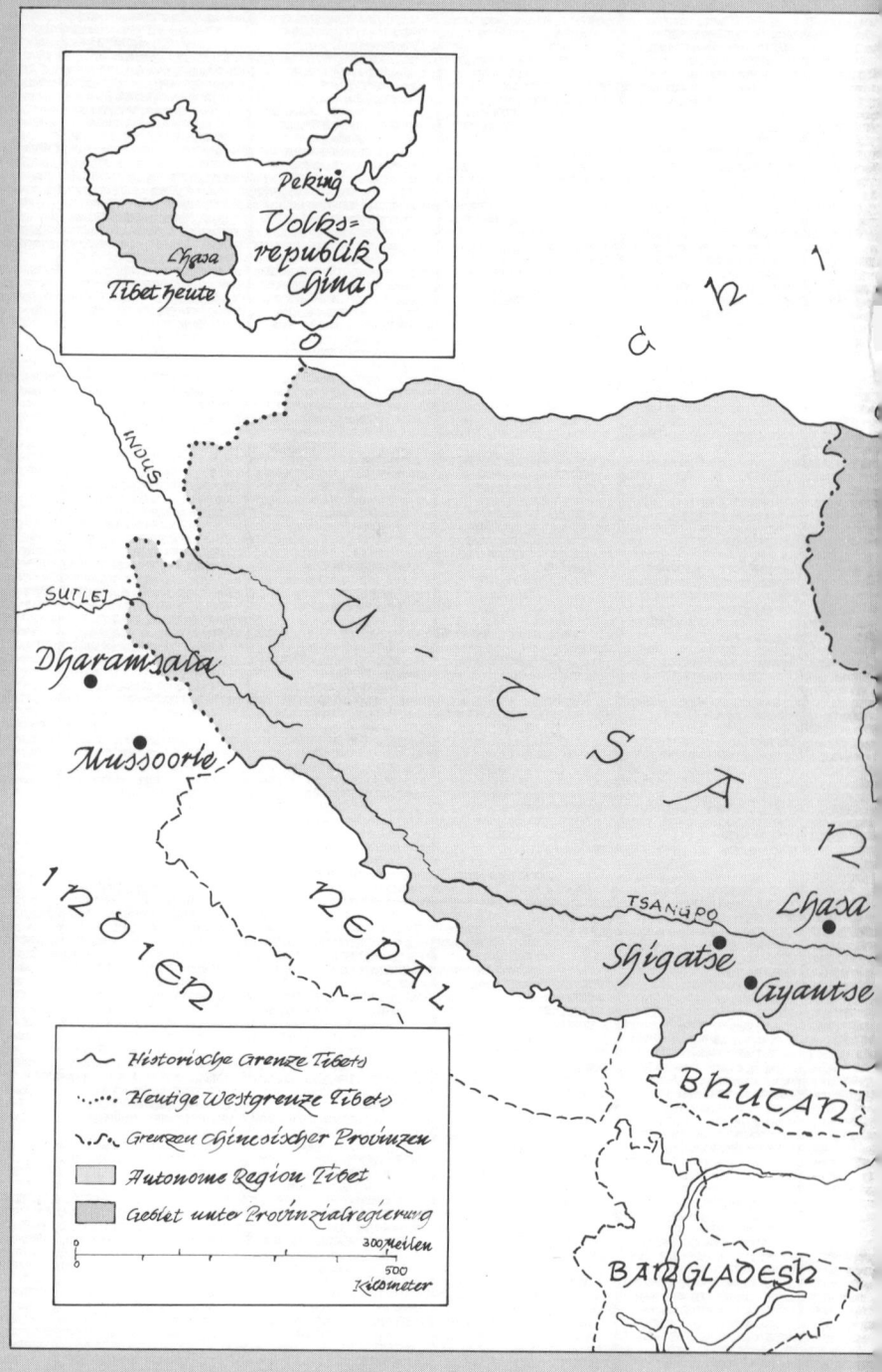

Peking

Volks=
republik
China

Lhasa
Tibet heute

INDUS

SUTLEJ

Dharamsala

Mussoorie

U - T S A N

INDIEN

NEPAL

TSANGPO

Lhasa

Shigatse

Gyantse

BHUTAN

BANGLADESH

~ Historische Grenze Tibets
..... Heutige Westgrenze Tibets
... Grenzen chinesischer Provinzen
Autonome Region Tibet
Gebiet unter Provinzialregierung

0   300 Meilen
0   500
                            Kilometer